Andrew M. Greeley

Pan tańca

Przełożyła z angielskiego
Ewa Poraj

Wydawnictwo „Książnica"

ℱ/20_30988.

Tytuł oryginału
Lord of the Dance

Fragmenty poetyckie przełożył
Jędrzej Czaja

Koncepcja graficzna serii i projekt okładki
Marek J. Piwko

Logotyp serii
Mariusz Banachowicz

Fotografia na okładce
© STONE/FPM

ISBN 83-7132-679-3

Brennanom — niezawodnym przyjaciołom

Muśnięcie

Doświadczona tancerka kręci w mgielnym puchu
piruety, tnie fale z wzgardliwą łatwością,
dojrzała, elegancka w każdym geście, ruchu,
wyniosła i dyskretna w dawaniu radości.
Wtem mała akrobatka — istne czary-mary! —
koziołkując z obłoków w stronę ziemi frunie,
staje na głowie, fika, groteskowo sunie,
wdzięk składając z prostotą jak trzej mędrcy dary.

To wynalazek Boga, jego dar dla ludzi,
uśmiech, który rozjaśnia ich życie jak słońce,
rzeźbiony rozbłysk w mroku, co zachwyty budzi,
barwna plama łamiąca szarzyznę bez końca.
Tylko twórca z zaiste nienagannym smakiem
mógł opatrzyć nas w drogę sakramentem takim.

Jedynym Bogiem godnym wiary jest Bóg, który tańczy.
Friedrich Nietzsche

Niełatwo jest zmartwychwstać.
Noele Farrell

Pląsałem w ów piątek, gdy niebo sczerniało,
choć trudno jest tańczyć, gdy krzyż więzi ciało.
Pogrzebali je pewni, że martwe, lecz jam
jest taniec wieczysty i wciąż w tańcu trwam.
Niechaj tedy ze mną tańczy każdy człek,
z każdej świata strony. Jam Pan tańca, rzekł.
Wszystkich, wszystkich ludzi ja powiodę w tan,
z każdej świata strony, bo jam tańca Pan.
Sydney Carter
Pan tańca

Powszechne jest wierzenie, że taniec,
jako sztuka rytmiczna, symbolizuje akt kreacji.
Słownik symboli, s. 76

Teraz
był tylko poranek
i tancerz wyszedł z otwartego grobu.
Ponoć
wciąż tańczy.
I dlatego
aż po dziś dzień
pochylamy się nad kołyskami naszych dzieci
i w owych chwilach przed nadejściem snu
opowiadamy o nieśmiertelnym tancerzu
aby sny o Jezusie niosły je do samego świtu.

John Shea
Boży bajarz

Zastrzeżenie

Niektórzy czytelnicy mają nieuleczalną, a przy tym nie całkiem niewinną skłonność do przypisywania sobie większej niż sam autor wiedzy na temat tego, kim „naprawdę" są powieściowi bohaterowie. Nie są w stanie uwolnić się od swej obsesji, daremne więc zdaje się przekonywanie ich, że zarówno klan Farrellów, jak i inne postacie zaludniające tę opowieść są tworem mojej wyobraźni. Mimo wszystko ostrzegam owych czytelników, że doszukując się analogii między bohaterami a autentycznymi osobami, sami pogłębiają swą chorobliwą obsesję.

Duchowni i rektorzy, politycy i dziennikarze, przestępcy i politolodzy, nędznicy i dostojnicy Kościoła, wydawcy i profesorowie zapełniający moją galerię postaci drugoplanowych mają u swych źródeł autentyczne chicagowskie pierwowzory, jednakże żadna z nich nie jest portretem konkretnej osoby. Także wydarzenia, w które zamieszane zostały postacie z mego rejestru — nie mylić z rejestrem policyjnym — nie przywołują wypadków rzeczywistych.

Jeśli chodzi o głównych bohaterów, to nie znam ani występującego w telewizji księdza podobnego do Johna Farrella, ani profesora polityka takiego jak Roger Farrell, ani oficera marynarki wojennej jak Daniel Farrell, ani piszącej w ukryciu autorki przypominającej Irene Farrell, ani kobiety interesu o cechach Brigid Farrell. Znam wprawdzie wiele młodych kobiet podobnych do Noele Farrell, lecz ona nie jest żadną z nich, choć w jakimś sensie jest wszystkimi.

I nie zawsze pochwalam działania stworzonych przeze mnie istot; żadna z nich nie przemawia też w moim imieniu — no, może czasem wyjątek stanowi tu ojciec Ace.

Na koniec dziękuję, że Sydney Carter napisał, a Mary O'Hara zaśpiewała „Pana tańca".

Pascha

Święcenie wody chrzcielnej i ognia w wigilię Wielkanocy — które w żydowskiej tradycji paschalnej jest dalekim przypomnieniem słupa ognia nad wodami Morza Czerwonego — stanowi kulminację chrześcijańskiego Triduum Paschalnego. Przejęte w czwartym wieku z rzymskich pogańskich rytuałów wiosennych święto ognia i wody miało dla pierwszych chrześcijan szczególne znaczenie. W zjednoczeniu tego co męskie (ogień) z tym co żeńskie (woda) widzieli dopełnienie przez zmartwychwstającego Jezusa związku ze swą małżonką, Kościołem, związku, którego owocami są przyjmujący wielkanocny chrzest. Dla chrześcijan więc ceremonia poświęcenia ognia i wody symbolizuje ludzką miłość, nawiązującą do miłości Bożej i stanowiącą jej kontynuację.

DRZEWO GENEALOGICZNE
RODZINY FARRELLÓW

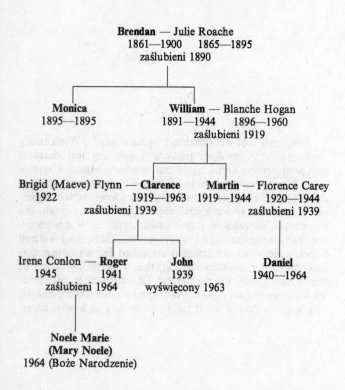

Brendan — Julie Roache
1861—1900   1865—1895
zaślubieni 1890

Monica
1895—1895

William — Blanche Hogan
1891—1944   1896—1960
zaślubieni 1919

Brigid (Maeve) Flynn — **Clarence**   **Martin** — Florence Carey
1922   1919—1963   1919—1944   1920—1944
zaślubieni 1939   zaślubieni 1939

Irene Conlon — **Roger**   **John**   **Daniel**
1945   1941   1939   1940—1964
zaślubieni 1964   wyświęcony 1963

**Noele Marie
(Mary Noele)**
1964 (Boże Narodzenie)

*M. N. Farrell
klasa 3a
wiedza o społeczeństwie*

Taniec pierwszy

Valse triste

Jutro jest dzień, gdy ruszę w tan.
Gdybyż mój miły jakimś cudem
był wonczas przy tym, gdybym mógł
mego miłego prosić w tan!
Śpiewaj, mój miły, śpiewaj, miły,
ten taniec to dla ciebie dar.

Dzień mego tańca
Średniowieczna pieśń wielkanocna

Jaśniejące w oddali spokojne, potężne wieczne Himalaje powiodły go myślami ku Irene. Typowy Irlandczyk, wszędzie widzi kobiece piersi, powiedziałaby rozbawiona. A on by odparł, że przynajmniej ma dobry gust w swym opętaniu. I już rumieni się zadowolona, jak zawsze łasa na komplementy.

Zawrócił szerokim łukiem nad płaskowyżem Sinkiang, przepisowe sto mil od granicy rosyjskiej. Tak przynajmniej mówił sekstans, w końcu jednak niepewny instrument. Już jest w połowie drogi. Ma słońce za sobą. I sprzyjające wiatry. Oby jak najdłużej. Ale ciągle daleko do starych kątów, gdzie wznosili weselny toast. Możesz czuć się jak w niebie, a za pół godziny dopadnie cię śmierć...

Wyszczerzył się w uśmiechu. Nie było jeszcze toastu za niego. Kiedy wróci, Jackie nie będzie mógł mu dłużej odmawiać... Do diabła z tym wściekle przystojnym księdzem; lepszy już ten intelektualista Roger. Przynajmniej coś bardziej wyszukanego niż stary irlandzko-amerykański stereotyp... Cholera. Stęsknił się już za jednym i drugim. Tyle mają w sobie z Clancy'ego, ich ojca. A są przede wszystkim dziećmi Brigid...

Jeszcze sześć godzin. Szef kontroli powiedział, że druga część podróży jest mniej ważna, ale czy można wierzyć we wszystko, co mówią? Zdrętwiał już cały w niewygodnym kombinezonie ciśnieniowym. Przy całej swej podniebnej urodzie wielki rozpoznawczy blackbird był dużo bardziej chimeryczny niż inne samoloty. Wymagał napiętej uwagi w każdej sekundzie lotu.

Nie mógł nie przelecieć nad Himalajami, gdyż leżały na drodze do jego celu w północnej Tajlandii. Raz jeszcze pomyślał o Irene.

Czy tak samo zdolna jest do wybaczania jak do namiętności? Chyba tak. Boże, musiałaby wybaczać mu przez resztę życia.

Słońce powlekło góry czerwienią i natychmiast dopadł go inny obraz: wujek Clancy u podnóża schodów, z rozbitej głowy płynie krew; gniew opuścił już ciało podobne teraz do porzuconej zabawki. I jeszcze raz krew: twarz młodej kobiety. To nie Irene. Ktoś inny. Matka być może. Ona i Irene często myliły mu się w marzeniach i snach. Co naprawdę stało się matce tamtego dnia? Czy on to pamięta? A może nosi w sobie historie zasłyszane później, gdy był już dużo starszy? Śliczna młoda twarz, zmasakrowana i pokrwawiona niczym wujek Clancy. I za każdym razem on był winien.

Nie może pozwolić, by to samo spotkało Irene.

Kontrakt opiewa jeszcze tylko na półtora roku. Co aż tak interesującego mogą ci Chińczycy tam robić? Za rok pojawią się szpiegowskie satelity, a wtedy pół odrzutowiec, pół szybowiec blackbird nie będzie już do niczego potrzebny.

Chyba jednak znajdzie się dla nich jakieś zajęcie. I dla latających na nich szaleńców też.

Wymienili Rosjan za Gary'ego Powersa. Ale z Chińczykami żadnych tego typu targów.

Jakże potrzebuję Irene! Ty najlepiej o tym wiesz, Boże. Ona też mnie potrzebuje. Beze mnie zginie.

Irene pochylająca się nad nim na plaży, jej długie włosy dotykające znieruchomiałego ciała, prowokująca go, aż myślał, że straci rozum. A potem jej ostre paznokcie... I ten bezwzględny zarzut, że daleko mu jeszcze do dojrzałości. Ich ostatni wspólny dzień i ostatnia kłótnia.

Prawie nie zauważył, że zgasły silniki; świadczył o tym nieco tylko zmieniony dźwięk i lekkie pochylenie samolotu. Nic nowego. Trzeba poszybować parę tysięcy stóp i ponownie je uruchomić.

Próbował na wysokości sześćdziesięciu tysięcy stóp, pięćdziesięciu pięciu, pięćdziesięciu... Bez skutku. Podobno chińskie migi nie są w stanie wzbić się na więcej niż czterdzieści pięć tysięcy stóp.

Blackbird opadał coraz niżej. Trzydzieści tysięcy stóp i nadal nie widział migów. Dwadzieścia pięć tysięcy. Nie ma wyjścia — musi się katapultować, zniszczyć samolot, opuścić Sinkiang. Ale dokąd pójdzie? Do Rosji?

Szarpnął dźwignię wyrzutni. Nie działała. Za sześćdziesiąt sekund samolot wybuchnie. Spróbował ponownie. Ciągle nic.

Kabinę wypełnił nowy zapach, a on nie mógł oderwać wzroku od tarczy zegarka: trzydzieści sekund, dwadzieścia, dziesięć...

Wybacz mi, kocham...

Samolot nie eksplodował, za to wokół pojawiły się nagle niezliczone migi podobne do kąśliwych owadów, usłyszał drobne pyknięcia, ujrzał ich rozbłyski. Strzelajcie, bracia Chińczycy, nie ma się co zastanawiać.

Spróbuj zanurkować, umknij im, uruchom silniki. Nic z tego. Stado migów go nie odstępowało. Kolejny pocisk i jeszcze jeden...

Kalejdoskop twarzy. Matka o szeroko otwartych wpatrzonych w niego oczach; Brigid w białej koronkowej szacie, podartej i zakrwawionej; Clancy, z którego głowy sączy się krew; John, zdowolony z siebie młody ksiądz; Roger, nieco wyniosły intelektualista; Irene...

Dobry Boże.

Irene.

Taniec drugi

Pawana

Pour une Infante défunte

Powolny taniec tworzący z galiardą, później także sarabandą i gigue, a niekiedy hornpipe klasyczną suitę.

John

— Jaki był naprawdę wujek Danny? — Noele Farrell wyciągnęła rękę z wycinkiem ze starej gazety, a jej zielone oczy błysnęły złowieszczo.

Monsignore John Farrell żałował teraz, że umówił się ze swą bratanicą na sobotni poranek. Już niebawem zjawi się Jim Mortimer, powinien więc raczej zastanawiać się nad strategią, jaką należy przyjąć w postępowaniu z wysłannikiem kardynała, zamiast dawać wymijające odpowiedzi na pytania o przeszłość rodziny Farrellów. Poza tym przed popołudniową spowiedzią miał jeszcze do sprawdzenia rejestry parafialne z całego miesiąca. Minęły już niestety czasy, gdy takimi sprawami zajmowali się wikariusze.

— Naprawdę to nie był twoim wujkiem, Noele — odparł znużony — chociaż wychowywał się razem ze mną i twoim ojcem. Był naszym kuzynem, a nie bratem.

Na twarzy Noele pojawił się wyraz zniecierpliwienia; księżniczka wyglądała na poirytowaną.

— Wiem o tym — zignorowała jego skłonność do precyzji. — Po prostu łatwiej mi myśleć o nim jako wujku niż kuzynie. Zgoda?

„Pilot z Chicago uznany za zaginionego w Chinach" — informował nagłówek z „Chicago Tribune" sprzed siedemnastu lat. John Farrell doskonale pamiętał ten tekst: władze chińskie donosiły, że odrzutowce Armii Ludowo- -Wyzwoleńczej zestrzeliły nad Sinkiangiem, nie zamieszkanym stepem w zachodnich Chinach, amerykański samolot szpiegowski, w którym zginął szpieg CIA, mieszkan...

Chicago, Daniel X. Farrell. Amerykański rząd nie wypowiedział się na temat samolotu ani Daniela X. Farrella. Rzecznik rodziny zabitego poinformował, że Daniel Farrell, absolwent Akademii w Annapolis, opuścił rok wcześniej po trzech latach aktywnej służby Marynarkę Wojenną Stanów Zjednoczonych i jak mniemano, podjął tajną pracę dla rządu. „Syn świętej pamięci kapitana Martina Farrella oraz bratanek Clarence'a Clancy'ego Farrella, prezesa Farrell & Sons Construction Company, Daniel Farrell należał do jednej z najbardziej wpływowych chicagowskich rodzin, tak boleśnie dotkniętej teraz tragedią..."

— Dlaczego zależy ci na tym, by zrozumieć Danny'ego? — spytał John. — I właściwie dlaczego musisz pisać pracę zaliczeniową akurat o historii naszej rodziny?

Noele błysnęła w uśmiechu rzędem nieskazitelnie białych zębów.

— Muszę to zrobić, wujku, ponieważ takie dostałam zadanie od siostry Amandy i ponieważ wujek Danny jest częścią mojego dziedzictwa.

— Nie próbuj go idealizować, Noele. — Odłożył wycinek na starannie wypolerowane dębowe biurko i wygładził brzegi oprawionego w czerwoną skórę notatnika. — Danny był czarującą, dowcipną, utalentowaną istotą, która niestety zmierzała nieuchronnie ku zgubie. Został usunięty z marynarki wojennej, bo naurągał dowódcy. Potem podjął tę szaloną pracę dla CIA, gdyż chciał zarobić jak najszybciej dużo pieniędzy. Zdawało mu się, że jest kimś w rodzaju pisarza. Bardzo dużo pił. Gdyby nie zginął w tamtym wypadku, na pewno byłby dziś skończonym alkoholikiem. Uważam, że Bóg nam wszystkim, nie wyłączając Danny'ego, oddał przysługę, kiedy powołał go do siebie tak wcześnie...

— Zostawmy umarłych pogrzebanych — westchnął. — Masz prawie siedemnaście lat, Noele. Niedługo już będziesz dorosła i zobaczysz, co to znaczy odpowiedzialność. Czas najwyższy, byś zrozumiała, że życie to poważna sprawa. Jeśli tego nie pojmiesz, nigdy nie staniesz się naprawdę dojrzała...

— Ohydztwo — rozprawiła się lekceważąco z dojrzałością.

John zdał sobie sprawę, że próba poskromienia Noele była czymś w rodzaju ujarzmiania wiosennej burzy. Jednakże trzeba było nad nią zapanować, inaczej unieszczęśliwi samą siebie.

I całą rodzinę.

— Wierz mi, o to właśnie w życiu chodzi — ciągnął nieubłaganie. — A ty tracisz czas śniąc na jawie o dawno umarłym Dannym Farrellu. To zwyczajna dziecinada.

W roziskrzonych zielonych oczach Noele pojawiło się coś nowego. Podejrzliwość? John kręcił się niespokojnie i marzył tylko, by zadzwonił stojący na biurku telefon. Ta dziewczyna z chichotliwej, żującej gumę szesnastolatki, która mówiła jakąś dziwną młodzieżową gwarą, stała się nagle ponadczasową wszechwiedzącą czarodziejką.

— Wygląda na to, że nie lubiłeś go zbytnio, wujku — powiedziała miękko. — Czemu jednak nie chcesz, żebym poszperała w rodzinnej przeszłości?

John próbował ukryć zdziwienie: Noele jeszcze raz — na pozór nieświadomie — zareagowała nie na jego słowa, lecz myśli.

Nie była kształtną Wenus jak jej matka, ale raczej gibką wysmukłą Dianą, gimnastyczką i tancerką poruszającą się z wdziękiem baletnicy czy może włoskiego policjanta kierującego ruchem albo maga, który wyczarowuje cuda. Właściwie prawie nie dostrzegało się jej zgrabnego ciała ani wspaniale rzeźbionych rysów, gdyż od pierwszego wejrzenia człowiek był pod wrażeniem jej zachwycających barw. Była celtycką boginią z dziewiętnastowiecznych ilustrowanych ludowych opowieści, niezwykłą, nierealną, prawie nieziemską. Długie płomiennie rude włosy, kontrastujące wyraziście z mleczną karnacją, frunęły za przechodzącą przez pokój jak żywy ogień. Zielone oczy pochłaniały każdego tak, że nie można się było od nich oderwać — oczy nie jasnozielone ani kocie, ale jak koniczyna, jak najzieleńsza murawa. Wydawała się przedchrześcijańskim bóstwem, gościem z tajemnej krainy zamierzchłej irlandzkiej przeszłości.

— Wręcz przeciwnie, Noele, bardzo go lubiłem, zresztą jak wszyscy. — Miał nadzieję, że zabrzmiało to szczerze; w jakimś sensie było przecież prawdą. — Danny był jednym z najbardziej uroczych i zachwycających ludzi, jakich znałem, z fantastycznym poczuciem humoru... Tak, nigdy się nie wiedziało, jaką zwariowaną sztuczkę ma w zanadrzu.

— To musiało być straszne dla ciebie, tatusia i babci, gdy zginął tuż po śmierci dziadka Clancy'ego.

John nerwowo oblizał wargi. Co mogła wiedzieć na temat śmierci Clancy'ego?

— Szczególnie boleśnie przeżyła to babcia. Kochała Danny'ego jak syna. W sumie twój ojciec i ja często żartowaliśmy sobie, że jest jej ukochanym synem. — Nieprawda, nigdy by się nie odważyli powiedzieć czegoś takiego. Brigid wpadała w gniew dużo groźniejszy niż jej mąż, bo potrafiła zachować przy tym chłodną przytomność umysłu. Jedynym, który ośmielał się jej przeciwstawić, był Danny. John zastanawiał się czasami, czy Brigid nie miała kiedyś romansu z Martinem, swym szwagrem i ojcem Danny'ego. Bez wątpienia była do tego zdolna. Mogłoby to tłumaczyć jej szczególną słabość do Danny'ego i rozpacz po jego śmierci. Przeklęty Danny. I Brigid taka sama. Wieczna grzesznica.

— Była tylko o parę lat starsza niż twoja mama teraz — ciągnął. — Zbyt młoda, by tracić męża. Szczególnie w takich okolicznościach. Tato był w chwili śmierci pijany, co nigdy wcześniej mu się nie zdarzało. Ale znasz babcię: wzięła się w garść i zapanowała nad wszystkim.

Noele wpatrywała się w ubranego w biały mundur Danny'ego na zdjęciu, które wyjęła z albumu pełnego wycinków, zapisków i rodzinnych fotografii.

— Ciekawa jestem, jaki byłby teraz, gdyby żył. Może by zaskoczył nas wszystkich? Bez wątpienia był interesujący... Czy CIA ma pewność, że został zabity?

— CIA nigdy się nie przyznało, że dla nich pracował. Ale kongresman Burns, ojciec obecnego kongresmana Burnsa...

— Wiem wszystko na temat rodziny Burnsów, wujku — oznajmiła najwyraźniej zadowolona z siebie Noele. — To znaczy, w ogólnym zarysie.

— A tak, zapomniałem, że przyszły kongresman Burns jest ci szczególnie bliski.

— Jaimie zostanie senatorem — oświadczyła z odwieczną pewnością Irlandki, która planuje życie swego mężczyzny za niego. — Jeśli tylko będzie mnie słuchał... No więc co dziadek Jaimiego wydobył z CIA?

— Człowiek, z którym się spotkał w Waszyngtonie, nie zaprzeczał, że Danny pracował dla CIA, ale co ważniejsze, powiedział, że Chińczycy nie mieli broni przeciwlotniczej, która mogłaby zestrzelić U-2. Jak się okazało, samolot uległ wypadkowi w wyniku defektu technicznego. Danny go przeżył, a umarł później albo na skutek obrażeń, albo stracony przez Chińczyków. I to wszystko, czegośmy się dowiedzieli.

Noele smutno pokręciła głową.

— Biedny Danny... Wujku, spojrzałeś pięć razy na zegarek w ciągu ostatnich dwóch minut, lepiej więc pójdę do domu popracować nad zadaniem... oczywiście najpierw obejrzę w telewizji, jak drużyna Jaimiego pokonuje Miami.

— Noele poderwała się z krzesła i w tym momencie zdjęcia z rodzinnego albumu posypały się na dywan. Jak pantera rzuciła się na podłogę, by je zgarnąć, nim John Farrell zdołał ruszyć się ze swego przepastnego fotela.

— Co to za fantastyczna dziewczyna na tym zdjęciu? I też w bluzie Notre Dame. Coś takiego, prawie w ogóle się nie zmieniły od tego czasu. Kto to jest, wujku?

— Flossie Carey, matka Danny'ego, nim jeszcze poślubiła wujka Martina.

— Ależ zabawne były wtedy fryzury.

Biedna Flossie. Rzeczywiście była nadzwyczajna. Czemu nie trzymała się z dala od Farrellów?

Tyle walk do upadłego z jej synem, Danielem. I także wspaniałych dni. Niezłą mieli zabawę wyżywając się razem na Rogerze. John nienawidził Danny'ego Farrella, a jednocześnie uwielbiał go. Kiedy któregoś lata w Grand Beach sądził, że się zakochał, nie kto inny jak Danny namówił go, by wrócił do seminarium. Powiedział, że dziewczyna nie jest go warta. A potem sam się z nią związał...

Wszyscy Farrellowie z listy Noele nie żyją już...

— Wiem, że nie żyją — powiedziała, odpowiadając raz jeszcze na jego myśli — ale są częścią mnie. A ja chcę wiedzieć, kim jestem.

Dzwonek zadźwięczał dokładnie w momencie, kiedy otwierał Noele drzwi gabinetu mającego nobliwym ciemnym brązem wzbudzać zaufanie. Rzucił okiem na swe odbicie w lustrze, by sprawdzić, czy modnie przycięte włosy są dobrze ułożone, a ubranie leży jak trzeba.

Lekko wystraszona gospodyni wprowadziła Jamesa Mortimera.

John przedstawił mu Noele z odcieniem dumy. Wielkogłowy nie miał takiej wspaniałej bratanicy. Obdarzyła kardynalskiego posłańca uśmiechem i ciepłym ,,Cześć, ojcze", na które odpowiedział godnym milczeniem i jakby dezaprobatą dla zielonego dresu szkoły Notre Dame. Wysłannicy kardynała nie mieli czasu dla nastolatek, szczególnie takich, które pojawiały się w biurze probostwa niestosownie ubrane.

— Dziękuję, wujku. Czy ojca rodzina też ma jakieś dziwne tajemnice? — zagadnęła monsignora Mortimera.

— Tylko bogaci Irlandczycy mogą sobie na coś takiego pozwolić, panno Farrell — z powagą odparł Wielkogłowy.

— Kiedy zaczęłam szperać w naszej rodzinnej przeszłości, znalazłam aż pięć skrzętnie skrywanych tajemnic. — Noele cmoknęła Johna w policzek, po czym popędziła po schodach w październikowe słońce, machnąwszy mu jeszcze wesoło na pożegnanie, gdy zamykały się już za nią drzwi plebanii.

Widać, że nie popuści, uznał John Farrell. Gdy pozbędę się Mortimera, będę musiał zadzwonić do Irene z ostrzeżeniem. Mnóstwo spraw może przybrać fatalny obrót, zwłaszcza jeśli jej ojciec będzie na tyle głupi, by ubiegać się o urząd gubernatora.

— Pozwól na górę, Jim — zwrócił się do Mortimera. — Przygotować ci drinka?

Wielkogłowy nie bez wysiłku wspinał się po schodach niczym hipopotam gramolący się z tropikalnej rzeki — idealny wizerunek człowieka uginającego się pod ciężarem problemów, z którymi boryka się Kościół.

— Nie mam zwyczaju pijać przed lunchem — oznajmił donośnie.

Głosem też przypominał hipopotama.

Noele

Idąc na probostwo, Noele włożyła nowy zielono-złocisty dres szkoły Notre Dame, który znakomicie podkreślał kolor jej oczu; zrobiła to nie po to, by wywrzeć wrażenie na wujku czy ojcu Ace, choć wiedziała, że na pewno spotka go na boisku. Ubrała się tak i związała włosy zieloną wstążką, gdyż na boisku mogli być chłopcy. Choć kochała się w Jaimiem Burnsie, daleka była od tego, by zapominać o swym wyglądzie, kiedy istniała możliwość, że w okolicy pojawią się jakieś atrakcyjne stworzenia płci męskiej.

Drzewa na wijących się ulicach dzielnicy, którą Noele uważała za najfantastyczniejsze miejsce na świecie, zaczynały już czerwienieć, przypominając ornaty księży noszone w Zielone Świątki, a wielkie dęby dokoła boiska pokrywało najprawdziwsze złoto, tak że razem z rozsłonecznionym asfaltem tworzyły istny gaj. Noele, która przepadała za łaciną i żałowała, że siostry nie uczą już greki, utrzymywała, że boisko jest święte. Ostatecznie stanowiło centrum parafii. Kiedy ktoś mówił „Chodźmy do Świętej Praksedy", miał na myśli nie kościół, lecz właśnie ten plac, gdzie grało się w kosza.

Święty gaj czy nie, boisko okazało się puste — pozbawione nie tylko ładnych chłopców, ale w ogóle jakichkolwiek. Tylko ojciec Ace próbował dosięgnąć krawędzi kosza. W tym wieku...

Był naprawdę stary, miał ze czterdzieści pięć lat, lecz nadal wyglądał świetnie — brunet o kręconych włosach i niebieskich oczach, przystojny Irlandczyk o szczupłej twarzy zawsze roześmianej i pełnej życia. No, może nie do końca Paul Newman, ale tak samo uroczy. I ciągle jeszcze był w stanie przegonić chłopców na boisku.

Dawno temu, gdy mama, Roger i wujek John byli nastolatkami, pojawił się jako młody ksiądz w parafii Świętej Praksedy. Potem został kapelanem w marynarce i doktorem psychologii, wykładał na Loyola University i przyjeżdżał tylko na weekendy, a wszystkie dzieciaki przepadały za nim również dlatego, że ojciec Miller nie miał kompletnie podejścia do nastolatków. Szczególnie do nastoletnich dziewcząt.

— Notre Dame da radę Hurricanes? — spytał, rzucając piłkę w jej stronę.

— A na koniec Jaimie zdobędzie piłkę, by zrobić zwycięskie przyłożenie — zdradziła się i równocześnie całkiem dobrze trafiła z daleka do kosza, rozpoczynając ulubiony mecz na rzuty.

Gówno, pomyślała, pozwalając sobie na słowo, którego nie używała nawet w duchu pominąwszy sytuacje, kiedy była naprawdę doprowadzona do rozpaczy. Nie wspomniałam, że biedak dostanie za swoje, choć nie za bardzo, dzięki Bogu.

— A więc będzie grał? — Ojciec Ace przyglądał się jej tak uporczywie, że aż spudłował w kolejnym rzucie. — Dopuszczą sennookiego do gry?

Tak właśnie gazety nazywały Jaimiego.

— Skąd mam wiedzieć? — Noele próbowała uciąć rozmowę, zdając sobie sprawę, jak trudno jest okpić ojca Ace'a. — Poza tym on wcale nie jest senny, tylko tak wygląda.

Wszyscy wokół sądzili, że Jaimie jest rozmarzonym mięczakiem robiącym wyłącznie to, co poleci mu Noele, po czym zapada w sen, z którego budzi się, by wypełnić jej kolejny rozkaz. Ale nikt nie widział pewnego wieczoru w barze w South Bend, gdzie na dobrą sprawę nie powinni byli się znaleźć, kiedy dwóch facetów próbowało ją podrywać. Jaimie niemal zmiótł obu z powierzchni ziemi.

— Jaki był Danny Farrell, ojcze? — spytała niewinnie.

— Nadal siedzisz nad pracą zaliczeniową? — zagadnął, a rzucona lewą ręką piłka trafiła bezbłędnie do kosza. — Musisz teraz rzucić prawą.

Leworęczna Noele normalnie ostro by zaprotestowała. Tym razem bardziej interesował ją Danny Farrell niż to, kto zwycięży.

— Wiem, że ksiądz był już tutaj, gdy wszyscy byli jeszcze bardzo młodzi... — Piłka niestety ominęła kosz.

— Nie znałem go zbyt dobrze. Trzymał się z dala od plebanii. Miły chłopak, chociaż jakby bał się spoważnieć. Zakochał się w twojej mamie, ale mnie już wtedy tutaj nie było. Czemu interesujesz się właśnie nim?

Noele trzymała piłkę w dłoniach i wpatrywała się w wytarty napis. Gra poszła w zapomnienie.

— Muszę się dowiedzieć, kim jestem, ojcze. Skąd mam wiedzieć, co w życiu robić, jeśli nie wiem, kim jestem?

— Wydaje mi się, że wiesz, kim jesteś, dużo lepiej niż większość twoich rówieśników.

— Skądże znowu! — zaprotestowała gwałtownie.

— Modlę się o to i modlę, i modlę — powtarzała, odbijając zawzięcie piłkę po każdym słowie. — A Bóg milczy, nie odpowiada i to mnie dobija.

Swoim zwyczajem ojciec Ace roześmiał się.

— Jesteś niezwykła, Noele, wiesz?

— Bo czasami zgaduję, co ludzie myślą, nim się odezwą? Roześmiał się znowu.

— Nie, bo potrafisz nakłonić niemal każdego, by zrobił, co ty chcesz, i cieszył się tym.

— Apodyktyczna mała diablica — powiedziała ponuro.

— Tylko czasami — przytaknął.

— Potwór. — Piłka trafiła tym razem w księdza.

— Ale także dlatego, że kochasz ludzi i oni o tym wiedzą.

— Dlatego jestem prezesem High Club i wiceprzewodniczącą rady młodzieży, i kapitanem drużyny siatkówki, i szefem zespołu muzycznego... Nie mogę jednak spędzić reszty życia, robiąc to wszystko, prawda? Dlatego muszę zrozumieć, kim jestem. Wiem, że jest coś, co powinnam odkryć.

— Tylko nie zaprzeczaj, że jesteś wyjątkowa. — Pozwolił piłce potoczyć się poza boisko.

— Jak zrobiła mama...

— Znowu czytasz w myślach.

— Przepraszam — poczuła, że się czerwieni. — Nic na to nie poradzę... Ale tak właśnie myślał ksiądz o mamie, prawda?

Ojciec Ace spoważniał nagle.

— Jako młody ksiądz nie chciałem odrywać wiernych od rodzin. Twoja mama była inteligentną, szczęśliwą uroczą dziewczyną, która zabawiała nas wszystkich cudownymi opowieściami. — Wzruszył ramionami. — Sądziłem, że jeśli pozwolę jej uważać się za wyjątkową, przestanie słuchać rodziców. No i wygrali.

— A ona myśli, że zawiodła księdza — rzekła Noele, uprzedzając znowu jego słowa. — Nadal pisze opowiadania, ale nie pokazuje ich nikomu, nawet mnie. Ja na pewno taka nie będę.

— A co będziesz robić?

— Może powinnam zostać pielęgniarką albo nauczycielką, albo nawet zakonnicą... kimś, kto mógłby pomagać ludziom. Może politykiem jak pan Burns... albo jak Roger, jeśli naprawdę myśli o urzędzie gubernatora. Myśli ksiądz, że byłabym dobrą zakonnicą?

— Nie mam pojęcia, ale wiem jedno: nie powinnaś niczego wybierać dlatego, że musisz. Nie tego oczekuje od nas Bóg.

— To kolejny powód, by odkryć... to znaczy, ciągle jakiś głos mi mówi, że jest coś, co powinnam odszukać.

— I musi to mieć związek z twoją rodziną?

Z powagą skinęła głową.

— Czy to jest dobre czy złe?

— Nie wiem — odparła przygnębiona. — Wiem tylko, że gdzieś tam jest. Cały czas. Jakby ktoś czekał, jakby potrzebował mojej pomocy. Muszę się dowiedzieć, co to jest.

Kiedy się już dowiesz, powiedział do siebie w duchu ojciec Ace, zapragniesz, by czas się cofnął i byś nigdy tego nie poznała.

— I nie dbam o to, że któregoś dnia zapragnę, by czas się cofnął i bym nigdy tego nie poznała — oznajmiła nieustępliwie Noele. — Jeśli się nie dowiem, będę nikim.

John

John Farrell próbował ustalić, jakie będą konsekwencje tego, że rozmawiając z monsignorem Mortimerem stracił panowanie nad sobą. Co do jednego nie ma wątpliwości —jutro każde probostwo w archidiecezji będzie o wszystkim wiedzieć.

Starszy od Johna o kilka lat Mortimer — syn powszechnie szanowanej pary; matka była nauczycielką, a ojciec inżynierem — wyróżniał się w seminarium brakiem inteligencji i rzucającą się w oczy skłonnością do podlizywania się przełożonym. Nikt nie traktował go wówczas poważnie. Na dobrą sprawę nikt nie brał go poważnie także po święceniach, aż do czasu gdy kardynał znalazł w nim posłusznego chłopca na posyłki, który miał patronować ulubionej zabawce jego eminencji — kosztownemu i niepotrzebnemu nikomu kanałowi telewizyjnemu. Mortimer natychmiast przyswoił sobie styl mówienia, strój i sposób bycia odpowiednie dla starszego rangą funkcjonariusza rzymskokatolickiego imperium, usiłując sprawiać wrażenie, że jest zaufanym kardynała, współtwórcą jego strategii. Oczywiście nie zwracano uwagi na te jego roszczenia i pretensje do bycia kimś. Kardynał na dobrą sprawę nie miał zaufanych; był jedynym i wyłącznym autorem polityki archidiecezji. Mimo wszystko Mortimer, łysy, otyły i bez polotu, stał się swego rodzaju osobistością; w każdym razie wśród młodych, którymi kardynał lubił się otaczać, Mortimer wyglądał i zachowywał się jak prawdziwy dostojnik kościelny.

Choć do lunchu pozostało jeszcze pół godziny, John Farrell przygotował sobie kolejnego J&B z wodą sodową, podczas gdy myślami podążył nie wiedzieć czemu ku letnim wieczorom spędzanym na plaży z Irene prawie dwadzieścia lat temu. Łagodna słabość w porównaniu z dzisiejszymi standardami, choć wystarczający dowód na to, że jego powołanie nie było wtedy zbyt silne. Odpędził podstępne wyobrażenia i zmusił się do skupienia na wysłanniku kardynała. Jeszcze tylko przez moment dotknięcie luksusowej skórzanej kanapy, którą odziedziczył po poprzedniku, przywoływało odległe wspomnienie innego dotyku...

— Twoje zdrowie, Jim — wzniósł toast za siedzącego naprzeciwko gościa. — Za sukcesy twojej telewizji.

— Widzę, że twój program ma marne notowania — powiedział Mortimer posępnie. Wielkogłowy był równie subtelny jak boeing 747 lądujący we mgle.

— Nie, dlaczego? — odparł lekko John. — W gruncie rzeczy nieco lepsze niż w zeszłym tygodniu i o niebo lepsze niż dwa tygodnie temu.

— Kardynał jest ciekaw, jak długo zamierzasz jeszcze ciągnąć ten talk show. — Mortimerowi zdecydowanie brakowało talentu dyplomatycznego. — Taki program nie może trwać wiecznie.

John odstawił whisky, zdjął marynarkę i koloratkę. Noele nierzadko dogryzała mu, że jest próżny, bo lubi się stroić. „Ta szyta na miarę koszula i spinki do mankietów... Naprawdę, wujku, czasami stroisz się jak żigolak."

— Nie ja o tym decyduję, ale właśnie podpisałem nowy kontrakt, więc chyba możesz powiedzieć kardynałowi, że będę się pojawiał na Kanale Trzecim raz w tygodniu przez najbliższe dwanaście miesięcy.

— Rozumiem — rzekł Mortimer takim tonem, jakby był kapitanem policji, który właśnie wysłuchał przyznania się do morderstwa. W chicagowskiej telewizji wszyscy wiedzieli o nowym kontrakcie, wszyscy z wyjątkiem Mortimera. — Będę z tobą szczery — ciągnął, a jego głos brzmiał jeszcze bardziej grobowo niż zwykle. — Kardynał jest zakłopotany twoim programem, John. Biskupi na spotkaniach ciągle go pytają o duchownego z jego archidiecezji, który przeprowadza w telewizji wywiady z aktorkami, feministkami, homoseksualistami, radykałami, a nawet heretykami takimi jak Hans Küng. Dziwią się, że pozwala księdzu z własnej diecezji tak straszliwie szkodzić Kościołowi...

Krzywda wyrządzona Kościołowi — oto nowy kierunek ataku.

— ...i świętym jak Matka Teresa.

— Kardynał wcale nie sądzi, że Matka Teresa jest aż tak nadzwyczajna.

Oczywiście nie o doskonałość Matki Teresy chodziło. Problemem było raczej to, jak długo można tolerować w archidiecezji kogoś, kto przykuwa uwagę publiczną w dużo większym stopniu niż sam kardynał. Przez wiele lat John kierował mediami diecezji, robiąc to najlepiej jak mógł przy funduszach bardziej niż ograniczonych, uzupełnianych nieprzerwanie pieniędzmi rodziny Farrellów. W końcu kardynał nabył własny kanał telewizyjny (gdzie w każdy poniedziałkowy wieczór przemawiał do „wszystkich księży i wiernych") i John stracił pracę. Wynagrodzono mu to Świętą Praksedą, jego rodzinną parafią w dzielnicy, którą — o czym kardynał nie wiedział — kochał bezgranicznie.

I tam pozostał, zadowolony ze swej anonimowości, aż szef Kanału Trzeciego — być może chcąc zrobić na złość kardynałowi za brużdżenie w telewizji — zaproponował Johnowi półgodzinny program w sobotni wieczór tuż po wiadomościach o dziesiątej trzydzieści. Co zadziwiające — audycja odniosła wielki sukces. Żywy dowcip Johna, dobrze zbudowanego przystojnego Irlandczyka, kulturalne, ale dociekliwe pytania stawiane rozmówcom zaskarbiły mu sympatię telewidzów. Wystarczyło jednak, by „Monsignore Farrell pyta" zbiegł się z „MASH-em" i „Star Trek" nadawanymi w tym samym czasie na innych kanałach i stracił część widowni, a już pojawiły się głosy krytyczne, dała również o sobie znać zawiść kolegów księży oraz oczywiście niechęć kardynała.

Jako proboszcz wspaniałej, dobrze się rozwijającej parafii czterdziestodwuletni John daleki był od pragnienia, by wyłamywać się z kościelnych szeregów czy klerykalnej kultury. Wizerunek księdza, który jest akceptowany i szanowany przez kolegów, znaczył dlań tyle samo co rzadki obraz dla kolekcjonera sztuki. Przez wszystkie te lata żył w dobrych stosunkach z innymi, toteż teraz czuł się zaniepokojony kąśliwymi uwagami, jakie seminaryjni koledzy i przyjaciele czynili na temat „osobowości telewizyjnej" ze swej diecezji.

Nie brakowało mu kłopotów: ze zniewieściałym wikarym i zbuntowaną matką przełożoną, integracją rasową, chwiejną radą parafialną, ogromnym budżetem szkolnym. A jednak — podczas gdy połowa jego kolegów z seminarium odstąpiła od ślubów — John nie mógł sobie wyobrazić porzucenia kapłaństwa. Tylko część jego duszy była znużona, przygnębiona i samotna. A teraz pełna gniewu. Znał swoje przeklęte usposobienie, wiedział, że już blisko do punktu zapalnego...

— Wiesz, co ludzie myślą o twoim programie? — powiedział Mortimer, trafiając Johna w czułe miejsce. — Uważa się, że eksponujesz swoje *ego*, że robisz to tylko dla siebie, nie dbając o dobro Kościoła.

Pomimo wysiłków John nie mógł zapanować nad narastającą w nim złością.

— Jeśli kardynał poleci mi, bym zrezygnował z programu, zrobię to. Jeśli nie, będę prowadził go co najmniej przez następne dwanaście miesięcy.

— Kardynał nie może zażądać tego od ciebie. — Mortimer próbował nadać swemu głosowi ton, który zapewne uważał za godny wytrawnego dyplomaty. — Zdajesz sobie chyba sprawę, jaki krzyk podniesiono by w telewizji, gdyby to zrobił. Nikt nie chce uczynić cię męczennikiem, John.

Na niewielkim stoliku stał model samolotu, pozostałość kolekcji, którą dzielił dawno temu z Dannym. Złapał go, starając się powściągnąć emocje.

— Znasz ten samolot, Jim? To mustang, P-51. Świetnie się spisywał podczas drugiej wojny światowej, podobny nieco do niemieckiego messerschmitta. Był niezastąpiony przez półtora roku, a potem wojna się skończyła i pojawiły się odrzutowce. Powiedz kardynałowi, że zamierzam być takim P-51 przez rok albo i dwa.

Mortimer zgasił cygaro z namaszczeniem, jakby to był rodzaj liturgii.

— Szereg wątpliwości moralnych budzi sytuacja taka jak ta, gdy jeden z nas skupia na sobie całą uwagę — ostrzegł.

Parę lat temu, a nawet rok wcześniej groźba sankcji ze strony duchowieństwa przeraziłaby Johna Farrella. Ale wtedy nie znał jeszcze smaku sukcesu, i to w dziedzinie jakże odległej od kapłaństwa.

— Wypchajcie się wszyscy razem! — krzyknął, rezygnując nagle z zapanowania nad sobą, zdziwiony własną gwałtownością. — Może nie jestem doskonały w tym, co robię, ale inni nie potrafią nawet tego. A jeśli księżulkowie są tak małostkowi, że nie mogą znieść telewizyjnej popularności kolegi, to mam gdzieś, co o mnie myślą.

Kiedy wstrząśnięty Mortimer wyszedł, John próbował dociec, co mu się stało. Nie był wojownikiem ani bohaterem, człowiekiem gotowym odważnie przeciwstawić się psychopatycznemu kardynałowi i zawistnym księżom. Andropauza, stwierdził, przypominając sobie wywiad z psychologiem w programie sprzed kilku tygodni. I mój Boże, przyznał się przed sobą, jakie to cudowne, kiedy ludzie go rozpoznają na Michigan Avenue czy w sklepie. Nie ma wątpliwości — andropauza i próżność.

— Zaraz schodzę! — krzyknął zniecierpliwiony do gospodyni, która już po raz trzeci wzywała go na lunch. Jerry

Miller, jego współpracownik, udał się na zjazd architektów wnętrz w hotelu Marriott i wróci dopiero na kolację. Ace oczywiście jest na boisku. Znowu więc przyjdzie mu jeść samemu.

Wspominając rozmowę z Mortimerem, uznał, że zachował się jak skończony głupiec. Przeczesał palcami swe gęste czarne włosy i pomyślał, że przydałby mu się może tydzień odosobnienia, by dojść ze sobą do ładu. Za dużo stracę, uznał, gdyby mi przyszło porzucić kapłaństwo.

Ale oprócz kłótni z Mortimerem coś jeszcze nie dawało mu spokoju. Musiał zadzwonić do Irene i powiedzieć jej o rozmowie z Noele. Przez moment napawał się przyjemnością, jaką sprawi mu jej głos, wyobrażał sobie jej zachwycającą figurę, która nie zmieniła się z biegiem lat — wystarczyło na mgnienie przymknąć oczy, a już wszystko, co ją osłaniało, jakby narzucone w pośpiechu i niepotrzebne, znikało, rozpływało się w powietrzu.

Pożądanie Irene czaiło się w tym samym sekretnym zakątku duszy, gdzie kryło się pragnienie, by walczyć z kardynałem i wszystkimi twardogłowymi w archidiecezji, pożądanie, które dało o sobie znać po raz pierwszy, gdy była w szkole średniej, rozkwitające kasztanowowłose cudo, a on właśnie kończył Quigley, seminarium przygotowawcze. I sądząc, że jest w niej zakochany, gotów był tamtego lata w Grand Beach porzucić kapłaństwo, wszystko, byle tylko ją zdobyć. Nie kto inny jak Danny namówił go wtedy do powrotu do szkoły. Powiedział, że Conlonówna niewiele jest warta — a potem sam się w niej zakochał...

Czy dlatego przez wszystkie te lata żywił urazę do Danny'ego? Rywalizowali o matczyną miłość i o Irene. Miał wyjątkowy talent do skrywania uczuć, które chyba tylko Noele, z tą swoją ponadzmysłową wrażliwością, potrafiła wydobyć na światło dzienne. W końcu jednak Irene nie zdobył ani on, ani Danny. Należała do jego brata, Rogera, a Noele była ich dzieckiem. Danny zaś nie żył.

Przez chwilę bębnił palcami w klawisze telefonu. Co powie Irene: że Noele zaczęła myszkować wśród rodzinnych tajemnic, więc powinna uważać, co mówi? Ale Irene nie pochodziła z Farrellów, nie miała nic do ukrycia. Ona nic nie wiedziała...

Była piękną, lecz niespecjalnie inteligentną kobietą. Jej ciało wystarczało jednak, by go porazić, stając się bezwzględnym wyzwaniem dla jego męskości. I choć budował betonowe fortece wokół swego pożądania, wewnątrz nadal nieubłaganie tlił się płomień.

Dlaczego nie może o niej zapomnieć? I dlaczego nie jest w stanie wymazać z pamięci Danny'ego? John Farrell ma dosyć zdrowego rozsądku, przekonywał sam siebie, by ignorować zjawy wynurzające się z przeszłości. Ale kiedy zaczął wybierać numer domu swego brata — z bezprzewodowego aparatu pozwalającego rozmawiać, gdziekolwiek miał ochotę — pomyślał smętnie, że tyle uczuć opiera się rozsądkowi! Próżność, zazdrość, żądza...

Jednakże nie powinny, jeśli jesteś księdzem.

Irene

Irene leżała w wannie i sączyła martini z wódką, gdy zadzwonił telefon. Poślizgnęła się na mokrej podłodze i potknęła, rozlewając prawie cały alkohol, aż w końcu zawadziwszy jeszcze głową o umywalkę, nie bez trudu złapała równowagę. Zawinąwszy się w ręcznik, który przytrzymywała kurczowo pod brodą — nie wiedzieć czemu, bo nikogo nie było w domu — pospieszyła do telefonu w sypialni, by odebrać go, nim się rozłączy.

Roger nie zgodził się na aparat w łazience. „Siedziałabyś w wannie i rozmawiała przez cały dzień", ze śmiechem odrzucił jej propozycję.

— Irene, mówi John. — W głosie szwagra był jak zwykle jakiś tajemniczy zapał, który słyszała, ilekroć rozpoczynał z nią rozmowę. — Mam nadzieję, że ci nie przeszkadzam — dodał już normalnie.

— Właśnie wyszłam z wanny — skłamała. — Roger jest na uniwersytecie, a Noele pracuje nad zaliczeniem. Robiła z tobą wywiad, prawda?

— Tak, i o tym chcę porozmawiać. Wiesz, że ta jej praca dotyczy przeszłości naszej rodziny? Zadawała mi mnóstwo pytań na temat Danny'ego. Moim zdaniem, Irene, nasze rodzinne tajemnice nie powinny wyjść na światło dzienne, zwłaszcza teraz.

Któregoś lata, dawno, dawno temu, uważała, że John Farrell jest całkiem miły, a dotyk jego silnych dłoni nieprawdopodobnie delikatny. Właśnie skończyła szkołę średnią i marzyła, by się zakochać. On przyjechał z seminarium, próbując „powziąć ostateczną decyzję". Sądziła, że to już zrobił, w przeciwnym razie unikałaby go. Nie chciała walczyć z Bogiem.

Ich przygoda skończyła się równie nagle, jak zaczęła. Dziś John był zarozumiałym bufonem, czarującym swe parafianki uśmiechem i wyglądem bojownika IRA i zdobywającym sympatię mężczyzn bezpośrednim, trochę rubasznym sposobem bycia. Mógł być dobrym proboszczem, choć ją niezbyt przekonywała jego poza liberała bez uprzedzeń. Sukces telewizyjny zrobił go niestety jeszcze bardziej nadętym.

Czy to możliwe, że jako zauroczona nastolatka marzyła kiedyś, żeby mu się oddać?

Lustra sypialni zaszły uchodzącą z łazienki parą. Ale i tak widziała siebie. Utrata piętnastu funtów — celebrowana martini, które dzierżyła teraz w dłoni — na niewiele się zdała. Irene odwróciła się tyłem do lustra, zakłopotana jak zwykle wizerunkiem swego obfitego biustu i pełnych bioder.

— Halo, jesteś tam? — niecierpliwił się John. — Im mniej będziemy mówić o przeszłości, tym lepiej dla nas wszystkich... Wiesz przecież, jaka jest Noele.

— Wiem. — Tak bardzo była zazdrosna o pewność siebie, popularność i wdzięk córki! Nienawidziła siebie za to uczucie, walczyła z nim, ale nie mogła się od niego uwolnić. Gdybyż ona mogła mieć znowu szesnaście lat i szansę życia raz jeszcze...

— Uważam, że dziecko powinno być trzymane z dala od tego wszystkiego.

John, zupełnie jak jej mąż, stawał się nadgorliwy, gdy wydawał jej polecenia dotyczące Noele, którą zresztą obaj ustawicznie psuli. Trzeba jednak przyznać, że Noele była całkowicie odporna na tę ich słabość. Irene rozpieszczała ją także, bo pomimo zazdrości kochała bezgranicznie swoje bożonarodzeniowe dziecko — tyle że nie wiedziała, jak tę miłość okazać.

— Zrobię, co będę mogła, wiesz jednak, w jak trudnym wieku jest teraz Noele. — Zatęskniła za rozkosznym ciepłem wanny, takim samym jak plaża tamtego lata, gdy bała się „Ptaków" i delektowała „Those Lazy, Hazy, Crazy Days of Summer". Kiedy wyśpiewywała to swym przyjaciołom, była naprawdę lekkomyślną osiemnastolatką... Tamtego cudownego lata... gdy wszyscy uważali, że żeglujący John Kennedy jest najpiękniejszym mężczyzną na świecie. Za kilka miesięcy miał zginąć, a w następny weekend Clancy Farrell dołączył do niego w krainie umarłych. Ostatnie szczęśliwe lato...

— Powinnaś też chyba uczulić Rogera, nie sądzisz?

— Dobrze, powiem mu o tym. Może wpłynie na Noele, jest z nią w dużo lepszych stosunkach niż ja.

— Dziękuję ci bardzo, Irene. Zamierzasz oglądać popołudniowy mecz? Zapowiada się ciekawie.

— Nie opuściłabym go za nic na świecie. — Cóż miała powiedzieć? Farrellowie zawsze oglądali w telewizji mecze Notre Dame, jeśli rzecz jasna nie zajmowali na stadionie miejsc będących od trzydziestu lat własnością rodziny.

W gruncie rzeczy wcale nie miała takiego zamiaru. Pragnęła wykorzystać bezcenne chwile popołudniowego spokoju, otworzyć granatową skórzaną teczkę, która służyła jej za archiwum, wyjąć opowiadania i kontynuować ukochane zajęcie ich cyzelowania i doprowadzania do doskonałości.

— No dobrze — powiedział John. — Pozdrów ode mnie Rogera. I do zobaczenia jutro wieczorem na obiedzie u Brigid.

Odkładając słuchawkę, Irene ciężko westchnęła. Druga niedziela miesiąca, obiad u Brigid — równie pewne jak to, że słońce wzejdzie rano. Część wygodnego, ale jednak grobowca, którym stało się dla niej życie w kręgu Rodziny.

Ciaśniej owinęła się ręcznikiem i wróciwszy do łazienki, upiła solidny łyk martini. Oddzielona od luster grubą zasłoną pary, złożyła ręcznik i zanurzyła się w wodzie. Jej ciało, gotowe chłonąć każdą zmysłową rozkosz jak gąbka, syciło się kojącym ciepłem. Nie potrzebowała tracić tych piętnastu funtów; przy jej mocnej budowie nie miało to specjalnego znaczenia. Dieta miała wszakże inną, moralną wartość — dzięki niej mogła poczuć, że wcale nie jest taka nieudolna, i raz jeszcze utwierdzić samą siebie w przekonaniu, że może także przestać pić, jeśli tylko zapragnie.

Roger nic nie zauważył. Kiedy zakomunikowała mu to poprzedniej nocy po krótkim zbliżeniu, które było taką samą rutyną jak pójście do kościoła w niedzielę, powiedział: „Wyglądasz świetnie, ale ty zawsze wyglądasz znakomicie. Może odrobinę szczuplej. Nie wydaje ci się jednak, że warto by odzyskać jakieś pięć funtów?

Cokolwiek zrobiła i jakakolwiek była, Roger zawsze miał jakieś zastrzeżenia. Na uniwersyteckich przyjęciach starał się ukrywać zażenowanie: jego żona prowadziła bezczynne i nieproduktywne życie, zajmując się jedynym dzieckiem, które wcale nie potrzebowało opieki, i prowadząc przy pomocy dwóch służących elegancko urządzony dom położony w północnej części Jefferson Avenue. Była rozrywką dla starszych żon wykładowców i zniewagą dla młodszych, które starały się podnosić swą świadomość na różnych spotkaniach wydziału. Irene — zrobiwszy po pierwszym powrocie z Berkeley pośmiewisko z siebie i męża — nauczyła się zagadkowo milczeć podczas tego rodzaju zgromadzeń. W sumie Roger obdarzył ją komplementem, największym, na jaki go było stać, mówiąc półżartem, że przynajmniej nie staje na przeszkodzie jego awansowi, jak czynią zbyt elokwentne żony innych wykładowców.

Zanurzona po szyję w rozleniwiającej kąpieli, sięgnęła po szklankę z martini. Niestety, zostawiła ją za daleko, aż na umywalce, i musiała jeszcze raz podnieść się z wanny. To typowe dla mnie, pomyślała, bezmyślnej, niezręcznej, niezbyt inteligentnej. Tak ją widzieli inni — szwagier, teściowa, mąż, nawet rodzice — i ona sama również za taką się miała.

Noele patrzyła na nią inaczej:

— Jako matka, mamusiu, bywasz nieznośna — powiedziała kiedyś — ale jako kobieta... wiesz, myślę, że jesteś całkiem interesująca. Nie tylko efektowna, ale także głęboka, intrygująca, po prostu obłędna. Prawdziwa kobieta.

— Powinnaś widzieć we mnie tylko matkę, a nie kobietę.

— Mówiąc to odwróciła się, nie chcąc pokazać, jak jej było przyjemnie.

— Mamo, czy to ci nie pochlebia? Większość moich kolegów nie ma matek, w których można dostrzec kobietę.

Taka była Noele — ostatnie słowo musiało zawsze należeć do niej.

Irene wiedziała, że i Roger ją lubi. Podziwiał jej niezmiennie atrakcyjny wygląd, był zadowolony z ich spokojnego pożycia, doceniał jej bezinteresowne wysiłki i niemal nigdy nie podnosił na nią głosu. Już dawno, kiedy jeszcze robił doktorat w Berkeley, a ona przepisywała na maszynie jego teksty i równocześnie pracowała jako stenografistka w administracji, zyskała pewność, że Roger jest dobrym i szlachetnym człowiekiem. Nie potrafił wprawdzie darzyć kobiety nieprzerwanie namiętną miłością, ale czy to jego wina? Nie, taki po prostu był.

Kiedy Noele poszła do szkoły, a ona usiłowała doprowadzić do końca swą pracę dyplomową, starał się jej pomóc, jak tylko mógł. Co prawda jego uwagi, beztroskie i żartobliwe, jakby była dzieckiem uczącym się chodzić, na zawsze skończyły jej akademickie wysiłki, jednakże intencje miał jak najlepsze. Zachęcał ją także, by wróciła do zajęć z form literackich, i upierał się, że musi przeczytać nowelę, którą napisała. Oczywiście natychmiast (jak zwykle bardzo subtelnie) zaczął ją przerabiać, poprawiać interpunkcję, składnię, styl, a nawet cały koncept, na którym oparła swe dziełko. Ostatecznie postanowiła nigdy więcej nie pokazywać jemu ani komukolwiek innemu żadnego ze swych tekstów.

Nie jestem już dzieckiem, pomyślała Irene, zanurzywszy się głębiej w poszukiwaniu bezpiecznego schronienia. Miała prawie trzydzieści siedem lat. I nie była głupia. Jej iloraz inteligencji wahał się w szkole średniej między 150 a 160, a za opowiadania i wiersze, które pisała jako studentka podczas półtora roku spędzonego w St. Mary's Notre Dame, otrzymywała zawsze najwyższe noty. Na dobrą sprawę była mądrzejsza niż większość żon uniwersyteckich wykładowców, nawet niż część ich samych, nie wyłączając męża. Na pewno nie była głupia; ona się tylko bała.

Bała się Farrellów, tak jak czuła lęk przed własną rodziną. Ojciec Irene, Isaiah Conlon, okrzyknięty najuczciwszym prawnikiem swego pokolenia, i jego żona, Marybelle, wierzyli, że surowa dyscyplina jest podstawą dobrego wychowania dzieci. Dla ich córek znaczyło to bezwzględność obowiązujących zasad, cierpkie uwagi w przypadku najdrobniejszych nawet uchybień, kpiny z prób „bycia kimś". I codzienne nieznośne pytania: „A kim ty właściwie jesteś?" i: „Co ludzie powiedzą?"

Ludzie zaś uważali, że Irene Marie, ich najmłodsza córka, jest pełną życia i najbardziej uroczą ze wszystkich dzieci Isaiaha i Marybelle. Rodzice przyjęli to jak potwierdzenie swych najczarniejszych obaw i rozpoczęli kampanię bezlitosnego ośmieszania, wspomaganą z entuzjazmem przez siostry i braci dziewczynki. Irene wszystko robiła źle. Stroje, włosy, oceny w szkole oraz gdy nieco podrosła, jej wspaniale rozkwitające ciało stały się przedmiotem nie kończącej się okrutnej zabawy.

Poślubiwszy Rogera przeniosła się ze świata złośliwych kpin do krainy wiecznego oszołomienia, sympatycznej i przyjaznej na pozór, gdzie John patrzył na nią jak na atrakcyjny przedmiot, uśmiech Brigid nie pozostawiał złudzeń co do tego, że jest słaba i pozbawiona woli, a protekcjonalne słowa Johna dawały do zrozumienia, że wymaga opieki niczym bezradne dziecko.

Na szczęście miała swój sekret, do którego przywiązywała taką wagę, jakby to był bezcenny skarb, tajemnicę, której żadne z Farrellów nigdy nie pozna i nie będzie miało szansy zbecześcić.

Martini się skończyło. Czy powinna dolać gorącej wody do wanny i zrobić jeszcze jednego drinka? Czy raczej otworzyć swe drogocenne archiwum i doskonalić opowiadania, których nikt nigdy nie przeczyta? Początek był zawsze dość trudny, jak skok do zimnego basenu, budzący lęk pierwszy krok, ale potem już tylko radość i uniesienie.

Ostatecznie nie miało znaczenia, czy urodziła się strachliwa czy też stała się taka z powodu nieustającego okrutnego ośmieszania. Skutek był taki sam. Jeśli miała jakieś szanse jako młoda kobieta, utraciła je bezpowrotnie. A przecież z jednym człowiekiem zawsze była wolna, nigdy nie obawiała się być sobą...

Westchnęła i zerknąwszy smętnie na pustą szklankę, wyszła z wanny. W sypialni włożyła na siebie tylko bieliznę, potem uchyliła okno, by ciepło babiego lata dotarło i tutaj. Przysiadłszy na wąskiej kanapie stojącej obok toaletki, otworzyła skórkową teczkę, którą wcześniej zabrała z sekretnej szuflady biurka w jej wychuchanym gabinecie, i wyjęła z niej starannie przepisany maszynopis.

— *Chcę ci się z czegoś wyspowiadać.* — *Przechylił się przez parapet, wypatrując czegoś na czarnym niebie, które szarzało już z lekka nad jeziorem w oddali.*

— *Pokuta nie będzie ciężka* — *odrzekła sennie, sądząc, że chce się znowu kochać.*

— *Ostatniej nocy chciałem cię tylko zaliczyć. Niech mi Bóg wybaczy, ale jedyne czego pragnąłem, to móc się dziś pochwalić w klubie golfowym, że miałem cię wczoraj.*

— *Wiem o tym* — *powiedziała miękko.*

— *Jestem naprawdę wredny.*

— *O tym też wiem* — *roześmiała się.*

Odwrócił się wolno od okna.

— *Czemu się więc zgodziłaś?*

— *Bo wiedziałam, że następnego ranka będziesz już we mnie zakochany.*

Podszedł do łóżka, siadł obok i zsunął prześcieradło z jej nagiego ciała.

— *Jesteś małą diablicą.*

— *I o tym wiem.* — *Popchnęła go lekko i zaczęła łaskotać.*

— *O nie, padłem ofiarą czarnej magii!* — *protestował głośno, skręcając się bezradnie w miłosnej torturze.*

— *Oczywiście, że tak! A wiesz, jak długo jeszcze będę rzucać na ciebie czary?*

— *Dwa lata?* — *odparł nieobowiązująco.*

— *Raczej cztery, kochanie.* — *Objęła go mocno.* — *A teraz jesteś już zaczarowany i za nic nie pozwolę ci umknąć.*

Całkiem dobrze, to chyba najwłaściwszy ton dla tego fragmentu opowiadania, pomyślała Irene. Na początku młody mężczyzna będzie wyłącznie czystą żądzą, której skutkiem muszą być wyrzuty sumienia i zakłopotanie uwiedzeniem niewinnej dziewczyny. W drugiej części odkryje, że dziewczyna nie była taka całkiem niewinna — to raczej on został złapany w pułapkę. W tragicznym zakończeniu utraci ją na zawsze: dziewczyna zginie przecięta śrubą statku w wypadku na jeziorze.

— Cześć, mamo! — zawołała Noele, wpadając do pokoju. — Nadal pracujesz nad tymi swoimi opowiadaniami? Kiedy pozwolisz mi wreszcie przeczytać któreś?

Zaskoczona Irene kurczowo przycisnęła do siebie maszynopis, jakby to było bezbronne niemowlę.

— Ile razy mam ci powtarzać, młoda damo, że nie powinnaś wchodzić bez pukania?

— Ma-moo, wiem przecież, że taty nie ma w domu, i wiem, że nie masz kochanka, i — gwizdnęła z uznaniem — jesteś po prostu fantastyczna w tym perłowym negliżu. Ja też bym chciała mieć taką figurę. Szczęśliwy Roger! Gdzie to kupiłaś? Szkoda wielka, że nie noszę tego samego rozmiaru co ty. No i odchudzona jesteś jeszcze bardziej zachwycająca niż kiedykolwiek. Powinnaś zacząć biegać, by utrzymać w formie mięśnie. Och, mamo, bez dwóch zdań, jesteś najpiękniejszą matką w parafii!

Noele miała absolutną pewność, Irene wiedziała o tym, że potrafi każdą sytuację przekształcić w to, co jej odpowiada, jeśli tylko dostatecznie długo i z dostatecznie silnym przekonaniem stwarzać będzie pozory, iż coś, czego chce, faktycznie istnieje. Z woli Noele przecież, rudowłosego, zielonookiego bożonarodzeniowego dziecka, stały się przyjaciółkami, kumpelkami, powiernicami; matczyne zniecierpliwienie zostało zbyte jak coś niestosownego, a złość najzwyczajniej zignorowana.

Szczery zachwyt córki połączony z instruktażem, co powinna robić, by pozostać atrakcyjną, mile połechtał Irene, ale też jak zwykle pomieszał jej szyki.

— A co by było, gdybym akurat robiła coś nieprzyzwoitego? — prychnęła, starając się robić wrażenie oburzonej.

— Ależ ma-moo, ty zawsze jesteś przyzwoita. I zawsze śliczna. W sumie już nie mogę patrzeć, jak Jaimie Burns wytrzeszcza na ciebie oczy, ilekroć go tu przyprowadzę. Chyba będę musiała zamykać cię w pokoju, gdy w domu będą chłopcy.

Irene starannie ułożyła maszynopis w teczce, po czym zamknęła swoje archiwum z taką pieczołowitością, jakby chowała w nim bezcenny sznur pereł.

— Przypomniałam sobie, młoda damo, że jeśli chcesz wyjść z Jaimiem Burnsem dziś wieczorem, twój pokój do kolacji musi być bez skazy. Ma wyglądać równie porządnie jak inne pokoje w domu.

— Ho, ho! — Surowy ton matki nie robił na Noele żadnego wrażenia. — Jaki był Danny Farrell?

Serce Irene zabiło, poczuła dławienie w gardle i porażający całe ciało skurcz. Po tylu latach ciągle tak samo na mnie działa.

— Był najmilszym, najlepszym człowiekiem, jakiego znałam — zdradziła się, nim zdążyła pomyśleć. — Wesoły, szalony, typ wiecznego chłopca.

— O! — Noele zaskoczyła intensywność matczynej reakcji.

— Pytasz z powodu swojej pracy zaliczeniowej? — Irene usiłowała odzyskać zimną krew.

— Tak jakby. Czy dużo pił?

Niech cię diabli wezmą, Johnie Farrellu, za tę sugestię.

— Niespecjalnie. Więcej niż Jaimie Burns, jak sądzę, ale mniej niż większość chłopców wtedy, a tym bardziej dzisiaj.

Pod burzą rudych włosów zakipiało. Jak pogodzić obraz Danny'ego widziany oczami Johna i Irene?

— Czy on od czegoś uciekał, mamo?

Boże, tak, tak, bardziej niż jesteś w stanie sobie wyobrazić.

— Można to tak nazwać. — Przerwała zastanawiając się, jak powiedzieć jej prawdę, ale jednak niecałą. — Danny był ofiarą sukcesu Irlandczyków. Gdybyśmy nadal byli biedni, z pewnością by nas nie opuścił.

— Dlaczego? — Noele owinęła wokół palca rudy kosmyk włosów.

— Zbyt szybko wspięliśmy się tak wysoko. — Najwyraźniej wcielam się, pomyślała Irene, w nauczyciela wiedzy o społeczeństwie. — Pierwszym krokiem było wyrzeczenie się irlandzkości. Porzuciliśmy poezję, śmiech, marzenia. Należeliśmy do naszej wiary i trunków, a zaczęliśmy trzymać się kurczowo swego stanu posiadania, jakby był nową religią. Dla ludzi z pokolenia babci Brigid własność i poważanie zastąpiły poezję. Zamknęli się w więzieniu otoczonym murem, który na wszelki wypadek zabezpieczyli jeszcze drutem kolczastym, i usiłowali zatrzymać w nim także swoje dzieci. A Danny Farrell chciał czego innego: poezji, śmiechu, marzeń...

Siedząca na krawędzi łóżka Noele była wyraźnie zakłopotana, co nie zdarzało jej się prawie nigdy.

— Nie rozumiem, mamusiu.

— Gdyby został oficerem marynarki jak jego ojciec lub człowiekiem interesu jak wujek, albo nawet duchownym jak monsignore John czy też nauczycielem jak twój ojciec, nikt nie miałby nic przeciwko temu. Ale on chciał opowiadać historie, chciał być pisarzem, już w twoim wieku czy nawet gdy był jeszcze młodszy. Rodzice, szczególnie babcia Brigid, zresztą cała rodzina, wmawiali mu, że pisarstwo nic mu nie da, że nie ma w nim szans na żadne pieniądze, a on był zbyt delikatny, żeby toczyć z nimi boje. Toteż tylko odgrywał niektóre ze swych opowiadań, koił ból alkoholem i śmiechem i umarł młodo.

— I to było najlepszym rozwiązaniem? Tak mi powiedział wujek John dziś rano.

Irene zawahała się. Przeklęty John Farrell ze swą nadętą cnotą!

— Nie wiem, kochanie. Mógł zostać wielkim pisarzem albo wielkim pijakiem, ale stracił szansę na jedno i drugie. — Zamilkła, zwiesiwszy głowę, jak więzień na ławie oskarżonych, spodziewając się, że Noele spyta ją, czy kochała Daniela Xaviera Farrella. Co jej odpowie?

Ale Noele milczała.

— Można też patrzeć na niego inaczej — ciągnęła Irene — i widzieć w nim dorosłego nastolatka. Wiem, że to brzmi jak niedorzeczność, ale nawet kiedy miał dwadzieścia cztery lata, tuż przed śmiercią, nadal zadawał się z nastolatkami. Gdyby żył dzisiaj, ty i twoje przyjaciółki, Jenny McCabe, Eileen Kelly i Michele Carmody, szalałybyście za nim.

Noele ożywiła się.

— Teraz rozumiem. Coś takiego przemawia do mnie dużo bardziej niż to, co powiedział wujek.

— Wszyscy kiedyś musimy wydoroślec — rzekła Irene, żałując już swej szczerości. — A częścią dorastania i dojrzałości jest zrozumienie, że marzenia i rzeczywistość to nie to samo. Jesteś już prawie dorosła, Noele, i musisz się nauczyć rezygnować z dziewczęcych snów o romantycznych bohaterach, którzy już dawno umarli. Nie rozmyślaj o Dannym. Myśl o przyszłości, a nie o tym, co było.

— Marzenia się spełniają — oświadczyła zdecydowanie Noele — jeżeli pragniesz tego bardzo, bardzo mocno. — Wysunięty do przodu podbródek potwierdzał stanowczość jej słów. — A poza tym jak mogę myśleć o przyszłości, jeśli nie rozumiem przeszłości?

Determinacja zniknęła z dziewczęcej twarzy Noele tak nagle, jak się pojawiła. Podniosła się z łóżka i delikatnie pocałowała matkę w czoło.

— Ładnie pachniesz.

Nie po raz pierwszy wydawało się Irene, że to ona jest dzieckiem, a jej córka matką.

— Czy dziadek Clancy też dużo pił? — Noele zatrzymała się jeszcze na moment w drzwiach.

— Był strasznym pijakiem — odparła Irene bez zastanowienia. — Właśnie dlatego spadł wtedy ze schodów i się zabił. Tamtej nocy był kompletnie pijany.

Powróciło do niej nagle wspomnienie tego strasznego wieczoru i wściekłości Danny'ego, kiedy Clancy znieważył ją i jej rodzinę. Boże najdroższy, nie powinnam jej tego mówić. Jaka jestem głupia i impulsywna.

— Nie rób sobie wyrzutów, że jesteś impulsywna, mamusiu. I wcale nie jesteś głupia. — Noele z głową przechyloną nieco na bok, podobna do zadumanego drozda, z uwagą przyglądała się matce. — Ja nigdy nie będę wyglądać dobrze w perłowoszarym kolorze, bo nie mam w sobie królewskości tak jak ty. Mogłabyś jeszcze zapuścić włosy...

Gdy Noele wyszła, Irene zamknęła swoje archiwum w toaletce i klucz schowała do torebki. Może jeszcze popracuje nad innym opowiadaniem, kiedy mała będzie oglądać mecz, a potem zaniesie wszystko do biurka w gabinecie. Noele powiedziała, że nie powinna ubolewać nad swą impulsywnością, a ona przecież tylko o tym pomyślała.

Oboje z Rogerem tak już przywykli do niesamowitych reakcji córki, że przestali zwracać na nie uwagę.

A jeśli Noele podsłuchała jej myśli o... o przeszłości? Wtedy bożonarodzeniowa dziewczynka nie będzie już udawać, że są z matką przyjaciółkami. Znienawidzi ją na całe życie.

Zawahała się przez moment. Roger nie lubi, żeby go niepokoić na uniwersytecie. No tak, ale to bardzo ważne. Musi go ostrzec, by nie dał się zaskoczyć Noele. Nagle ogarnęła ją złość na Rogera; nie pamiętała, aby była na niego kiedyś aż taka zła. Do diabła z nim!

Myśl, której nie odważyła się dotąd ująć w słowa, wstrząsnęła nią całą jak cios zadany znienacka. Od czasu gdy wyszła za mąż za Rogera, nigdy nie była sobą. To on, jego brat i matka robili z niej głupią, ograniczoną kobietę, ponieważ powtarzali w kółko, że tak właśnie jest. Inne kobiety w jej wieku rozwodzą się i zaczynają nowe życie. A dlaczego ona nie?

Wykręcając numer centrali, nagle zaczęła śmiać się z samej siebie. Co za absurdalny pomysł! Jakże sama by się utrzymała? I co by się stało z Noele?

Roger

Gdy zadzwonił telefon, Roger miał już dość wywiadu udzielanego młodemu dziennikarzowi. Joe Kramer z „The Republic" był wysokim szczupłym blondynem, naiwnym i strasznie niedokształconym, z typu tych, którzy wyobrażają sobie, że są zwolennikami tej samej co on katolickiej lewicującej ideologii. Roger podejrzewał, że wywiad będzie się jeszcze wlókł przez następne dwadzieścia minut i przed spotkaniem z Marthą Clay nie starczy mu czasu nawet na otwarcie dzisiejszej poczty.

— Farrell — powiedział cicho do telefonu. Doktorzy i profesorowie nie mieli zwyczaju tytułować się na uniwersytecie.

— Wiem, że nie lubisz, by ci przeszkadzać, i nie zadzwoniłabym, gdybym nie uważała, że to naprawdę ważne. — W głosie Irene był zarówno strach, jak i poczucie winy.

— Jestem pewien, że tak właśnie jest — odrzekł łagodnie, lecz w subtelnej aluzji kryła się irytacja.

— Chodzi o Noele. Pisze pracę na temat historii rodziny i pyta o Danny'ego. John bardzo się niepokoi. Wiesz, jaka jest Noele: czasami wyczuwa i rozumie, co nie zostało powiedziane. John podejrzewa, że coś takiego może mieć teraz miejsce.

— Czy nie dałoby się z tym poczekać, aż wrócę do domu? — spytał nieco podniesionym głosem Roger.

— John chciał, żebym do ciebie zadzwoniła — broniła się. — I ja też myślałam, że lepiej będzie cię ostrzec, nim mała zacznie cię przypierać do muru.

— Chyba zdołam stawić czoło Noele. Masz jednak rację co do jej intuicji i dziękuję ci za ostrzeżenie. Zrobimy wszystko, by jej nie zranić. — Roger starał się pokazać, że jest naprawdę cierpliwy. — Do zobaczenia wieczorem.

Odłożył słuchawkę, nie pozwalając, by Irene przeprosiła go raz jeszcze.

— Proszę mi wybaczyć, panie Kramer — zwrócił się do gościa z uśmiechem ćwiczonym z zapałem przed zbliżającą się kampanią wyborczą. — Czasem wydaje mi się, że łatwiej byłoby mieć pięć nastoletnich córek niż tę jedną. Ale wracając do naszej rozmowy... mówiliśmy o relacjach między moralnością a polityką, prawda?

— Katolicy mego pokolenia — seplenił Kramer — ciekawi są, czym może pan usprawiedliwić zajmowanie się osobą taką jak Machiavelli.

O mój Boże, westchnął w duchu Roger. Jeżeli muszę udzielać wywiadów takim idiotom jak on, zrezygnuję chyba z ubiegania się o fotel gubernatora, nim kampania na dobre się rozpocznie.

— Niccolo Machiavelli nie był moralistą, panie Kramer; on tylko przyjrzał się światu polityki i opisał jego realia. Zauważył, że książę, a w gruncie rzeczy każdy przywódca, kieruje się kodeksem moralnym różnym od tego, który obowiązuje przeciętnych ludzi. Książę mógł kłamać, kraść, używać podstępu, oszukiwać, ulegać korupcji, stosować przekupstwo, traktując to jako absolutnie praworządne dopóty, dopóki służyło dobru państwa. Zupełnie jak Karol Marks.

— Ale do Marksa nie można mieć zastrzeżeń moralnych — zaprotestował młody człowiek.

— Proszę mi odpowiedzieć na jedno pytanie, panie Kramer. — Roger wsparł brodę na splecionych dłoniach, przybierając swą ulubioną pozę z sali wykładowej. — Jestem pewien, że pan, jako młody dziennikarz, podziwia Woodwarda, Bernsteina, Hersha i innych autorów reportaży interwencyjnych, prawda?

Kramer skwapliwie pokiwał głową.

— No właśnie. A przecież oni posłużyli się skradzioną własnością, nakłaniali ludzi do nielojalności i łamania przysięgi, zadawali podchwytliwe pytania i używali podstępu wobec tych, z którymi przeprowadzali wywiady. Czy nie są zatem podobni do księcia Machiavellego?

— Zrobili to, by zdemaskować nieuczciwość rządu i doprowadzić do zakończenia wojny. — Policzki młodego człowieka pałały. — Tacy reporterzy walczą z rozkładem moralnym, ale się nie angażują.

— Właśnie, ja też nie podpisuję się pod pragmatyzmem Machiavellego i nie zamierzam go naśladować, jeśli zostanę gubernatorem — zakończył gładko. — Niewątpliwie Niccolo Machiavelli, gdyby był tu z nami, powiedziałby, że cel uświęcający środki w jednym przypadku może być argumentem w innym.

— Tak więc jako gubernator nie pójdzie pan w ślady Machiavellego?

— Oczywiście, że nie — odparł Roger zdecydowanie. — Traktuję Machiavellego jak teoretyka, jak kogoś, kto pomaga mi zrozumieć, jaki świat jest. Jako gubernator zaś będę robił wszystko, by uczynić go takim, jaki być powinien.

Kramer skwapliwie zanotował ostatnią wypowiedź. Z pewnością trafi do jego artykułu.

W końcu młody człowiek wyszedł, zapowiadając, że wróci w przyszłym tygodniu, by przeprowadzić wywiady ze studentami i innymi wykładowcami oraz zajrzeć do maszynopisów książek i artykułów Rogera. Chciał porównać oryginały z wydanymi tekstami, by przyjrzeć się bliżej procesowi tworzenia. A wszystko po to, żeby w magazynie uniwersyteckim opublikować tekst nie przekraczający trzech i pół tysiąca słów.

Jeszcze tylko parę minut, a pojawi się Martha, jak zwykle zdyszana, promienna, tryskająca błyskotliwością i seksapilem. Roger otworzył list i natychmiast go odłożył. Tak był spragniony, by ją posiąść, że nie mógł skupić myśli. Zakochał się — przypadek rzadko spotykany w handlu żywym towarem na akademickim rynku. Zakochał się w szkolnej królowej piękności, kryjącej pod płaszczykiem feministki niezwykły seksualny apetyt, który zresztą nie kto inny jak on pozwolił jej odkryć.

Co się ze mną dzieje? Gubię się, przestaję być sobą, westchnął. Zanim przebrnę przez tę kampanię, zanim zostanę gubernatorem, doprowadzę się do ruiny. Przecież równie dobrze mógłbym się cieszyć tym, co mam.

Bądź co bądź był w pełni akceptowany jako członek akademickiej społeczności, może momentami zbyt dowcipny i nieco arogancki, ale jako irlandzkiemu katolikowi wybaczano mu to. Może też za bardzo podążał za modą, nosząc jasnobrązowe i niebieskawe sportowe marynarki z zawsze starannie dobranymi spodniami zamiast szarych, nudnych garniturów czy dżinsów i flanelowych koszul, stanowiących alternatywny mundurek uniwersytecki. Ale i to mu darowano: był w końcu taki bogaty!

Roger wiedział, że mógłby spokojnie spędzić następne trzydzieści lat, wygłaszając dowcipne epigramaty w klubie akademickim, i nie przejmować się uczciwą pracą. Mógłby także poprzestać na jednym artykule rocznie i drobnej monografii raz na dwa lata; cokolwiek więcej traktowane by było przez kolegów jako przesada i dowód, że nie zbadał tematu dość gruntownie. Obie ewentualności wydawały mu się żenujące, jak perspektywa zbyt łatwych podbojów na uniwersyteckim rynku. Nie ma wyjścia: musi zająć się prawdziwą polityką, zabrać się za coś mocnego, czemu na pewno nie zaszkodzą dokonania akademickie.

Doktor Farrell — dlaczego nie? W końcu Henry Kissinger też był doktorem. Tak czy inaczej nie powinien był sobie pozwolić na zakochiwanie się w tej małej, pochodzącej z dobrej protestanckiej rodziny młodziutkiej piękności. Postąpił wyjątkowo nierozważnie.

Cóż, Clancy i Brigid Farrellowie spłodzili dwóch absolutnie niedoskonałych synów: zarozumiałego realistę, któremu brakuje realizmu w ocenie własnej próżności, i niezwykle ambitnego idealistę, który trawi czas na udawaniu, że ideały i sukces są mu całkowicie obojętne. Przez chwilę Roger rozkoszował się wyrafinowaniem swej charakterystyki. W jednym zdaniu dobry skrót myślowy — podkreśla jego klasę, a nie wspomina o szczególnym upodobaniu do kobiecych wdzięków.

Zerknął na zegarek. Sezonowe miłości były normą w życiu wielu pracowników uczelni, nie wszystkich wprawdzie, choć dostatecznie wielu, by nie czuł się odosobniony w swej skłonności do ucieh. Krótkotrwałych ucieh. Na dłuższą metę stawały się równie nudne jak stół wykładowców w porze lunchu. Należało je szybko kończyć i zwracać towar na rynek.

Weszła Martha z oczami roziskrzonymi płomiennym entuzjazmem fundamentalistki, która rusza z misją w dżunglę Ameryki Łacińskiej, aby zbawiać plemiona tubylców. Coś pozostało z czasów, które jej dziadkowie spędzili w Chinach: pobożna urocza protestancka dama spieszy, by wziąć w objęcia bestię. Nie, za nic nie chce zwrócić jej na rynek. W przeciwieństwie do innych kobiet Martha z biegiem czasu stawała się coraz bardziej pociągająca. Jej krzykliwy feminizm okazał się zaledwie rodzajem naskórka, pod którego powierzchnią kryła się cudowna mieszanina słodyczy i zmysłowości.

— Udało się, Roger, tym razem na pewno trafiłam w sedno — powiedziała radośnie. — Jeśli przyjrzymy się związkom, w które moje bohaterki weszły z mężczyznami swego życia, dostrzeżemy deprymującą prawidłowość prowadzącą do nieuchronnej alienacji: sprzeczność pomiędzy własnym samookreśleniem i realiami, w których tym kobietom przyszło żyć. I tu właśnie należy szukać źródeł ich gwałtownej radykalizacji.

— A co mówią na ten temat liczby? — Miał nadzieję, że przypomina poważnego politologa, nie zaś rozpustnego bezbożnika, który chce uwieść aktywistkę Armii Zbawienia. Liczby go w gruncie rzeczy nie interesowały, lecz dla książki Marthy, będącej mieszaniną marksistowskiej frazeologii i powierzchownego feminizmu, jakąś szansą mogła się stać przykuwająca uwagę statystyka.

Niestety, tak jak podejrzewał, także tu panował galimatias.

Książka Marthy była jałowym studium na temat tyranii życia rodzinnego. Rzecz jasna mogła się ukazać, szczególnie gdyby zmusił ją do pewnych poprawek i sam wysłał maszynopis do wydawcy. Cokolwiek pisano ostatnimi czasy na temat kobiecych aktywistek, było publikowane, zwłaszcza jeśli trafiło w ręce redaktorek z wydawnictw akademickich. Jednakże szanse Marthy na posadę na uniwersytecie były marne. Jak uczyło doświadczenie, akademik rodzaju żeńskiego musiał być półtora raza lepszy od swego męskiego odpowiednika, by móc choćby stanąć z nim w zawody. Martha z pewnością nie miała takiej przewagi nad męskimi konkurentami.

Zawsze zadbana słodka blondynka była bez wątpienia obiektem westchnień w szkole średniej, zanim jeszcze uległa radykalizacji podczas studiów w Stanfordzie. Radykalizm zdominował wprawdzie jej umysł, w głębi serca i ciała była jednak ciągle królową szkolnego balu, zniewoloną przez kapitana koszykarskiej drużyny, z którym wzięła ślub, a potem się rozwiodła, gdy podczas studiów dyplomowych oboje ulegli burzliwym niepokojom wczesnych lat siedemdziesiątych. Głupi mąż, nie wiedział, jakim jest szczęśliwcem. Prawdopodobnie nie był w stanie stawić czoła jej feministycznej świadomości, toteż utracił zachwycająco kobiece drobne ciało.

Docent na uniwersytecie mógł być albo stuprocentową kobietą, albo feministką. Niestety, Martha była niewyraźną mieszaniną jednego i drugiego: interesującym obiektem seksualnym, lecz wątpliwym kandydatem na stałą posadę (termin „stały" stanowił na wydziale nauk społecznych uniwersytetu słowo-klucz, którym szafowano szczególnie chętnie, kiedy zamierzano odpowiedzieć komuś odmownie).

Roger był zdecydowany opowiedzieć się za zatrudnieniem Marthy. Uważał, że odrzucić ją i przyjąć gorszego mężczyznę to czyn zgoła haniebny. Będzie na nią głosował, ponieważ na to zasługuje, ponieważ chciał zabawić się widokiem kolegów, gdy zaczną się wić i kręcić, wyjaśniając, że odmowa nie jest przejawem dyskryminacji, i ponieważ ją kochał.

— Nadal niepokoi mnie w twej książce brak należytego zaplecza statystycznego — rzekł unosząc głowę znad maszynopisu.

— Bo jesteś mężczyzną — odpowiedziała oschle. Ale zaraz zmieniając się z gniewnej feministki w bezradną kobietę dodała: — Sądzisz, że powinnam przerobić całość?

— Mimo wszystko nie — odparł, ważąc ostrożnie słowa i próbując koncentrować się na tekście zamiast na jej oszałamiających nogach. — Najlepszym wyjściem będzie szczere przyznanie się we wstępie do słabości w sferze danych statystycznych i utrzymywanie, że analizowane zagadnienia stanowią zaledwie punkt wyjścia do będących w toku gruntowniejszych badań. Jeśli tak zrobisz, uporasz się skutecznie z krytykami i recenzentami.

— Wspaniały pomysł! — zawołała, przybierając bez zażenowania pozę nie pozostawiającą złudzeń co do tego, czego pragnie najbardziej. Czasem Roger myślał, że rozbudzone żądze Marthy są jeszcze potężniejsze niż jego.

W to sobotnie popołudnie oboje nie mieli już ochoty rozmawiać na temat badań, a jednak Roger ciągnął:

— Najważniejsze jest wysłanie maszynopisu do wydawnictwa. Masz przecież z nimi umowę wstępną, prawda? Powinniśmy być w stanie powiedzieć w styczniu komisji kwalifikacyjnej, że książka zrobiła duże wrażenie na znakomitym wydawcy akademickim.

— Może mi to pomóc, jak myślisz? — Martha skwapliwie dotknęła jego dłoni.

Nie zasługuję na kąsek tak smakowity i tak mi oddany jak ty. Ale skoro już cię mam, za nic mi się nie wymkniesz.

— Twoja sprawa nie zostanie rozstrzygnięta na wydziale, gdzie zresztą nie na wielu mogłabyś liczyć. Ostateczna decyzja należeć ma do dziekana i rektora. Wygląda raczej kiepsko, ale jestem pewien, że książka w druku każe im dwa razy pomyśleć, nim odpowiedzą negatywnie.

Ręka Rogera powędrowała do jej cudownych pośladków, tak małych, że rozłożona dłoń całkowicie je przykrywała. Kochał ją romantyczną miłością, jaką nastoletni chłopiec żywi dla swej pierwszej dziewczyny, i pożądał z całym bogactwem fantazji dojrzałego mężczyzny. Dziś zawładnie nią niczym misjonarką, którą pogański monarcha po raz pierwszy wprowadza w rozkoszne arkana grzechu.

— I może przysporzy mi też zwolenników na wydziale?

— Podniecenie pozbawiało ją niemal tchu, gdy ręką błądziła coraz bardziej zapamiętale po jego ciele.

— Nie sposób przewidzieć reakcji pracowników wydziału w jakimkolwiek względzie, ale na ogół... — Roger przemawiał tonem profesora, choć wszystko wskazywało na to, że jest raczej seksualnym agresorem. — Na ogół szanse na przychylność w przypadku takim jak twój powiększają się niepomiernie, kiedy możesz się pochwalić książką w druku.

Momentem krytycznym pozwalającym mu posunąć się dalej, rozebrać ją, był pierwszy krok Marthy. Gdyby nie do niej należała inicjatywa, mógłby zostać oskarżony przed najwyższym trybunałem feministycznym o męski wyzysk, ona zaś o sprzedawanie się dla kariery męskiemu szowiniście.

— Ta cała akademicka polityka wydaje mi się czasami nic nie warta — powiedziała mgliście pieszcząc jego policzek, co było zarazem zaproszeniem i znakiem uległości.

— Wiesz, ja też mam poczucie, że wszystko to jest jakieś bezsensowne i nierealne, i kusi mnie, by spróbować innej polityki, prawdziwej. Tak czy inaczej nie możemy dopuścić do tego, by uniwersyteckie politykierstwo przeszkodziło ci w karierze.

Wątpliwości Marthy zostały rozwiane i jej palce rozpoczęły kusicielską wędrówkę od policzka ku brodzie, a potem niżej, w kierunku szyi. Irene nigdy nie robiła czegoś takiego. Cały kłopot z nią polegał na tym, że nie trzeba było na nią polować, a i ona nie zabiegała o wyzwolenie w nim myśliwskiego ducha. Nie musiał jej już zdobywać i na dobrą sprawę nigdy nie wymagała obłaskawiania. Była atrakcyjna i dość zabawna, lecz w żadnym razie nie tak prowokująca i podniecająca jak ta zmysłowa mieszanina feminizmu i kobiecości, którą miał za chwilę posiąść.

Rozkoszny smak podboju tętnił Rogerowi w skroniach. Nic mnie już teraz nie może powstrzymać, moja słodka mała niewolnico. Choćbyś się nawet opierała, zrobię z tobą, co tylko zechcę.

Nie spiesząc się, jakby z wolna sączył magiczny trunek, zdjął z niej sweter, potem rozpiął z przodu biustonosz z różowej koronki, urocze ustępstwo na rzecz kobiecości. Ścisnąwszy mocno jedną z niewielkich piersi, wydobył z ust Marthy jęk bólu; skrzywiła się, ale oboje wiedzieli, że w gruncie rzeczy chciała czuć pieszczotliwą torturę zadawaną przez jego dłonie równie mocno, jak on pragnął zatapiać palce w najtajniejszych zakamarkach jej ciała.

I już podążał dalej, ku kolejnym strefom płonącego pożądaniem ognia. Niebawem jej roznamiętnione ciało leżało na biurku, ona zaś jęcząc błagała tylko, by wiódł ją dalej i dalej, aż do końca rozkosznej udręki.

Łatwo cię zdobyć, moja ty siostrzyczko z Armii Zbawienia, i to gdzie — w gmachu tak poważnej instytucji! Pomyślał tak, lecz zaraz poczuł przypływ czułości, jakby była jego córką lub siostrą, a nie małą niewolnicą stworzoną do zabawy. Będzie jej bronił i opiekował się nią.

Kiedy wreszcie skończyli, przez chwilę jeszcze leżała naga w jego ramionach, zadowolona i szczęśliwa, miłująca i oddana.

— Kocham cię, Roger — powiedziała z prostotą, tuląc się mocniej do niego.

— Ja też cię kocham — odparł, uświadamiając sobie wyraźnie, że dostał się naprawdę na głęboką wodę. A do brzegu było daleko.

Noele

— Przegrają na pewno, M. N. — powiedziała Eileen Kelly, wysoka śliczna blondynka, ciągle jeszcze mająca w sobie coś z dziecka.

W szkole Noele znana była jako Mary Noele, gdyż zakonnice uznały, że powinna nosić chrześcijańskie imię. Koledzy nazywali ją M. N., co bardzo lubiła, ale tylko w ustach rówieśników.

— Gadasz! — M. N. użyła ulubionego przez jej pokolenie słowa, które znakomicie nadawało się do wszystkiego. Nie przegrają, dobrze o tym wiedziała. Daleka jednak była od powtórzenia błędu, który już raz popełniła z ojcem Ace'em.

Nie każdej soboty udawało się jej zgadnąć, co spotka Notre Dame. A czasami jej przewidywania dotyczące wyników cotygodniowej batalii w obronie katolicyzmu — jak zwykł mawiać rozbawiony Roger — okazywały się zupełnie nietrafione. Nigdy jednak nie myliła się, gdy chodziło o Jaimiego Burnsa. Wiedziała, że tym razem przejmie piłkę w ostatnich minutach gry i zdobędzie zwycięskie przyłożenie. Nie miała co do tego wątpliwości, tak samo jak była pewna, że obrońca dozna kontuzji w drugiej części meczu, co pozwoli Jaimiemu grać już do końca.

— Naprawdę nie wiem, co się z nimi dzieje — jęczała Eileen, która pomimo ustawicznych teatralnych kłótni od niepamiętnych czasów była najlepszą przyjaciółką Noele. — Na początku każdego meczu zdobywają dwa przyłożenia, a potem kompletnie się gubią. Mój tata mówi, że kiedyś byli nie do pokonania.

— A msze były kiedyś po łacinie — zakpiła Noele.

— Ale to już naprawdę dawno temu — ciągnęła swoje Eileen. — Tata uważa, że Notre Dame jest najlepszym uniwersytetem w kraju.

— Gadasz. — Zdaniem jej ojca Notre Dame to niczego sobie ośrodek akademicki, lecz daleko mu do najlepszego. Podobnie jak doktor Kelly był absolwentem tej uczelni, uważał jednak, że za pieniądze wyciągane z kieszeni bogatych katolików można by się spodziewać czegoś lepszego.

Noele niespecjalnie się tym przejmowała. Pójdzie do Notre Dame, ponieważ jej ojciec tam chodził. I ponieważ Brigid chciała, by tam się kształciła. I ponieważ uczęszczał tam Marty Farrell. I ponieważ studiował tam Jaimie Burns. Przede wszystkim Jaimie Burns.

I co także nie bez znaczenia, jako dziewczyna musiała się lokować wśród naprawdę najlepszych, żeby zostać przyjętą, a za takimi wyzwaniami Noele przepadała.

— Jaimie gra nadspodziewanie dobrze — powiedziała Eileen widząc, jak syn kongresmana Burnsa przejmuje podanie przeciwnika w końcu boiska.

— Gadasz!...

— Przyjdziecie jutro na zabawę? — spytała Eileen.

— Niestety, mam obiad u dziadków — odparła Noele.
— Może potem.

Drużyna z Miami rozbiła załamującą się linię Notre Dame, zdobywając kolejne przyłożenie i wychodząc na prowadzenie 17 do 14.

— Niemożliwe! — zaprotestowały obie naraz.

Doktor Finnbar Kelly, ojciec Eileen, znany był z tego, że jako jedyny chirurg z South Side popierał demokratów. Poglądy polityczne nie miały jednak wpływu na jego styl życia i telewizor w pełnym bibelotów pokoju był równie wielki jak u dziadków Noele.

Coraz lepiej było widać Jaimiego Burnsa. Zwrócił właśnie piłkę na trzydziesty piąty metr pola Miami.

— Wystarczy jedna blokada i sennooki absolwent Saint Ignatius High School z Chicago — wołał sprawozdawca — gotów jest pójść na całość!

— Gadanie! — krzyknęła Noele, zła bardziej z powodu określenia „sennooki" niż blokady.

— Jaimie Burns, idź na całość! — zachichotała Eileen.

— Jeszcze czego! — oświadczyła Noele. Podobnie jak większość jej rówieśników w sprawach seksu bliższa była latom czterdziestym niż sześćdziesiątym. Na szczęście z Jaimiem Burnsem nie trzeba było mieć się ciągle na baczności ani wyznaczać regulaminowych granic.

W kolejnym rozegraniu zawodnicy Notre Dame poprowadzili piłkę na środek boiska, w następnym pokręcili się w kółko, lecz efekty były żadne: precyzja nie była ich mocną stroną.

I nagle Noele poczuła niepokój. Coś się działo. Coś strasznego. Ktoś cierpiał...

Miami przejęło słaby wykop na środku boiska. Czas na kolejne przejęcie. Do Noele z trudem docierał przebieg gry, czuła, jak nasilają się w niej te dziwne wibracje, przepływają przez nią fale potwornej samotności. Jej samotności. To ona cierpiała. Była na pustyni sama jedna. Odcięta od wszystkiego.

— Nie jestem przecież sama — mruknęła do siebie. — Skąd to uczucie?

— Że co? — spytała Eileen.

Nim Noele zdążyła odpowiedzieć, rozgrywający Miami puścił daleką piłkę na połowę Notre Dame.

— Przejmujący jest bez pokrycia! — wrzasnął sprawozdawca Notre Dame takim głosem, jakby u bram miasta stanęli Hunowie.

Jeszcze czego! Jaimie wyrósł nagle jak spod ziemi, porwał piłkę z rąk przejmującego gracza Miami i ruszył pędem wzdłuż linii bocznej.

Na stadionie rozszalało się istne piekło — i nie mniejsze w domu Finnbara Kelly'ego. Noele krzyczała równie głośno jak Eileen; nie dlatego że była zaskoczona, ale ponieważ czuła, iż musi ukryć swą wiedzę, która wyprzedzała życie.

Złe wibracje nie ustępowały. Całkowite osamotnienie, izolacja od wszystkich. Łupina unosząca się na bezkresnym oceanie.

Czy to Jaimie ma być zraniony, nim mecz dobiegnie końca?

Nie, nie Jaimie. Odizolowana, kompletnie sama niczym potępieni na wieczność grzesznicy w piekle, jak mówiły starsze zakonnice.

Drużyna Notre Dame wygrała. Po meczu dziennikarze telewizyjni chcieli przeprowadzić z Jaimiem wywiad, za nic jednak nie mogli go znaleźć.

Fale udręki zaczęły z wolna opuszczać Noele. Jaimiemu nic nie jest, po prostu dobrze się ukrył.

Wracając do domu flame, swą czerwoną chevette, Noele nie myślała o triumfie Jaimiego Burnsa. Ktoś potrzebował pomocy. Już trzeci raz w tym miesiącu doznawała tego przejmującego uczucia. Dlaczego?

Ktoś pogrążył się w samotności.

I tym kimś była ona.

Roger

Późnym popołudniem Roger wracał do domu swą seville, która stanowiła afront wobec uniwersyteckiego stylu wymagającego od młodego profesora, by jeździł samochodem zagranicznym, najlepiej szwedzkim. Sportowy datsun żony ani jego staroświecki mercedes jakoś nie pojawiały się na uniwersyteckim parkingu. Również dzielnica, w której mieszkał, wtulona w pagórki i lasy Chicago Ridge — niegdyś wydmy otaczające polodowcowe jezioro Michigan, a teraz południowo-zachodnie przedmieścia — była swego rodzaju zniewagą dla kolegów. Nie wybrał jednak tego miejsca, by ich urazić, lecz aby móc cieszyć się spokojną przystanią, mieć gdzie uciec z oszalałego uniwersyteckiego świata eksploatującego go naukowo i — nieco zabawniej — seksualnie.

I żeby jego kobiety czuły się bezpiecznie.

Roger zadumał się. Nie myślał o tym, co czeka go niebawem, jeśli zdecyduje się ubiegać o urząd gubernatora, choć była to z pewnością najpoważniejsza decyzja, jaką kiedykolwiek podjął, ale o życiu, które pozostawił za sobą. Kiedy otrzymał stałą posadę na uniwersytecie, powiedział paru kolegom, że niewolniczy system panujący na wyższej uczelni pozwala mężczyznom mającym władzę brać w posiadanie najatrakcyjniejsze kobiety. Feminizm, utrzymywał, wprowadził pewne zmiany, lecz równocześnie dał mężczyznom ideologiczne wsparcie w postaci Ruchu Wyzwolenia Kobiet. Przerażeni koledzy słysząc coś takiego błagali go niemal, by zachował dla siebie te nonsensowne teorie.

Ale to wcale nie był nonsens. Część wykładowców, może nawet większość, nie anagażowała się w ten rodzaj handlu żywym towarem, a i nie wszystkie młode kobiety gotowe były wystawiać siebie na sprzedaż. Jednakże wiele z nich poszukiwało na uniwersytecie zarówno wiedzy, jak i doświadczeń seksualnych. Seks więc wypełniał obskurne gotyckie korytarze uniwersyteckie niczym intensywna, choć na pierwszy rzut oka niewidoczna mgła. W tym roku akademickim niewolnicą Rogera chciała zostać Martha Clay, równie mocno marzyła, by mu się oddać, jak on pragnął ją posiąść. A że zakochali się w sobie, to już czysty przypadek.

Czuł się fatalnie. Zawinił i ta pewność, równie bezwzględna jak zbliżanie się zimowych chłodów, odraza do siebie oraz wstręt nękały go nieprzerwanie. Dlaczego nie był w stanie pamiętać przed faktem, jak bardzo będzie się po wszystkim nienawidził?

Zatrzymał samochód na bocznej uliczce przylegającej do lasu, który graniczył od północy z dzielnicą, i zwiesił głowę nad kierownicą. Katolicki idealista, nie ma co.

Kobiety były jego obsesją. Już w szkole musiał się zawsze za jakąś uganiać, by nad nią zapanować. Taką miał naturę, nie mógł z tego zrezygnować, choć podboje nie przynosiły mu trwałego zadowolenia i satysfakcji. Żadna z tych smukłych istot, które ujarzmił przed Marthą, tak naprawdę nic dla niego nie znaczyła. I co ważniejsze, nigdy nie osiągnął z żadną kobietą, nawet z Marthą czy Irene, takiego porozumienia i absolutnej jedności jak z Dannym Farrellem.

Co by Danny powiedział o popołudniowych perwersyjnych wyczynach seksualnych Marthy, o jej błaganiach, by Roger uwolnił ją z krawędzi nienasycenia, na której trzymał ją w zawieszeniu, aż zaczęła krzyczeć doprowadzona do granic wytrzymałości?

Czyby zaimponował Danny'emu?

Dużo bardziej prawdopodobne, że Danny wszystko by wyśmiał.

Uczucie obrzydzenia do samego siebie zaczęło w końcu ustępować i Roger uruchomił silnik. Pomyślał o telefonie od Irene. Nie zapomniał o nim, tak jak nigdy nie będzie w stanie zapomnieć Danny'ego. Powróciły wspomnienia, zbyt miłe, by pozwolił im ulecieć. Początek szkoły średniej i lat pięćdziesiątych, niezapomniany wielkoczwartkowy wieczór...

W tamtych czasach katolicy zwykli w ten dzień chodzić od kościoła do kościoła, modląc się przed Najświętszym Sakramentem wyjętym z tabernakulum w oczekiwaniu na Wielki Piątek. Odwiedzanie kościołów było także wydarzeniem towarzyskim — randką dla młodych, niecodzienną okazją do świętowania dla starszych, społecznym i moralnym obowiązkiem dla religijnych rodziców i wielkanocnym pokazem mody dla zamożnych dam.

Parafia Świętej Praksedy była wówczas dużo mniejsza, a kościół mieścił się w tym samym budynku co szkoła. Nieznośnie napuszony i przejęty swą rolą proboszcz zwykł stać przed szkołą w ładną pogodę, a na schodach w złą, przyodziany we wszystkie przynależne godności prałata fiolety, pozdrawiając serdecznie gości z innych parafii i marszcząc brwi na widok pojawiających się sporadycznie Murzynów, którzy w Wielki Czwartek ośmielili się przekroczyć próg jego kościoła.

Tego roku stojący w drzwiach proboszcz miał się ostatni dowiedzieć, że święty Józef został pozbawiony fioletowego płaszcza i ubrany w dresową bluzę Notre Dame, a Matka Boska zamieniła fioletowy welon na koszykarski strój treningowy St. Ignatius High School. Większość parafian podejrzewała wprawdzie, że za wybrykiem tym kryje się Danny Farrell, jednakże tylko Roger — wystraszony wartownik pilnujący zakrystii — wiedział ze stuprocentową pewnością, że to jego kuzyn zaatakował znowu.

Cień melancholii przemknął po twarzy Rogera. Łobuziak Danny nie żyje. Wspaniałe czasy odeszły wraz z nim — śmiech, radość, nadzieja i wiele innych cudownych rzeczy.

Noele przyparła go do muru w gabinecie, gdy zaczął oglądać wiadomości. Nie wiedzieć czemu przypomniała mu Marthę. O nie, w żadnym razie nie może sobie pozwolić na takie fantazje, choćby uderzająca do głowy popularność nie wiadomo jak bardzo rozluźniła w nim wszelkie hamulce.

Był przygotowany na to, że usłyszy jakiś młodzieżowy opis niesamowitego przejęcia Jaimiego Burnsa — w końcu wszyscy katolicy wznosili teraz za niego modły — które zniweczyło niezachwianą pewność siebie drużyny z Miami. Tymczasem ku jego zdziwieniu Noele zbyła zwycięstwo Fighting Irish jak coś mało ważnego.

— Roger, muszę przeprowadzić z tobą zadany przez siostrę Kung-Fu wywiad na temat historii naszej rodziny.

— Czy ona tak się nazywa, Śnieżko?

— Nie, to siostra Amanda. Ale wiesz, przezywamy ją Kung-Fu.

Roger miał dość rozumu, by nie indagować jej o sens młodzieżowego przezwiska.

— Pytaj zatem.

Ubrana w dżinsy i koszulkę z nadrukiem Purdue University Noele zwinęła się w kłębek na stojącej obok telewizora bordowej skórzanej kanapie. Co bym zrobił facetowi, gdyby sobie z nią poczynał tak jak ja z Marthą Clay? — pomyślał zgnębiony Roger. Wyrzuty sumienia, skutek popołudniowych uciech, powróciły i miały mu towarzyszyć dłużej niż zwykle. Zapłaci wysoką cenę za chwilę rozkoszy, ale też dobrze wiedział, że niebawem znowu będzie szukał swej niewolnicy. Niestety.

Noele otworzyła z rozmachem notatnik.

— W naszej rodzinie sporo osób zmarło nagle, prawda?

Na ułamek sekundy ogarnęła go panika. Boże, co ona może wiedzieć? Był przygotowany na pytania o Danny'ego Farrella, a nie...

— Co masz na myśli? — spytał, mając nadzieję, że jego głos nie zdradza popłochu.

— W 1944 umiera ojciec Danny'ego i mój pradziadek, czyli jego dziadek, a także matka. Wszyscy w tym samym roku. A potem w przeciągu kilku miesięcy Danny i mój dziadek. Niezwykły zbieg okoliczności?

Roger musiał uporządkować fakty i pieczołowicie dobrać słowa, nim odpowiedział:

— Danny i jego ojciec, wujek Martin, byli oficerami marynarki wojennej, lotnikami, i to w czasie kiedy nasz kraj był formalnie lub nieformalnie w stanie wojny. Prawdopodobieństwo utraty życia jest w takiej sytuacji i w tym zawodzie bardzo duże. Danny i jego ojciec zdawali sobie z tego doskonale sprawę.

Noele nic nie odpowiedziała, ale skrzętnie zapisała coś w notatniku.

— Na przykład twój pradziadek, William Farrell — ciągnął Roger — miał niewiele ponad pięćdziesiąt lat, gdy umarł. Dzisiaj może się to wydawać niemal młodością, ale on miał bardzo ciężkie życie. Cała rodzina uważała zresztą, że wpędza się do grobu. Jeżeli czyjąś śmierć można uznać za wyjątkową, to tylko dziadka Clancy'ego, jak wszyscy go nazywali. Ale to był tragiczny wypadek, Śnieżko.

— Czy był pijany, kiedy spadł ze schodów? — spytała, nie podnosząc głowy znad notatek.

— Skądże znowu! Kto ci coś takiego powiedział? — Roger kręcił głową, wyraźnie strapiony. — Potknął się po prostu na nowym chodniku. Przyznam ci się, że ciągle jeszcze nie mogę się z tym pogodzić. To było takie nagłe, niespodziewane, i takie... tak, niepotrzebne.

Noele zadumała się na moment.

— Nic nie powiedziałeś o śmierci matki Danny'ego, Florence Carey. Czy ona się nie liczy?

— To jeszcze jeden tragiczny wypadek. Czekała na przystanku autobusowym, kiedy nagle wpadła na nią ciężarówka, w której zepsuły się hamulce... Prawdziwy cud, że Danny wtedy nie zginął. Prawdopodobnie spostrzegła nadjeżdżający samochód i odepchnęła syna od siebie.

— Ile lat miał wtedy Danny?

— Policzmy. Urodził się w 1940, więc miał wtedy cztery lata, mały chłopczyk.

— Jaki on był, Roger? Zupełnie nie potrafię go sobie wyobrazić.

— Gdyby zdecydował się zostać duchownym, nie byłby tylko monsignorem, jak wujek John, lecz biskupem, a najpewniej kardynałem. Gdyby został naukowcem, jak ja, byłby rektorem uniwersytetu. Danny Farrell mógł robić wszystko, co chciał, i to popisowo. Także latać na U-2, jak sądzę. A jeżeli jego samolot rozbił się w Chinach, to idę o zakład, że nie on był temu winien. — Roger był mimowolnie poruszony własnym wizerunkiem Danny'ego. — Czasem śni mi się, że on nadal żyje, a potem budzę się w przekonaniu, że tak jest, i wszystko co najlepsze, ekscytująca zabawa i śmiech, całe to szaleństwo trwa. Wiesz, gdy byłem już na najlepszej drodze, by zostać nudnym naukowcem...

— Wcale nie jesteś nudny, Roger, w każdym razie niezbyt często...

— Mam nadzieję, że nie za często — roześmiał się. — No więc kiedy Danny dowiedział się, co robię i co mnie interesuje, zaczął mnie bardzo inteligentnie wypytywać na temat Machiavellego, choć nie czytał nigdy żadnej pracy mojego florenckiego przyjaciela i nic nie wiedział o historii piętnastowiecznych Włoch. Był czarodziejem, Śnieżko, prawdziwym czarodziejem.

— Zabawne... Rozmawiałam dziś o Dannym z tobą i z mamą, i z wujkiem Johnem i mam wrażenie, że każde z was pamięta całkiem inną osobę.

— To właśnie cały Danny.

— Wydaje mi się też, że jego śmierć nie pasowała do tego, kim był. Czy mam rację? — Żywe zielone oczy Noele stały się nagle stare jak świat.

— Tak, Śnieżko. Nie powinien był umrzeć. Nie powinien był pracować dla CIA i lecieć na U-2 do Chin z jakąś szaloną misją. Nie powinien był studiować w Akademii Marynarki Wojennej. Nie powinien był robić tego, czego nie chciał.

— Mama też tak powiedziała. A kto jest temu winien?

— Nikt konkretny, Śnieżko, bo wszyscy po trosze zawinili, nawet sam Danny. Ale rozmowa o winie nie może go nam przywrócić — westchnął, po czym dodał zupełnie innym tonem: — Życie to poważna sprawa, Noele. Jesteś już w wieku, w którym trzeba zrozumieć, że na ziemi nie czeka nas tylko zabawa i przyjemności. Danny nie żyje, więc nie zakochuj się w nim.

Noele wybuchnęła śmiechem.

— Wystarczy mi Jaimie Burns, nie potrzebuję romansować z duchem — oznajmiła i jak burza wypadła z pokoju.

Niewinne dziecko i zachwycająca kobieta, pomyślał jej ojciec, straciwszy całkowicie zainteresowanie wieczornymi wiadomościami. Coś innego nie dawało mu spokoju. Podszedł do szafy obok biurka i zaczął grzebać w stosach starych zdjęć, chcąc znaleźć jedno — trzynastoletniego Danny'ego latem w Grand Beach. Ukrywali się wtedy przed Johnem podczas popołudniowego seansu w starym kinie w Michigan City, nieczynnym już dzisiaj. Nagle Roger poczuł, jak ogarnia go coś dziwnego i porywającego zarazem, tak samo jak tamtego dnia, gdy wyciągnął rękę w ciemności, by dotknąć kuzyna... Danny łagodnie go odepchnął i później nigdy o tym nie wspomninali. Mimo to...

Tak, zawsze bawili się kosztem Johna. Do diabła, nie, Danny bardziej dbał o Johna niż o mnie, pomyślał z żalem Roger, chociaż był najważniejszą osobą w moim życiu. John był zazdrosny, gdyż bolała go miłość Brigid do Danny'ego. A ja go kochałem.

Westchnąwszy odłożył zdjęcie. Głupie młodzieńcze zadurzenie. Dlaczego jednak napływają mu do oczu łzy? Uśmiechnął się do siebie. Tak, nie Noele, lecz on jest zakochany w duchu.

Jeśli Noele pozna prawdę o Dannym, będzie to kompletną katastrofą dla całej rodziny, szczególnie teraz, w czasie zbliżających się wyborów. Czy warto niepokoić matkę? Zawahał się sięgając po słuchawkę. Rzuciwszy okiem na zegarek, przypomniał sobie, że Brigid i Burke są na kolacji w klubie. Trzeba będzie zaczekać z telefonem aż do dziesiątej.

Gdy dużo później zamierzał zadzwonić do domu na Glenwood Drive, w gabinecie zjawiła się Irene.

— Rozmawiałeś z Noele? — spytała.

Miała na sobie krótką srebrzystoperłową koszulę nocną i dobrany do niej peniuar. Tandetny erotyzm, pomyślał pogardliwie.

— Tak, rozmawialiśmy przed kolacją. Chyba nie ma się czym przejmować. Wiesz, jacy są młodzi w tym wieku: co rusz do czegoś się zapalają. Dzisiaj jest to historia rodziny, a jutro będzie jakaś młodzieżowa sztuka.

— Na pewno masz rację. — Irene pochyliła się, by pocałować go na dobranoc.

Roger poczuł niewyraźną awersję i coś jeszcze — strach, niezupełnie niemiły strach, który czasem wywoływał w nim kontakt z żoną. Wizualnie nic jej nie można było zarzucić. Ale jego upodobania się zmieniły i Irene już do nich nie pasowała.

— Droga bielizna — mruknął z delikatną przyganą.

— Nie tak bardzo — odparła obronnie.

— Cudownie wyglądasz — uspokoił ją niejasną aluzją. Musnął wierzchem dłoni policzek Irene, a nawet przesunął rękę ku jej szyi i piersiom. Obietnica późniejszej czułości, która nie musi być dotrzymana. Będzie czekać na niego może pół godziny, potem zapadnie w głęboki sen A on w żadnym wypadku nie przeszkodzi śpiącej kobiecie.

— Nie siedź za długo — rzuciła, całując go raz jeszcze.

Dlaczego jej się zdaje, że skoro przypomina wystrojony manekin z okna wystawowego, automatycznie staje się pociągająca? Co jest w niej takiego, że wzbudza we mnie odrazę? Ciekaw jestem, czy Brigid karmiła nas piersią. To może mieć związek...

Cholerny naukowiec, który wszystko wokół musi analizować, mruknął niezadowolony z siebie. W końcu wykręcił numer matki, jak zwykle z uczuciem pewnego niepokoju, który towarzyszył wszystkim kontaktom z tą niesamowitą kobietą.

Brigid

Brigid zdjęła właśnie sukienkę, kiedy rozdzwonił się telefon. Musiała odstawić szklankę brandy na stolik, by podnieść słuchawkę, a przy okazji zerknęła na swe odbicie w lustrze i zadowolona uznała, że choć wyjątkowo dziś zmęczona, wygląda na dziesięć albo i piętnaście lat mniej niż pięćdziesiąt dziewięć wiosen zapisane w metryce.

Dzwonił Roger, jak zwykle po belfersku przemądrzały. Obaj jej synowie byli w sumie dość nieznośni: monsignore John z tą swoją porażającą troską o duszpasterską powagę i profesor Roger upozowany na wiecznie znużonego intelektualistę. Rzecz jasna gdyby przyszło co do czego, gotowa była umrzeć za nich lub skoczyć do oczu każdemu, kto ośmieliłby się ich krytykować.

— Nie, Roger, nie zamierzam dziś oglądać programu Johna. Będzie miał wywiad z jedną z tych Chrystusowych artystek... Nie mam już dzisiaj siły... Wieczór w klubie? Zawsze taki sam: zbyt dużo ludzi się tam naraz starzeje.

Burke, mąż Brigid, wszedł do sypialni i widząc ją w negliżu, uśmiechnął się zachwycony, na co odpowiedziała wesołym mrugnięciem.

— Owszem, rozmawiałam dziś po południu z Noele o jej zadaniu. W czym problem?... Danny? — Serce zaczęło jej szybciej bić; nie syn wprawdzie, a jednak najulubieńszy z trzech chłopców, których wychowywała. — Oczywiście, pytała o Danny'ego. Czego wy się obaj z Johnem obawiacie?... Och, daj spokój. Dzieci w wieku Noele nie są nawiedzone. To irlandzko-amerykański mit. Nigdy nie spotkałam w Irlandii żadnej czarownicy... Tak, rzeczywiście, jest bardzo przenikliwa... Ale nie przesadzaj, Roger, od tego czasu minęło siedemnaście lat...

Złapała nerwowo papierosa i trzymając słuchawkę, próbowała go zapalić. Burke już był w pogotowiu: szybkim ruchem podsunął zapalniczkę i pogładził jej rude włosy, ciągle jeszcze zachowujące naturalną barwę. Jak zwykle ręce miał poplamione smarem samochodowym. Poza seksem Burke miał tylko jedno hobby — majstrowanie w ogromnym garażu za domem przy czterech starych alfach romeo. Alfa jest jak kobieta, zauważył kiedyś. „A stara alfa romeo jest tak dobra jak stara kobieta", wybuchnęła udanym gniewem Brigid.

— Dobrze wiem — powiedziała do słuchawki, równocześnie starając się zręcznie wywinąć z rąk Burke'a, który próbował ją dalej rozbierać — że wszyscy mamy dużo do stracenia, jeśli wyjdą na jaw nasze rodzinne sekrety. Ale Roger, Noele pisze tylko pracę zaliczeniową... Tak, naturalnie, będę uważać. Zobaczysz, wszystko się ułoży... — Wstrzymała oddech, gdy Burke usiłował ściągnąć z niej biustonosz i mrugnąwszy figlarnie, odepchnęła go w końcu od siebie. Musiała się skoncentrować na Rogerze. Czemu aż tak się niepokoi? To zupełnie niepodobne do niego; zamartwianie się było w końcu specjalnością Johna. — Wierz mi, to całkiem normalne, że pyta o Danny'ego — starała się ukryć zniecierpliwienie. — Powiedziałam jej, że twój ojciec uległ wypadkowi. Już ja wiem, jak radzić sobie z dziećmi... Do diabła! — nie wytrzymała, odkładając wreszcie słuchawkę.

— Co się stało, Bridie? — spytał Burke. Jego przystojna twarz wyrażała szczerą troskę.

— Noele zaczęła szperać w historii rodziny. Zawsze była wszystkiego ciekawa i wtykała nos w nie swoje sprawy.

Raz jeszcze rzuciła okiem na swoje odbicie w lustrze. Była już prawie naga. Czy miałaby tak delikatną skórę, gdyby mieszkała w Irlandii? Prawdopodobnie nie. A z całą pewnością nie miałaby kochanka takiego jak Burke, który tę skórę pieścił. Jednakże włosy zawsze by były rudoczerwone, zawsze w kolorze krwi. Na chwilę powróciła pamięć krwi na jej włosach tamtego wieczoru, gdy Danny znalazł ją prawie nieprzytomną i przysiągł, że zemści się na jej mężu.

Roger

We dwóch tylko zostali pod prysznicem, a więc tam, gdzie czuł się gorszy od Johna. Jak zawsze gdy obnażone ciała zachęcały do porównań. Obaj zrezygnowali z meczu Chicago Bears, by przed obiadem u matki rozegrać jeszcze jesienną rundę golfa. Jak zwykle grali w różnych grupach.

— Ile miałeś uderzeń? — spytał John, mydląc swe mocne, męskie ciało.

— Ponad osiemdziesiąt. A ty? Zmieściłeś się pewnie w normie?

— Nawet dwa poniżej — odparł John. — Siedemdziesiąt osiem.

Przez całe życie wygląd i kondycja Johna były dla Rogera źródłem kompleksów. John był lepszym sportowcem, mógł więcej jeść i pić, a i tak nie miało to wpływu na jego znakomitą sylwetkę, wąskie biodra i idealne mięśnie brzucha. Nic dziwnego, że parafianki uważały go za ósmy cud świata.

Fizycznie bracia byli nawet w pewnym sensie podobni, choć Johna można było nazwać muskularnym, a Rogera — który szczycił się umysłem — raczej żylastym. John był typem przystojnego irlandzkiego wieśniaka o rosłym, mocnym owłosionym ciele, twarzy ocierającej się o pospolitość i gęstych czarnych — przyprószonych teraz lekką siwizną — kręconych włosach niesfornie opadających na czoło. Jeszcze nie tak dawno stawał w zawody z parafianami i machał motyką lepiej niż którykolwiek z nich.

Roger zaś był typem poety i myśliciela, o szczupłej twarzy, wysokim czole, przenikliwych oczach i zawsze przylepionym do warg ironicznym uśmiechu. Jeśli kobiety gustowały w jego niepokaźnym ciele — a istniało niemało dowodów, że tak właśnie było — to przyczyn należało szukać w czającej się za tajemniczym uśmiechem uczuciowej głębi, nie zaś w sile fizycznej.

Jestem ucztą dla naprawdę głębokich kobiet, pomyślał, cytując jakiegoś zawianego irlandzkiego poetę czy polityka, którego nazwiska nie mógł sobie przypomnieć. A moim bratem niech się zadowolą mniej wysublimowane istoty. Ciągle jednak zazdrościł Johnowi grubo ciosanej potężnej męskości, prawie tak jak niegdyś zazdrościł Danny'emu Farrellowi jego nadzwyczajnej szybkości i zwinności. Taki był Roger — wiecznie nieusatysfakcjonowany.

Danny, niech go diabli, zawsze był ucztą dla każdej kobiety.

Jednakże Danny nie żył, a jeśli nawet John był silniejszy, to on, Roger, przewyższał go inteligencją i to w końcu należało uznać za jakąś pociechę. Właściwie nie rywalizowali ze sobą otwarcie, nawet jako chłopcy, głównie dlatego, że Brigid nie pozwoliłaby im na jakiekolwiek, sportowe czy intelektualne, współzawodnictwo.

Brigid była dla swych dwóch synów prawdziwie obiektywną i sprawiedliwą matką robiącą wszystko, by nie dopuścić do rywalizacji między rodzeństwem zapewne w obawie powtórzenia błędu, który okazał się tak niszczący dla poprzedniego pokolenia. Na nieszczęście dla synów uczciwość nie mogła zastąpić uczuć; Brigid zresztą prawdopodobnie nie umiałaby ich okazać, nawet gdyby nie była opętana obowiązkiem sprawiedliwości. Dlatego uczucia braterskie również nigdy nie osiągnęły zbyt wysokiej temperatury. Nie walczyli ze sobą, ale też nie byli przyjaciółmi. Raz tylko rywalizowali o coś — o Danny'ego, który pochłonął cały zapas ciepła, jakie Brigid gdzieś w sobie kryła, ponieważ podobno tego potrzebował „biedny chłopiec, sierota". I John zwyciężył w pojedynku o Danny'ego. Natomiast Roger — cokolwiek to było warte — wygrał Irene.

Czy John czuł się dotknięty tym zwycięstwem, czy cierpiał, tak jak Roger cierpiał z powodu fizycznej atrakcyjności i sportowych możliwości brata? Niekiedy myślał, że to on powinien zostać księdzem, a John poślubić jakąś kobietę. Nikt lepiej sobie nie radził z kobietami niż John; żadna nie mogła się zawieść na tym mocnym prostolinijnym mężczyźnie, nawet jeśli jego twarz i dusza były mniej subtelne niż Rogera.

Biedna Brigid. Obydwaj zapewne nieco ją rozczarowali. Chciała, by któryś zajął się firmą, Roger tymczasem wybrał karierę naukową, a John — na pozór bardziej męski i wojowniczy — kapłaństwo. Jednakże Brigid nie narzekała. „Jeśli wola Boża objawiła się powołaniem do stanu duchownego, wielkie to dla nas błogosławieństwo" — uznała. — „Zresztą czy Irlandczycy nie są narodem świętych i uczonych?"

Roger nie był do końca przekonany, czy wierzyła w to, tak czy inaczej popierała ich, jak tylko mogła. A wola Wszechmocnego? Czy nie okazałby jeszcze większej wielkoduszności, gdyby pozostawił Johna w stanie świeckim?

Z całą pewnością radziłby sobie znakomicie jako prezes firmy, a ożeniwszy się, byłby bez wątpienia wiernym mężem.

Rogera bawiło zafascynowanie jego brata Irene, którego ona najwyraźniej nie dostrzegała, John zaś zdawał się wierzyć, że skutecznie się maskuje. Fascynacja ta sięgała korzeniami pamiętnego lata 1963 roku w Grand Beach, gdy wszystko wskazywało na to, że stary rektor seminarium nigdy nie odejdzie, i John niemal zrezygnował ze swych planów, by zostać księdzem. Braciszek nie mógł się wówczas oprzeć erotyzmowi spod znaku sklepów Bonwita. Tak, byliby świetną parą. Ale teraz nie miało to już żadnego znaczenia.

— Irene wspomniała mi o twoim telefonie — odezwał się Roger. — Odbyłem małą pogawędkę z Noele, mam nadzieję, że wyprowadziłem ją na właściwą drogę.

John zakręcił już prysznic i wycierał się wielkim ręcznikiem.

— Ilekroć Noele zdaje się czytać w moich myślach, jestem śmiertelnie przerażony. Miałem nadzieję, że minie jej to w okresie pokwitania, tak jak mówili lekarze.

— Irene i ja przyzwyczailiśmy się już do tego. A lekarze i ich diagnozy?... Od dawna budzą we mnie szereg wątpliwości. Toteż nie przejmuję się tymi... powiedzmy... objawami. Nic zresztą nie wskazuje na to, by miały one negatywny wpływ na samą Noele.

Roger nic na to nie mógł poradzić — przy Johnie stawał się natychmiast bezosobowym, chłodnym profesorem. Tak jak John nieuchronnie robił się zatroskanym księżulkiem.

— Co jej powiedziałeś o Dannym? — spytał, opasawszy się wilgotnym ręcznikiem.

— Niewiele, starałem się być bardzo powściągliwy.

— Oboje z Irene powinniście w końcu utemperować trochę to dziecko. Czas najwyższy, by zaczęła się wreszcie zachowywać jak dorosła kobieta.

— Utrzymać cyklon w ryzach?

— Tyle rozpuszczonych dzieci widuje się teraz!... — nie ustępował John.

Jakim nadętym jesteś głupcem, drogi bracie, pomyślał Roger.

— Nie rozpieszczamy jej, ekscelencjo — rzekł ozięble. — Nie zauważyłem też, byś ty sam skutecznie nad nią panował, gdy na mszy o dziesiątej kieruje zespołem muzycznym.

John z namaszczeniem pokręcił głową.

— Nie daje mi spokoju, co też parafianie o tym myślą. Podejrzewam, że ci bardziej tradycyjni uważają ją po prostu za arogancką.

— A przy tym to bratanica proboszcza! — Roger nie mógł się powstrzymać od ironii, której zresztą John jak zwykle nie dostrzegł.

— Właśnie.

Weszli do szatni i przez chwilę milczeli.

— Każdy z nas musi w życiu ryzykować — oświadczył wreszcie zagadkowo Roger. — Do zobaczenia wieczorem u mamy.

— Tak, jasne. Noele i Irene przyjdą?

— Przypuszczam, że tak.

— Powiedz mi jeszcze jedno. Czy naprawdę zamierzasz ubiegać się o fotel gubernatora? — spytał John, dając do zrozumienia, że tylko głupiec może coś takiego zrobić.

— Być może. A czy ty zamierzasz podpisać nową umowę na ten kretyński program i przez następny rok grać rolę Phila Donahue w sutannie?

— Być może.

Oto prawdziwe braterstwo, westchnął Roger.

Ace

Richard McNamara, kapitan marynarki wojennej w stanie spoczynku, psycholog kliniczny ze stopniem doktora, był — jak to określił jeden z jego przyjaciół — jeszcze bardziej szalony, niż sądziła większość ludzi. Ace przepadał za tą charakterystyką.

Zapewne mało który kapelan ośmieliłby się sprowokować kardynała arcybiskupa Nowego Jorku, kiedy ten wizytował jego placówkę, twierdząc, że w Rzymie popełniono straszliwy błąd i że to on, a nie kardynał powinien sprawować pieczę nad Nowym Jorkiem. W pierwszej chwili kardynał wydawał się urażony, lecz jako mądry Irlandczyk zaraz zdał sobie sprawę, że McNamara przewrotnie żartuje.

— To byłaby degradacja dla ciebie, kapitanie — rzekł z powagą.

Roześmiali się obaj, choć kardynał jakby nieco zażenowany.

Taki był McNamara. Zarówno zuchwały dowcip, jak i śmiech były zawsze na porządku dziennym — miał je we krwi. Może odziedziczył to po ojcu, który cieszył się sławą bystrego i najbardziej ciętego kapitana policji w South Side.

Kiedy teraz ujrzał ubraną w niedzielny strój Noele Farrell pędzącą w stronę boiska, od razu wiedział, że coś jest nie tak. Nie omieszkał jednak przeciągle gwizdnąć, wtórując młodym koszykarzom.

— Wybaczcie, chłopaki — powiedział głośno — muszę przyjąć rozkazy od matki przełożonej.

— Wariaci! — udała złość Noele.

— Przyszłaś odciągać nas od gry, co?

Jak to się stało, że ci okropnie nudni Farrellowie — irlandzka wyższa klasa średnia — dali światu tę oszałamiającą mieszaninę kruchości i siły, naiwnej prostoty i mądrości?

— Przyszłam, żeby poznać prawdę o Dannym Farrellu i śmierci mojego dziadka. — Rozpieszczona nastolatka zamieniła się w okamgnieniu w śmiertelnie poważną kobietę.

Czymże jest ta jej niezwykła intuicja? Czyżby cofnięciem się do wcześniejszej fazy w procesie ewolucji? A może dostrzeganie tego, co ma nadejść, stanowi połączenie trafnych przeczuć, przenikliwej obserwacji i niesamowitej wrażliwości na innych ludzi? Czymkolwiek jest, sama Noele może straszliwie ucierpieć.

— Ja nic nie wiem, jestem tylko marnym kapelanem, nędzną maszynką do modlenia.

— Też ojciec potrafi przenikać... — zareagowała na nie wypowiedziane.

— Tak czy owak... Dlaczego sądzisz, że Danny miał coś wspólnego ze śmiercią dziadka?

— Istnieje jakaś zmowa, czegoś mi nie chcą o nim powiedzieć. Każdy przedstawia go inaczej: wujek mówi, że był kompletnie zdegenerowany, mama, że kochany i dobry, a Roger, że zabawny i niemal genialny. I te sprzeczne wersje na temat śmierci dziadka: wujek twierdzi, że był trochę wstawiony, Roger, że nie; a mama, że był pijany... no, wie ojciec... jak bela.

— Pijany jak bela?

— Co za przedrzeźnianie? — Nie zamierzała dać się zbyć. — To znaczy kompletnie zalany.

— Dużo pił.

— A nie mówiłam?

McNamara przerzucał piłkę z ręki do ręki. Chłopcy czekali w milczeniu, nie chcąc narazić się na gniew rudowłosej bogini.

— Naprawdę nie wiem, co tam się wtedy stało, Noele. Myślę, że Clancy rzeczywiście spadł ze schodów, tak jak wszyscy mówią. Czemu podejrzewasz coś innego?

Nie trzeba być nawiedzonym, by dostrzec, że na klanie Farrellów coś ciąży, że dźwigają jakieś tajemnicze brzemię niczym karawana przemytników wędrująca nocą przez pustynię. Jeśli Noele wytropiła to...

— Ukrywają prawdę, ale ja się dowiem, co to jest.

— Uważaj! — powiedział ostrzegawczo.

— Tak jest, kapitanie — zasalutowała, przeistoczywszy się znowu w kogoś innego. — Cokolwiek rozkażesz, kapitanie.

Czerwony wóz wystartował jak rakieta. Doścignęły go męskie gwizdy, na co flame odparowała przeraźliwym klaksonem. Kapitan jednak całkowicie stracił zainteresowanie dalszą grą.

Irene

Ubrana do wyjścia Irene przyglądała się liściom unoszonym przez jesienny wiatr i opadającym niczym kolorowy wodospad na Jefferson Avenue. Wieczorem ma padać; babie lato już się skończyło.

Kolorowy wodospad... niezła metafora. Sięgnęła po torebkę i w niewielkim notatniku skreśliła parę słów. Ktoś musi zapisywać metafory, jeśli nawet nikt ich nigdy nie przeczyta.

Czy Roger znalazł sobie na uniwersytecie nową kochankę? Na pewno. Co roku tak było. A ona udawała naiwność, pozwalając mu hołubić męskie ego. Czy mężczyźnie takiemu jak on, który nie wie co to prawdziwa namiętność, potrzebne są kochanki? Pogrążona w zadumie zamknęła torebkę. To może mieć związek z jego stosunkiem do matki. Ciekawy temat na opowiadanie...

Ponownie wyjęła notatnik i coś zapisała, a potem przyjrzawszy się własnym słowom, wzruszyła ramionami. Odkładając notatnik do torebki, znowu o czymś sobie przypomniała i otworzyła go raz jeszcze. „Schować maszynopis", dodała.

Miała fatalny zwyczaj nieodkładania go natychmiast, gdy skończyła pracę. Był ciągle w toaletce. Może powinna zrobić to teraz? Nie, Roger czekał już na dole z kluczykami do mercedesa w dłoni. I tak na pewno zbeszta ją za spóźnienie, nim wyruszą do domu Brigid. Druga niedziela i oczywiście — wydarzenie pierwszorzędnej rangi — obowiązkowy obiad u matki Rogera.

Przyjrzała się sobie w lustrze. Wszystko w należytym porządku. Umiejętnie zrobiony dyskretny makijaż. Niezbyt obcisła beżowa sukienka leży bez zarzutu. Prezentuje się całkiem atrakcyjnie — kobieta w pełni dojrzała.

Młodzi przyjaciele Noele strzelali za nią z ukrycia oczami, jakby była obnażonym posągiem w muzeum, które zwiedzali obserwowani uważnie przez zakonnice. Ale w szczerym zachwycie Jaimiego Burnsa nie było nic tajonego czy fałszywego. Powinno jej właściwie schlebiać, że ten młody, zdrowy mężczyzna uważa ją za godną uwagi; ona tymczasem czuła się speszona. Tajemnicza i pełna seksapilu, jak utrzymywała Noele? Irene jakoś nie potrafiła tego dostrzec.

Teściowa oczywiście powie jej dziś wieczór kilka komplementów na temat sukni, fryzury, nowej biżuterii, ale za jej dźwięczną irlandzką wymową kryć się będzie kpina z kobiety, która nie ma nic lepszego do roboty, jak tylko się stroić. A jeżeli — z pomocą Bożą — odważy się wystąpić z jakąś opinią, Brigid uśmiechnie się protekcjonalnie i natychmiast zmieni temat. Jak zawsze da o sobie znać nie wypowiedziana pewność, że Irene i tak nic mądrego nie może wnieść do rozmowy. A Noele, zuchwałe bożonarodzeniowe dziecko, nie zważając na nic mimo wszystko wciągać ją będzie w dyskusję.

Oni nie doceniają Noele.

Dlaczego są tacy zaniepokojeni jej pytaniami na temat przeszłości? Co ukrywają?

Irene zmieszała się. Niektóre sekrety są wyłączną własnością tych, którzy je znają.

Znowu zezłościła się na Farrellów, już po raz drugi w ciągu ostatnich dwóch dni. Być może z powodu jesiennych liści poczuła się tak okropnie śmiertelna i oszukana. A może powinna walczyć, nim będzie za późno?

Roger

Siedział w gabinecie i bębnił palcami w biurko, czekając na żonę. Dlaczego ona zawsze musi się tak długo ubierać? I dlaczego kiedy w końcu się zjawi, jest taka zalękniona i niepewna, jakby nosiła nie swoją suknię? Nie był specjalnym amatorem tych obowiązkowych przedstawień u matki w co drugą niedzielę, obyczaju wprowadzonego ponoć przez emigrantkę z zamierzchłych czasów, Julie Farrell, zawsze jednak świetnie się bawił widząc, jak Brigid szybko i krytycznie taksuje Irene. Rzecz jasna nie dostrzega nic niewłaściwego; Irene wygląda przecież — choćby niepewna i zażenowana — doskonale.

A potem John śledzi każdy jej ruch, pożerając ją — albo raczej obnażając — wzrokiem. Nic dziwnego, że Irene zdarzało się podczas takich wieczorów za dużo wypić.

Roger był oczywiście dumny z urody żony choćby dlatego, że inni mężczyźni mu zazdrościli, w każdym razie dopóki nie otworzyła ust. To prawda, był nią znudzony, ale nigdy by sobie nie pozwolił, żeby któraś z kochanek zawładnęła nim tak dalece, jak zdarzało się jego kolegom, piszącym nawet o tym powieści. Jeżeli kochanka mogła zająć miejsce żony — a nie da się ukryć, że było to równie stare jak wykorzystywanie kobiet przez męski ród — wówczas i nowa żona, czy jakkolwiek ją nazwać, mogła zostać usunięta przez swą następczynię...

Roger aż się wzdrygnął. Ohyda, jak mawiała Noele.

Mógł się zakochać w swej małej, słodkiej niewolnicy. Mógł nawet wytrwać w tej miłości, choć tak naprawdę nie wydawało mu się to możliwe. Ale nigdy by nie zostawił Irene, ani dla niej, ani dla żadnej innej. Wierzył w małżeńską przysięgę jako zasadę, co było jednym z wyniesionych z dzieciństwa katolickich przekonań, które ciągle wywierały wpływ na jego życie — choćby w postaci nieco odmienionej na własny użytek. Właściwie Irene jako żona całkowicie go zadowalała. Ostry seks z pozbawionymi kobiecych złudzeń istotami z uniwersytetu był bez wątpienia fantastyczny, wart nawet wysokiej ceny w postaci nienawiści do samego siebie pojawiającej się nieuchronnie po fakcie. Jednakże życie z którąś z tych kobiet wydawało mu się po prostu niemożliwe.

Irene wprawdzie nie była w stanie przyczynić się w jakikolwiek sposób do jego kariery akademickiej czy politycznej, ale i nie stanowiła ciężaru. Przypominała niekrępującą ozdobę, poza tym dbała o dom, tworząc atmosferę spokoju i ciszy, do której zawsze chętnie powracał. Trwał więc w małżeństwie z powodów podobnych do tych, jakie kazały mu zamieszkać w dzielnicy: przedkładał dobrze znany irlandzki klimat nad zdominowane przez Żydów akademickie rejony, gdzie jego córka byłaby zmuszona — jak powiedział jednemu z kolegów — do podpisywania jakiejś petycji, ilekroć pojawi się w sklepie.

Właściwie Rogerowi żal było Irene, która go uwielbiała i była od niego kompletnie zależna. Nigdy jej w gruncie rzeczy nie kochał, ale też nie mógł powiedzieć, że jej nie lubi. Na szczęście nie wymagała ustawicznej adoracji, toteż nie była bardziej uciążliwa niż ich seter irlandzki. W zasadzie wolałby być jej wierny, lecz wierność, jak skruszony uznał już dawno temu, przekraczała jego możliwości. Nie miał więc wyboru — pozostanie mężem Irene, a zarazem dręczonym nieustannie przez poczucie winy cudzołożnikiem.

Oczywiście była jeszcze Noele. Ta cudowna i zdumiewająca młoda kobieta ubóstwiała go, nieprzerwanie zaś kłóciła się z Irene, która zazdrościła jej najwyraźniej wszystkiego. Pomimo to Noele była bezwzględnie lojalna wobec matki. Mając usposobienie równie wybuchowe jak jej babcia oraz wujek John, złościła się straszliwie na Rogera, kiedy tylko okazywał Irene lekceważenie. Bez większego trudu mógłby zrezygnować z żony, lecz za nic w świecie nie byłby w stanie żyć bez tej błyskotliwej, wrażliwej, dowcipnej, a czasami drwiącej z niego córki.

Noele nie pozostawiała mu żadnych złudzeń, co myśli o rozwodzie.

— Czy przyszło ci kiedyś do głowy, by rozwieść się z mamą? — spytała bez ogródek pewnego letniego wieczoru, kiedy spóźnił się kilka godzin do ich wakacyjnego domu w Michiana i ujrzał w jej niebezpiecznie roziskrzonych zielonych oczach oskarżenie i gniew.

— Oczywiście, że nie, Śnieżko — odparł zakłopotany. — Dlaczego pytasz?

— Każde dziecko się tego boi, a poza tym czasami nie traktujesz mamy poważnie.

— Małżonkowie mają swoje tajemne znaki i szyfry.

— Przestań przemawiać jak belfer — powiedziała. — I pamiętaj, Roger — zwracała się doń po imieniu, odkąd tylko zaczęła mówić — choćbym nie wiem jak walczyła z mamą, nie pozwolę jej skrzywdzić. Jeżeli ją porzucisz, stracisz także mnie, i to na zawsze. Czy jasno się wyraziłam?

Roger podniósł ręce do góry w udawanym geście obrony.

— Boże, za nic nie chcę mieć w tobie wroga.

— To bardzo dobrze — zgodziła się Noele.

Danny X. Farrellu, pomyślał Roger, gdybyś żył, wysoko byś ją cenił. Kto wie, czy to nie jedyna godna ciebie kobieta.

Noele

— Wejdź, proszę — powiedziała babcia i serdecznie uściskała Noele. — Nastawiłam wodę i zaraz będzie herbata. Napijemy się łyczek, nim nadejdzie reszta towarzystwa.

— Brigid starała się zazwyczaj ukrywać swą irlandzką wymowę, lecz nie z nią, ukochaną wnuczką, która uważała, że jej sposób mówienia jest uroczy. — Jaką masz cudowną sukienkę, jeśli stara kobieta może się zachwycić.

— Oczywiście, że może — przyzwoliła Noele zadowolona, jakby Jaimie zdobył co najmniej przyłożenie.

Dawno już zauważyła, jak różnie działa na swych bliskich. Wujek John robił się przy niej — podobnie zresztą jak przy innych nastolatkach — nerwowy i niespokojny; ojca oczarowywała naiwnym uwielbieniem i błyskotliwą inteligencją; lękiem napawała matkę, która, biedactwo, zamiast myśleć o sobie, chciała być koniecznie taka jak ona. Noele nie dziwiła się tym ich reakcjom; przyjmowała je jako coś naturalnego. Cóż, tacy właśnie byli i ona nie miała na to żadnego wpływu.

Babcia wydawała się dużo bardziej skomplikowana. Czasami łagodna jak irlandzki deszcz, kiedy indziej twarda i nieugięta jak stal; raz dobra jak anioł, innego dnia jakby z piekła rodem. Noele często myślała, że jest podobna właśnie do Brigid, w każdym razie zdecydowanie bardziej do niej niż do kogokolwiek innego w rodzinie. Obie miały też rude włosy, choć trudno było powiedzieć, że odziedziczyła je akurat po niej; kolor zresztą nie był identyczny. „Rude włosy babci" — wyznała Jaimiemu Burnsowi — „są piękne, a moje tylko niezwykłe."

Brigid pieczołowicie ogrzała czajniczek i wsypała do niego dokładnie odmierzoną porcję herbaty, którą zalała gorącą wodą.

W przeciwieństwie do innych nastolatków, którzy czuli się nieswojo na samą myśl o życiu seksualnym dorosłych, szczególnie rodziców, Noele intrygowało, jak to jest z tym seksem „starych". Może dlatego — uznała sama — że w ogóle seks ją fascynował?

Niepokojem zatem napawała Noele oziębłość dająca się wyraźnie wyczuć między rodzicami. Równocześnie była zachwycona, a czasem nieco spłoszona aurą zmysłowości, jaką roztaczali wokół siebie Brigid i Burke Kennedy. Byli jak para rozbitków, dla której wzajemna atrakcyjność stanowi prawdziwy azyl. A więc to może być aż tak potężne — przeczuwała jak zwykle swym szóstym zmysłem Noele.

Właściwie nic dziwnego, że babcia zawróciła w głowie Burke'owi. Była naprawdę efektowna: zgrabna, zawsze zadbana i pełna gracji, choć nigdy nie chodziła na żadne kursy typu „jak być piękną". Nawet zmarszczki jej nie postarzały, tylko przydawały twarzy charakteru. Paliła za dużo, jadła i piła bez ograniczeń, a jakoś nie miało to wpływu na jej wygląd. Jak to możliwe? zastanawiała się zbita z tropu Noele. Też powinnam tak wyglądać, gdy się zestarzeję, uznała w końcu.

— Podobno szperasz w naszej przeszłości, szukając rodzinnych sekretów — zagadnęła Brigid, biorąc do ręki imbryk, jakby zamierzała napełnić filiżanki. Zdecydowała jednak, co należało niemal do rytuału, że jeszcze nie, że herbata musi naciągać kolejne pół minuty, by osiągnęła prawdziwą doskonałość. — Będziemy jakoś sobie z tym radzić do czasu, gdy się ustatkujesz i przejmiesz po mnie firmę.

Babcia nie była taka jak inni członkowie rodziny — nie zamierzała jej zadręczać opowieściami o dorosłości i odpowiedzialności.

— Podoba mi się w tobie, babciu, że nie owijasz w bawełnę... Zobacz, co zrobiłam! Drzewo genealogiczne naszej rodziny. Świetne, prawda?

— Ja nigdy nie miałam głowy do takich rzeczy. — Brigid kręciła rysunkiem na różne strony, w końcu zrezygnowana odłożyła go na stolik. Dobrze zaparzona herbata była wreszcie gotowa do rozlania: najpierw herbata, potem mleko, po irlandzku, a nie angielską metodą zalewanie herbatą mleka w filiżance.

Noele wzięła ze stołu schemat.

— Wszystko zaczęło się od Brendana Johna Farrella, urodzonego w Tralee, w hrabstwie Kerry, w 1861 roku. Brendan mając dwadzieścia dziewięć lat poślubił Julie Roache z Castle Island, z którą wyemigrował do Chicago, gdzie zaczął pracować przy zakładanej właśnie kanalizacji na South Parkway. To dzisiejsze Martin Luther King Drive, prawda, babciu?

— Tak, zgadza się, młoda damo.

— Dobrze. W 1891 roku rodzi im się syn, któremu dają na imię William, a cztery lata później córka, Monica, która tego samego roku umiera podczas epidemii cholery, i to razem z matką, mającą wtedy zaledwie trzydzieści lat. Pięć lat później w wypadku w kanałach zginie Brendan Farrell, jak sądzę ze złamanym sercem. A może to zbyt romantyczne?

— Ludzie miewali złamane serca także w 1900 roku, moje dziecko — odparła smutno babcia.

— Tak więc dziewięcioletni Bill Farrell zostaje sierotą. Zamieszkuje w ośrodku o nazwie Feehanville, zamienionym potem na St. Mary Training School, a jeszcze później na Mayville Academy. Gdy ma piętnaście lat, zaczyna pracować, powożąc śmieciarką zaprzężoną w konie. Czy możesz to sobie wyobrazić, babciu? W konie!

— Rzeczywiście trudno wyobrazić sobie konny pojazd — odparła nie bez ironii Brigid.

— Tak czy inaczej w roku 1911, mając dwadzieścia lat, czyli tylko trzy lata i parę miesięcy więcej niż ja teraz, zakłada Farrell Construction Company. W 1917 roku ma już tyle pieniędzy, że może sobie pozwolić na kupno kamienicy w Washington Park i uznać się za bogatego. Bogactwo... co to wtedy znaczyło, babciu?

— Jakieś pół miliona dolarów, jak sądzę. Ale to nie wszystko, co posiadał, moje dziecko. Bill Farrell miał także znakomite koneksje polityczne.

— A więc to rodzinne — uznała Noele. — W każdym razie znalazłszy się jako rezerwista Illinois w siłach zbrojnych, w sto trzydziestym pierwszym pułku piechoty, ruszył na wojnę... to była pierwsza wojna światowa, prawda?... i zdobył odznaczenie w bitwie. Zaraz potem, a skończył wtedy dwadzieścia osiem lat, ożenił się z dwudziestotrzyletnią Blanche Hogan z Garfield Boulevard, której rodzice niemal zaraz po ślubie umarli podczas epidemii grypy. Jaka była ta Blanche? Opowiedz, proszę. Jakoś zupełnie nie mogę sobie przypomnieć prababci.

— Jak masz ją pamiętać, skoro zmarła jedenaście lat przed twoim przyjściem na świat? Zajrzyj tylko do swojego schematu. Blanche Farrell była bardzo ładną kobietą, całkowicie zależną od męża, przy tym nerwową, kapryśną i gotową w każdej chwili płakać, by osiągnąć to, co chciała. Kiedy ją poznałam, wydawała mi się pełna jadu, choć świetnie to ukrywała za przymilnym uśmiechem i zawsze mokrą od łez chusteczką. Śmierć twojego pradziadka doprowadziła ją niemal do obłędu...

— Mieli dwóch synów — ciągnęła Noele. — Clarence i Martin urodzili się w tym samym 1919 roku, no tak, oczywiście, byli przecież bliźniakami. W roku 1944 Bill Farrell dostaje rozległego wylewu i umiera, a miesiąc po nim jego syn, porucznik Martin Farrell, ginie na torpedowcu w bitwie na Pacyfiku w okolicach Filipin. — Noele przerwała i sprawdziła coś w swym starannie narysowanym schemacie. — Martin Farrell ożenił się w 1939 roku z Florence Carey, dziewczyną z sąsiedztwa. Ojej! bliźniaki przyszły na świat w 1919, czyli Martin w dniu ślubu miał raptem dwadzieścia lat, a jego żona osiemnaście. Tacy młodzi...

— Martin porzucił Notre Dame po dwóch latach i podjął studia wojskowe — powiedziała babcia, kręcąc głową, jakby próbowała sobie coś przypomnieć, a może zapomnieć.

— To były dziwne czasy, moje dziecko. Wielu sądziło, że bardzo romantycznie jest pójść walczyć i więcej nie wrócić, jakby nie rozumieli, czym jest śmierć, co to znaczy nie żyć. Twój wujek Martin był jednym z takich romantyków, tak samo zresztą jak jego nieszczęsna żona.

Brigid raz jeszcze z namaszczeniem nalała herbaty, dbając o to, by w każdej filiżance pozostało miejsce na mleko, Noele zaś czekała cierpliwie, aż rytuał dobiegnie końca.

— W tym samym roku gdy rozbił się samolot Martina, zginęła potrącona przez ciężarówkę Florence. A ich czteroletni syn, Daniel Farrell, został sierotą, jeszcze jedną sierotą w naszej rodzinie. Na szczęście ktoś gotów był się nim zająć...

— Na szczęście.

— I tu właśnie przechodzimy do rozdziału, w którym rodzinna historia robi się naprawdę intrygująca. Tydzień po swym bracie bliźniaku Clarence Farrell ożenił się z niejaką Brigid Flynn, emigrantką irlandzką, absolutnie fantastyczną osiemnastolatką. Taki wiek wpisano jej w paszporcie, choć w gruncie rzeczy miała tylko szesnaście lat, tyle ile ja teraz.

— Niestety. Nawet moje imię nie było prawdziwe. Zostałam ochrzczona jako Mary Maeve czy po prostu Maeve, a nie Brigid. Ojciec nigdy mnie nie lubił: rude włosy i piegi uważał za dowód na to, że jestem cygańskim podrzutkiem. Wysłał mnie więc do Stanów do pracy na służbie, a zatrzymał w domu Brigid, moją o dwa lata starszą siostrę.

— I nigdy, babciu, nie wróciłaś do domu, choćby po to, by spotkać się z prawdziwą Brigid?

— Widzę, że znasz moją przeszłość nie gorzej ode mnie. Nie, nigdy nie spotkałam się z nimi ani nawet nie odezwałam jednym słowem. I nigdy tego nie zrobię. Zbyt dobrze pamiętam tamten mroźny zimowy poranek. Tata obudził mnie, wyciągnął z łóżka i oświadczył, że jadę do Ameryki zamiast Brigid. Płakałam, broniłam się, błagałam go na kolanach, ale moje prośby na nic się nie zdały. Zbił mnie i wyrzucił z domu.

Tamten potworny ranek odezwał się w Noele gdzieś głęboko, jakby to było jej, a nie babci, dalekie i mgliste, lecz tlące się boleśnie wspomnienie.

— Ostatecznie jednak wszystko ułożyło się nie najgorzej, prawda? — spytała z odrobiną lęku.

— Można tak powiedzieć — odparła babcia cicho.

Noele zdawała sobie sprawę, że jeśli nie chce narażać Brigid na cierpienie, jak najszybciej musi zakończyć śledztwo.

— Mieliście z dziadkiem dwóch synów: Johna, który jest dostojnikiem kościelnym, proboszczem naszej parafii i słynną postacią telewizyjną, i Rogera, profesora uniwersytetu i przyszłego gubernatora, ożenionego w 1964 z Irene Conlon... Urodziła im się wścibska dziewczynka, której imienia nie mogę sobie przypomnieć.

— Niemożliwe!

— Kiedy Bill Farrell umarł, Martin zginął, a Blanche Hogan Farrell oszalała — ciągnęła Noele — przejęliście z dziadkiem firmę i w krótkim czasie pomnożyliście rodzinny majątek. Kupiliście mnóstwo nieruchomości, stacje benzynowe, centra handlowe i wiele innych dóbr. Aż nagle twój biedny mąż...

— ...w przypływie gniewu pośliznął się i spadł ze schodów...

Następna wersja, pomyślała Noele. Nie pijany, tylko zły.

— Jak to się stało, babciu? — spytała cicho.

— Wszystko było takie zwyczajne... Siedzieliśmy po obiedzie w pokoju telewizyjnym: John, który niedawno przyjął święcenia, Roger, który przyjechał na Boże Narodzenie z tego swojego bezbożnego Berkeley, Danny, który właśnie miał zamiar nas opuścić i podjąć pracę dla CIA, no i oczywiście twoja matka...

— Aha. — Po raz pierwszy ktoś wspomniał o obecności mamy.

— Danny był w jednym z tych swoich czarnych nastrojów. Wydalono go akurat z marynarki, opłakiwał świętej pamięci prezydenta Kennedy'ego, którego uwielbiał. Spierali się z Clancym zawzięcie, co nie było niczym nowym; zawsze się kłócili. Clancy obwiniał rodzinę Kennedych o wszczęcie śledztwa przeciwko naszej firmie i powiedział coś nieprzyjemnego o biednym prezydencie. To była rzecz jasna woda na młyn Danny'ego. Dostał szału. Wtedy Clancy zaczął się wyżywać na Irene, z której ojcem miał do czynienia przed sądem, i twoja matka zaczęła płakać. Płakała i płakała, między nami mówiąc, może trochę za długo. W każdym razie Danny uniósł się bardziej niż kiedykolwiek i bliski był starcia z dziadkiem. Nie doszło do tego, dzięki Bogu, bo zabrał twoją matkę i wyszedł. Wszyscy zresztą się rozeszli. John poszedł na plebanię, a twój ojciec na dół pograć w karty. Bardzo lubił karty w tamtych czasach, nim jeszcze został profesorem i wielkim człowiekiem, któremu już nie wypada tracić czasu na takie błahostki. My z dziadkiem też byliśmy zmęczeni, udaliśmy się więc na górę. Tymi tu schodami... — wskazała za siebie. — Dziadek nadal był zły na Danny'ego, niech mu ziemia lekką będzie. Miotał się i wygłaszał tyrady na temat niewdzięcznego dziecka, dla którego tyleśmy zrobili. Obserwowałam go, jak piął się po schodach, rzucając klątwy i z każdym stopniem uderzając pięścią w poręcz. Dotarłszy na górę, odwrócił się do mnie, chcąc coś powiedzieć. I wtedy... mój Boże, stracił równowagę. Próbował się złapać poręczy, ale nie zdołał...

— Och, babciu — szepnęła Noele — nie chciałam...

— Nie przejmuj się, moje dziecko. To wszystko działo się tak dawno, że mogę już mówić o tym spokojnie. No więc dziadek z całym impetem runął ze schodów. Rzuciłam się na dół, by mu pomóc, ale nie miałam pojęcia jak: leżał nieruchomo jakoś dziwnie skręcony i tylko z głowy płynęła mu nieprzerwanie krew. Moja biała koronkowa suknia zabarwiła się niebawem na czerwono. Straciłam głowę do tego stopnia, że nie wiedziałam, co robić, gdzie szukać chłopców. W końcu wezwałam Burke'a. To on zadzwonił na policję, bo biedny Clancy nie żył, choć ja za nic nie chciałam tego przyjąć do wiadomości. Gdy zjawili się Roger i John, dziadek wciąż leżał u podnóża schodów. Danny, który jeździł nie wiadomo gdzie, chcąc ochłonąć po awanturze, przybył ostatni. Możesz sobie wyobrazić, jak się czuł, kiedy zobaczył wujka w kałuży krwi.

— To straszne — powiedziała Noele słabo, dziwiąc się, że babcia może przemierzać każdego dnia te schody.

— Tak to wyglądało, moje dziecko. Kto wie? Cal różnicy i być może dziadek byłby nadal z nami.

I co by się wówczas stało z tobą i Burkiem? pomyślała Noele, a na głos powiedziała:

— Bóg nie szczędził mu za życia swych łask.

— Zawsze okazywał mu łaskawość — zgodziła się Brigid.

— Zatem ty, babciu, zostałaś szefem firmy. Podejrzewam, że zawsze nią kierowałaś — dodała Noele, mając nadzieję, że uda jej się zatrzeć wspomnienie tamtej strasznej nocy. — Robiąc jeszcze większe pieniądze, dzięki czemu mogę teraz jeździć nową czerwoną chevette.

— A pewnie chciałabyś BMW, co? — Brigid zapaliła papierosa, choć wiedziała, że jej wnuczka bardzo tego nie lubi.

— Został nam jeszcze najbardziej fascynujący... oczywiście zaraz po twojej ślicznej wnuczce... członek rodziny Farrellów, Daniel X. Farrell. Urodził się w 1940 roku, w 1961 ukończył Akademię Marynarki Wojennej w Annapolis, rozstał się z marynarką w 1963, a rok później został uznany za zaginionego w akcji. Czy to pewne, babciu, że Danny nie żyje?

— Nie ma co do tego wątpliwości, moje dziecko.

— Wiem, że wszyscy tak uważają, ale jest w tej historii coś dziwnego.

— Dziwnego? Pracował dla CIA, pilotował jeden z tych słynnych U-2 i nad Chinami doszło do awarii samolotu. Nie widzę w tym nic dziwnego ani tajemniczego, Noele. To najwyżej tragiczne. Gdyby żył, zostałby wypuszczony tak jak inni więźniowie, którzy odzyskali wolność po wizycie prezydenta Nixona w Chinach.

— Hm... — mruknęła Noele jakby nie do końca przekonana. — Jaki on był, babciu?

Twarz Brigid wyraźnie się rozpromieniła, a jej angielski stał się jeszcze bardziej irlandzki niż zwykle.

— Ach, złamałby ci serce. To był prawdziwy łobuz, jak jego ojciec, choć może i jego prześcignął. Elokwentny, dowcipny, nieobliczalny, prawdziwy czarodziej. Omamiłby cię pięknymi słówkami w pięć minut. Przy tym nieprawdopodobnie inteligentny. Mógłby zostać naprawdę kimś. Ale on, piekielnie leniwy, marzył o tym, by być pisarzem, co było kompletnie szalonym pomysłem. Co dobrego mogło z tego wyniknąć? Zbyt szybki w słowach, nie potrafił trzymać języka za zębami i dlatego w sumie usunięto go z marynarki: bo zachciało mu się stawać w obronie jakiegoś czarnego marynarza. Taki był Daniel X. Farrell.

— A ty bardzo go kochałaś, prawda?

— Tak jak wszyscy.

— Jaki byłby dzisiaj, gdyby żył?

— Po co zadawać takie pytanie, moje dziecko? Nie sposób na nie odpowiedzieć.

— Wujek John powiedział, że byłby alkoholikiem jak prababcia Blanche. A mama mówi, że zostałby wielkim pisarzem. Nie mów, babciu, że ty nigdy o tym nie myślałaś.

Brigid Farrell zmarszczyła brwi i popadła na moment w zadumę.

— Ach, mógłby być jednym i drugim, i bez wątpienia wszystkim innym. Ale nigdy się tego nie dowiemy, prawda?

Nieoczekiwanie w salonie zjawił się Burke Kennedy, który do tej pory oglądał mecz, i poprosił o filiżankę herbaty.

Noele uważała, że Burkie jest całkiem miły. Złościł się tylko, kiedy mówiło się do niego „Burkie", co oczywiście jedynie zachęcało ją do nazywania go tak przy byle okazji. Nigdy nie miała sposobności powiedzieć Brigid i Burke'owi, że jest po ich stronie, że nie widzi nic złego w ich trwającym tyle już lat związku. Zresztą czy można było nie wybaczyć tak nieprawdopodobnie oddanej sobie parze?

Myśl o tym, jak wiele może być do wybaczenia, wywołała u Noele drżenie, opanowała się jednak i napełniła filiżankę

Burkiego herbatą nie mniej ceremonialnie, niż zwykła to czynić babcia.

— A więc kolejna rudowłosa kobieta nalewa mi w ten sam doskonały sposób herbatę — rzekł Burke, uśmiechając się niczym rzymski wojownik wkraczający do willi swej wybranki, choć w jego uśmiechu wyczuwało się coś jak cień skrępowania.

— Cokolwiek robisz, musisz robić dobrze — odparła Noele, naśladując styl babci. — Naprawdę!

Jesteś tak samo jak Brigid zaniepokojony rozmową o przeszłości, uznała. Jak nerwowo zaciskasz palce! Dłonie niby pokryte ohydnym samochodowym smarem, ale dobrze wiem, że czegoś się boją. Ciekawe czego.

Brigid

Niedzielny obiad dobiegł końca, niezbyt tym razem udany. To dziecko jest źródłem niepokoju dla wszystkich, uznała Brigid, zdejmując kolczyki.

Uporządkowała nieco bałagan po przyjęciu, poszła na górę, gdzie w swym obszernym brązowym szlafroku czekał już na nią Burke. Był wysokim silnym mężczyzną o niemal białych włosach i ogorzałej kwadratowej twarzy, wyglądającym teraz niczym celtycki wojownik, który sposobi się do pojmania branki. Obserwował ją z nie ukrywanym zachwytem, gdy pochyliła się nad toaletką. I natychmiast jej ciało zaczęło się z wolna sposobić do odpowiedzi na męski urok i pożądliwe spojrzenie Burke'a.

Burke Kennedy był twardym i bezwzględnym mężczyzną, ona była twardą i bezwzględną kobietą. I dlatego się pokochali, choć w ich surowej namiętności znalazło się też miejsce na zapierającą dech w piersi delikatną czułość.

Kiedy w roku 1944 zmarli Bill Farrell i jego syn, porucznik Marynarki Wojennej Stanów Zjednoczonych Martin Farrell, Burke Kennedy, który przejął w spadku po swym ojcu funkcję radcy prawnego Farrellów, napomknął, że wiele kłopotów trapiących ich rodzinę może zostać rozwiązanych, jeśli Brigid zgodzi się być jego. Nawet lubiła Burke'a i w pewnym sensie propozycja ta jej pochlebiła, ale rzecz jasna oburzona odmówiła, mało tego — opowiedziała o wszystkim mężowi. Jakże była upokorzona, gdy Clancy polecił jej wręcz, by się nie opierała! Przekonywał ją, że to jedyny sposób, aby uchronić firmę przed niepotrzebną ciekawością wyznaczonego przez sąd kuratora. Jeżeli dojdzie do dokładniejszej rewizji ksiąg, Clancy może się znaleźć w więzieniu, chociaż to nie on, tylko ojciec manipulował kapitałem, przekupywał polityków i opłacał gangsterów. Kto wie, czy nie stracą wszystkiego. Czy chce, by tak się stało, by zostali bez jednego centa?

Brigid miała świadomość — przez co hańba stawała się tym dotkliwsza — że polecenie męża było tak naprawdę rozkazem teściowej: Blanche Hogan Farrell nakazała synowi, by dla dobra rodziny oddał innemu mężczyźnie własną żonę, i on jej usłuchał. Nie widziała specjalnych powodów, by darzyć męża szacunkiem i miłością. Była pokojówką w bogatym domu i wspomniano, że ma szansę na lepsze życie, jeśli będzie posłuszna pewnemu człowiekowi, została więc w gruncie rzeczy kupiona przez Billa Farrella, który potrzebował jej dla syna, chcąc zapewnić sobie odpowiednią liczbę wnuków na wypadek, gdyby Marty zginął na wojnie. Dlaczego akurat ona miała uszczęśliwić Clancy'ego, na zawsze już pozostanie tajemnicą... Brigid wolałaby, żeby kupiono ją dla Martina raczej niż dla jego brata bliźniaka. Ale Marty potrafił sam znaleźć sobie żonę, skromną, kochającą niewinną istotę imieniem Flossie.

Pierwsza noc z Burkiem Kennedym zaczęła się od wstydu, strachu i wściekłości, a skończyła porażającą rozkoszą. Nie sposób było powiedzieć, kto zawojował kogo; od tego dnia obydwoje utrzymywali, że to drugie.

Dzięki Burke'owi Brigid przejęła kontrolę nad firmą i zapewniła jej większe niż kiedykolwiek zyski. We dwoje zadbali o to, by nie ujawnić niedorzecznego planu Clancy'ego zamierzającego ograbić Marty'ego i jego syna, trzymali go też z dala od możliwości szkodzenia firmie. I dyskretnie kontynuowali swój romans, spotykając się regularnie aż do śmierci męża Brigid. Uwolnieni wreszcie w roku 1964 od Clancy'ego Farrella stali się — jak lubił mawiać John

— „parą słynnych jawnogrzeszników", aż zwariowana żona Burke'a, Eloise, umarła z powodu alkoholizmu i marskości wątroby.

Sześć lat minęło od czasu, gdy Brigid zupełnie poważnie stwierdziła, że mniej będzie teraz ekscytacji, ewentualne zaś małżeństwo na pewno nic dobrego im nie przyniesie. Poważanie zaprzepaści całą przyjemność, uznała.

Kochali się od trzydziestu lat, a ciągle mieli w sobie niewyczerpane pokłady miłości, która zaspokojona na moment, płonęła znowu, cokolwiek na ten temat mogli sądzić inni, nie wyłączając Boga. Brigid przeciwna była małżeństwu, lecz Burke upierał się, iż to konieczne ze względu na dzieci, które nie wiedzą, co mówić ludziom na temat ich związku, a także — co prawdziwie ją zaskoczyło — oświadczył, że sam marzy, by w końcu została jego żoną.

Obawy Brigid okazały się bezpodstawne: była równie dobrą żoną jak kiedyś kochanką. Burke pożądał jej nie mniej niż pamiętnej nocy pierwszego uniesienia w Palmer House, a jego cyniczne piwne oczy płonęły tym samym żarem.

— Co może zrobić szesnastoletnie dziecko, nawet wyjątkowo inteligentne i dociekliwe, że wywołuje aż taki niepokój? — spytał Burke.

Brigid zgasiła papierosa i oparła się o toaletkę. Powinna jeszcze wyszczotkować włosy, lecz była naprawdę zbyt zmęczona, toteż zamiast sięgnąć po szczotkę, nalała sobie kolejny kieliszek brandy.

— Jednego się tylko obawiam: tego protestanckiego misjonarza, który utrzymuje, że był z nim w obozie jenieckim.

Burke wstał z łóżka i objął szczupłą talię Brigid.

— Daj spokój, przecież Noele nie będzie przeprowadzać wywiadu z dyrektorem CIA.

Dreszcz podniecenia, towarzyszący jak zawsze dotykowi Burke'a, przeszył ją od stóp do głów.

— Mam dość udawania. Przez całe życie... — nie dokończyła i oparłszy głowę o jego ramię, ku własnemu zdziwieniu rozpłakała się.

— Chciałbym, żeby wszyscy mieli okazję poznać cię taką jak ja kiedyś, Bridie — nazwał ją imieniem, którego nikt inny nie ośmieliłby się użyć. — Kruchą dziewczynę, zagubioną w obcym świecie emigrantkę, a nie potężną i przyzwyczajoną wyłącznie do sukcesów kobietę interesu.

— Jesteśmy starzy, Burke — szlochała, a łzy płynęły coraz obficiej. — Wyglądamy może młodziej niż przyjaciele z klubu, ale śmierć krąży już wokół nas. I taka jestem zmęczona...

Burke otoczył ją ramionami, tuląc i starając się ukoić ból, aż płacz w końcu ustał.

— Stara i głupia ze mnie kobieta — powiedziała.

— Najwyżej udręczona, ale piękna kobieta — odparł.

— Kobieta, którą kocham.

Brigid dobrze wiedziała, że czeka ją potępienie. Od przyjazdu do Ameryki w 1934 roku jej życie było grzeszne i występne. Lubieżność, fałsz, cudzołóstwo, a w końcu morderstwo. Nie zasługiwała na przebaczenie. Po śmierci czeka ją wieczny mrok — nie ogień piekielny, o którym uczyła się na lekcjach religii w Irlandii, ani nawet nie piekło bezowocnego zadośćuczynienia, o którym pewnie jej syn prałat rozmawia teraz z pobożną aktorką w programie Kanału Trzeciego, lecz piekło przerażającej nicości, bezdenna czarna otchłań, którą Boża sprawiedliwość rezerwuje dla będących najbardziej odrażającym uosobieniem zła. Jeszcze parę lat i wrota ciemności zamkną się na zawsze. Dobry Boże, wiem, że nie masz powodów, by mnie wysłuchać, ale błagam, chroń nas przez te kilka lat. Nie pozwól, aby zło wypełzło zza grobu, żeby nas unicestwić.

— Kochaj mnie, Burke.

— Niczego bardziej nie pragnę, Bridie — zapewnił.

— Po to tu jestem.

Byli prawdziwie utalentowani w dawaniu sobie miłości, świadomi każdego gestu i ruchu, dotyku i pocałunku, wszystkiego, co rozbudza, prowokuje, zaskakuje i daje rozkosz. Wkraczając teraz w tę dobrze znaną, choć nigdy nie nudną krainę gry miłosnej, Brigid przypomniała sobie ich pierwszą noc w Palmer House.

Zrzuciwszy ubranie, stanęła wtedy przed Burkiem z twarzą równie płomienną jak jej rude włosy i zawołała, że przybyła tu na polecenie męża. Burke zdawał się zaskoczony i oszołomiony. Zaczął się jąkać, że ta propozycja nie była całkiem poważna, jego oczy zaś najwyraźniej jej unikały.

— Za późno teraz na udawanie, że tego nie chciałeś — podniosła głos. — I do diabła, popatrz na mnie!

Stało się, wpadli we własne sidła. A może chcieli w nie wpaść? W ich uściskach był najpierw gniew i gwałtowność, aż nagle — Brigid nigdy nie była w stanie zrozumieć, jak to się stało — wszystko kompletnie się zmieniło.

Igrali z wiecznym potępieniem przez trzydzieści lat. A czas mijał. Jeszcze kilka lat i dojdą do kresu swej grzesznej drogi.

Często była przez męża bita, zawsze jednak w tajemnicy, bez rozgłosu i widocznych śladów, tak że nikt się niczego nawet nie domyślał. Nikt z wyjątkiem Burke'a, który wpadał w furię, widząc siniaki na jej ciele. Brigid się nie buntowała, traktując razy jako zasłużoną karę i nie pozwalając, by kochanek mieszał się do tego.

Ciało Burke'a przywarło do niej mocno, tak jak lubiła, czyniąc ją kompletnie bezradną i zdolną tylko odpowiadać na jego nieubłagany rytm. Oddawała się całkowicie temu miarowemu ruchowi; każdy jej nerw i każda komórka delektowały się nieskończonym zatraceniem. Świat przestał istnieć — była tylko ta jedna jedyna rozkosz, jarząca się czerwonym płomieniem, potem oślepiającym białym ogniem, a w końcu eksplodująca ekstazą, która przeniosła ją w jakiś inny, nieziemski wymiar. Już wędrowała w przestworzach, gdy skądś z daleka dobiegł ją jej dziki, niemal zwierzęcy krzyk bezgranicznego upojenia.

A potem płynął przez nią ocean cudownej słodyczy, zmazując ślady krwi Clancy'ego Farrella, która zamieniła błękit dywanu w szkarłat.

Boże, modliła się frunąc w niebiańskim uniesieniu, daj nam jeszcze trochę czasu.

Burke

Zgasił słabe światło, przy którym się kochali, i choć sam ciągle jeszcze nierówno oddychał, gładził delikatnie i obsypywał pocałunkami leżącą obok żonę.

— Widzę, że nadal muszę cię cywilizować, ty okrutny barbarzyńco — szepnęła sennie.

— Oj, żałowałabyś tego — odparł.

Gra wstępna z Brigid przypominała szybko i sprawnie załatwiane interesy, samo zbliżenie zaś pełne było gwałtowności, a nawet okrucieństwa — właśnie to uważał Burke za ideał współżycia z kobietą. Po wszystkim jednak Brigid odsłaniała niewyobrażalnie kruchą część swego „ja". Nawet tamtej nocy pierwszego opętania w Palmer House, gdy za oknami szalała burza z piorunami, wiedział już, jak delikatna jest ta na pozór szorstka, okrutna, twarda kobieta. I właśnie owa wzruszająca kruchość przywiązała go do niej najmocniej. Burke znał niegdyś mnóstwo namiętnych kobiet, ale żadna nie potrafiła w sposób równie porażający odsłonić nie znanej części swojego jestestwa. Czy mogła po niej istnieć jeszcze jakaś inna?

Jakże go Brigid zmieniła! Kupczył kiedyś bezwzględnie prawem — „najsprytniejszy z prawników krętaczy w mieście", powiedział o nim Dick Daley, na pewno nie należący do jego wielbicieli — stopniowo jednak zaczął się wycofywać z interesów. Kochał grę całym sobą, lecz jeszcze bardziej kochał Brigid.

Nie mógł ryzykować więzienia i pozostawienia jej na łasce losu.

Jaka szkoda, że nie mieli dzieci! Jej synowie zbyt wiele mieli w sobie z Clancy'ego, by móc się równać z Brigid. Jeśli ktoś w rodzinie był w stanie jej sprostać, to tylko Noele... choć też nie do końca...

Ale nie chciał teraz myśleć o tym uroczym, inteligentnym, zachwycająco bezczelnym i prawdopodobnie bardzo niebezpiecznym dziecku.

Nie nękało go szczególne poczucie winy. Czyż nie był przez ostatnie sześć lat stuprocentowo uczciwy? Jeśli zaś chodzi o sprawy wcześniejsze... Cóż, to już rozdział zamknięty.

Tylko te sny... Nie miał wątpliwości, że nawiedzą go dzisiejszej nocy.

Pocałował swą ukochaną, śpiącą już głęboko, i zbierał siły, gotując się na nocny terror, któremu przyjdzie mu niebawem stawić czoło.

Gdyby ktoś próbował znowu zagrozić Brigid, nie cofnie się przed niczym, by jej bronić. Bóg — jeżeli istnieje — może być tego pewien.

James III

Zaparkowali flame przed domem Farrellów na Jefferson Avenue. Noele przytuliła się do Jaimiego Burnsa, którego palce, jeszcze niedawno odbierające piłkę oszołomionym przeciwnikom, gładziły z nieskończoną delikatnością napięte mięśnie jej karku. Wyraźnie coś ją dręczyło.

— Co z tobą, M. N.? — spytał i zamarł na chwilę.

— Nie przerywaj — poprosiła.

— Wcale nie zamierzam.

Kiedy był małym chłopcem, ojciec — nim jeszcze zaczął ubiegać się o fotel w Kongresie — wyjechał na jakiś czas do Wietnamu, Jaimie więc zbliżył się bardzo do matki. Stał się dzięki temu wrażliwszy i bardziej wyczulony na kobiety; na szczęście, bo był teraz w stanie radzić sobie z nieobliczalną, przyprawiającą o nieustanny zawrót głowy i absolutnie cudowną Mary Noele Farrell. Ta istota potrafiła być jeśli nie apodyktyczną diablicą, jak sama często siebie nazywała, to co najmniej osóbką próbującą rządzić wszystkim i wszystkimi. Ale już za moment stawała się niewyobrażalnie spragniona uczuć, tak że miłości i czułości nigdy nie było za dużo. Jaimie należał do nielicznych — co napawało go dumą — któremu udało się zbliżyć do tej nie znanej innym części jej „ja" i kochać ją bez granic. To było lepsze nawet niż przyłożenie.

— Czy nie wydaje ci się, że Danny żyje? — spytała nagle.

Ciągle jeszcze potrafiła go naprawdę zaskoczyć, tak jak teraz. Wędrujące po delikatnej szyi dziewczyny palce Jaimiego znieruchomiały.

— Nie przerywaj — zażądała.

— Nie żyje od osiemnastu lat, Noele. Wiesz przecież, że jeńcy przetrzymywani w Chinach zostali zwolnieni po wizycie Nixona.

Przywarła do niego mocniej.

— Coś tu jest naprawdę nie w porządku, Jaimie. Wiem o tym. Czuję to. Cała rodzina mnie oszukuje. Ich opowieści o śmierci dziadka Clancy'ego pełne są sprzeczności: był pijany, nie był, a może był tylko trochę pijany. I tak samo z Dannym, każdy mówi co innego: był geniuszem, wiecznym chłopcem, straceńcem, wielkim człowiekiem. Wszyscy się go jakoś dziwnie obawiają, choć mówią, że nie żyje.

— W końcu nie tylko oni uważają, że umarł.

Odepchnęła go zdecydowanie.

— Wiem, ale dlaczego robią się tacy przebiegli i kłamią, ilekroć pytam o niego?

Jaimie Burns spragniony był młodego kobiecego ciała równie mocno jak każdy mężczyzna w jego wieku, a kto wie, czy nie bardziej. I doskonale zdawał sobie sprawę, że kiedy Noele jest w tym swoim „rozhuśtanym" nastroju — jak choćby tego wieczoru — jej zmysły płoną i nietrudno ją skusić, by poszli do łóżka. Atrakcyjna możliwość, uznał, lecz chyba niewarta zachodu, bo nieuchronne poczucie winy zniszczyłoby między nimi wszystko.

Noele była bądź co bądź obiektem spekulacji przyszłościowych, jak powiedział zaniepokojonemu ich związkiem ojcu.

— Odroczenie gratyfikacji — wyjaśnił.

— Długoterminowe — James II był pod wrażeniem nowego słownictwa, które syn przywiózł z college'u.

— Gratyfikacja godna choćby nie wiem jak długiego czekania — odparł James III.

— Chyba ją kochasz — roześmiała się matka, jak zawsze najlepiej rozumiejąca syna.

Taniec trzeci

Galiarda

*Żywy, wesoły szesnastowieczny taniec
o włoskim rodowodzie... często łączony
z pawaną.*

Irene

Z pokoju Tommy'ego Taylora dobiegał głośny śmiech. Ktoś zdołał go rozbawić, to dobrze. Szkoda, że mnie nie udało się urodzić chłopca, pomyślała rozżalona i uchyliła szpitalne drzwi. Monsignore John Farrell, szwagier Irene, boksował się na niby z chorym na białaczkę chłopczykiem, udając, że przegrywa.

— Tommy pokonał monsignora — oznajmił John, mrugając do niej.

Dwa razy w tygodniu Irene odwiedzała w szpitalu starych ludzi i dzieci i popołudnia te były dla niej ogromnie ważne. Sama się dziwiła, jak często udaje się jej wywołać na twarzach chorych uśmiech. Wyjątek stanowił Tommy, całkowicie nieczuły na jej opowieści i próby rozbawienia go.

A John potrafił zaczarować go w pięć minut.

Świetnie sobie radził z dziećmi, choć nie z nastolatkami, które zdecydowanie wolały ojca McNamarę. Każdego popołudnia można było zobaczyć Ace'a na boisku szkolnym, jak gawędzi i żartuje z wychodzącymi ze szkoły uczniami, o ileż swobodniej niż za jej czasów w tej samej parafii Świętej Praksedy.

Tommy uścisnął wychodzącego Johna i tak samo — sprawiedliwie — objął Irene.

— Wrócę tu za chwileczkę, dobrze, Tommy?

— Czekam. — Chłopczyk uśmiechnął się serdeczniej niż zwykle.

— Jakie ma szanse? — spytała Johna, podążając świeżo wyszorowanym korytarzem ku windzie. Jak w każdym katolickim szpitalu intensywna woń środków odkażających miała świadczyć, że podłogi są tak czyste, iż można z nich jeść.

— Wygląda na to, że zaczął się nawrót choroby. Jeśli będzie miał szczęście, może doczekać czasu, gdy znajdzie się jakiś skuteczny lek na leukemię. — John bezradnie rozłożył ręce. — Problemem są też rodzice.

— Nie zjawiają się zbyt często...

Wyjął z kieszeni świetnie skrojonej marynarki plik kartek dotyczących chorych.

— Choroba dziecka nierzadko rozbija małżeństwa. Ace... ojciec McNamara... jest zdania, że wraz z postawieniem tragicznej diagnozy rodzicom potrzebna jest natychmiastowa terapia. — Wzruszył ramionami. — Chyba ma rację...

— Dasz się zaprosić na kawę? — Poza terytorium Farrellów można być przez chwilę sobą, uznała Irene.

— Chciałbym zaproponować ci to samo, ale muszę jeszcze odwiedzić pięciu chorych, po południu mam dwa pogrzeby, dwie msze żałobne wieczorem, nauki przedmałżeńskie i zebranie zarządu szkoły parafialnej.

— Jak ty to robisz, że jeszcze znajdujesz czas na program telewizyjny?

Odpowiedział jej zwycięski śmiech Johna Farrella, ten sam, który tak uwielbiały jego parafianki.

— Improwizuję w locie, Irene. Jakżeby inaczej?

Faktycznie ciężko pracował, biorąc na siebie obowiązki dwóch wikarych; etat jednego zlikwidowano, drugi zaś, ojciec Miller, starał się, jak tylko mógł, być całkowicie niewidzialny. John szczerze kochał swoją parafię i parafian, co do tego nie można było mieć wątpliwości.

— Zapracowujesz się na śmierć. Powiedz, kiedy miałeś ostatnio urlop?

— Dobrych parę lat temu, to prawda, ale zamierzam gdzieś wyjechać po Bożym Narodzeniu. — Tym razem jego uśmiech nie zrobił na niej żadnego wrażenia. — Jak tam Roger? Naprawdę musisz mu wyperswadować kandydowanie do fotela gubernatora.

— Wracając wczoraj wieczorem z koncertu — odparła pozornie nie na temat — przejeżdżaliśmy obok tych strasznych wieżowców dla biedoty, w których budowie mamy swój udział. Roger czuje się za to odpowiedzialny i uważa, że ma coś do zrobienia w tej sprawie.

Roger i Irene nie kochali się naprawdę ani nawet specjalnie o siebie nie dbali. Jednakże seks i wspólny dom zbliżały ich do siebie, toteż wysłuchiwała niekiedy jego deklaracji na temat powrotu do politycznego powołania, które tak ożywiało go w latach sześćdziesiątych.

— Myślałem, że definitywnie zrezygnował z polityki po sześćdziesiątym ósmym roku — powiedział John. — Śmierć Kennedy'ego, zjazd, kompromitacja McCarthy'ego... Czy nie dość jak na najwyższych lotów idealizm mego brata?

Ci dwaj bracia naprawdę niewiele o sobie wiedzieli.

— Nie mogę go powstrzymać — rzekła Irene — ani jego matka nie jest w stanie tego zrobić. Myślę zresztą, że Brigid, jeśli nawet się do tego nie przyznaje, chce mieć syna gubernatora.

— A Noele? Co o tym myśli? — John pozwolił odjechać windzie pełnej lekarzy i pielęgniarek.

— Właściwie nie wiadomo. Zresztą jest teraz zaprzątnięta przede wszystkim Dannym Farrellem.

— Tego nam najbardziej potrzeba. — Nacisnął raz jeszcze guzik windy. — Ona jest taka młoda i tak nieprawdopodobnie naiwna... Czy myśmy byli kiedykolwiek tacy młodzi, Irene?

— Ty i Roger na pewno nie. Ja może przez parę tygodni...

— A Danny?

— On był zawsze młody — powiedziała i natychmiast pożałowała swych słów.

Drzwi windy otworzyły się znowu. John objął Irene i pocałował ją w policzek, blisko ust, lecz nie za blisko — monsignore Farrell żegnał się bądź co bądź z parafianką, a przy tym bratową. Pachniał dobrą wodą kolońską.

— Do zobaczenia w kościele, Irene — rzucił i zniknął za zasuwającymi się drzwiami.

Grubo ciosany męski urok Johna, spotęgowany miłym zapachem, przyprawił ją o przyspieszone bicie serca. Ty słodko pachnący łotrze, pomyślała. Co ja mówię, zganiła siebie. Czego chcę od tego ciężko pracującego i pełnego dobrych intencji biedaka? To nie jego wina, że urodziliśmy się wszyscy od razu w średnim wieku.

Wszyscy z wyjątkiem Danny'ego.

Pospieszyła z powrotem do pokoju Tommy'ego, mając nadzieję, że rezydująca w dyżurce siostra nie zauważy łez w jej oczach.

Ale Tommy zauważył.

— Niech pani nie płacze — powiedział, kiedy go przytuliła. — Wszystko będzie dobrze.

Płakała wszakże jeszcze przez chwilę — za nadzieję Tommy'ego i za swe stracone złudzenia.

Noele

Szczęki Noele napinały się coraz mocniej.

Odkąd w parafii został zatrudniony kierownik muzyczny, człowiek ów, chudy, łysy, zjadliwy i jąkający się lekko, próbował wtrącać swoje trzy grosze do niedzielnej mszy nastolatków, w czym wspierał go ochoczo ojciec Miller, na szczęście ulatniający się natychmiast, gdy na horyzoncie pojawiała się Noele. Przekonywał jej wujka, że muzyka gitarowa nie jest akceptowana w kręgach kościelnych, co prowadziło rzecz jasna do otwartego konfliktu z Noele jako główną gitarzystką grupy folkowej i wiceprzewodniczącą rady młodzieży.

Starała się jak mogła zapanować nad sobą. Jaimie powiedział jej potem, że gdy jej szczęki dziwnie się napięły, wyglądała jeszcze groźniej niż zwykle. A przecież wcale nie chciała robić wrażenia despotycznej... no, przynajmniej nie zawsze. Dziś szczególnie zależało jej na tym, by być miłą i czarującą, bo spotykała się z rodzicami Jaimiego i miała zamiar poprosić pana Burnsa o wyjątkową przysługę.

Nie mogła jednak dopuścić do zmarnowania porannej mszy. Noele — podobnie jak jej babcia Brigid — była święcie przekonana, że jeśli coś się robi, musi być zrobione należycie, nawet jeśli miałoby to oznaczać wzięcie wszystkiego w swoje ręce.

Młodzieżowa msza nie mogła się udać, gdyby kierownik muzyczny i jeszcze dwaj inni nudziarze zaczęli wyśpiewywać Mozarta. Noele osobiście nic nie miała przeciwko biednemu Mozartowi, jednakże jego muzyka zaprzepaściłaby to, co jej balladowa grupa nie bez trudu wcześniej osiągnęła. Zmuszenie wiernych, by otworzyli usta i śpiewali, było prawdziwym sukcesem, a stary Wolfgang Amadeusz z pewnością ugasiłby ten z trudem rozpalony płomyk zbiorowego entuzjazmu. Poza tym mszę miał kończyć jej ulubiony hymn „Pan tańca"; nie zniosłaby, gdyby odśpiewano go apatycznie.

Ojciec Ace, który jak zawsze celebrował mszę o dziewiątej trzydzieści, pobłogosławił wiernych i wtedy Noele, ubrana w kremową sukienkę przepasaną w talii zieloną aksamitką, pospieszyła do umieszczonego z lewej strony ołtarza mikrofonu, wyprzedzając o trzy stopy zdecydowanie wolniejszego dyrygenta.

— Ostatnią pieśnią będzie dzisiaj „Pan tańca". — Michele Carmody i inni natychmiast zaczęli nucić dobrze znaną melodię, a Noele aż się wyprężyła, podniecona niczym delfin, który na chwilę tylko wychynął na powierzchnię i z rozkoszą wskakuje znowu na swą ulubioną głęboką wodę. — Nasze życie jest tańcem, przyjaciele i rodzina tanecznymi partnerami, a Bóg to wodzirej. On nadaje ton, kieruje muzyką i zachęca nas wszystkich do tańca. Czasami przerywa taneczny krąg, bo chce zatańczyć z kimś z nas. Zaśpiewajmy zatem głośno i z całego serca, by Pan widział, że jesteśmy gotowi z nim tańczyć, kiedykolwiek tego zapragnie.

Siedzący w drugim rzędzie państwo Burns i gromadka ich młodszych dzieci zdawali się przejęci, Jaimie zaś przewracał błękitnymi oczami, naprawdę nie brzydszymi niż Roberta Redforda. Ojciec Ace tłumił śmiech, natomiast stojący za Noele kierownik muzyczny krztusił się, jakby za chwilę miał wyzionąć ducha. Noele trwała niewzruszona. Uderzając z całych sił w struny gitary, prowadziła wiernych ku tak natchnionemu śpiewowi, że „Pan tańca" zdawał się wstrząsać ścianami wielkiego nowoczesnego kościoła.

Tańczyłem świtaniem,
gdy świat był tworzony,
gdzie słońce, gdzie księżyc

i gdzie gwiazd miliony.
Zstąpiłem na ziemię
i tu wciąż pląsałem,
zrodzony w Betlejem,
ludzkim odzian ciałem.

Niechaj tedy ze mną
tańczy każdy człek,
z każdej świata strony.
Jam Pan tańca, rzekł.
Wszystkich, wszystkich ludzi
ja powiodę w tan,
z każdej świata strony,
bo jam tańca Pan.

Tańczyłem dla skrybów
i faryzeuszy,
lecz żaden z tych mężów
w tan za mną nie ruszył.
Dla Jana, Jakuba,
rybaka tańczyłem,
że zaś poszli ze mną,
tańca nie kończyłem.

Pląsałem w ów piątek,
gdy niebo sczerniało,
choć trudno jest tańczyć,
gdy krzyż więzi ciało.
Pogrzebli je pewni,
że martwe, lecz jam
jest taniec wieczysty
i wciąż w tańcu trwam.

Powalon — powstaję,
bo ja jestem życie,
co nigdy nie zmierzcha,
lecz zawsze w zenicie.
Zamieszkam ja w każdym,
jeśli każdy człek
zamieszka we mnie.
Jam Pan tańca, rzekł.

Niechaj tedy ze mną
tańczy każdy człek,
z każdej świata strony.
Jam Pan tańca, rzekł.
Wszystkich, wszystkich ludzi
ja powiodę w tan,
z każdej świata strony,
bo jam tańca Pan.

Gdy hymn dobiegł końca, Noele zniknęła, wymykając się kierownikowi muzycznemu, z którym nie chciała się kłócić, i ojcu Ace, z którym nie zamierzała się przekomarzać. Tego niedzielnego poranka miała dużo ważniejsze rzeczy do zrobienia.

Podążając ku lincolnowi Burnsów, nie omieszkała jednak zerknąć kątem oka na wujka otoczonego tłumem podnieconych parafian, którzy — nim udali się do swych samochodów, gazet, niedzielnych śniadań i meczu w telewizji — ściskali mu dłoń, zapewniając, że są zachwyceni „Panem tańca". Punkt dla mnie na niekorzyść kierownika muzycznego, uznała.

— Wspaniale, Noele. — Pani Burns była dla niej naprawdę miła, mimo że Noele na głowę pobiła ją w golfa minionego lata w Grand Beach.

— Po prostu ożywiłaś kościół — zagrzmiał jej mąż.

— Przejmujące doznanie.

Kongresman jak zwykle na stanowisku, roześmiała się duchu.

Jaimie uścisnął ją i oświadczył z dumą: — Taka jest właśnie moja Noele — czym przyprawił ją dosłownie o zawrót głowy.

Jaimie Burns był jej pierwszym prawdziwym chłopcem. Miał oczy rzeczywiście jak Robert Redford, a przy tym faliste blond włosy, i Noele stroszyła się natychmiast, gdy mówiono, że ma zbyt drobną twarz albo że jest za chudy. Nie lubiła też, gdy nazywano ją szefem, a jego sennookim marzycielem, który potrafi tylko wypełniać rozkazy. Przecież właśnie Jaimie wpadł na pomysł, żeby w indeksach „New York Timesa" i „Time'a" szukać informacji o Dannym Farrellu. Miał wiele zdrowego rozsądku, nawet jeśli czasami sprawiał wrażenie, jakby spadł z Księżyca. Poza tym podziwiał ją i to jej się w nim najbardziej podobało.

Wprawdzie nazywał ją detektywem w spódnicy, pokpiwając z prób rozwiązania zagadki Danny'ego Farrella, lecz godzinami ślęczał w bibliotece Notre Dame, szukając potrzebnych jej informacji w indeksach prasowych. Niewiele udało się znaleźć: chińskie zdjęcie samolotu, który mógł być U-2; oświadczenie Ministerstwa Spraw Zagranicznych — nie było żadnych lotów szpiegowskich nad terytorium zachodnich Chin; krótki komentarz w „New York Timesie" podający w wątpliwość celowość takich lotów, szczególnie teraz, gdy pomoc Chin może się okazać niezbędna w łagodzeniu konfliktu w Wietnamie; dementi CIA, jakoby ktoś nazwiskiem Danny Farrell pracował dla agencji; artykuł z „Time'a" poświęcony amerykańskiemu misjonarzowi zwolnionemu z obozu jenieckiego w Chinach po pierwszej wizycie Henry'ego Kissingera — wspomniano o „pilocie U-2", którego misjonarz spotkał w obozie. Niewielki szkic w „New York Timesie" na temat Amerykanów przetrzymywanych w Chinach jako jeńcy kończył się konkluzją, że wszyscy zostali ostatecznie uwolnieni. Pochodzący z Chicago Daniel X. Farrell — prawdopodobnie agent CIA — przypuszczalnie nie żył.

Przypuszczalnie. Noele aż się żachnęła, czytając tekst dostarczony przez Jaimiego.

— Ostatnim, który go widział, był misjonarz, i wówczas Danny oczywiście żył. Skąd więc to przypuszczenie?

— Dzwoń do misjonarza — powiedział Jaimie, pożerając ją swymi rozmarzonymi błękitnymi oczami.

— Jasne, że to zrobię — odparła zdecydowanie, choć myśl taka nawet jej nie postała wcześniej w głowie.

Niestety, w Stowarzyszeniu Misjonarzy Prezbiteriańskich dowiedziała się, że wielebny doktor Cameron umarł dwa lata temu. Dlaczego rodzina nigdy do niego nie dotarła? zastanawiała się. Noele miała dziwne przeświadczenie, że śmierć Clancy'ego i zniknięcie Danny'ego coś łączy. No bo dlaczego każdy zupełnie inaczej przedstawiał Danny'ego Farrella i co innego mówił na temat śmierci Clancy'ego?

— Czy ty przypadkiem nie igrasz z ogniem, otwierając puszkę Pandory i zapuszczając się tam, gdzie nawet anioły nie ośmielają się wstępować? — zadał jedno z najdłuższych w swym życiu pytań Jaimie Burns.

Zwykle poprzestawał na słuchaniu i przyglądaniu się Noele z naiwnym zachwytem, od czasu do czasu wydając tylko okrzyki w rodzaju: „Zadziwiasz mnie" albo gdy zdziwienie sięgało zenitu: „Porażasz mnie". Nie był zbyt skory do inicjowania pieszczot ani nawet pocałunków; w sumie Noele musiała całować go na pożegnanie, lecz kiedy Jaimie w końcu zaczął to robić, jego wargi ożywały z zapierającą dech w piersi gwałtownością.

Tamtego wieczoru gdy płakała w jego ramionach po meczu w South Bend, uświadomiła sobie, że z łatwością mogłaby się kompletnie „zatracić"... W zasadzie nie miałaby nic przeciwko spędzeniu reszty życia w jego ramionach, nie zamierzała jednak popełnić tego samego błędu co jej matka i babcia i wychodzić za mąż jako nastolatka.

— Muszę się dowiedzieć prawdy, Jaimie — oświadczyła.

— Dlaczego?

— A jeśli on żyje?

— A jeśli żyje, wróci do domu i okaże się, że zabił dziadka? — odpowiedział pytaniem Jaimie.

Czyż nie czaiło się to w jej podświadomości niczym pułapka w mroku, nieokreślona i budząca lęk?

— Nie zrobił tego — rzekła z przekonaniem broniąc człowieka, którego nigdy nie spotkała i który być może nie żyje.

Dlaczego przejmowała się tym tak bardzo?

— Ale mógł. — Jaimie potrafił być naprawdę uparty i nieustępliwy, kiedy tego chciał. Potwór.

— No i co wtedy? — zmieniła front, nie wiedząc sama, dlaczego bierze w obronę Danny'ego Farrella. — Czy osiemnaście lat w Chinach nie jest dostateczną karą?

Zadumany pokiwał głową.

— Może mój ojciec byłby w stanie pomóc — powiedział. — Jest w podkomisji zajmującej się wywiadem...

— Naprawdę? — Jak to możliwe, że o tym nie wiedziała?

— Porozmawiam z nim.

— Nie, to moja sprawa.

— Przytłaczasz mnie — sięgnął szczytów elokwencji Jaimie Burns.

Został nagrodzony zdawkowym pocałunkiem, na który odpowiedział dużo bardziej namiętnym, tak że Noele mogła potem powiedzieć Eileen Kelly: — „To było niebo na ziemi".

Przyjemne wspomnienie powróciło teraz, w drodze do klubu, choć Noele skupiona była przede wszystkim na obmyślaniu, jak zjednać sobie kongresmana Burnsa w kampanii na rzecz uwolnienia Danny'ego Farrella.

Ace

Dick McNamara odwiesił komżę z pedantyczną starannością, do której przywykł w czasach, gdy był kapelanem w San Diego. „Tak jest, kapitanie", przypomniał sobie rozbawiony.

Młodzieżowa msza stała się prawdziwym wydarzeniem. I to wystąpienie dziecka miotającego się emocjonalnie w dziwnym, niemal fanatycznym poszukiwaniu swej tożsamości: najlepsze wystąpienie, jakie zdarzyło mu się słyszeć ostatnimi laty w Świętej Praksedzie.

— Dziewczyna o nieprawdopodobnej determinacji — powitał serdecznym uśmiechem proboszcza, który wkroczył poruszony do zakrystii.

— Mam nadzieję, że z tego wyrośnie — westchnął John.

— Na razie jednak lubi kroczyć własną drogą. Większość parafian wygląda na rozbawionych i zadowolonych, ale na pewno niejeden uniesie dziś brew przy śniadaniu i bez wątpienia padną stwierdzenia w rodzaju: „Gdyby nie była bratanicą proboszcza, nie pozwoliłaby sobie na taką zuchwałość".

Cały John, widać go jak na dłoni, pomyślał Ace. Lubię cię — jesteś dobrym księdzem. Ale tak bardzo się boisz, co powiedzą ludzie, szczególnie twoi parafianie i towarzysze księża! I ciągle próbujesz przypodobać się Brigid, jak mi się zdaje.

— A ja mam nadzieję, że z tego nie wyrośnie. Większość nieprzeciętnych irlandzkich kobiet prawdziwie rozkwita w wieku lat szesnastu. I tylko świat czuje się dotknięty, że młoda osoba może mieć w sobie tyle przenikliwości i pasji. Jak Irene.

Przez moment zamigotały w pamięci McNamary wspomnienia czasów, kiedy był młodym księdzem, a Irene i John dziećmi. Ileż głupstw narobiła ta dziewczyna, by uciec od swego geniuszu! Największym była krótka letnia przygoda z zagubionym i rozgoryczonym seminarzystą. Unikała go potem przez dziesięć lat, jakby się go wyrzekła. Biedne, niemądre dziecko.

Jacy osobliwi ludzie dali światu Noele: Brigid ze swą winą i przesądami; John z ewidentną, choć nieszkodliwą próżnością; Roger ze swym z lekka skrzywionym idealizmem; Danny — przeklęty geniusz; Irene dryfująca coraz bardziej w świat marzeń, gdzie mogła opłakiwać to, co straciła. Ich młodość niosła z sobą tak wiele obietnic i możliwości. I wszystko zmarnowali. Odrzucili ofiarowywane im szczęście.

Przeklęta dzielnica ogarniająca wszystkich swymi czarami. Łącznie z tobą, Richardzie McNamaro.

— Nie wiedziałem, że tak bardzo cenisz moją bratową. —John przybrał oziębły ton — I niech ci się przypadkiem nie zdaje, że będziemy zmuszali Noele do zrobienia tego, czego nie chce.

— Spróbuję — odparł Ace i zaklął w duchu.

— A tak na marginesie... — proboszcz pieścił niemal koszyk pełen banknotów i czeków. — Czy rozmawiała z tobą o naszej rodzinie?

— Połowa dzieci w parafii ma zadanie związane z rodzinną historią. Nic dziwnego, że zwracają się do mnie z pytaniami, skoro byłem tu w czasach młodości ich rodziców.

— I co jej powiedziałeś? — zająknął się nerwowo John.

Ace schronił się za swą ulubioną maską — śmiechem.

— Chcesz coś ukryć, ekscelencjo?

— Nie bardzo rozumiem, Ace. — Proboszcz odzyskał panowanie nad sobą. — Nasza rodzina doświadczyła tak wielu tragedii...

— Wszystkie odnotowane, o ile się orientuję?

— Oczywiście. — John złapał koszyk wypełniony niedzielnymi składkami, gotów do wyjścia. — Wyobraża sobie, że kieruje parafią... — Te słowa najwyraźniej mu się wymknęły.

— A może ona jest parafią — powiedział Ace McNamara tajemniczo.

Noele

Śniadanie w klubie z gromadą Burnsów — trzema synami i czterema córkami — zachwyciło jedynaczkę Noele. Zbyt dużo było jednak zamieszania z sokiem pomarańczowym, jajkami i bekonem, grzankami, naleśnikami, truskawkami oraz śmietaną, by dyskutować o Dannym Farrellu. Poza tym wyborcy chcieli uścisnąć dłoń kongresmana, a kibice Notre Dame pogratulować Jaimiemu przyłożenia w ostatnim meczu. Pani Burns, piękna dojrzała kobieta, zaczęła z Noele rozmowę na temat wyboru uniwersytetu, jej mąż zaś wydawał się bardziej zainteresowany kierownikiem muzycznym niż ujawnieniem jakiejś tajemnicy, o którą Noele chciała go zapytać.

— Wydaje się najwyraźniej nieprzychylny młodzieży — zauważył kongresman Burns, w przeciwieństwie do swego szczupłego i uduchowionego syna potężny i pełen animuszu.

— Wiem coś o tym — powiedziała Noele.

— Jestem pewien, że jeszcze przed mszą o jedenastej popędzi na skargę do proboszcza. Ten pan, jak się zdaje, gotów jest wykorzystać twoje pokrewieństwo z księdzem Farrellem jako argument przeciwko tobie. Ale nie daj się, młoda damo. Połowa wiernych, którzy wzięli udział w porannym nabożeństwie, przyszła, by zobaczyć, jak dyrygujesz zespołem. Jeśli proboszcz pozbędzie się ciebie, utraci ich także.

— Głównie tych płci męskiej — dodał Jaimie.

Noele udało się przyprzeć swoją ofiarę do muru dopiero po śniadaniu, gdy wychodząc zatrzymali się oboje, by popatrzeć na skąpaną w ciepłym świetle przedłużonego babiego lata murawę, obramowaną czerwienią, złotem i purpurą jesiennych liści.

— A zatem, młoda damo, co cię trapi? — spytał kongresman takim tonem, jakby miał do czynienia z kłopotliwym wyborcą.

— Jak wiem, wpółpracuje pan z komisją do spraw wywiadu. — Noele wzięła głęboki oddech. — Chciałabym prosić o wydobycie z CIA informacji, czy Danny Farrell żyje.

Zdziwienie Jamesa Burnsa nie byłoby większe, gdyby młody wyborca zażądał posady w ambasadzie w Katmandu.

— Danny zginął osiemnaście lat temu!

— Na pewno? — Noele zaskoczyła go, przedstawiając wersję zdarzeń, którą udało jej się stworzyć w oparciu o wycinki dostarczone przez Jamesa III. — No to widać wiele się zmieniło od czasu, gdy prezbiteriański misjonarz widział go żywego, a „New York Times" zamieścił informację, że przypuszczalnie nie żyje. Chcę wiedzieć, co się stało i dlaczego.

Kongresman wcisnął ręce w kieszenie szytych na miarę, jasnobrązowych spodni, a jego wysokie czoło pokryły głębokie zmarszczki.

— Naprawdę odradzam ci wcielanie się w rolę filmowego detektywa, moja droga.

— Pewnie zaraz usłyszę, że nie powinnam otwierać puszki Pandory ani zapuszczać się tam, gdzie nawet anioły boją się wstępować.

James Burns II przyjrzał się jej z uznaniem.

— Jesteś bardzo interesującą osóbką, Noele.

— Jaimie twierdzi, że jestem obezwładniająca. Ale nie o mnie tu chodzi... W rodzinie jest jeszcze mnóstwo innych zagadkowych spraw, jak choćby śmierć matki Danny'ego...

— Czy twoi bliscy wiedzą o tym śledztwie? — spytał podejrzliwie.

— Oczywiście, że tak. Przeprowadzałam wywiad z każdym. Wszyscy w szkole mają zresztą podobne prace zaliczeniowe.

— A więc myślisz, że on żyje?

— Bardzo możliwe — mówiła z żarem. — I czy to nie straszne, że być może żyje, a tu wszyscy o nim zapomnieli?

— Nie wiem... — kongresman jakby się zawahał.

— Nikomu przecież nie zaszkodzi, jeśli... że tak powiem... powęszy się trochę, prawda? — zagadnęła z najbardziej czarującym ze swych uśmiechów.

— Może zaszkodzić, Noele, tobie i innym. Ale dobrze... że tak powiem, powęszę trochę i zobaczymy, co z tego wyniknie.

Noele opuszczała klub, czując się jak Herkules Poirot, Roderick Alleyn i Lew Archer w jednej osobie. Czy któryś z nich doznał kiedyś szwanku? Jeśli nawet, to błyskawicznie wracał do formy.

John

Dzisiejszym gościem w programie Johna była wojownicza zakonnica, autorka feministycznej książki „Szowinizm i pokój". Jak można, zastanawiał się, w czymś tak pięknym i szlachetnym jak pokój znajdować zło, nienawiść i fałsz? A jednak można, czego przykładem była siostra Celeste.

John był całkiem przychylnie nastawiony do ruchu kobiet i potrafił z wdziękiem przyznawać słuszność feministkom, które gościł w swych programach. Z siostrą Celeste nie mógł dojść do porozumienia; przetaczała się nad nim jak burza, ciskając gromy pod byle pretekstem.

— Trudno mi uwierzyć, żeby ksiądz był w stanie zrozumieć kobiety czy pokój. Kościół zresztą będzie mógł wywierać wpływ na współczesne kobiety dopiero wówczas, gdy wyeliminuje ze swych szeregów takich szowinistów jak monsignore.

John wiedział, że nie wypadł w tej audycji najlepiej, przypuszczał jednak, że stali widzowie wykażą zrozumienie i docenią chociaż jego cierpliwość.

Praca przed kamerą niosła z sobą niebezpieczeństwo schorzenia, które nazywał „apostolstwem telewizyjnym". Polegało ono na tym, że człowiek zaczynał się bardziej przejmować własnym wizerunkiem i reakcją widowni na swą osobę niż celem religijnym, który przywiódł go do studia. Czyż on nie był właśnie taki? Nie dawało mu spokoju, co o nim myślano. Dbał o swój wygląd. Na początku nie stosował makijażu, z czasem jednak stał się wręcz wybredny i z uwagą sprawdzał na przykład, czy puder nałożono właściwie. „Nie mogę się przecież świecić", usprawiedliwiał się niezbyt przekonywająco.

Próżność bez granic, westchnął, marność nad marnościami.

Dojechawszy do plebanii, zamyślony parkował swego buicka, gdy nagle zajaśniał w nim obraz Irene — ostry, wyrazisty, efektowny portret. „Uprzedmiotowił" ją, patrzył na nią jak na atrakcyjny obiekt, a nie osobę, powiedziałaby siostra Celeste. Co z tego? Przecież nie miało to żadnego znaczenia. Wszystko się już dokonało — dawno temu podjęli życiowe decyzje. Tylko czy na pewno mieli wolny wybór?

W jadalni zastał przy stole ojca Jerry'ego Millera. Jerry — radykał z końca lat sześćdziesiątych, urodzony i wyświęcony w nie swoim czasie, zniewieściały w sposobie bycia, nieporadny w mowie i całkowicie nieskuteczny w duszpasterskiej służbie — był nie wiedzieć czemu wyrozumiale traktowany przez wiernych, którzy utrzymywali, że ciężko pracuje (co nie było prawdą) i pięknie układa kwiaty na ołtarzu (z czym można się było zgodzić). Skoro parafianie okazują mu życzliwość, pomyślał John, może i ja powinienem być miłosierny.

— Czy czytałeś... no wiesz, artykuł Dadsa Fogarty'ego w tym, no... „Upturn"? Rozumiesz, jest dosyć... no właśnie, bardzo zabawny.

Niestety, minęły już czasy, gdy proboszcz, który nie przepadał za sposobem mówienia wikarego, mógł najzwyczajniej zażądać, by zamilkł.

— Nie miałem jeszcze okazji — westchnął ciężko.

— Wiesz, to taki udawany, jak to mówią... wywiad monsignora Harolda z... no właśnie... „chrystusową artystką". Dads załatwia cię... eee... na perłowo. Powiem ci, telefon się urywa, bo wiesz... księża dzwonią... eee... żeby ci o tym powiedzieć.

John poczuł, jak zbiera mu się na mdłości. Dads Fogarty — studiujący w seminarium kilka lat przed nim — żelazną ręką, jak mówiono, kierował parafią, a swych pracowników gnębił bezlitośnie. Miał przy tym opinię — zdaniem Johna całkowicie niezasłużoną — największego humorysty wśród kościelnej hierarchii. Jeśli on albo Terry Quirk, młodszy i złośliwszy, a przy tym rzeczywiście błyskotliwy satyryk, wzięli się za kogoś w gazetce Stowarzyszenia Księży Chicago, człowiek ów stawał się pośmiewiskiem całej diecezji. Nie będąc w stanie walczyć ze swym psychopatycznym przywódcą, duchowieństwo Chicago pożerało się nawzajem.

— Przypuszczam, że uda mi się zajrzeć do tego dziś po południu — powiedział z udaną nonszalancją.

— No wiesz, lepiej szybko przeczytaj. Zobaczysz, ile będzie telefonów... eee... po lunchu.

John Farrell nie zwlekał. Znalazłszy się w gabinecie, zasiadł do artykułu, a nim dobrnął do końca, już miał telefon od seminaryjnego kolegi. Ofiary Dadsa Fogarty'ego nie wzbudzały sympatii ani współczucia; usuwano je na margines i ze smakiem napawano się ich kłopotliwym położeniem. Tak też stało się i teraz.

— Musisz przyznać, że Dads świetnie uchwycił twój styl. Nigdy już chyba nie odważysz się powiedzieć: „w dogłębnym znaczeniu tego słowa", mam rację, John?

— Podobno niemal milion widzów ogląda mój program — odparł John lodowato. — Ilu z nich może czytać „Upturn"?

Kolega całkowicie zignorował tę uwagę.

— Na twoim miejscu dałbym sobie spokój z kwestią płci Boga.

John Farrell westchnął. Dads Fogarty pisał: „ponadpłciowość", jakby chodziło o bezpłciowość, co miało być jednym z tych jego świetnych dowcipów.

— Uważam, że to bardzo ważne teologiczne pojęcie i zamierzam nadal go używać. A teraz wybacz, mam umówione spotkanie...

Niech go pokręci, powiedziałby Danny, jak mawiał w dawnych seminaryjnych czasach, gdy John skarżył się, że koledzy robią sobie z niego pośmiewisko tylko dlatego, że jest bogaty.

Zajrzał raz jeszcze do artykułu Fogarty'ego. Wcale nie był zabawny, daleki od prawdziwej satyry. To zaledwie zjadliwe, ohydne, nietaktowne kpiny. Wielkogłowy Mortimer miał rację: osaczano go. Znowu poczuł ssanie w żołądku. Otworzył małą lodówkę, wrzucił do szklanki trzy kostki lodu i dopełnił szkocką.

Co jest większym grzechem: próżność czy zawiść?

Mógł albo ulec naciskowi środowiska duchownego, dużo groźniejszego niż psychopatyczna furia kardynała, albo zostać całkowicie odrzuconym przez ludzi, którzy — poza rodziną — byli mu w końcu najbliżsi. Pośrednie wyjście nie istniało.

Danny, dlaczego nie ma cię tutaj, gdy jesteś mi tak bardzo potrzebny? Dlaczego musiałeś umrzeć?

Parafianom podobał się jego program. Mało tego — zdawali się dumni, że ich proboszcz występuje w telewizji. John wiedział jednak, że nie może z ich strony liczyć na współczucie ani tym bardziej obronę przed niechęcią braci księży.

Przejrzał resztę poczty, lecz nie był w stanie skupić na niczym uwagi. A tu jeszcze sprawa Noele i młodzieżowej mszy.

Nagle przyszedł mu do głowy pewien pomysł. Aż ręce zaczęły mu się pocić. Zamiast dyskutować z Noele, porozmawia najpierw z jej matką — i to nie przez telefon, tylko osobiście.

Roger

— To miejsce do złudzenia przypomina mi pewną kafejkę w telawiwskim Hiltonie — powiedział Mick Gerety, przyglądając się nieco pogardliwie wykładanym dębową boazerią ścianom Klubu Akademickiego.

— Nie da się ukryć, daleko mu do starego Morrison Hotel — dodał Angie Spina. — Jak oni tu wszyscy inteligentnie wyglądają... Mogę się jednak założyć, że żaden z nich nie byłby w stanie pokierować okręgiem wyborczym, nawet gdyby od tego zależało jego życie.

— Mało tego, większość z nich uważa, że to zbędne.

— Podoba ci się tu, Rodge? — spytał Spina, rozglądając się po jadalni, gdzie obok oprócz dwóch laureatów Nagrody Nobla i byłego ministra znajdowało się także kilku światowej sławy uczonych. — Nie nudzisz się?

Roger skrzywił się na zdrobnienie „Rodge", które zawsze okropnie go irytowało. Trzeba będzie się jednak do tego przyzwyczaić, skoro decyduje się na wejście w twardy i niewyszukany świat polityki.

— Nie bardziej niż gdzie indziej, Angelo. Czasem bardziej, czasem mniej.

— Tak... Sądzę jednak, że będziesz wolał Springfield. A tak między nami, Rodge, Springfield to tylko początek. Obaj z Mickiem nie mamy wątpliwości, że kilka inteligentnych posunięć i już jesteś na drodze do prawdziwych szczytów.

Roger zaśmiał się swobodnie.

— Będziemy się o to martwić, gdy osiągnę pierwszy szczebel. — Nie miałby też nic przeciwko następnym, chociaż czasem przychodziło wahanie. Nigdy nie towarzyszyło mu jednak dłużej niż przez moment...

Gerety i Spina nie byli politykami partii rządzącej, chociaż Spina pozostawał z nią w dobrych stosunkach, podczas gdy Gerety podtrzymywał swe kontakty z odłamem niezależnych. Partia zagubiła się po śmierci szefa, i to do tego stopnia, że nie była w stanie w jednej choćby sprawie zająć wspólnego stanowiska. Zmierzch silnego przywództwa centralnego stworzył znakomite możliwości dla potentatów takich, jak Angie Spina i Mick Gerety. Wykorzystywali je współpracując z będącymi u władzy, ale też innymi politycznymi, społecznymi i obywatelskimi grupami, tworząc doraźne koalicje, wpływając na wybory, a także maczając palce w planowaniu światowych targów lub wyścigów samochodowych w Grant Park. Mick był popularnym prawnikiem, Angie prezesem Atlantic Import Company, a wzięli się za politykę nie dla pieniędzy ani nawet władzy. Zrobili to, gdyż kochali grę, i to właśnie zaintrygowało i zbliżyło do nich Rogera Farrella. Dużo bardziej niż innych republikańskich i demokratycznych polityków, gdyż ci pierwsi interesowali się wyłącznie pieniędzmi i władzą, drudzy — ideologią. Roger zaś miał szacunek dla graczy.

— Chodzi o to, profesorze — Gerety zaczął oficjalnie, lecz równocześnie mrugnął do Rogera — że z takimi talentami i dokonaniami jak twoje można osiągnąć naprawdę wszystko, szczególnie teraz. Kilka mądrych posunięć i Springfield jest twoje. Kilka następnych... Cóż, czemu nie mierzyć najwyżej?

Zarówno Gerety, jak i Spina byli wysokimi, przystojnymi mężczyznami o czarnych włosach przyprószonych już siwizną. Jeden smagły, drugi o jasnej karnacji, w świetnie skrojonych luksusowych garniturach świadczących o przynależności do nowej klasy zamożnych katolików. Mogliby równie dobrze być dwoma dostojnikami kościelnymi, którzy przybyli tu z jakąś misją z Watykanu, powiedział do siebie Roger.

— Nie da się ukryć, że perspektywa Springfield jest podniecająca, ale Waszyngton... nieco mnie przeraża.

— Nie przejmuj się, Rodge. — Spina machnął ręką, roztaczając przy okazji blask kosztownych sygnetów. Zdawałoby się, że zostawił swój stary świat daleko za sobą, ale zarówno ręka, jak i biżuteria ciągle przywodziły na myśl jego rodzinną ulicę. — Po prostu badamy możliwości, to wszystko.

— Ludzie mogą pytać — Gerety mrugnął znowu, co stanowiło część klasycznego wizerunku irlandzkiego polityka — dlaczego rezygnujesz ze świetnej pozycji na uniwersytecie dla czegoś tak niepewnego jak polityka. Co mamy odpowiadać na takie pytania?

Roger w pośpiechu porządkował myśli, jakby za chwilę miał wygłosić wykład, do którego nie był przygotowany.

— Odpowiem najuczciwiej, jak potrafię, a wy zdecydujecie, co z tym zrobić... — zawahał się na moment. — W St. Ignatius High School byłem bardzo zaangażowany w działalność Stowarzyszenia Młodych Chrześcijan. Wierzyliśmy wówczas, że każdy katolik ma do spełnienia pewną misję, którą nazywaliśmy... hm, doczesną służbą. Aby być w niej skutecznym, należało, jak nam mówiono, osiągnąć maksimum profesjonalnych umiejętności. Zacząłem więc studiować nauki polityczne w Notre Dame, uważając, że to najlepsza droga wiodąca ku polityce. W tamtych czasach jeśli miałeś dobre stopnie i potrafiłeś napisać po angielsku przyzwoite zdanie...

— Zostawałeś prawnikiem — przerwał mu ze śmiechem Gerety.

— Zgodnie z tradycją — zawtórował mu Roger, lecz jakby trochę nieswój. — Gdybym się zdecydował na prawo, moja matka życzyłaby sobie, bym przyszedł do firmy i... no cóż, to nie wydawało mi się zbyt pociągające. Idealizm? Chyba tak...

Twarze Gerety'ego i Spiny były nieprzeniknione.

— Jeśli ubiegasz się o fotel gubernatora — rzekł Spina bezbarwnie — to znaczy, że raczej nie jesteś związany z Burkiem Kennedym.

— Czyli z firmą, bo o to chodzi — sprecyzował Gerety. A po chwili niezręcznego milczenia dodał: — To oczywiście żaden problem.

— Tak więc zawsze miałem poczucie, że polityka jest rodzajem powołania, jakimś zobowiązaniem — ciągnął Roger, ignorując subtelną aluzję na temat ojczyma — które należy pewnego dnia podjąć.

Boże, jak fałszywie to zabrzmiało. Ale tak właśnie myślał... przynajmniej raz. A teraz? Sam już nie wiedział.

— Czy może być lepszy motyw służby publicznej? — entuzjazmował się Angelo. — Ma to zresztą zupełnie inny sens w ustach profesora niż na przykład biznesmena.

Obaj wyglądali na zadowolonych, dalekich od wątpliwości, ale też nie poruszonych jego idealizmem i najpewniej zupełnie nie zainteresowanych tym, czy jest szczery czy też nie.

— A jak jest usposobiona do kampanii wyborczej twoja żona? — spytał Gerety ostrożnie. — W końcu i na niej to się odbije, straci wiele ze swej prywatności... sam rozumiesz.

— Irene w pełni akceptuje moją decyzję — powiedział drętwo. Na dobrą sprawę nigdy nie zadał sobie trudu, by zastanowić się nad tym, co naprawdę myśli Irene.

— Czy będzie uczestniczyć w kampanii? — Spina przysunął się bliżej do swego rozmówcy. — Jest bardzo atrakcyjną kobietą, Roger, i współpracując z naszym zespołem, może znacząco przyczynić się do zwycięstwa.

Roger jakby nie mógł się zdecydować.

— Obawiam się, że Irene nie jest typem publicznego mówcy. Oczywiście pojawi się tu i ówdzie, ale załóżmy, że na tym poprzestaniemy.

— Naturalnie — rzekł Spina swobodnie. — Jest jeszcze dziecko. Jak ma na imię?... Noele?... Żadnych problemów z narkotykami albo czymś takim?

Roger aż się rozpromienił.

— Absolutnie nic. Co więcej, Angie, gdybyś choćby zasugerował coś podobnego w jej obecności, mógłbyś się znaleźć w poważnych tarapatach. Mam nadzieję, że nie będzie potrzebna w trakcie kampanii. Uważaj, jest znana z improwizowania wystąpień.

Gerety zdawał się z lekka zakłopotany.

— Nazbyt rozwinięte dziecko może być prawdziwym utrapieniem dla kandydata.

— Ale nie Noele — zapewnił. Dopóty, pomyślał, dopóki ktoś nie doprowadzi jej do szewskiej pasji.

— Chcielibyśmy coś wiedzieć z góry, Roger. — Mick Gerety pochylił się nad lodami czekoladowymi, podczas gdy kelner, doktorant z religioznawstwa, napełniał filiżanki kawą. — Musimy mieć pewność, że jesteś absolutnie czysty. Nie sposób nazwać tego inaczej, toteż mówię bez ogródek.

— Czysty? — Roger wyglądał na rozbawionego.

— Tak, nie warto rozpoczynać kampanii, jeśli za trzy czy sześć miesięcy mielibyśmy się nagle dowiedzieć, że masz na sumieniu jakiś skandal, choćby nawet w dalekiej przeszłości.

— Jaki skandal?

— Cóż... — Gerety kręcił się nerwowo. — Bywają różne. W 1952 roku Adlai Stevenson miał problemy, ponieważ był rozwiedziony. Dzisiaj to już nie ma znaczenia. Podobnie jak kobiety, pod warunkiem że nie wdałeś się w jakieś perwersje lub nie związałeś z osobami bliskimi mafii, co zdarzyło się Jackowi Kennedy'emu. Ale powiedzmy oszustwo, morderstwo, gwałt, narkotyki, nawet leczenie psychiatryczne, jak w przypadku biednego Eagletona, to już poważne kłopoty.

— No tak...

— Nie lubimy węszenia — powiedział Spina, jakby nieco poirytowany. — Ale sam wiesz, co potrafią zrobić media w dzisiejszych czasach...

— Bill Wells i jego ludzie w „Star Herald" są bez wątpienia po naszej stronie — dodał Gerety. — Tyle że gazeta musi się sprzedawać, nawet za cenę kompromitacji kogoś, kogo osobiście ceni. Znasz te chicagowskie wojny o nakład.

— Rozumiem — odparł Roger najbardziej uprzejmym tonem, na jaki mógł się zdobyć. — Podejrzewam, że Steve

Bilko dosyć będzie miał uciechy ze mną jako naukowcem politykiem, tak że niepotrzebne mu będą inne podniety. No, oczywiście jest matka i Burke Kennedy, którzy przez długi czas, jak zwykł mawiać mój brat ksiądz, obrażali publiczną moralność. Ale to chyba już bez znaczenia, prawda?

— Nie ma się czego obawiać — zapewnił Gerety — pod warunkiem że rodzina nie jest zamieszana w jakieś naprawdę brzydkie sprawy. Wiesz, co mam na myśli?

— Trudno mi ręczyć za związane z firmą machinacje ojca i dziadka.

— Te sprawy uległy już przedawnieniu — rozstrzygnął jednym władczym machnięciem ręką Mick Gerety. — Wyjątek stanowić może tylko morderstwo.

Roger roześmiał się głośno, mając nadzieję, że zabrzmiało to naturalnie.

— Z całą pewnością będąc profesorem zanudziłem niejednego na śmierć. Poza tym jednak wiodłem nieciekawy i raczej niewinny żywot. Pracownik akademicki niewielką ma szansę na urozmaicenia. Tak czy inaczej, może warto byłoby przyjrzeć się bliżej przeszłości rodziny.

— Na pewno nie zaszkodzi — uznał Gerety — nim wezmą nas w swe szpony media, które gotowe są pożreć każdego, zupełnie jak te żyjące w Ameryce Południowej ryby ludojady...

— Piranie — podpowiedział Roger i zaraz zbeształ sam siebie za zachowywanie się jak wszechwiedzący.

— Tak, oczywiście. A zatem, gubernatorze, zadzwoń do nas jutro czy pojutrze, byśmy mieli stuprocentową pewność, że wszystko w porządku.

Dwaj gracze wyszczerzyli się w uśmiechu od ucha do ucha, pewni, że mają w ręku konia, na którego warto stawiać.

Gubernator Farrell. Brzmi niczego sobie.

A co będzie, jeśli przy kolejnym spotkaniu powie im, że jednak było w rodzinie morderstwo? Wyglądało jak wypadek, a ten, który je najprawdopodobniej popełnił, nie żyje. Rzecz jasna nie miał z tym nic wspólnego, lecz długo podejrzewał zbrodnię. Dowodów nie było, to prawda, ale kto wie, co może wydobyć na światło dzienne wścibski dziennikarz?

Zawahał się, czyby nie dodać na koniec: „Niewykluczone, że była w to zamieszana firma". Błękitne oczy Gerety'ego przestałyby mrugać: „To coś nowego, stawia cię w innym świetle. Wiedziałeś, ale nic nie zrobiłeś..." Nie padnie już nigdy tak miłe dla ucha „gubernator Farrell". A za parę dni zatelefonowaliby do niego informując, że wpływowi przyjaciele żądają, by związali się z innym kandydatem.

Nie powiem im teraz, zdecydował. Pomyślę o tym jeszcze. Zbadam sprawę dokładniej. Nie muszę w końcu podejmować decyzji natychmiast.

A więc już oszukał.

Roger Farrell uśmiechał się, odprowadzając gości do wyjścia. Poczucie zagrożenia — dopóki nie kryło się za nim naprawdę poważne niebezpieczeństwo — czyniło ubieganie się o fotel gubernatora jeszcze bardziej podniecającym.

To jak przewrotna przyjemność przyłapania go na gorącym uczynku z Marthą Clay.

Kongresman Burns

— Clancy Farrell był jednym z najbardziej nieciekawych ludzi, na których poparcie byłem zdany podczas kampanii wyborczej. Śliski, służalczy, płaszczący się, a przy tym niebezpieczny — powiedział James McDowell Burns, były kongresman z trzeciego okręgu stanu Illinois. — Burke Kennedy jest może nieźle pokręcony, ale Brigid miała rację rzucając Clancy'ego. Nie można jej z tego powodu potępiać. Ani obwiniać Burke'a. To naprawdę fantastyczna kobieta. Nadal fantastyczna.

Było trzech Jamesów M. Burnsów. Pierwszy, niegdysiejszy członek Izby Reprezentantów, którego imienia nikt nigdy nie ośmielił się zdrabniać, potężny siedemdziesięciolatek o wielkiej głowie od czterdziestu lat niemal łysej i wspaniałym głosie, który czynił go największym z irlandzkich oratorów dwudziestego wieku w Illinois, zakończył swą karierę w wieku sześćdziesięciu lat po dwunastu kadencjach. Zastąpił go wtedy syn, James M. Burns, Jr., znany powszechnie jako Jimmy (jedynie żona nazywała go Jim, wyjąwszy rzadkie chwile, gdy była zła, bo wówczas zwracała się do niego Junior), który nie miał talentu oratorskiego, ale świetnie się znał na finansach i tropił biurokratów z tak niszczącą skrupulatnością, że trudno było znaleźć mu równych w Izbie.

James M. Burns III, czyli Jaimie — matka nazywała go tak nawet wtedy, gdy się na niego złościła, co na dobrą sprawę nie zdarzało się prawie nigdy, gdyż uważała go za ideał — nie miał w sobie przebojowej witalności przodków; na ogół wydawał się senny i zgaszony, pominąwszy oczywiście sytuacje, gdy miał do czynienia z piłką futbolową lub Noele Farrell.

— Synowa i wnuczka są też niczego sobie — powiedział Jimmy Burns. — Nie da się ukryć, nic tak nie rozprasza uwagi wiernych w kościele jak ubrana w wiosenny kostium Irene. A ta mała ruda? Wygląda na to, że kompletnie oczarowała naszego Jaimiego.

Obecny i były kongresman jedli razem lunch w Chicago Athletic Club, z którego okien rozciągał się widok na skąpany w słońcu Grant Park i połyskujące błękitem w oddali jezioro. Izba Reprezentantów pozwoliła sobie na przedłużony weekend, co dla jej przedstawiciela stanowiło znakomitą okazję przypomnienia o sobie we własnym okręgu.

Klub należał do starych i bardzo konserwatywnych, w związku z czym ostatnimi laty ubywało mu członków, jako że młode pokolenie zdecydowanie wolało takie podejrzane miejsca jak East Bank Club, gdzie mieszały się ze sobą pływanie, seks i inne zwiastuny nowoczesności.

Były kongresman dawał głośno wyraz swemu zdegustowaniu tym, co zrobiono z Instytutem Sztuki.

— Wziął się za to ten sam głupiec, który już raz skompromitował się w Colorado Springs.

Jego następca przeżuwał łodyżkę selera, zachowując dyplomatyczne milczenie. Osobiście nie miał nic przeciwko modernizacji muzeum; nowa wersja całkiem mu się podobała. A przy tym żona architekta należała do jego politycznych popleczników. Z drugiej strony nie mógł nie brać pod uwagę faktu, że jego wyborcy zdecydowanie nie gustują w nowym projekcie. Toteż jak przystało na mądrego polityka, który musi się liczyć z sojusznikami po obu stronach barykady, po prostu nie wypowiadał się na ten temat.

Ciężkie wiśniowe zasłony, smętną ramę dla widoku parku i jeziora za oknem, należało już parę lat temu zastąpić nowymi. Sala restauracyjna czasy świetności miała wyraźnie za sobą, a mimo to nadal stanowiła niezłe miejsce do zdobywania sprzymierzeńców wśród zanikającej grupy irlandzkich profesjonalistów i biznesmenów z South Side, westchnął w duchu James II i wrócił do tematu Noele Farrell.

— Ta dziewczyna jest niesamowita. W jakimś sensie przypomina mi Danny'ego Farrella. Wyobraź sobie, oświadczyła kiedyś, że znalazła sposób na rozwiązanie naszych rodzinnych problemów z imieniem James: powinniśmy w następnym pokoleniu przerzucić się na Seamus, które jest normandzko-irlandzką wersją Jacques'a. Co też w tych dzieciach dziś siedzi? — pokręcił głową. — Ale z innej beczki: jeśli jej ojciec zdecyduje się ubiegać o fotel gubernatora, zamierzam go poprzeć. Jest w końcu z mojego okręgu. Powiem ci jednak szczerze, że nie lubię Rogera i nie ufam mu. Nie cierpię pozerów.

Istniały dwie tonacje, w których przemawiał James I: głośna i głośniejsza. Tym razem użył tej drugiej, nie mogąc się powstrzymać od powiedzenia, co myśli na temat Rogera Farrella.

— Cholerny intelektualny snob. Zresztą nie o to tylko chodzi... Zaczęli od ścieków i na dobrą sprawę zawsze byli utytłani. Istny cud, że stary Bill Farrell nie skończył w więzieniu, choć tam właśnie było jego miejsce. A Clancy? Przecież to było pozbawione charakteru kompletne zero. Za nic nie zdołałby przejąć firmy, gdyby jego brat Martin, naprawdę przyzwoity facet, nie zginął na wojnie. Kiedy wypił za dużo, wydawało mu się, że jest panem stworzenia i może robić nie wiadomo co... Nikt nie uronił łzy, kiedy umarł, a już szczególnie Brigid czy jej przyjaciel Burke Kennedy.

— Czy gdyby Martin żył, odziedziczyłby całą firmę?

— Dużo się na ten temat wtedy mówiło. Umarli jednak obaj, Bill i Martin, tak więc problem sam się rozwiązał, zwłaszcza że niebawem zginęła także żona Martina, Florence.

Dokończywszy chudego hamburgera i walcząc przez chwilę z pokusą zamówienia czegoś słodkiego, kongresman rozsiadł się wygodnie w fotelu.

— Wygląda na to, że rodzinę niezbyt interesowało, co się stało z synem Martina, kiedy przepadł w tajemniczych okolicznościach, prawda?

— Mówisz o Dannym? — Ojciec przyjrzał mu się przenikliwie. — Co masz na myśli?

— Czy naciskali na ciebie, byś się dowiedział, co się naprawdę z nim stało? Wspierali cię przecież we wszystkich kampaniach, mieli prawo spodziewać się twojej pomocy.

James Burns z wolna przeżuwał stek.

— Zachowywali pozory, to wszystko. A przecież Brigid nie należała do nieśmiałych. Gdy potrzebowała przysługi, potrafiła wykorzystać bez skrupułów swe wpływy. Podejrzewam, że sądzili, iż Danny zdezerterował. Może ktoś z CIA zasugerował im coś takiego?

— Zdrada? W końcu w tamtych czasach U-2 nie było już tajemnicą, nawet dla Chińczyków.

— Nie wiadomo. Był bez wątpienia szalony. Inny niż reszta rodziny, daleki od ich brudów, ale lekko stuknięty. W końcu wyrzucili go z marynarki, bo wziął w obronę czarnego marynarza, którego jakiś tępy kapitan wsadził bez powodu do ciupy. Nie zapominaj, że były to czasy, kiedy mogłeś robić z czarnym, co chciałeś, i armia cię nie ruszyła. A może był podwójnym agentem CIA, który sam się zastrzelił, gdy Chińczycy go rozpracowali?

— W sumie więc Farrellom było na rękę, gdy zniknął wszystkim z pola widzenia, to właśnie chcesz powiedzieć? Nikt nie będzie rzucał wyzwania naszemu proboszczowi ani przyszłemu gubernatorowi, czy tak?

— Skąd w ogóle to zainteresowanie Dannym? — odpowiedział pytaniem na pytanie.

— Noele pytała o niego, bo pisze pracę zaliczeniową na temat swej rodziny.

— I ty się przejmujesz zadaniem tej smarkatej? — obruszył się emerytowany kongresman.

— Czy przypadkiem nie odbije się to na demokratach, gdy Roger stanie do wyborów, a prasa wytropi, że coś cuchnie wokół Danny'ego? A jeśli był zdrajcą? Albo jeśli rodzina, z jakichś nie znanych nam bliżej powodów, miała ochotę się go pozbyć? Sam mówiłeś, że wyszli z kanałów, zaczęli od brudów...

Były kongresman popatrzył na syna spode łba.

— Kto byłby dziś w stanie dojść do tego, co się naprawdę zdarzyło?

— To wcale nie takie trudne, tato. Nawet szesnastolatka potrafiła zdobyć informacje, które wzbudzają podejrzenia, a w trakcie dzisiejszej rozmowy i ja uświadomiłem sobie, że nie wszystko jest w tej sprawie jasne.

— Nie sądzisz chyba, że Danny żyje?

— Skądże znowu! Nie chodzi zresztą o to, czy żyje. Problem polega na tym, czy jego rodzina jest zadowolona, że nie ma go wśród żywych. Albo czy był zdrajcą lub podwójnym, a może i potrójnym agentem. Wyobrażasz sobie, jak takie rewelacje zaważyłyby na pozycji demokratów?

— Na pewno nam tego nie potrzeba. — Twarz byłego kongresmana przybrała surowy wyraz.

— Na pewno.

Brigid

Brigid prawie nigdy nie jadała lunchu w mieście. Poprzestawała na sałatce i filiżance herbaty w zagraconym biurze Farrell & Sons mieszczącym się na południu Chicago, w Blue Island. Lekki lunch i szybki spacer wokół rozległego zaplecza firmy były zdaniem Brigid dowodem dbałości o zdrowie. „Natura obdarzyła mnie dobrymi genami" — zwykła mawiać — „i nie zamierzam ryzykować ich utraty z powodu jakichś tam wątpliwych sztuczek, jak gimnastyka i dieta". Czasem zdarzało jej się poczęstować sałatą któregoś z pracowników, gdy akurat miała z nim do załatwienia jakąś sprawę. Jak dzisiaj, gdy wezwała Hugh McCauleya, pochodzącego z zachodniej Irlandii pomarszczonego karzełka, który pełnił formalnie funkcję zastępcy szefa, a praktycznie był prawą ręką Brigid, dbającą o właściwe, należycie wspierane finansowo kontakty polityczne.

— Interesy idą marnie, Biddy — westchnął głęboko, prawdziwie po irlandzku, a westchnienie to do złudzenia przypominało ostry atak astmy. — Bardzo marnie.

— Radziliśmy sobie w gorszych czasach, Hughie — odparła, sięgając po papierosa i rozglądając się dokoła w poszukiwaniu zapałek.

Hugh przyzwyczaił się już do tego, że nigdy nie może ich znaleźć. Podał jej ogień wiedząc, że zaciągnie się raz czy dwa i papieros wyląduje w popielniczce.

— To prawda, ale wtedy był inny system udziału w interesach i co ważniejsze, skuteczne metody powstrzymywania taniej konkurencji. A dzisiaj? Żydzi, a nawet Czarni podcinają nam skrzydła niskimi cenami, władze zaś obserwują nas z takim zainteresowaniem, że nawet nie ma co marzyć o dawnych standardach.

„Dawne standardy" były niczym innym jak układami, dzięki którym skoligacone firmy budowlane mogły rozdzielać między siebie kontrakty nie bawiąc się w ogłaszanie na rynku swoich ofert — nie bez współudziału polityków, rzecz jasna. Tak się robiło i nikomu to nie przeszkadzało do czasu, aż jakaś organizacja społeczna, wspierana przez prokuratora północnego okręgu Illinois, który szukał sposobu na zrobienie kariery i popularność wyborczą, wykazała, jak bardzo są poszkodowani różni prawomyślni i obywatelsko nastawieni przedsiębiorcy budowlani. Oczywiście sami irlandzcy katolicy, filary swych partii i parafii.

Brigid zdołała uniknąć oskarżenia i najpewniej więzienia tylko dzięki sprytnym sztuczkom Burke'a. Politycy byli w końcu nadal przekupni, republikanie tak samo jak demokraci, a jeśli coś się zmieniło, to tylko to, że łapówkarstwo stało się bardziej skomplikowane, a rywalizacja na rynku kontraktów wyraźnie się nasiliła.

— Czego chce ten człowiek z hrabstwa DuPage? — Brigid bez ogródek zmierzała do celu, daleka od typowo irlandzkiej skłonności McCauleya do aluzji i owijania w bawełnę.

— Utrzymuje, że ma ogromne wydatki w związku z kampanią wyborczą, kształceniem dzieci, dobroczynnością...

— Ile?

— Pół miliona w gotówce. — Hugh aż się wzdrygnął.

— Złożone na konto cyfrowe w banku szwajcarskim.

— Niech mnie wszyscy święci mają w swojej opiece! — nabożnie zawołała Brigid. — Polityk z DuPage z cyfrowym kontem w banku szwajcarskim?! Dokąd ten świat zmierza? Nie ma mowy, Hughie, nie dostanie ani centa.

— Potrzebujemy kontraktów, Biddy. Przy budżecie Reagana...

— Do diabła z Reaganem, jego budżetem i hrabstwem DuPage! — Brigid uderzyła pięścią w biurko. — Damy sobie radę, Hughie. Nie będę zresztą ryzykować zatargu z prawem, kiedy mój syn ubiega się o fotel gubernatora.

— Słusznie, Biddy — pokiwał głową zasępiony Hugh. — Na pewno zaczną nam jeszcze uważniej patrzeć na ręce.

— Na razie nic nam nie mogą zrobić i tak należy trzymać — zdecydowała Brigid.

Kiedy Hugh wyszedł, a czarna sekretarka sprzątnęła resztki lunchu, Brigid wróciła do komputera i listy płac firmy. Potrzebowali jakiegoś dobrego kontraktu bardziej nawet, niż sądził Hugh. Przetrwają, nie ma co do tego wątpliwości, ale tak źle nie było jeszcze nigdy.

W końcu musisz być uczciwa, powiedziała do siebie, choćby tylko po to, by twój syn mógł zostać gubernatorem.

Ci synowie nie byli zupełnie tacy, jak by sobie życzyła, ale jeszcze będą. Inaczej być nie może — przecież płynie w nich jej krew. Dzięki Bogu, że jest ustawa o przedawnieniu, pomyślała. Gdyby zaczęli węszyć, co się tu działo w latach pięćdziesiątych, czekałby nas wszystkich marny koniec. Sporo by się jeszcze dało wygrzebać, ale ci wszyscy dziennikarze są za głupi, żeby wpaść na trop. Gdybyż równie łatwo można się było wykpić przed Panem Bogiem!...

I znowu porażający obraz ogromnej czarnej otchłani, która ją czekała...

Wszystko przez to moje przeklęte ciało, jęknęła. Nie wiedziałam, czym jest prawdziwy seks, dopóki nie zjawił się Burke. A potem nie potrafiłam już zrezygnować. Biedny Clancy. Był do niczego w łóżku; nic nie potrafił w tych sprawach zwojować, dopóki nie wziął się do bicia...

Jak żywy stanął Brigid przed oczami tamten letni wieczór nad jeziorem, przejmująca cisza, przerywana tylko cykaniem świerszczy i Danny, który znalazł ją leżącą na podłodze w podartej, pokrwawionej koszuli. Wziął ją w ramiona, przysięgając, że zemści się na Clancym.

Przejęta pokręciła głową. Ty dziwko, oskarżała się w duchu, dobrze ci było w jego ramionach, zupełnie jak w objęciach jego ojca zaledwie miesiąc przed ślubem z Flossie. Ciągle jeszcze żałujesz, że nie przespałaś się z nim tamtej nocy, choć dobrze wiedziałaś, jak bardzo kochał przyszłą żonę.

Wróciła do listy płac, niepewnie wodząc ołówkiem wzdłuż kolumny liczb. Piekło to za mało dla takich jak ja, uznała.

Roger

Joseph Kramer siedział w pokoju przylegającym do gabinetu Rogera i robił notatki z jego rozprawy doktorskiej, której tematem były teorie polityczne Niccola Machiavellego, Vilfreda Pareta i Benedetta Croce.

— Wygląda na to, że jest pan pierwszą osobą, która czyta tę pracę od czasów, gdy wgryzała się w nią komisja promocyjna — roześmiał się Roger. — Wcale nie jestem pewien, jak to się dziś prezentuje...

— Uważam za bardzo istotne prześledzenie, w jaki sposób człowiek ulega ewolucji moralnej. — Kiedy na twarzy Kramera pojawiał się uśmiech, dziennikarz miał w sobie coś z upośledzonego umysłowo archanioła.

— Jest pan wyjątkowo skrupulatny w swych badaniach, zważywszy, że chodzi zaledwie o krótki artykuł.

— Odpowiedzialny dziennikarz nie może pominąć niczego — odparł świętoszkowatym tonem Kramer.

— Jestem pewien, że pani Marshfield chętnie pokaże, jak moje maszynopisy przekształcały się w artykuły i książki — zwrócił się Roger do swej sekretarki, która gapiła się bezmyślnie w okno. Ze względu na zarobki uniwersyteckich sekretarek człowiek się cieszył, gdy mówiły po angielsku, a cóż dopiero czytały lub pisały. — Prawda, Henrietto?

W skinieniu głowy Henrietty trudno się było doszukać entuzjazmu.

— A zatem, panie Kramer, proszę wybaczyć, ale czekają na mnie pilne sprawy... — Roger otworzył szafę ze swymi aktami i wyjąwszy z niej zamkniętą na szyfrowy zamek skrzynkę pancerną, wrócił do gabinetu.

Uważał, że jego poufne materiały są zdecydowanie bezpieczniejsze w biurze niż w domu, w towarzystwie żony. Irene nie grzeszyła wprawdzie błyskotliwością, z pewnością jednak byłaby w stanie uporać się ze zrozumieniem zawartości teczki opatrzonej literą F. Co do Henrietty nie musiał mieć takich obaw: gdyby nawet zdołała to przeczytać, co i tak stało pod znakiem zapytania, nie wiedziałaby, o co chodzi.

Na biurku spostrzegł notatkę: „Panna Clee dzwoniła dwa razy". Ortografia także nie była mocną stroną Henrietty.

Profesor w średnim wieku, który zakochał się do szaleństwa w trzydziestodwuletniej kobiecie... Co to ma być? Muszę w końcu nad sobą zapanować, gromił się w duchu, drąc kartkę na drobne kawałki. Do diabła, czym ty się właściwie przejmujesz? Powinieneś się cieszyć, póki możesz.

Nim otworzył teczkę, zawahał się na moment. Przez tyle lat nie zdołał dodać do swego archiwum niczego, co dotyczyło śmierci ojca. Jeśli chciał być uczciwy wobec siebie i przyszłych pokoleń — powiedzmy, wobec dzieci Noele — powinien uzupełnić historię, która miała początek w roku 1944, a swe rozwiązanie znalazła jesienią 1963.

Przycisnąwszy palce do skroni, aż wzdrygnął się na samo wspomnienie tamtego wieczoru. Clancy zaczął od ataku na Kennedych, po czym przerzucił się na Conlonów, co doprowadziło Irene do łez, a Danny'ego do szału. Potem wdał się w wyciąganie jakichś spraw z przeszłości. John niedowierzająco pokpiwał z ojca, Danny przysłuchiwał się w milczeniu, najwyraźniej oszołomiony, a on przeraził się nie na żarty, że to pijackie bredzenie może być prawdą. Parę godzin później John i Roger stali nad martwym Clancym, wysłuchując matczynej opowieści o tym, co się zdarzyło, i przyglądając się biernie rozpaczliwym wysiłkom Burke'a, by jakoś zatuszować to, czego ukryć się nie dało.

Co w ogóle można było zrobić?

Kiedy w końcu zjawił się blady jak ściana Danny, ciało wynoszono już z domu. Kapitan Nolan i doktor Keefe zostali rzecz jasna przekupieni, cała sprawa zaś niezwłocznie zamknięta bez żadnego śledztwa. Z zaciśniętych ust Danny'ego nie padło ani jedno słowo. Pewnie uważał, że miał prawo do tego, co zrobił. I może rzeczywiście tak było.

Zaraz po pogrzebie wyjechał z Chicago, a on, Roger, nie miał w sobie dość odwagi, by porozmawiać z nim o tym, co zaszło. Jeśli coś go usprawiedliwiało, to tylko że Brigid żądała, by trzymał się od biedaka z dala.

Potrząsnął energicznie głową, jakby w ten sposób mógł się uwolnić od natrętnych myśli.

Keefe i Nolan stanowią bez wątpienia słabe ogniwo w całej sprawie. Chyba jednak nie zaryzykują utraty dochodów z firmy Farrellów, a tym bardziej przyznania się, że weszli w drogę wymiarowi sprawiedliwości. Źródłem poważnych problemów mogła się zresztą stać nie śmierć Clancy'ego w roku w 1963, lecz ta, do której doszło w 1944.

Roger otworzył wreszcie swe archiwum: zapiski i listy, które znalazł w papierach ojca, własne notatki, wycinki prasowe z późniejszych lat, a także karteczka z jednym zdaniem napisanym ręką Burke'a: „Clancy, na miłość Boga, zapomnij!" Stare zdjęcie ojca i wujka Martina; niby identyczni bliźniacy, równie przystojni, którzy odziedziczyli ten sam wdzięk ciemnowłosych Irlandczyków, a jednak Martin miał w sobie niezaprzeczalną siłę, podczas gdy Clancy wydawał się słaby i jakby nieco sztuczny.

A przecież nie można go nazwać bezwartościowym czy złym. Czy to jego wina, że był nieudacznikiem? Słynął w końcu ze szlachetności w stosunku do liberalnych polityków, takich jak Adlai Stevenson i Paul Douglas, opowiadał wspaniałe historie swym synom, latem zabierał ich dziesiątki razy na mecze, każdego wieczoru rozmawiał o sporcie, starał się jak mógł być ich przyjacielem. Nie, to nie był zły człowiek. W pewnych okolicznościach jednak zamieniał się w prawdziwego potwora, szczególnie gdy Blanche, jego obłąkana matka, popychała go ku zadaniom, którym nie był w stanie sprostać. Jak gdyby ona nie była odpowiedzialna za...

Rogera przeszły dreszcze. Nie, nie chce się raz jeszcze przedzierać przez koszmar wspomnień.

Mimo wszystko nie wolno mu zrezygnować z tego archiwum. Czasami budził się w środku nocy i postanawiał, że doprowadzi wszystko do końca. Kto wie, może właśnie prawda stanie się rodzajem zadośćuczynienia? Co by powiedziała prasa, gdyby wyszło na jaw, że ojciec kandydata na gubernatora korzystał z usług pospolitego kryminalisty, który stosował przemoc budzącą powszechny lęk?

Jeszcze raz przerzucił wycinki prasowe i notatki. Marsallo („Marszałek") przeszedł bardzo długą drogę: od podrzędnego rzezimieszka do ulubieńca najbardziej poważanego z mafijnych szefów. Ostatnio podobno kompletnie oszalał.

Wszystko to wszakże miało miejsce tak dawno temu, a sieć powiązań była na tyle delikatna, że nawet on opierał się w swych wnioskach głównie na domysłach. Jedyny realny trop stanowiło wyznanie Clancy'ego poprzedzające jego śmierć, choć nawet John uważał, że była to w gruncie rzeczy pijacka fanfaronada w stylu twierdzeń ojca, że jest bohaterem wojennym, który pracował potajemnie dla wywiadu.

Roger zamknął teczkę. Nie, nie ma tu nic, co mogłoby wzbudzać poważne obawy. Gdyby nawet ktoś zdołał poskładać wszystko razem i stworzyć z tego historię, to i tak spokojne, ale kategoryczne zaprzeczenie załatwi sprawę. Na szczęście żaden dziennikarz nie ukrywał się gdzieś w kącie tamtej strasznej nocy...

Z teczki wysunęło się zdjęcie Florence. Nie bez oporów popatrzył na nią. Miałaby teraz powyżej sześćdziesiątki, może nie byłaby tak dobrze zakonserwowana jak Brigid, ale bez wątpienia pozostałaby atrakcyjną kobietą. Czar, który zniewolił Martina i przetrwał w Dannym przez kolejne dziewiętnaście lat, mógłby ciągle trwać... Miała na sobie wieczorową suknię, być może wybierała się na bal. Za młoda i za piękna, by umierać. I taka bezsensowna śmierć. Przecież tylko zadała pytanie, nie chciała nikomu zagrażać...

A jednak trudno mu było oderwać się od archiwum. Zerknął na końcową część zapisków skierowanych do „przyszłych Farrellów".

Pozwól mi tą drogą prosić jeśli nie o wybaczenie, to chociaż o zrozumienie. Pewnie myślisz, że mój ojciec był potworem. Tak się może zdawać, ale w gruncie rzeczy w codziennym życiu nie wydawał się zły. Słynął z dobroczynności; był wspaniałomyślny dla Kościoła, lecz także dla nas, swych synów.

Niewątpliwie za dużo pił, ale nie sądzę, by w momencie śmierci można uważać go za alkoholika. Entuzjazmował się sportem jako kibic i lubił grać z nami w piłkę, choć prawdę powiedziawszy nie był specjalnie utalentowanym graczem. Można go uznać za słabego i nieudolnego, nie sposób jednak odmówić mu dobrych intencji. Wyjątek od tego stanowiły sytuacje, kiedy czuł się osobiście zagrożony; walczył wówczas jak osaczone zwierzę, bezwzględnie i nie licząc się z regułami, aczkolwiek i tu nie był w stanie popisać się inteligencją czy siłą.

Nie wydaje mi się, byśmy go, mój brat John i ja, naprawdę kochali. Jednakże nie będzie przesadą, jeśli powiem, że darzyliśmy go szczerą sympatią, wyjąwszy chwile, kiedy był pijany albo targały nim rzadkie napady złego humoru. Toteż jeśli nawet niełatwo było kochać czy szanować Clancy'ego Farrella jako ojca, można było czerpać wiele radości z jego towarzystwa, czego ja jako dziecko byłem najlepszym przykładem.

Mówię o tym wszystkim, by zachęcić cię, potomku Farrellów, do dostrzeżenia w moim ojcu czegoś więcej niż wcielenia zła. Skrzywdził co prawda wielu ludzi, czemu nie zamierzam przeczyć, lecz czynił to z — powiedzmy — ograniczoną odpowiedzialnością moralną. Dlatego i jego wina jest jakby trochę mniejsza niż w pełni dojrzałego i całkowicie niezależnego człowieka.

Roger Farrell ukrył twarz w dłoniach i gorzko zaszlochał, co często mu się zdarzało, gdy myślał o przeogromnym cierpieniu, które stało się udziałem jego rodziny. Czyżby za grzechy przeszłości mieli po czterdziestu latach pokutować właśnie oni? Kiedy to się skończy? A Noele? Czy tragiczne piętno i ją naznaczy? Uderzył z całych sił dłonią w biurko. Nie, tylko nie to, nie pozwoli, by stała jej się krzywda.

Z wolna odzyskiwał panowanie nad sobą. Umieścił z powrotem teczkę w szarej skrzynce pancernej, a zamykając ją, nieobecnym wzrokiem prześliznął się po wielkich czerwonych literach: „Poufne. Własność Rogera Farrella".

Tak, te sprawy mogłyby się stać dla przyszłego gubernatora źródłem kłopotów... Nigdy nie ujrzą światła dziennego, już ja się o to postaram. Czyli trzeba okłamać Gerety'ego i Spinę zapewniając, że w przeszłości rodziny nie ma nic niepokojącego. Zaledwie dwadzieścia lat temu był członkiem Stowarzyszenia Młodych Chrześcijan, idealistą czującym powołanie do służby publicznej. A teraz zaczyna karierę polityczną od kłamstwa. Będą pewnie i następne.

Z zadumy wyrwał go dzwonek telefonu.

— Farrell — odezwał się trochę nieprzytomnie.

— Mówi Martha. Przerobiłam zakończenie, tak że chyba wreszcie ma ręce i nogi. Chcę to wysłać wieczorem. Może wpadłbyś na drinka i rozwiał resztki moich wątpliwości?

Roger uśmiechnął się do siebie. Było wpół do czwartej. Po co tracić czas? Dowiódł już swej cnoty, trzymając ją na dystans przez całe dwa dni.

— Przyjdę zaraz — ożywił się prawie jak alkoholik, który triumfuje, bo udało mu się przez dwa dni nie zachodzić do baru. Będzie dzisiaj przyziemny niczym mąż, który porywa swą połowicę ze sklepu z warzywami. Tego właśnie potrzebował po wyjściu z rodzinnego piekła.

— Nie chcę, żebyś z mojego powodu skracał swój dzień pracy — zaprotestowała.

— A kto tu w ogóle jeszcze pracuje o. tej porze?

Przed nim dwie i pół, może trzy godziny zabawy z wystraszoną, a potem rozanieloną niewolnicą, którą porzuci po kilku zdawkowych uwagach na temat ostatniego rozdziału jej pracy.

Przed wyjściem, wyobrażając sobie jęki rozkoszy, jakie niebawem wydobędzie ze zniewolonej branki, Roger nie zapomniał o kasecie, która wróciła na swe bezpieczne miejsce w jego biurowym archiwum. Na dzisiaj koniec z Farrellami, uznał.

Okazało się jednak, że nie. Kiedy słuchał błogich jęków Marthy podczas jej krótkiej podróży na inną planetę, dopadł go nagle obraz Danny'ego w tamten zimny, deszczowy dzień, gdy oddawali prochy Clancy'ego ziemi, z której powstał.

John

John zaparkował właśnie swego buicka przed domem brata, gdy Irene podjechała za nim sportowym datsunem, który zawsze nieco go denerwował. Bratowa proboszcza prowadząca wyczynowy wóz — było w tym coś niestosownego.

Obładowana zakupami, które pomagał jej wnieść do domu, wyglądała zachwycająco w jesiennej beżowej sukience. Lubiła sukienki, wolała je od kostiumów, on zaś oczywiście nie mógł oderwać od niej oczu, widząc ją prawie obnażoną, jakby strój był pośpiesznie narzuconą zasłoną, która ma za chwilę opaść.

— Co ci jest, John? — spytała. — Tak marnie wyglądasz... Zrobię ci drinka, a potem porozmawiamy o niedzielnej mszy.

Martini okazało się bardzo wytrawne i bardzo mocne; dla siebie przygotowała to samo. John zawsze trochę się niepokoił widząc, jak Irene pije; sądził, że wkroczyła już we wstępną fazę alkoholizmu. Na szczęście pijąc była całkiem spokojna, spokojniejsza nawet niż na trzeźwo.

Przysiadła obok niego na kanapie.

— Nie o mszę i Noele chodzi, prawda?

— Nie, oczywiście, że nie. — Ujrzawszy cień sympatii w przejrzystych piwnych oczach, opowiedział jej o wszystkim: o programie telewizyjnym, zawiści kolegów księży i artykule w kościelnej gazetce. Spodziewał się, że usłyszy to, co w podobnej sytuacji zwykło się mówić: nie przejmuj się, to wszystko śmiechu warte.

Irene tymczasem wcale nie zamierzała bagatelizować jego problemów.

— Czy mogę przeczytać ten artykuł? — spytała.

Był tak przejęty, że ręce mu drżały, gdy wyjmował gazetkę z wewnętrznej kieszeni marynarki. Irene włożyła okulary i z kieliszkiem martini w dłoni wzięła się za lekturę.

— Okropność — powiedziała w końcu. — Nie rozumiem, co twoi koledzy księża widzą w tym zabawnego. To nie jest śmieszne, tylko okrutne i zwyrodniałe. I tak mi przykro ze względu na ciebie. Co za potworna niesprawiedliwość! Tyle pracy wkładasz w ten program, a oni zamiast cię popierać, kpią sobie w najlepsze.

— Zawiść i napastliwość są tu nieodłączną częścią życia — rzekł poruszony jej serdecznym współczuciem.

— Ale nie wśród duchowieństwa. W każdym razie nie powinno tak być. I mówisz, że przydomek „Spryciarz" ma się odnosić do ciebie? Spryciarz Farrell?

— Obawiam się, że tak.

— Jeszcze jednego drinka? — Nie czekając na odpowiedź, wzięła kieliszki i napełniła je ponownie. — Chcesz zrezygnować z programu?

— A jak sądzisz? Powinienem? — Sam był zdumiony, że interesuje go, co może myśleć na ten temat jego bratowa.

Skupiona zastanawiała się nad odpowiedzią, trzymając kieliszek tuż przy brodzie, jakby zależało jej na rozstrzygnięciu problemu przed kolejnym łykiem martini.

— Myślę, że powinieneś posłać ich wszystkich do diabła — powiedziała w końcu. — Przecież telewidzowie przepadają za twoim programem, inaczej nie miałby takich świetnych notowań. Dlaczego masz się przejmować, co myśli banda zawistnych księży?

Praktyczna, inteligentna, gotowa do walki — takiej Irene John się nie spodziewał. Jaka była tamtego lata 1963 roku? Nie mógł sobie przypomnieć. A może podniecenie przysłaniało mu wtedy wszystko?

— Pewnie masz rację. W każdym razie do wygaśnięcia kontraktu będę robił program — zdecydował i natychmiast zmienił temat: — A co myślisz o ostatniej mszy?

Irene upiła spory łyk martini.

— Jestem dziś taka śmiała... — Jakże trudno było oderwać wzrok od olśniewającej bieli jej zębów i falowania wspaniałych piersi, gdy mówiła! — Pozwól więc, że będę szczera także w tym względzie. Pan Gadzina... tak o nim w domu mówimy... wyraźnie tobą manipuluje. Opowiada wszystkim, że gdyby Noele nie była twoją bratanicą, dawno byś zlikwidował grupę folkową. Ewidentnie próbuje grać na twoim poczuciu przyzwoitości, John. Przecież doskonale wie, że gdyby Noele nie należała do rodziny, bez wahania zmusiłbyś go do pozostawienia młodych w spokoju. Ludzie bardzo lubią tę mszę, bywa na niej tyle nastolatków, które normalnie nie zawracałyby sobie głowy chodzeniem do kościoła. Jeśli zrezygnujesz z tego z powodu szantażu Gadziny, jego pewnie zadowolisz, ale dotkniesz część parafian, najzwyczajniej ich stracisz. Może nawet upodobnią się do duchownych, którzy tak cię „podziwiają" w telewizji.

Co się dziś stało z Irene? Zupełnie jej nie poznawał.

— A więc uważasz, że nie powinienem dyskryminować Noele tylko dlatego, że jest moją bratanicą?

Roześmiała się głośno, co także było czymś nowym.

— Naturalnie, i powiem ci również, że jeśli masz ochotę walczyć ze wszystkimi, zlikwiduj młodzieżową mszę. Ale pamiętaj: Gadzina jest w porównaniu z twoją bratanicą łagodnym barankiem. Zrobisz naprawdę dużo lepiej, zwalczając wrednego Dadsa Fogarty'ego — wskazała pogardliwie kieszeń marynarki, w której schował gazetkę — niż moje bożonarodzeniowe dziecko.

Johnowi zdawało się, że ziemia usuwa mu się spod nóg.

— Masz słuszność, Irene, absolutną słuszność. Powinienem cię zatrudnić jako doradcę.

— Nie sądzę, żebyś tego naprawdę potrzebował — zarumieniła się lekko. — Ale może wypijesz następnego drinka...

— Chyba nie chcesz, żeby proboszcz wracał na plebanię pijany? — odparł podnosząc się z kanapy. — Muszę zresztą jeszcze popracować przed kolacją.

Gdy zbierał się do wyjścia, kolejny problem zaprzątnął jego myśli.

— Czy Noele skończyła już pracę zaliczeniową?

— Myślę, że tak... — Irene zawahała się. — W każdym razie nie zadawała mi ostatnio żadnych pytań. Wiesz, tyle bolesnych wspomnień odżyło... Zastanawiam się, czy powinniśmy jej mówić...

— O Kalifornii? — Dotąd nigdy do tego nie wracali. Nie chcąc jej ranić, powściągnął słowa, które cisnęły mu się na usta, i tylko ścisnął lekko ramię Irene. — Nie zadręczaj się, Renie.

— Dziękuję, John.

Jak zwykle cmoknęła go na pożegnanie, co było zaledwie zdawkowym śladem uczucia, które istniało dawno temu. Podążając w kierunku samochodu wśród zapadłych już ciemności, pomyślał, że pocałunek ten był jednak czymś więcej niż zazwyczaj. Uważaj, powiedział do siebie w duchu, żebyś się znowu nie zakochał.

Noele

Zatrzymała flame przed białym domkiem, w którym doktor Michael Keefe przez czterdzieści pięć lat raczył potrzebujących swą wiedzą lekarską. Gotów jak zwykle do pomocy Jaimie zobowiązał się przeprowadzić ze swym dziadkiem wywiad na temat młodości Martina i Clancy'ego Farrellów, ona zaś zamierzała dowiedzieć się czegoś o śmierci Clancy'ego od doktora Keefe'a. Nie było to sprawiedliwe: James Burns był uroczym staruszkiem, który snuł fantastyczne opowieści na temat minionych czasów, podczas gdy doktor Keefe zaliczał się do kategorii klasycznych nudziarzy.

Sprawdziła raz jeszcze w dużym żółtym notatniku informacje do tej pory zgromadzone. Babcia powiedziała, że oboje z dziadkiem byli bardzo zmęczeni kłótnią, poszli więc po obiedzie prosto do domu, gdyż Clancy, który ciągle narzekał na Danny'ego, chciał pójść wcześnie spać. Nie mogło być później niż wpół do jedenastej.

Tymczasem na zaświadczeniu, które Jaimie wydobył z miejscowego archiwum, jako godzinę śmierci podano pierwszą trzydzieści. Doktor Keefe podpisał zatem świadectwo zgonu trzy godziny po tym, jak Clancy spadł ze schodów. No dobrze, załóżmy, że babcia się pomyliła, że wrócili z klubu później. Trudno jednak wyobrazić sobie, by o jedenastej trzydzieści nie było ich jeszcze w domu. Pół godziny wystarczyło chyba, by ściągnąć Burke'a, następne pół, by sprowadzić lekarza, który w końcu mieszkał niedaleko... Co robili przez jeszcze jedną godzinę? A gdzie byli przez cały czas John i Roger? Jeśli dowiedzieli się o śmierci ojca, czy sami nie próbowali znaleźć lekarza? Dlaczego ciało Clancy'ego ciągle leżało na podłodze?

Wniosek stąd, że albo dziadek umarł dużo później, niż wydawało się babci, oczywiście jeśli mówiła prawdę, albo powstała bardzo długa zwłoka... Ale dlaczego?

By znaleźć alibi dla Danny'ego?

Zła uderzyła pięścią w kierownicę. Jestem opętana na punkcie Danny'ego Farrella, uznała. Być może... Ale po rozmowie z doktorem skończę z tym.

Od czasu pamiętnego meczu Notre Dame z drużyną z Miami uczucie straszliwej samotności powróciło do niej jeszcze tylko raz. I oby nigdy więcej.

Niezadowolona z siebie weszła w końcu do jak zwykle zatłoczonej poczekalni doktora Keefe'a, gdzie cierpliwie czekały na wizytę dwie kobiety w ciąży, siódmoklasista najwyraźniej cierpiący na ból żołądka i wiekowy staruszek. Na szczęście było jeszcze jedno wolne krzesło. Wiedząc, że doktor nigdy nie jest punktualny, spóźniła się całą godzinę i przypuszczała, że być może przyjdzie jej jeszcze następną poczekać. Wyjęła z torby nudne zadania z trygonometrii i nie chcąc tracić czasu, zajęła się sinusami, cosinusami i tangensami.

W ciągu długich czterdziestu lat spędzonych w tej samej dzielnicy doktor Keefe zdobył sobie sławę prawdziwego „cudotwórcy", który „wie to, czego ci wszyscy młodzi zdolni nigdy się na medycynie nie nauczą". Noele była o nim innego zdania — podejrzewała, że jego wiedza medyczna poszła już w ogóle w zapomnienie, a przy tym, tak samo jak mama, uważała go za odrażającego starego satyra. Nie zdrowie jednak sprowadzało Noele do doktora Keefe'a.

Zostało zaledwie piętnaście minut do godziny, o której powinna znaleźć się w domu na kolacji, gdy przyjął ją wreszcie w niechlujnym gabinecie, gdzie zapach stęchlizny szedł w zawody z ohydną wonią środków odkażających. Doktor był małym żylastym starcem o pociągłej bladej twarzy, nad którą zwisało kilka kosmyków biało-żółtych włosów. Zarówno pokój, jak i on przyprawili Noele o mdłości.

— A więc, moja panno — sapnął — co cię do mnie sprowadza w ten piękny jesienny dzień?

— Nie jestem w ciąży ani nic w tym rodzaju. — Noele uznała, że doktor Keefe patrzy na nią najzwyczajniej obleśnie. — Piszę pracę zaliczeniową na temat historii mojej rodziny i jestem bardzo zainteresowana postacią dziadka Clancy'ego Farrella. Zamierzam poświęcić stronę lub dwie jego śmierci i chciałabym pana prosić o parę szczegółów na ten temat.

Uderzenie nie mogło być celniejsze.

Zniknęło natychmiast wcześniejsze łypanie oczami, a na twarzy lekarza pojawił się wyraz przebiegłości.

— Prawdę mówiąc niewiele mogę dodać. Jestem pewien, że babcia opowiedziała ci o tym, jak wrócili z klubu w niedzielny wieczór i jak biedny Clancy wszedł na górę, potknął się i spadł ze schodów, doznając śmiertelnego urazu głowy.

— Rzeczywiście, babcia mówiła, że wyszli z klubu dosyć wcześnie — Noele zajrzała do notatek — i dziadek spadł ze schodów około dziesiątej trzydzieści.

Zamglone oczy Keefe'a błysnęły.

— Chyba bliżej jedenastej, jeśli mnie pamięć nie myli.

— Dlaczego wobec tego w świadectwie zgonu jest pierwsza trzydzieści? — Ciekawe, jak z tego wybrnie, pomyślała.

— Pokaż mi to. — Złapał papier i obracał go w dłoniach.

— Tak, faktycznie tak napisałem... — zawahał się. — Pamiętam, odbierałem w szpitalu poród. Sporo czasu minęło, nim zdołali się ze mną skontaktować...

A więc potwierdziło się — babcia nie podała prawdziwej godziny śmierci. Musiało być około dwunastej. Potem godzina, by ściągnąć Burke'a i synów, wujek John potrzebował czterdziestu pięciu minut, by dojechać z parafii, wtedy dopiero lekarz, policja... Dlaczego babcia kłamała?

— Aż dwie godziny...

Stary satyr popatrzył na nią podejrzliwie.

— Czemu zadajesz tyle pytań, moja panno? Zachowujesz się, jakbyś prowadziła śledztwo w sprawie o morderstwo.

— Nadawałabym się na detektywa, prawda? — Noele uśmiechnęła się rozbrajająco. — Ale ja niczego nie podejrzewam, po prostu próbuję zrozumieć, jak się zachowują ludzie w sytuacjach kryzysowych.

— Widać, jaka jesteś młoda i niedoświadczona — rzekł stary doktor. — Kiedyś i ty doświadczysz prawdziwej tragedii, przekonasz się, jak trudno wtedy o rozsądek. Twoja biedna babcia nie posiadała się z rozpaczy: u podnóża schodów leżał jej mąż z roztrzaskaną głową... Nie zastała na plebanii Johna, nie mogła się połączyć z twoim ojcem w klubie, bo linia była zajęta, a Danny, ten niegodziwiec, gdzieś sobie po pijanemu jeździł. Nie wiedziała, co począć... Mnie też nie było w domu ani mojej żony, Panie świeć nad jej duszą, bo wyjechała właśnie na wakacje. Dopiero gdy zjawił się twój ojciec, Brigid zdołała się jakoś pozbierać. W końcu złapali mnie w szpitalu, zadzwonili też po kapitana Nolana... — westchnął ciężko. — I nikt nie zadawał takich pytań jak ty, moja panno!

Sprytny kłamca, uznała. Ale te trzy... no, dwie godziny to i tak za dużo. Czy nie było żadnego sąsiada, który mógłby pojechać do klubu, by zawiadomić Rogera? A co się działo z innymi lekarzami? Przecież pełno ich w tej dzielnicy; jak twierdzi wujek John, co dziesiąty sąsiad to lekarz.

— Jak to możliwe, że dopóki nie zjawił się wujek John, nikt nie pomyślał o księdzu?

— Po co było wzywać innego księdza, skoro mieli jednego w rodzinie?

Oczywiście nie mogli — inny ksiądz mógłby zdradzić to, co ty ukryłeś, powiedziała do siebie w duchu. Babcia kłamała i doktor Keefe próbował ją chronić, choć Noele udało się go zaskoczyć i pomieszać mu trochę szyki.

Co zaszło między dziesiątą trzydzieści a północą?

— Więc to był wypadek?

— Pewnie, że wypadek — odparł zniecierpliwiony. — Czy świadectwo zgonu nie wyjaśnia tego należycie?

Dlaczego zatem babcia mnie okłamała?

— W porządku, doktorze — posłała mu najpiękniejszy ze swych uśmiechów. — To chyba wszystko, co chciałam wiedzieć. Wracam więc do domu i kończę dziś zadanie.

— Naprawdę nie wiem, co to się teraz dzieje w katolickich szkołach — mruknął Keefe, podnosząc się z krzesła. — Myślę, że będzie lepiej dla nas wszystkich, jeśli pozostawimy umarłych w spokoju.

— Słusznie. — Noele podziękowała mu za rozmowę, ale coś jeszcze nie pozwalało jej odejść. — A przy okazji, czy Dan Farrell był w domu, gdy pan się zjawił?

Lekarz znowu się zawahał.

— Przyszedł tuż po mnie, blady i najwyraźniej zdenerwowany... mieli w końcu z twoim dziadkiem straszną kłótnię tego wieczoru.

— Już nie był pijany?

— Śmierć go otrzeźwiła.

Albo uważa, że Danny zabił Clancy'ego, uznała, albo chce, żebym ja tak myślała.

Znalazłszy się w samochodzie zadumała się nad swym żółtym notatnikiem. Clarence Farrel umarł w niedzielę między dziesiątą a pierwszą, no, raczej między dziesiątą trzydzieści a dwunastą trzydzieści. Doktor Keefe został wezwany ze szpitala między pierwszą a pierwszą trzydzieści i zjawił się niemal natychmiast. Tuż przed nim przybył wujek John. Potrzebował czterdziestu pięciu minut na dojazd z plebanii w North West Side, to znaczy, że jakiś kwadrans przed dwunastą odebrał telefon. Co się działo pomiędzy za piętnaście jedenasta a za piętnaście dwunasta?

Jak dobrze byłoby zapomnieć o całej tej historii! Praca zaliczeniowa na temat rodziny zaczęła się jak dobry żart. Potem Noele odkryła fascynującą tajemnicę w rodzaju tych, którymi zajmowała się panna Marple w uroczej wiosce St. Mary Mead. A teraz wszystko zamieniło się w koszmar.

Można było poprzestać na prostym wyjaśnieniu. Danny odwiózł mamę, wrócił do domu i zabił Clancy'ego. Wszyscy, łącznie z Keefe'em, pragnęli sprawę zatuszować udając, że śmierć nastąpiła wcześniej, kiedy Danny jeszcze był z mamą.

Zapytać mamę, o której wróciła do domu? Na pewno nie powie prawdy. Wygląda na to, że kochała Danny'ego, pragnie więc chronić jego dobre imię. Jej rodzice mogliby wiedzieć, kiedy zjawiła się w domu, ale oboje już nie żyją. Może więc utrzymywać, że była z Dannym aż do pierwszej...

Coś niesamowitego musiało się zdarzyć tamtego jesiennego wieczoru 1963 roku. Wszyscy mówią, że dziadek był zupełnie miłym człowiekiem, dopóki nie stracił panowania nad sobą. Może tak właśnie stało się tej niedzieli? Może wpadł w gniew i zrobił coś takiego, że ktoś go w końcu zabił — żona, syn, bratanek Danny?

Albo Burke. Kto wie, czy nie miał już dość dzielenia się Brigid? A może mama? Nie, mama nie skrzywdziłaby nawet muchy. Babcia to co innego, tak samo Roger, a nawet monsignore John, gdyby go mocno przyparto do muru. No i oczywiście Danny. Każdy był gotów go osłaniać, bo wszyscy go kochali. A potem przepadł i już nie trzeba się było przejmować. Trudno ich winić, że poczuli ulgę...

O co się pokłócili? O rodzinę Kennedych i dochodzenie przeciwko firmie? Przecież z takiego powodu się nie zabija.

A jeśli to zrobił, przyczyna musiała być istotna.

Czy istnieje dostateczny powód, by zabić? Obrona własna. Młody lotnik broniący się przed starszym słabym mężczyzną?

Albo odwet... Za co?

To było tak dawno. Doktor Keefe ma słuszność — należy zostawić umarłych w spokoju.

Noele schowała w końcu żółty notatnik do torby i uruchomiła silnik. Zmęczona i zniechęcona poczuła gdzieś w głębi ducha dokuczliwą pustkę. Powinna dać temu spokój — lekkomyślna nastolatka, która pomyliła prawdziwe życie z zagadką kryminalną Agathy Christie. Jeśli chcesz, bym tak zrobiła, zwróciła się do Najwyższego, daj mi jakiś znak. Ale jaki znak?... Och, nie wiem, wszystko jedno jaki. Różę czy coś w tym rodzaju.

Zapaliło się czerwone światło i obok Noele gwałtownie zahamowała furgonetka. Wariat, powiedziała półgłosem. Światło zmieniło się i samochód, którego nie domknięte tylne drzwi trzaskały denerwująco, zdecydowanie ruszył przed nią. Powinieneś je zamknąć, pouczyła w myślach kierowcę. Ofiara losu!

Nagle na pas obok nie wiadomo skąd wjechał czerwony kabriolet, przecinając drogę furgonetce i zmuszając kilka wozów do raptownego hamowania. Noele aż krzyknęła, przydeptując z całych sił pedał hamulca. Flame stanęła na wysokości zadania i znieruchomiała parę cali za furgonetką, której rozhuśtane drzwi zakołysały się tuż nad jej maską.

„Ogrodnictwo Mount Greenwood", odczytała Noele znak firmowy. Nic dziwnego. Czego można się spodziewać po ogrodnikach, i to na dodatek z Mount Greenwood? Samochód ruszył, drzwi raz jeszcze uderzyły z hukiem i na masce flame wylądował sporych rozmiarów pakunek.

Osioł!... Zjechała na pobocze i wyskoczyła z auta. Dotknęła paczki i to wystarczyło, by wiedzieć, co jest w środku.

Naprawdę to przesada, mruknęła przejęta. Prosiłam o jeden kwiatek, a nie o cały bukiet.

Oczywiście nie muszę tego robić. Zapomnę o wszystkim. Gdy tylko Jaimie zda mi raport.

I rozmówię się z kapitanem Nolanem.

Taniec czwarty

Sarabanda

*Taniec i śpiew, tak rozpustny w słowach
i wyuzdany w ruchach, że nawet najcnot-
liwszych rozgrzewa do czerwoności.*

Juan de Mariana
Rozprawa o publicznych uciechach

Dyrektor CIA

— Przyszedł pan Radford — oznajmił sekretarz dyrektora CIA.

— Proszę, niech wejdzie — westchnął ciężko jego szef.

Wysoki, brodaty, dobrze zbudowany Radford, jeden z typowych absolwentów Harvardu, którzy od pokoleń trafiali z Cambridge do Langley, uchodził za prawą rękę dyrektora CIA. Dzięki niemu dyrektor był w stanie wydobyć na światło dzienne każdą tajemnicę ukrytą w przepastnych zakamarkach agencji i odkryć, co piszczy w trawie, nawet tej najbardziej niedostępnej. Uważano powszechnie, że w jego żyłach płynie krew o temperaturze bliskiej zeru, czego ślad nietrudno było dostrzec w lodowatych błękitnych oczach. Nikt nie wdawał się w spory z Radfordem; nikt nie próbował niczego przed nim ukrywać; nikt też nie dyskutował z nim, jeśli nie było to absolutnie konieczne. Innymi słowy, nie było w agencji lepszego człowieka do zadań specjalnych niż Radford. Jednakże dyrektor, prawnik z Wall Street, choć korzystał z jego usług, nie czuł się dobrze w towarzystwie swego asystenta.

— Siadaj, Radford — powiedział. Prawdopodobnie gość oprócz nazwiska miał także imię, lecz on jakoś nigdy nie pragnął go poznać. — Mam tu pewną sprawę z zamierzchłej przeszłości i chciałbym, żebyś się nią zajął.

— Tak? — Głos Radforda jak zwykle nie zdradzał żadnych emocji.

Dyrektor był jednym z najpopularniejszych i najbardziej szanowanych szefów agencji, czego powodów należało szukać, jak twierdzili wtajemniczeni, w jego sile i nieugiętej woli. Wiedział o tym i uważał, że zasłużył sobie na taką sławę, ukształtowany przez Wall Street, które wymagało w końcu większego hartu ducha niż wywiad. Na Radfordzie nie robiło to specjalnego wrażenia, w każdym razie nie dawał tego po sobie poznać.

— Do połowy lat sześćdziesiątych prowadziliśmy działania nad chińskim terytorium, prawda?

— Bardzo możliwe — zgodził się powściągliwie Radford.

Do diabła, doskonale wiedział, że takie operacje miały miejsce i że mnóstwo lotników zginęło w Chinach. Jeden z nich zaś po powrocie zamierzał nawet ubiegać się o miejsce w Kongresie, co z pewnością nie było najlepszym pomysłem. Były agent CIA zasiadający w Kongresie?!

— Może przypominasz sobie, jak w 1965 roku Chińczycy donieśli, że nad Sinkiang zestrzelono U-2? — spytał dyrektor. — Rzecz jasna zaprzeczyliśmy: to nie nasz samolot i nic nie wiemy o żadnym pilocie. Kojarzysz to jakoś?

— Słabo.

— Pilot nie żył, wszyscy się co do tego zgodzili. Tak nas poinformowali Chińczycy i jak się wydaje, nie było podstaw, by sądzić inaczej. A potem, kiedy w 1971 Chiny zwalniały więźniów, wrócił prezbiteriański misjonarz, który oświadczył, że widział tego pilota. — Dyrektor zerknął na leżącą przed nim kartkę. — Daniel Farrell... znaleziony w obozie jenieckim w zachodnich Chinach. Sensacja, która zajęła pierwszą stronę jednej czy dwóch gazet, a potem została najzwyczajniej zapomniana. Agencja nie podjęła żadnych działań w sprawie raportu misjonarza i wszystko umarło śmiercią naturalną. Także misjonarz, dość już wiekowy...

— Chińczycy nie wypuściliby Farrella, zwalniając wszystkich innych? — Oczy Radforda były ciągle dwiema bryłami lodu.

— Właśnie, dlaczego mieliby go zatrzymywać? Interesuje mnie jednak, co zrobiono z raportem misjonarza. Czy podjęliśmy kiedykolwiek jakieś rozmowy z Chińczykami na temat Farrella? A jeśli nie, to dlaczego?

Radford milczał, jakby na coś jeszcze czekał.

— Znasz kongresmana Burnsa, prawda?

Jasna brew uniosła się prawie niezauważalnie.

— Jeden z inteligentniejszych ludzi w Kongresie. Sympatyczny, ale daleki od naiwności.

— Chicagowscy politycy irlandzkiego pochodzenia nigdy nie są naiwni, Radford. — Dobrze, pomyślał dyrektor, udało mi się utrzeć mu nosa. — Jim Burns chciałby wiedzieć, czy mamy pewność, że Farrell nie żyje, a także czy nie kryje się za tą sprawą coś, co mogłoby wyjść na jaw, gdyby ktoś zaczął się nią interesować. Wygląda na to, że kuzyn Farrella będzie kandydował na gubernatora Illinois, i kongresman obawia się nieco wywleczenia czegoś podczas kampanii wyborczej.

— Wystarczy, by jakiś dziennikarz przypomniał wypadek U-2, ujawnił sprawę prezbiteriańskiego misjonarza, a potem dokopał się jeszcze innych kłopotliwych ciekawostek. — Głos Radforda był kompletnie pozbawiony wyrazu.

— Otóż to. Jeśli, powiedzmy, zjawi się tu dziennikarz, pytając o Daniela Farrella, chciałbym wiedzieć wszystko, co powinienem, by móc z nim rozmawiać.

Radford milczał.

— Też mi się to nie podoba — ciągnął dyrektor. — Brzydko coś tu pachnie. Burns uważa, że rodzina Farrella nie dołożyła należytych starań, by wydobyć od nas, co stało się z ich krewniakiem.

Po raz pierwszy zobaczył dziwnie rozbiegane oczy Radforda.

— Prawdopodobnie nic specjalnego się za tym nie kryje.

„Prawdopodobnie" też padło z jego ust po raz pierwszy.

— Gotów jestem się z tobą zgodzić, Radford, ale nie chciałbym, byśmy wypadli głupio, jeśli ktoś odkryje coś przed nami. Bierz się więc do roboty.

— Tak jest, szefie — rzucił już w drzwiach.

Pomimo swego wzrostu i wagi Radford poruszał się z prędkością i gracją drapieżnego kota, tak że dyrektor nie potrafił oprzeć się myśli o czarnej panterze, ilekroć jego kształcony w Harvardzie asystent opuszczał biuro.

Irene

Irene nie była w stanie zasnąć. Leżała obok męża, pragnąc czułości i marząc, by móc chociaż dotknąć jego ręki. Ale Roger Farrell nie lubił fizycznego kontaktu, wyłączając oczywiście sytuacje, kiedy się kochali. Tymczasem w niej istniała ogromna potrzeba bliskości, lubiła dotykać i być dotykaną, tak że za największą rozkosz uważała zasypianie w ramionach mężczyzny, nawet jeśli nie było między nimi mowy o seksie.

Rogerowi jako kochankowi niby nic nie można było zarzucić. Wiedział, jak ją pobudzać, jak doprowadzać do szczytu rozkoszy, jak koić po wszystkim. Często jednak Irene czuła, że Roger kocha, jakby dokonywał popisów przed zespołem sędziowskim, który za chwilę oceni jego olimpijskie wyczyny, punktując je niczym gimnastykę czy skoki do wody. A kiedy cichły brawa, Irene zostawała sama, na pozór zaspokojona, lecz z uczuciem, że drzemiące w niej zmysłowe otchłanie pozostały nie tknięte.

— Dużo czasu potrzebuję, by dotrzeć na drugi brzeg — powiedziała kiedyś swemu kochankowi.

— Ale warto na ciebie czekać — odparł czule.

Było to dawno temu, nim jeszcze zaprzepaściła swe życie.

Roger nie miał takiej cierpliwości. Kiedy kończyli się kochać, kończył się także kontakt między nimi i Irene za nic nie odważyłaby się tknąć męża. Aż do następnego zbliżenia. Chociaż nie zastanawiała się specjalnie nad planami Rogera, wiedziała, że harmonogram ich współżycia został dobrze skalkulowany, jak wszystko w jego życiu. Była też pewna, że pomiędzy spotkaniami z żoną i kochanką nie zachodzi żadna — jak by powiedział Roger, używając swego ulubionego słowa — korelacja.

Czy jego kochanka też czuje się nie do końca usatysfakcjonowana? Irene robiła sobie z tego powodu wyrzuty, lecz miała nadzieję, że tak właśnie jest.

Przypomniała jej się dzisiejsza kolacja. Roger lakonicznie poinformował żonę i córkę, że zamierza kandydować na gubernatora, po czym swym profesorskim tonem usiłował określić reguły gry podczas kampanii wyborczej: jak się powinny ubierać, co mówić prasie, jak Noele ma się starać zbytnio nie wyróżniać, a Irene robić wszystko, by wyróżnić się nieco. I jak zwykle tak był pochłonięty swą osobą, że nie zauważył ciemnych chmur zbierających się na obliczu Noele.

— Nigdy mnie nie spytałeś, czy chcę, byś kandydował na gubernatora — zauważyła Irene łagodnie.

— Bo nigdy nie miałaś nic przeciwko temu — odparł z lekka opryskliwie.

— Nie wiem, czy jestem w stanie sprostać roli pierwszej damy Illinois — powiedziała, wiedząc, że i tak zrobi wszystko, czego Roger od niej zażąda.

— Twoi przyjaciele Angie i Mick to kompletni głupcy — podniosła głos Noele. — I nie będą mi mówić, jak powinna się zachowywać nastolatka.

Wypadła z pokoju z prędkością komety przecinającej zimowe niebo.

— Myślisz, że za bardzo się napuszyłem? — zająknął się.

— Nawet jak na ciebie...

— Lepiej ją przeproszę. — Wytarł usta serwetką i złożywszy ją starannie, pospieszył za córką.

Mnie nie poprosił o przebaczenie, pomyślała Irene, ale podejrzewam, że będzie się dziś ze mną kochał. I to mi musi wystarczyć.

Popołudniowa rozmowa z Johnem odcisnęła w niej głęboki ślad. Zawsze wydawał się nieco nadęty, nawet jako seminarzysta, w którym czuła się przez moment zakochana, może dlatego, że był zakazanym owocem. Teraz okazywała mu uprzejmość i szacunek jako proboszczowi Świętej Praksedy i szwagrowi, lecz w żadnym razie nie dostrzegała w nim intrygującego, atrakcyjnego mężczyzny.

Tego popołudnia wszakże daleki był od egoizmu typowego dla większości mężczyzn. Wydawał się za to ujmująco szczery w swej bezradności i potrzebie sympatii, co nie mogło pozostawić jej obojętną. Niewykluczone, że jej reakcja, spontaniczna i nieprzemyślana, spotęgowała w nim jeszcze pragnienie rozbrajającego odsłonięcia się przed nią.

Irene przyzwyczaiła się już do tego, że mężczyźni rozbierają ją w wyobraźni. Czasem jej to schlebiało, kiedy indziej doprowadzało ją do wściekłości, ale najczęściej było najzwyczajniej „śmiertelnie nudne", jak zwykła mawiać

Noele. Kiedy dzisiaj John z tym szczególnym natężeniem przyglądał się jej wychodzącej z samochodu, jakoś nie miała nic przeciwko temu. Połechtana mile jego zachwyconym spojrzeniem, zachowywała się odrobinę łaskawiej niż zwykle i może to właśnie ośmieliło go i zachęciło do opowiedzenia jej o swych tarapatach. Biedak.

Mogłabym go polubić, pomyślała, kręcąc się niespokojnie na łóżku. I to nawet bardzo.

Nie, w żadnym wypadku nie można dopuścić do czegoś takiego. Dosyć już miałam kłopotów z mężczyznami o nazwisku Farrell. Na pewno nie jest mi potrzebny romans z księdzem Farrellem. Ale gdyby tak się stało, za nic nie wypuściłby mnie z ramion, a zraniwszy me uczucia, przeprosiłby natychmiast.

Jak Danny, gdyby żył.

Roger

Nasycony, z wolna zapadał w sen. Zwykle nie kochał się z żoną tego samego dnia, gdy dopuszczał się zdrady; budziło to w nim niesmak. Jednakże tylko seks mógł złagodzić ból, który zadał Irene. Faktycznie, zachował się głupio, okazując taki brak wrażliwości. Nie ma co, typowy naukowiec, uznał.

Ze zranioną Noele nie poradzi sobie tak łatwo, dobrze o tym wiedział. Trzeba ją będzie jakoś rozsądnie przekonać, ale odwoływanie się do rozsądku upartej, lubiącej stawiać na swoim córki nie było łatwe. Nie miał jednak wyboru — choćby nie wiem jakiego wysiłku to wymagało, musi nad nią zapanować.

Dziwne — dziś po południu Martha wspomniała Noele. Leżała przytulona do niego; skończyli się właśnie kochać, a seks lepszy był niż kiedykolwiek, bogatszy o nowe pomysły, jak choćby udawanie, że Martha jest zarówno mężczyzną, jak i kobietą, co było fantazją przyprawiającą o prawdziwy zawrót głowy i podnoszącą do stanu wrzenia temperaturę jego uczuć.

— Chciałabym mieć z tobą dziecko — powiedziała nagle, przywierając do niego tak mocno, jakby potrzebny jej do życia tlen przenikał wprost przez jego skórę. — Twoja córka jest taka piękna.

Po raz pierwszy o tym napomknęła i tak to oszołomiło Rogera, że na moment zaniemówił.

— Sądziłem, że macierzyństwo jest sprzeczne z twymi zasadami — wyjąkał.

— Tak, masz rację. — Pocałowała go w szyję. — Jeśli jednak zdecydowałam się nie rodzić dziecka, to nie znaczy, że jestem pozbawiona ludzkiej wrażliwości i nie odczuwam żalu. Gdyby tylko świat był sprawiedliwszy wobec kobiet, mogłabym mieć córkę taką jak Nicole.

— Noele — sprostował odruchowo. Czyżby faktycznie rozważała zajście w ciążę?

— Nie jesteś na mnie zły? — spytała potulnie.

— Skądże znowu. W innych warunkach nie posiadałbym się ze szczęścia, gdybym naprawdę mógł być ojcem naszego dziecka.

I dziwne, ale gdzieś w najgłębszym zakątku swej duszy rzeczywiście odnalazł takie marzenie. Martha była jego namiętnością, fantazją, obsesją, miłością; bez trudu mógłby wymieniać jej kolejne wcielenia.

A Irene zaledwie żoną.

W ostatnim ułamku sekundy przed zaśnięciem ogarnęło go uczucie niepokoju. Niejasna myśl przyszła nie wiadomo skąd... Próbował ją zidentyfikować — coś przeoczył, coś bardzo ważnego...

Brigid

— Kobieto, wycisnęłaś ze mnie resztki sił — mruknął zadowolony Burke.

— To chyba dobrze — Brigid przytuliła się mocniej do męża. — Chciałabym, żebyśmy znowu byli młodzi i mogli się bez przerwy kochać. Wiesz, jedna z młodych pracownic opowiadała, że kochali się ze swoim chłopcem dwanaście razy w ciągu jednej nocy. Czy to możliwe, Burke?

— Pewnie, że możliwe, czemu nie? — roześmiał się.
Zapomnienie, cudowny skutek zatracenia się w rozkoszy, minęło.
— Czas tak szybko mija i tak blisko nam już do dnia sądu — westchnęła żałośnie Brigid.
Burke wykazywał zawsze niezwykłą cierpliwość wobec Brigid i jej lęków.
— Stało się wiele potwornych rzeczy, Bridie, ale nie myślę, byśmy zrobili coś, czego można było uniknąć. Choćby naszej miłości...
— Tak mam się bronić przed Najwyższym? — pociągnęła nosem Brigid.
Burke na dobrą sprawę nie był pewien, czy istnieje Najwyższy, przed którego sądem trzeba będzie stanąć. Z biegiem czasu jednak nawet on zaczynał mieć wątpliwości.
— Myślę, że mogę wziąć na siebie winy nas obojga. Pewnie nie uchroni nas to od wyroku skazującego, ale może nie będzie taki straszny, z uwzględnieniem okoliczności łagodzących i skróceniem kary za dobre sprawowanie.
— Och, chciałabym w to wierzyć. Ale obawiam się, że On wyrzuci nas za drzwi, odmawiając nawet prawa do odwołania. — Na moment zapadło milczenie, po chwili Brigid podjęła: — Boję się, co może wyjść na jaw podczas kampanii wyborczej Rogera.
— Jesteśmy dobrze kryci, Bridie. Jedynym, który mógłby nam zaszkodzić, jest Tim Nolan, ale nie wydaje mi się, żeby chciał zrezygnować ze stałych dochodów, szczególnie teraz, gdy dostał podwyżkę. Zresztą zabójcy i tak nikt już nie może tknąć.
— Tim był związany z nami od początku, prawda?
— Właśnie dlatego musimy płacić temu sukinsynowi podwójną pensję, każdą za jedną sprawę. — Otoczył ją opiekuńczo ramionami. — Jesteśmy całkowicie bezpieczni, na tym świecie Bridie, a jeśli tamten istnieje, myślę, że także uporam się ze wszystkim.
Biedny Burke sądził, że nad wszystkim panuje, lecz ona nie o wszystkim mu opowiedziała. Nigdy by jej nie wydał, ale i tak bezpieczniej, gdy tylko dwie osoby wiedzą, co się naprawdę zdarzyło.

— Nie podobają mi się pytania, które Noele zadała doktorowi Keefe'owi. Wyraźnie podejrzewa, że Clancy umarł później, niż jej powiedziałam.

— Przecież to i tak nie ma znaczenia. Nikogo już nie trzeba chronić, prawda?

Niestety, trzeba.

Obraz znowu powrócił — nigdy nie będzie w stanie uwolnić się od niego. Widzi siebie w podartej sukni, rzuconą o ścianę w holu na piętrze, a nad nią Clancy wymachujący laską. Najgorsze bicie, jakie kiedykolwiek dostała. Był wściekły z powodu romansu Danny'ego i Irene. Tym razem chyba mnie zabije, myślała, i w końcu przyjdzie upragniona ulga.

Nagle wyrwana z rąk Clancy'ego laska z całych sił uderza go w twarz.

Ona przygląda się, jak zawadziwszy o balustradę, Clancy traci równowagę, przechyla się i z impetem spada ze schodów, a jego głowa obija się o stopnie z potwornym, głuchym łoskotem... I niemal natychmiast wszystko zabarwia się na kolor czerwony.

A potem kolejne kłamstwa, nie kończące się nigdy kłamstwa...

Przywarła mocniej do męża, wsłuchana w jego miarowy oddech. Burke zasnął na dobre.

Roger

Przesuwał palcami wzdłuż pleców Marthy, a przeżyte upojenie ciągle jeszcze zapierało mu dech w piersi. Szczupłe plecy, wąskie biodra, długie nogi — z tyłu mogła rzeczywiście uchodzić równie dobrze za chłopca, jak dziewczynę i w obu wcieleniach była równie pociągająca. Oddawała się z pasją każdej jego erotycznej zachciance, uzasadniając to ideologią wyzwolenia seksualnego, kochając zaś, jak przystało na niezwykle zmysłową kobietę. Niby daleko jej było do kształtów z rozkładówek „Playboya", mimo to bezbłędnie wcielała w życie playboyowe fantazje, których zaspokojenie wyzwalało w nim bezmiar czułości i ciepła, aż sam się dziwił, że na coś takiego go stać. Odrobina biseksualizmu nikomu przecież nie zaszkodzi, przekonywał sam siebie, choć wiedział, jak straszliwe poczucie winy przypuści na niego atak w drodze powrotnej do domu.

Martha była źródłem przyjemności, jakich nie zaznał nigdy z inną kobietą. A w efekcie źródłem większej winy. I co dziwne — większej miłości. Cóż, filozofował, jakaś zasada musi w końcu rządzić tym światem: jeśli nie sprawiedliwości, to niechby chociaż pewnych proporcji.

Ubieganie się o fotel gubernatora nabierało powoli rumieńców. Oficjalnie zamierzał się ujawnić na początku grudnia, tuż przed ogłoszeniem przez demokratów listy wyborczej. Jak dotąd zagwarantowano mu półprywatnie, że wszyscy wpływowi potentaci będą go popierać i najwyżej może się spodziewać symbolicznej opozycji podczas marcowych prawyborów.

Nawet od pani burmistrz otrzymał mglistą obietnicę nieingerencji. Trudno było jej ufać; potrafiła z powodzeniem zmienić front, gdyby uznała, że Roger może się sprzymierzyć w następnych wyborach z jej przeciwnikami politycznymi. Na wszelki wypadek Mick Gerety zapewnił ją więc, że Farrell nie zamierza się w ogóle mieszać w politykę chicagowską. „Tyle że takie zapewnienia to dla niej ciągle za mało" — powiedział. — „Musiałbyś prawdopodobnie zdeponować galon krwi, prawą rękę i może jeszcze jakiś organ, najlepiej intymny. Ale mam nadzieję, że da nam spokój. Chociaż, do diabła, wystąpienie przeciwko jednemu z jej ludzi mogłoby ci pomóc w prawyborach."

Roger miał właśnie rozpocząć serię wystąpień w sennych miasteczkach na południu stanu oraz pozbawionych wyrazu ośrodkach przemysłowych, nad których egzystencją wolał się w ogóle nie zastanawiać. Niestety, przyjdzie mu spędzić parę dni bez Marthy.

Dotychczasowe spotkania z wyborcami w Chicago wypadły całkiem dobrze. Widownia była serdeczna, reagowała żywo, śmiała się z jego dowcipów i entuzjazmowała prezentowanym programem; ogólnie rzecz biorąc, spotkał się z dużo lepszym przyjęciem, niż mógłby się na przykład spodziewać po własnych studentach.

Koledzy uniwersyteccy okazali się zaskakująco tolerancyjni wobec faktu, że jeden z nich wmieszał się w piekło prawdziwej polityki. Traktowali to jak zwyczajny kaprys; taki sam jak jego katolicyzm, mówili. Niewykluczone, że niektórzy — spodziewając się urlopowania Rogera Farrella — szeptali za jego plecami, iż daleko mu do poważnego naukowca, skoro decyduje się na taki krok. Czego zresztą można się spodziewać po katoliku? mógł powiedzieć ten czy ów.

Zapewne wszakże nie robiono zbyt wielu kąśliwych uwag ani nie pomniejszano jego akademickich zasług; bądź co bądź został profesorem w katedrze nauk politycznych dzięki ich głosom, nie mogli więc teraz przeczyć sobie, twierdząc, że nie jest prawdziwym naukowcem.

Plotkowały też inne katedry. Na przykład specjaliści od teorii społecznych protestowali przeciwko jego przemówieniom, które jakoby obniżały uniwersyteckie standardy, co w tym środowisku było wykroczeniem gorszym od grzechu śmiertelnego. Nie brakowało jednak i pragmatyków, którzy twierdzili, że uniwersytet może bardzo skorzystać na tym, że ich człowiek zasiądzie w stolicy stanu, Springfield.

Oczywiście nadal prowadził zajęcia ze studentami, co na dobrą sprawę dla profesorów nigdy nie było zbyt absorbujące. Nie żądano od niego niczego ponad to, by omawiał swe prace i opowiadał anegdoty na wykładach, a na seminariach wysłuchiwał — nie objawiając znudzenia — prezentacji wyników studenckich badań, które zresztą miały służyć jego monografiom. Studenci w każdym razie byli zachwyceni, że na zajęciach z nauk politycznych mogą wreszcie zajrzeć za kulisy prawdziwej polityki.

Przez cały listopad wraz ze swoją kampanią prowadził także energiczną batalię na rzecz awansu Marthy Clay, traktując to publicznie jak sprawę najwyższej rangi. Może Martha nie wydawała się kimś pierwszorzędnym z punktu widzenia całego wydziału, ale w końcu to samo można było powiedzieć o połowie etatowych pracowników i przeważającej części jej męskich konkurentów, którzy z natury rzeczy mieli większe szanse na awans niż ona.

W efekcie udało mu się doprowadzić do tego, że rozstrzygające głosowanie rady wydziału przyniosło korzystny dla niej wynik siedmiu głosów do czterech. Oponenci Marthy rekrutowali się z osobliwego przymierza marksistów z behawiorystami, przy czym pierwsi zarzucali jej „wadliwość" perspektywy, drudzy zaś — całkiem słusznie — byli zdania, że nie wypracowała dostatecznej bazy dla swych badań.

Pismo skierowane do dziekana wyglądało w efekcie całkiem przyzwoicie. Oczywiście nie sposób było przewidzieć, jaką decyzję podejmie słynący z zamiłowania do biurokracji dziekan. Mógł się znaleźć w dość kłopotliwym położeniu, gdyż orędownicy wysokich „standardów" już zaginali parol na Marthę, jak zresztą postępowali wobec każdego, kto stanowił zagrożenie dla tak zwanego „poziomu". Mimo wszystko Martha nadal miała szansę, co było i tak wielkim sukcesem w porównaniu z tym, na co liczył Roger parę miesięcy wcześniej. I właśnie ta szansa uwalniała go na krótko od poczucia winy z powodu ich romansu, nad którym — jak coraz częściej zdawał sobie sprawę — nie do końca panował, upojony wcielanymi w życie fantazjami.

Na pewno nie pójdzie, nie może pójść w ślady kolegów, którzy pozwolili sobie na to, by przelotne miłości kompletnie nimi zawładnęły. Noele, gubernatorstwo, Irene — straciłby wszystko. Tak, to prawda, ale musiał przyznać, że Martha zawróciła mu w głowie, rzuciła na niego czar. Od czasów młodzieńczych marzeń była pierwszą kobietą, która pochłaniała jego myśli każdego dnia, a nocą wkraczała w sny, nie opuszczając go aż do świtu.

Przewróciła się na plecy i szczęśliwa spojrzała mu czule w oczy.

— Czy będziesz mnie zawsze kochał?

Pytanie nastolatki, ale może chce mnie usidlić? zaniepokoił się.

— Nie wyobrażam sobie, bym kiedykolwiek przestał cię kochać — odparł wymijająco.

— Nie mówię o małżeństwie — przejrzała go. — Przeraża mnie tylko myśl, że mogłabym cię kiedyś utracić.

— I ty, i ja wierzymy w absolutną wolność, prawda? — zaasekurował się swoim zwyczajem.

Zdawało mu się, że nie może się nią znużyć. W końcu w przeciwieństwie do innych kobiet, które szybko prze-

154

stawały go bawić, przynosiła mu coraz więcej i więcej rozkoszy. Kandydat na gubernatora wszakże nie mógł sobie pozwolić na skandal i choć nie przejmował się zupełnie Irene, nie wolno mu było zapominać, że jest jego żoną.

— Naturalnie. — Podparła głowę i zamilkła na moment. — Niczego nie żądam. Oboje jesteśmy całkowicie wolni.

A jednak nie byli: ich nie zainteresowane ideologią ciała udowodniły, że mają własne prawa. Właśnie dlatego, pomyślał Roger, gotów jestem na wszystko. Ale to musi się skończyć. Może będę cierpiał, lecz nie mam wyboru...

Myśl ta uruchomiła coś w jego podświadomości i raz jeszcze naszło go poczucie, że zapomniał o czymś bardzo ważnym, czymś, co niosło potencjalne niebezpieczeństwo. Co to było?

Noele

— Doping był genialny — powiedziała Noele, używając ulubionego słówka swego pokolenia.

Jaimie Burns wzruszył obojętnie ramionami. Przed i po grze futbol nie robił na nim wielkiego wrażenia, podobnie jak zagrzewanie do walki czy pochody zwycięstwa. Naprawdę poruszało go miażdżące zatrzymanie przeciwnika na obronie, piłka wyrwana w ostatniej minucie z nie dość czujnych rąk przejmującego albo — najlepsze ze wszystkiego — złapanie w dłonie wykopanej podkręconej piłki niemal dokładnie wtedy, gdy przeciwnicy rzucali się ku niemu, by zwalić go z nóg.

Jaimie zdobył w ostatnim meczu nowy przydomek, który napawał go niewyobrażalną dumą, chociaż Noele uważała go za okropny i utrzymywała, że dziennikarzowi najwyraźniej wszystko się pomieszało, a najbardziej metafory.

Z wdziękiem i prędkością błędnych ogni przemierzających bezdroża Irlandii grający na obronie młody zawodnik drużyny

Fighting Irish, Jim Burns, torował dziś sobie drogę przez boisko — pisano — *uniemożliwiając przeciwnikom pokonanie odwiecznego wroga. Gdziekolwiek trafiła piłka, tam był Jim Burns, blokując, przytrzymując, przejmując ją w najbardziej nieprawdopodobnych sytuacjach, i to aż czterokrotnie, co nie tylko wyrównało rekord Notre Dame, ale także stanęło na przeszkodzie dwóm prawie pewnym przyłożeniom drużyny przeciwnej. Zapytany po zwycięskim meczu, czy jego przejęcia można uznać za szczęśliwy zbieg okoliczności, Burns, syn kongresmana z Chicago, odpowiedział lakonicznie: — Jak zwykła mówić moja przyjaciółka: Matka Boska ma w swej opiece tych, którzy intensywnie trenują.*

— Nigdy nic takiego nie mówiłam — zaprotestowała Noele.

— Ale gdybyś tam była, na pewno byś powiedziała.

— Co znaczy: lakonicznie?

— Krótko.

Tak więc bohater Jaimie został „Irlandzkim Płomieniem", a Noele nie miała serca, by mu powiedzieć, że irlandzkie błędne ognie poruszają się bardzo wolno, jak twierdziła babcia Brigid: „Nie szybciej niż muchy w smole, moje dziecko".

Noc przed jutrzejszym finałem, czyli meczem z Trojans z Kalifornii, Noele zamierzała spędzić w żeńskim akademiku, tymczasem jednak poszli z Jaimiem na długi spacer brzegiem jeziorka położonego w centrum campusu. Jaimie opowiedział jej o rozmowie z dziadkiem, nie szczędząc szczegółów dotyczących braci bliźniaków, a także szumu wokół nieuczciwości i braku kompetencji w stawianych przez firmę Farrellów na początku lat czterdziestych zakładach sprzętu wojskowego.

— Dlaczego William Farrell zapisał wszystko Clancy'emu, skoro wiedział, że jego syn niewiele jest wart? — spytała Noele. — Czy nie Martin powinien był przejąć firmę po powrocie z wojny?

— Dziadek mówi, że Martina niezbyt to interesowało. A poza tym choć był ulubieńcem Williama, matka wolała Clancy'ego, a Blanche miała zwyczaj stawiać na swoim... Mówiło się podobno, że Bill Farrell był tak wściekły z powodu dochodzenia prowadzonego przeciwko firmie w 1943 roku, że postanowił zmienić ostatnią wolę. Ale nie zrobił tego.

— Właściwie to bez znaczenia. Martin zginął, czyli Clancy i tak by wszystko odziedziczył.

Jaimie zastanawiał się nad czymś przez chwilę.

— Niekoniecznie. Gdyby William zmienił ostatnią wolę, po śmierci Martina spadkobiercą byłby jego syn.

— Taki mały chłopczyk?

— Wiek nie ma tu nic do rzeczy.

— Naprawdę...? Czyli mamy nawet dwa motywy: jeden, dla którego mógł zabić, i drugi, dla którego mógł zostać zabity...

— O czym ty mówisz? — przerwał jej Jaimie. — To bezpodstawne spekulacje na temat testamentu, którego nigdy nie było.

— Co znaczy: bezpodstawne? Nie, nieważne... Czy twój ojciec mówił coś na temat CIA?

— Oznacza: niczym nie uzasadnione, a tata nic nie powiedział.

— A co będzie, jeśli on żyje? — spytała Noele całkiem poważnie.

— Co będzie? I co się stanie, gdy wróci i zabije jeszcze kogoś?

— Nigdy by tego nie zrobił! — niemal krzyknęła. — Jeżeli żyje gdzieś w Chinach, wydostanę go stamtąd. Pewnie myślisz, że nie jestem w stanie tego zrobić?

— Myślę, że jesteś w stanie zrobić, cokolwiek zechcesz — odparł Jaimie płomiennie. — I dlatego tak na mnie działasz.

Pocałowała go, co było w tych okolicznościach najlepszą i jedyną możliwą odpowiedzią. Nie po raz pierwszy zauważyła, że — zupełnie jak mama — bardzo łatwo ulega zmysłom, dużo łatwiej niż Jaimie. Ale on za to najlepiej całował...

Poczuła, jak coś w niej mięknie, roztapia się i jednoczy z Jaimiem. Byli teraz jedną istotą — Noele-Jaimie — porażoną czymś obezwładniającym.

Zatraciła się w nim... I tylko tego pragnęła.

— Trzymaj mnie mocno, Jaimie... — prosiła.

Jaimiemu nie trzeba było dwa razy powtarzać; takie ramiona z pewnością mogły powstrzymać każdego zawodnika Trojans.

— Boję się, tak bardzo się boję — szepnęła, nim zdążyła uświadomić sobie, co się z nią dzieje.

Nie mogła dopuścić do tego, by zawładnęło nią znowu to uczucie osamotnienia, które powróciło nagle, unicestwiając jezioro, światło księżyca, campus, a nawet Jaimiego.

— Cokolwiek się stanie, Noele, zawsze będę przy tobie.

Gdyby mnie teraz zechciał, pomyślała, wcale bym się nie opierała... On jednak jak zwykle nie posunął się dalej.

— A więc chcesz przeprowadzić wywiad z kapitanem Nolanem? — spytał, wypuszczając ją z objęć.

— Wszystko o mnie wiesz — udała oburzenie.

Poklepał ją z taką dozą czułości, jakby miał do czynienia z zawodnikiem swej drużyny, który właśnie przerwał blokadę przeciwników i zatrzymał ich lidera.

— Jasne!

John

Rada parafialna debatowała nad tym, czy obiady i kolacje podawane personelowi, który znalazł się w porze posiłków na plebanii, powinny być traktowane jako część jego zarobków i w efekcie obciążone podatkiem. Dyskusja przerodziła się szybko w zaciekły spór między Geraldine Leopold, członkinią rady parafialnej, która zajmowała się podatkami, a Martiną O'Rourke, byłą zakonnicą prowadzącą katechezę dla uczniów spoza szkół katolickich.

Kłótnia miała w gruncie rzeczy podłoże osobiste, choć próbowano ukryć to pod płaszczykiem poważnej dyskusji, tak że John — nie po raz pierwszy zresztą — doszedł do wniosku, iż panująca w Kościele demokracja nie do końca się sprawdza. Na szczęście Eddie O'Reilly, niezwykle bystry młody prawnik, włączył się w spór oświadczając stanowczo, że posiłki jako składnik służbowych zajęć personelu nie mogą być uważane za część wynagrodzenia. Był całkowicie pewien, że gdyby doszło do oficjalnego postawienia sprawy — aczkolwiek nie zanosi się na to — urząd podatkowy byłby tego samego zdania. Niestety, dwie rozzłoszczone i sfrustrowane damy w średnim wieku nie mogły zapanować nad gniewem, toteż jedna zaczęła się uskarżać na „klerykalne ulgi", druga zaś protestowała przeciwko „przemocy kapitalistycznej ekonomii". Wreszcie ktoś wtrącił się z przychylną uwagą na temat opinii O'Reilly'ego, przerywając rozjuszonym kobietom, nikt wszakże nie odważył się wprost stawić im czoła.

Parafialne zebranie zaczęło przekraczać granice wytrzymałości Johna. Skrytykowano go dziś w poświęconym telewizji dziale chicagowskiego „Star Herald" i telefony przez cały dzień wręcz się urywały. Dzwonili koledzy księża, którzy pod pretekstem szukania u źródeł wiarygodnych informacji, pragnęli się rozkoszować jego kłopotliwym położeniem. „Widziałeś, co piszą o tobie w »Star Herald«?" pytali.

Larry Rieves, felietonista zajmujący się telewizją, pisał swe artykuły z pozycji cnotliwego moralisty, co jak sądził, upoważniało go na przykład do utrzymywania, że jakiś program jest popularny, chociaż ma ewidentnie niskie notowania, albo że nie cieszy się popularnością pomimo wysokich ocen. Zadufany w sobie, zwykł po pewnym czasie wracać do tematu i wysławiać trafność swych prognoz.

W ostatniej krucjacie Rieves gratulował sam sobie, że tak jak przewidywał, program „Monsignore Farrell pyta" traci na popularności. Jego zdaniem widzowie są znużeni powierzchownością ojca Farrella w traktowaniu podejmowanych tematów. Mają także szereg wątpliwości co do tego, czy ksiądz, którego brat ubiega się o fotel gubernatora, powinien mieć dostęp do głównego kanału telewizji. Wielu chicagowskich katolików — zapewne pod wpływem powszechnego krytycyzmu wobec duchowieństwa — którym monsignore Farrell jakoś się naraził, postanowiło odpłacić mu pięknym za nadobne.

Reszta felietonu odwoływała się do opinii anonimowego, lecz ogromnie „wpływowego" chicagowskiego księdza, którego zdaniem John Farrell jest „opętany własnym ja" i „spragniony rozgłosu". Nikt nie miał wątpliwości, że „zależy mu tylko na lansowaniu siebie i robieniu pieniędzy" oraz że „nie dba o parafię, poświęcając całą uwagę karierze telewizyjnej".

Oczywiście, monsignore Mortimer.

Jak utrzymywał autor artykułu, John Farrell wyraźnie zaniedbuje wiernych, w gruncie rzeczy zaś marzy tylko o tym, by porzucić kapłaństwo i przyjąć oferowane mu prowadzenie jednego z większych nowojorskich programów (co wydawało się sprzeczne z malejącą ponoć popularnością; konsekwencja nigdy nie była mocną stroną Rievesa).

Na koniec Rieves informował, że parafianie Świętej Praksedy zamierzają wystosować oficjalne pismo żądające, by monsignore Farrell dokonał wyboru pomiędzy parafią a telewizją. „Jesteśmy dobrą parafią" — cytował Rieves głos anonima. — „Świetnie funkcjonujemy jako wspólnota i nie chcemy, by z powodu kontrowersyjnego proboszcza nasze osiągnięcia zostały zaprzepaszczone."

Skończywszy artykuł John siedział bez ruchu jak sparaliżowany. Potem — po telefonach pastwiących się nad nim kolegów księży, a także po kilku rozmowach ze zdziwionymi i niespokojnymi parafianami oraz przybywającymi na probostwo członkami rady pytającymi, czy widział, co Rives napisał o nim — pojawił się strach. Za nic na świecie nie chciał być „kontrowersyjny". Jeśli do kogoś przylgnęło takie miano, był skończony zarówno wśród duchownej braci, jak i wiernych. Właściwie tylko dlatego zdołał jakoś przetrwać koszmar tego dnia, że pierwszą osoba, która do niego zadzwoniła, była Irene. „Jedyną sensowną reakcją na ten stek kłamstw" — powiedziała zdecydowanie — „będzie oświadczenie, że twoje notowania poszły w górę, a nie w dół, jak twierdzi Rieves, i że cała reszta artykułu jest równie nieprawdziwa jak kwalifikacja twojego programu."

Całkiem rozsądna odpowiedź, uznał John, lecz równocześnie po raz pierwszy zdał sobie sprawę, że prasa może zupełnie bezkarnie kłamać. Najprawdopodobniej jego klerykalni przeciwnicy odpowiednio nastawili Rievesa. Czyli wrogowie mogą tak wpłynąć na media, że zostanie znieważone twoje dobre imię, a ty nawet nie jesteś w stanie się bronić;

przylgnie do ciebie wizerunek całkowicie sprzeczny z twoim autentycznym obliczem i pozostanie już tak na resztę życia.

Jakże pragnął porozmawiać znowu z Irene, ufny, że jego niedojrzałe lubieżne fantazje zastąpił autentyczny szacunek i przyjaźń! Spotkanie z nią po zebraniu rady przy drinku... nie, o tym nie może być mowy; za dużo ostatnio pije... no to przy kawie pomogłoby mu na pewno odzyskać równowagę.

Zniecierpliwiony dał Eddiemu O'Reilly'emu znak, co młody człowiek złapał w lot i nie zważając na gniewne spojrzenia Geraldine Leopold i Martiny O'Rourke, przerwał spór rozsierdzonych kobiet.

Gdybym tylko takich jak one musiał się obawiać, westchnął John.

Dyrektor CIA

Gdy Radford zjawił się po długim Święcie Dziękczynienia w biurze, wydawał się zdecydowanie mniej pewny siebie niż zwykle.

— Niedobrze, szefie — powiedział. Takie określenie dyrektor słyszał w jego ustach po raz pierwszy.

— Lepiej wszystko opowiedz.

Przez chwilę Radford wpatrywał się w brunatne pola Wirginii ciągnące się za oknem przestronnego gabinetu dyrektora, wreszcie odwrócił się i zajął miejsce przed imponujących rozmiarów biurkiem.

— Wykończono go, i to z wyjątkową premedytacją.

— My?

— Mechanicy, medycy, technicy, wszyscy wiedzieli, że wydano na Farrella wyrok, tak jak personel więzienny wie, że ktoś ma być stracony na krześle elektrycznym. Z samolotu usunięto wszystkie tajne elementy, zapas paliwa był o połowę mniejszy niż powinien, mechanizm awaryjny po prostu nie działał, a pociągnięcie jego dźwigni wywoływało natychmiastową eksplozję; gdyby Farrell próbował go użyć, samolot wyleciałby w powietrze.

— A jednak tak się nie stało. — Dyrektor poczuł ucisk w dołku.

— Najwidoczniej, jeśli założyć, że zdjęcia wraku, które mamy, są autentyczne.

— Dlaczego go wykończono? Na czyje polecenie? Mojego świętej pamięci poprzednika?

— Nie stąd wyszło zlecenie — odparł Radford. — Nikt w agencji nie miał nic przeciwko Danielowi Farrellowi. Był znakomitym pilotem, absolutnie godnym zaufania. Nadzorujący bezpieczeństwo misji utrzymywał jednak, że dostał pewne instrukcje, i to od nas... Podobno rzeczywiście przedłożył wymagane dokumenty swemu szefowi. Morderstwo doskonałe, efekt inteligentnie sfabrykowanego zarzutu, że Farrell przekazywał tajne informacje radzieckiemu agentowi w Tokio.

— A potem?

— Przez półtora roku nic się działo. Tyle że szef bezpieczeństwa misji przeszedł na wcześniejszą emeryturę i wyprowadził się do Meksyku wyekwipowany w pokaźny zapas gotówki. Jeden z techników, zwolniony tuż po wypadku, coś podejrzewał. Nosił się z tym długo, w końcu poszedł do głównego inspektora. Rozpoczęto śledztwo...

— I najwyższe władze zdecydowały, że należy je jak najszybciej zamknąć — dopowiedział dyrektor, orientując się doskonale, co działo się w agencji w końcu lat sześćdziesiątych i na początku siedemdziesiątych.

— Właśnie. Potem zaś pojawił się jakiś stary misjonarz twierdzący, że Farrell żyje, a była to ostatnia rzecz, jaką chciano tu usłyszeć.

— Pewnie, lepiej nawet nie myśleć o tym, co by nas czekało, gdyby sprawa wyszła na jaw.

Radford rozłożył ręce zniechęcony.

— Farrell faktycznie żył, kiedy Chińczycy dziesięć lat temu zwalniali więźniów. Pytali nas, czy go chcemy, a my-śmy odpowiedzieli: nie.

— Na Boga, dlaczego? — niemal krzyknął dyrektor.

— Ci, którzy podejmowali wtedy decyzje, są dziś nieuchwytni, ale chyba domyśla się pan, szefie, dlaczego tak się stało. Farrell musiał wiedzieć, co zrobiono z jego samolotem, a więc także domyślać się, że zamierzano go wykończyć.

Agencji nie interesował zatem jego powrót i ujawnienie sprawy szefa bezpieczeństwa misji, który mógł zostać oskarżony o usiłowanie morderstwa.

— Już nie żyje, prawda? — spytał dyrektor, nerwowo bębniąc palcami w blat biurka.

— Czy to takie oczywiste? — Nieszczery uśmiech wykrzywił twarz Radforda. — Przyczyna śmierci naturalna, o ile mi wiadomo. A nawiasem mówiąc, w jego przeszłości znaleźć można niemało dowodów na utrzymywanie podejrzanych powiązań. Niewykluczone, że służył agencji jako jeden z nieoficjalnych kanałów.

— Jeden z tych mafijnych typów sprowadzonych przez Donovana w czasie wojny nie bez pomocy kardynała Spellmana i Frankiego Costella?

Radford skinął głową.

— Czy kiedykolwiek uda nam się od tego uwolnić? — w głosie dyrektora znać było irytację.

Odpowiedziało mu milczenie Radforda, którego praca w agencji polegała także na ujarzmianiu demonów przeszłości, by nie wychynęły na światło dzienne.

— Zatem CIA, posługując się wyznaczonym do tego celu szefem bezpieczeństwa, przeprowadziło całą akcję z powodów, które jak przypuszczam, już na zawsze pozostaną dla nas tajemnicą?

— No właśnie! — przytaknął posępnie Radford.

— I podobnie jak wiele innych draństw z tamtych lat, pogrzebaliśmy to razem z Farrellem.

— Właśnie.

— Czy jesteś pewien, że kompletnie?

Radford wzruszył ramionami.

— Wydaje się prawie niemożliwe, by ktoś dokopał się do tych spraw bez pańskiego upoważnienia. Oczywiście mogą coś wiedzieć ci, którzy działają na dwa fronty, jak również ten, kto zlecił wykonanie zadania, nie sądzę jednak, żeby chcieli rozmawiać z kimkolwiek na ten temat.

— Czy Farrell żyje?

— Prawdopodobnie nie.

— No to prawdopodobnie nic się nie stanie.

Oczywiście, że nic nie mogło się stać. Co innego gdyby Daniel Xavier Farrell żył. Wtedy mógłby się nagle zjawić, wypuszczony na wolność przez nieodgadnionych Chińczyków, których posunięć nigdy nie dało się do końca przewidzieć. A im dłużej pozostawał w niewoli, tym większego należałoby się spodziewać oburzenia mediów po jego powrocie.

Radford poruszył się niespokojnie.

— Za parę dni wybieram się na koktajl party. Przypadkiem mam się tam spotkać z pewnym Chińczykiem, z którym uprzejmie i konwencjonalnie wymieniamy pewne informacje. Mam spytać o Farrella?

— Czy ta osoba jest w stanie zrozumieć, że chodzi nam tylko o informację?

— Tacy jak on potrafią nawet Japończyków przejrzeć na wylot — wzruszył ramionami Radford.

— Czy nie sądzisz, że lepiej byłoby dać temu spokój?

Nareszcie Radford mógł być znowu chłodnookim sobą.

— Agencja dawała sprawie Farrella spokój przez ostatnie szesnaście lat. Myślę, że wystarczy.

— Rzeczywiście — westchnął dyrektor.

Próbował coś sobie przypomnieć, parę słów, które padły na zajęciach z etyki w małym college'u, gdzie studiował wiele lat temu. Radford czekał w milczeniu na decyzję szefa.

— Porozmawiaj z Chińczykiem — powiedział w końcu dyrektor.

Irene

Noele i Irene pokłóciły się straszliwie.

Irene zawsze robiła się w grudniu nerwowa. Zimowa szarość wywoływała przygnębienie. Zamiast sukienek nosiło się grube spódnice albo spodnie i swetry, co nie wiedzieć czemu powodowało, że mężczyźni wpatrywali się w nią jeszcze bardziej natarczywie niż zwykle. Świąteczne zakupy, wysyłanie kartek z życzeniami, bożonarodzeniowe przyjęcie, które musiała rokrocznie wydawać — wszystko to kompletnie ją przytłaczało. Przekonywała samą siebie, że kobieta, która nie pracuje, a przy tym ma pomoc domową, powinna sobie jakoś ze świętami poradzić.

Jednakże wraz z każdym mijającym dniem malała nadzieja Irene na sprostanie obowiązkom. Poprzedniego roku czytała artykuł o ludziach, którzy popadają w depresję w okresie Bożego Narodzenia. To ja, wypisz, wymaluj, uznała.

Roger był do tego stopnia zajęty kampanią wyborczą, że z trudem dostrzegał jej istnienie, nawet w łóżku. Noele przechodziła przez szczególnie trudny okres dojrzewania, warcząc na Irene, ilekroć matka spytała, gdzie była, dokąd idzie albo dlaczego tak późno wróciła.

— Bez wątpienia jestem dość dorosła, żeby sama się o siebie troszczyć — oświadczyła spóźniwszy się do domu po futbolowym weekendzie z Jaimiem w Notre Dame. — I bez wątpienia tobie nikt nie zadawał tego rodzaju pytań, kiedy byłaś w moim wieku.

„Bez wątpienia" było nowym ulubionym słówkiem nastolatków — sygnałem poirytowania, a także niezbitym dowodem na to, że Noele jest w jednym ze swych złowrogich nastrojów. Irene naprawdę nie miała pojęcia, co siedzi w tej dziewczynie, ani też nie wiedziała, jak do niej dotrzeć, by to zrozumieć.

Grudniowy śnieg roztańczył się nad Jefferson Avenue, a one rozpoczęły sobotę od awantury o bałagan w pokoju Noele. Irene zagroziła, że nie będzie żadnych świątecznych tańców ani spotkań, dopóki Noele nie doprowadzi swego pokoju do porządku.

— Jak mam zaprosić do domu gości na przyjęcie bożonarodzeniowe, skoro cały czas drżę ze strachu, że zobaczą ten chlew na piętrze?

— Bez wątpienia pójdą na górę, żeby oglądać mój chlew — odpaliła Noele.

— Obejrzą lub nie, ale ty, młoda damo, pójdziesz teraz do siebie i weźmiesz się za sprzątanie. Naprawdę mnie zezłościłaś.

— Nie mów, że cię zezłościłam — Noele już miała gotową odpowiedź — ale że się na mnie zawiodłaś.

— Przestań się popisywać. Wiem, co mówię! — krzyknęła Irene. — A w ogóle uspokój się i zachowuj, jak przystało na kulturalną osobę. Twój ojciec zamierza kandydować na gubernatora i nie może mieć stukniętej córki. — Co ja robię, próbuję ją besztać w jej własnym stylu, wymyślała sobie.

— Ma stukniętą żonę, dlaczego nie miałby mieć stukniętej córki?

Niewiele brakowało, a uderzyłaby tę małą diablicę.

— Nie idziesz na tańce, i to nieodwołalnie!

— Mamo, ja naprawdę chcę, żeby Roger został gubernatorem. — Noele wydawała się gotowa do ugody, co zresztą zdarzało jej się często po gwałtownym wybuchu agresji.

— Ale posprzątany pokój bez wątpienia nie pomoże mu w wyborach.

— Nie ty będziesz o tym decydować! — krzyknęła Irene wściekła, że daje się wodzić córce za nos.

— Wiem, że zrobisz wszystko, żebym nie wyszła.

— Zobaczymy.

Irene zdawała sobie sprawę, że jeśli nawet wykrzesa z siebie dość energii, by stanąć na przeszkodzie córce, Roger i tak podejmie własną decyzję.

— Chciałabyś mnie krótko trzymać, mamo — powiedziała Noele lekceważąco — ale Roger i tak pozwoli mi iść na tańce, szczególnie do klubu Notre Dame, niezależnie od tego, co ty powiesz.

Miała niestety absolutną rację.

— Noele Marie Brigid Farrell. — Pełne imię córki świadczyło niezbicie, że Irene została doprowadzona do ostateczności. — W tej chwili marsz do swego pokoju! Będę cię traktować jak małe dziecko, bo na to zasługujesz.

Dziwne, ale Noele posłuchała i odmaszerowała pokornie na górę niczym pokonany wojownik, a niebawem z jej pokoju zaczęły dobiegać hałaśliwe odgłosy. Niesamowite, te trzy imiona nadal skutkują. Zupełnie nie wiem dlaczego. Może to jej uświadamia, że mimo wszystko ciągle mam przewagę, a stawianie oporu na nic się nie zda.

Czy nie byłoby lepiej, przyszło niespodziewanie do głowy Irene, gdybym buntowała się w jej wieku tak samo jak ona?

Dzwonek u drzwi przerwał jej dumania nad tym, co utraciła. John Farrell z nowymi kłopotami, przypomniała sobie. Obciągnęła sukienkę, poprawiła włosy i zerknąwszy jeszcze na swe odbicie w lustrze, otworzyła drzwi. Pocałowała go lekko i choć był to niby ten sam siostrzany pocałunek, którym tyle razy się witali, oboje wiedzieli już, że kryje się za nim uczucie sięgające głębszych i bardziej niebezpiecznych rejonów. I co zaskakujące — to ryzyko podniecało Irene.

— Chyba nie za wcześnie na drinka? — spytała, wprowadziwszy Johna do salonu.

Zawahał się.

— Dopiero wpół do dwunastej, ale chyba z jednym dam sobie radę.

Był blady i wymizerowany. Sporo funtów stracił od czasu, gdy zaczęto go prześladować.

— Naszym wrogom na pohybel — wzniosła toast z uśmiechem, który trudno było nazwać promiennym.

— Coraz ich więcej — powiedział John. — Trudno to ignorować.

Pokazał Irene broszurę reklamującą konferencję na temat środków masowego przekazu organizowaną przez archidiecezję — dwa dni seminariów, wykładów, dyskusji dotyczących roli mediów we współczesnym Kościele. Irene rzuciła okiem na program i listę uczestników: dyrektor Radia Watykan i zarazem szef papieskiego biura współpracy; dziennikarz z Waszyngtonu; hollywoodzki reżyser filmowy, z którego nazwiskiem nigdy się nie spotkała, mający za to długą listę filmowych dokonań; monsignore Mortimer, dyrektor telewizji katolickiej; szereg specjalistów archidiecezji zajmujących się mediami.

— Kogoś tu brakuje — rzekła posępnie.

— Trudno się dziwić. — W oczach Johna widniał przeraźliwy smutek, a jego wychudzona i pobrużdżona zmarszczkami twarz przywodziła Irene na myśl skazańca. — Uczestniczyłem wiosną w kilku spotkaniach przygotowawczych, a potem przestały do mnie docierać jakiekolwiek informacje. Sądziłem, że zrezygnowano z całego projektu.

— Bardzo to dla ciebie ważne, John, prawda? — spytała życzliwie.

— Może nie powinno być. — Wykonał ręką gest, za którym kryło się zniechęcenie. — Wiesz, że Kościół i archidiecezja są dla mnie wszystkim od niemal trzydziestu lat, kiedy zdecydowałem się pójść do seminarium. Cokolwiek w życiu robiłem, traktowałem to jako służbę duszpasterską.

Do licha, wcale nie byłem zainteresowany tym programem, za nic nie chciałem się zgodzić. Kardynał mnie namawiał. Każdy ksiądz przekonywał, że mam obowiązek przyjąć propozycję. A teraz wszyscy uważają mnie za egocentryka i gdzie tylko się da, okazują pogardę... Dlaczego? Nie mogę tego zrozumieć.

— Zawiść — powiedziała Irene. A w głębi ducha pomyślała: biedaku, zraniono twoją próżność. Ale próżność jest grzechem, który nikomu nie wyrządza krzywdy; zawiść zaś szkodzi każdemu.

Spojrzał na nią znad splecionych dłoni.

— Tak myślisz, Irene? Czy to na pewno zawiść? A może faktycznie jestem samolubny? Czasami mam wątpliwości co do samego siebie. Ale Bóg mi świadkiem, naprawdę nie chcę być kontrowersyjny.

— Nie bądź śmieszny. Wcale nie jesteś samolubny. A poza tym jak chcesz dokonać czegoś istotnego nie będąc kontrowersyjnym?

Może kiedyś powiem mu całą prawdę o nim, pomyślała, na razie jednak nie jest jeszcze na to gotowy.

— Zobacz, co napisał Parson Rails — podał jej wycinek z gazety.

Irene nie miała zwyczaju zaglądać do działu religijnego, który ukazywał się w sobotnim „Star Herald", i nie znała nazwiska Parsona Railsa. „Południe stanu nie akceptuje telewizyjnych księży" — głosił tytuł.

— To bez sensu, John — oświadczyła, przejrzawszy pobieżnie artykuł. — Kogo obchodzi, że w miasteczku Railsa ksiądz był akceptowany przez wszystkich, łącznie z protestancką matką autora, ponieważ sam piekł kurczaki podczas dorocznego pikniku z okazji Święta Pracy?

— Parson Rails uosabia stare, dobre czasy Kościoła...

— Ale mamy teraz wiek telewizji i nie żyjemy w nostalgicznych miasteczkach na południu. Parson Rails jest wart tyle samo, co ta kanalia pisująca książkowe recenzje w „Star Herald". Wyleciało mi z głowy, jak się nazywa...

John wydawał się zaskoczony, że Irene czytuje recenzje.

— Manny Sizer? Rzeczywiście, niektórzy uważają go za najbardziej podłego, bezdusznego, złośliwego krytyka w Ameryce.

— A każda książka, którą próbuje zniszczyć, odnosi zawsze ogromny sukces w Chicago. Kto by brał poważnie takie nędzne kreatury?

— Masz rację, ale to kolejny dowód na to, ilu mam przeciwników, jak silną wywierają na mnie presję. Nagonka sięgnęła już parafii. Znasz Arthura Kelly'ego? Co tydzień zaprasza na obiad innego księdza i obecnie organizują komitet, który ma wymóc na mnie, bym albo porzucił program, albo zrezygnował z probostwa.

Kiedy chował do kieszeni broszurę i wycinek ze „Star Herald", drżały mu ręce. Biedny Johnny, chciałbyś zadowolić widownię telewizyjną, czy być kochanym przez swą parafię? Jakie to niesprawiedliwe, że nie możesz mieć tego i tego! Czemu twe proste i naiwne „ja" nie znalazło sposobu, by opancerzyć się tak jak twój brat?

— Nie zwracaj na nich uwagi, John. Nie zdołają zebrać przeciwko tobie nawet dwudziestu głosów, jestem tego pewna.

— Obawiam się, że stać ich na dużo więcej. W końcu w każdej parafii są malkontenci, a kiedy już się zorganizują, potrafią narobić dużo szumu.

— Na jednego wroga znajdzie się stu gotowych w każdej chwili cię poprzeć. I też potrafią się zorganizować. Eddie O'Reilly zawsze z ochotą stanie do walki.

— Chciałbym ci wierzyć...

W tym momencie ze schodów zbiegła Noele, ubrana w brązowe sztruksowe spodnie do kolan, rajstopy w takim samym kolorze i beżową koszulę z fruwającym kołnierzem. Przez ramię miała przewieszony sztruksowy żakiet.

— Cześć, wujku — zawołała wesoło. — Larry Rieves to parszywiec. I tylko mi powiedz, gdyby ktoś w parafii próbował organizować komitet przeciwko tobie! High Club zaraz wystawi pod jego domem pikiety.

Irene i John równie żywiołowo wybuchnęli śmiechem, ciekawi, skąd wie, o czym rozmawiali.

— Zrobimy to super, zobaczycie — wyszczerzyła się w uśmiechu Noele. — Pokażemy tym wszystkim prostakom, kto rządzi parafią.

— Oczywiście Mary Noele Brigid Farrell — powiedział John.

— Mam spotkanie z ojcem kapitanem doktorem Ace'em, mamo. Kiedy wrócę, skończę sprzątać w pokoju... — zawahała się, jakby czekała na jej zgodę.

— Wystroiłaś się tak dla ojca McNamary? Dla wujka nigdy tego nie robisz.

— Jasne... Wujek należy do rodziny, a ojciec kapitan doktor McNamara nie.

— Nie da się ukryć, że wyglądasz prześlicznie — poddała się Irene. — Ale ciągle czekam na porządek w pokoju.

— Muszę rozwiązać bardzo ważny problem, ale zaraz potem skończę sprzątanie.

— Dziękuję, że zaczęłaś — powiedziała Irene.

Noele zatrzymała się i odwróciwszy przyjrzała uważnie matce. Zwoje pod burzą rudych włosów intensywnie pracowały.

— Nie ma sprawy, mamusiu — wykonała rękami łaskawy gest niczym władczyni, która oddała komuś wielką przysługę.

Nieznośna mała jędza, a za chwilę słodka bożonarodzeniowa córeczka, rozrzewniła się Irene. Jakże bym chciała być taka jak ona!...

Noele wyszła z domu i natychmiast zdecydowała, że śnieżyca śnieżycą, ale na plebanię pójdzie pieszo. Musi się przecież pokazać w swym nowym sztruksowym komplecie.

— Podejdź do okna, John, i popatrz na nią.

Noele maszerowała ulicą w rozpiętym płaszczu, z rękami zawadiacko wciśniętymi w kieszenie, a za nią podążała gromada psów. Pierwszy był ociężały irlandzki seter, za nim smętny ogar, dalej beztroski czarny labrador, a pochód zamykał ujadający sznaucer.

— Melissa, Poindexter, Sebastian, Heather to jej wierni towarzysze, John. Pewnie zbierze jeszcze z pięć albo sześć, nim dojdzie do plebanii. Ilekroć pojawia się na ulicy, podążają jej śladem wszystkie okoliczne psy i małe dzieci. Widzisz... mała McCarthy, a tuż za nią synek Josie Holloway. Moje bożonarodzeniowe dziecko oprócz wielu innych istot przyciąga także psy i dzieci.

— Co z pracą zaliczeniową? Już skończyła? — John odwrócił się do Irene.

— Tak mi się wydaje. Nic nie mówi na ten temat. Ale z nią nigdy nie wiadomo.

Wrócili do swych martini, lecz tym razem Irene siadła nieco bliżej Johna, nie tak daleko jak poprzednio, gdy w domu była Noele, zaledwie na tyle, by ich kolana się nie dotykały.

— Czy kiedykolwiek będziemy w stanie powiedzieć jej prawdę? — spytała smutno.

— Nie wyobrażam sobie tego, Irene, nigdy. — Zmarszczki na jego twarzy jeszcze się pogłębiły, a oczy stały się dziwnie nieobecne. — Okropnie by cierpiała.

— Czasem się jednak zastanawiam, czy ona nie wie już o wszystkim. Może w naszych myślach wyczytała coś... o tym strasznym dniu, gdyśmy ją znaleźli.

— W Bogu nadzieja, że nie — wzniósł wzrok ku niebu.

Przez chwilę trwali w milczeniu, jakby byli w pustym kościele w obecności Najświętszego Sakramentu.

— Zamierzasz przeciwstawić się Kelly'emu, prawda? — przerwała ciszę Irene. — A czy chcesz, żeby Noele naprawdę ustawiła te pikiety?

— Nie, w żadnym razie — odparł John zdecydowanie. — Poproszę jednak Eddiego O'Reilly, by na zebraniu rady parafialnej zaproponował podjęcie uchwały popierającej mnie i zachęcił do wystosowania odpowiedniej petycji. To najlepszy sposób uciszenia Kelly'ego.

— Oto prawdziwy Farrell! — Irene uścisnęła go impulsywnie, na co odpowiedział tym samym. I jakby ogarnięty nagłą słabością, na moment oparł głowę na jej ramieniu.

Rozkoszna bezwolność wkradła się w każdy zakątek ciała Irene. Nigdy dotąd nie dopuściła się cudzołóstwa; w całym swoim życiu należała tylko do dwóch mężczyzn. Ten mógłby być trzeci. Tak bardzo jej potrzebował! Musiał ją mieć. A ona go pragnęła.

John uniósł wolno głowę, jakby z trudem się odrywał od Irene, lecz ona przytrzymała jego twarz jeszcze przez moment.

— Nie martw się, John. Wszystko będzie dobrze. Na pewno nie stanie ci się nic złego, zobaczysz.

Zależy, co rozumieć przez „złe", dodała w duchu.

Westchnął cicho. Może pragnął pozostać w jej objęciach przez resztę życia?

Noele

— A więc, M. N. — donośny głos ojca Ace'a niemal wstrząsnął szybami w oknach — skąd ta pewność, że dziadek został zabity?

— Po prostu wiem. Nie mam co do tego żadnych wątpliwości, wiem i już.

— A zabił go Danny Farrell?

— Ojciec zachowuje się jak prokurator. A ja liczyłam na życzliwego doradcę — westchnęła Noele. — Nie, ojcze, wcale tak nie myślę. Chociaż mógł... W końcu cały czas z dziadkiem o coś walczyli. O co?

McNamara wepchnął ręce w kieszenie zniszczonych wojskowych spodni, za którymi tak przepadali nastoletni parafianie.

— Prawdę mówiąc nie słyszałem o żadnej walce. Oczywiście nie wszystko dociera na plebanię. Ale Danny?... On był raczej artystą niż wojownikiem...

— Czy chodziło o firmę?

— Przestań mi zaglądać do głowy. — Ojciec Ace znał talent Noele do czytania w cudzych myślach. — Coś tam kiedyś było... Jakiś nieprzyjemny szum, że Clancy oszukał brata, pozbawiając go praw do firmy. Ale to bez sensu, bo przecież Martin zginął na wojnie. Może Danny doszedł do wniosku, że go wydziedziczono...

— Czy Brigid nie dałaby mu pieniędzy, gdyby potrzebował?

Ojciec Ace uznał, że zupełnie niepotrzebnie dał się wciągnąć w roztrząsanie odległych i niejasnych spraw.

— Oczywiście, że by mu dała, czego by tylko zapragnął. Nie miał absolutnie żadnego motywu.

— Z wyjątkiem być może wyrównania rachunków.

— Rachunków za co?

— Och, nie wiem, ojcze. Wiem tylko, że muszę to odkryć.

— Ciągle bawisz się w Jane Marple z Beverly?

— W Cordelię Gray — obruszyła się Noele.

— I za nic nie zostawisz w spokoju rodzinnych tajemnic? Musisz wyciągnąć z ukrycia wszystkie? Nawet gdyby cię miały przygnieść swym ciężarem?

— Muszę — powiedziała wolno. — Nie wiem dlaczego, ale muszę... To tak jakbym była nikim, dopóki ich nie poznam.

Nie mogła mu przecież powiedzieć o potwornym uczuciu samotności; zaraz by ją wysłał do psychiatry.

— Pamiętasz, co się stało, gdy próbowałaś zawrócić łódkę Murphych? — przypomniał słynną przygodę z łodzią, która zniosła ją daleko od brzegu.

— Nie mogłam wrócić do miejsca, z którego wyruszyłam.

— Właśnie — skwitował ojciec Ace.

Dyrektor CIA

— Widziałeś się wczoraj z Chińczykiem?

— Był wyjątkowo miły. Ostatnimi czasy bardzo się starają.

— To prawda — powiedział oschle dyrektor. — Zna sprawę Farrella?

— Jeśli nie znał, to w każdym razie udawał, że zna. — Wyraz niesmaku wykrzywił przystojną twarz Radforda. — Kiwał głową jak nakręcona lalka i powtarzał w kółko: „rozumiem, rozumiem", cały czas z tym przyklejonym do ust uśmiechem.

— Bariera językowa?

— Studiował w Harvardzie o trzy lata wyżej niż ja. Mówi po angielsku bez zarzutu.

— Zatem rozumie, że chcemy się tylko dyskretnie dowiedzieć, jak przedstawia się sprawa Farrella?

— Tego nie powiedziałem. — Radford potarł skórzane obicie fotela. — Wcale nie mam pewności, że słyszał o Farrellu. Jedno tylko nie budzi wątpliwości: nie zamierzają przysparzać nam kłopotów.

— Na czym więc w końcu stanęło?

— Powiedział, że zajmą się wszystkim.

— Brzmi to trochę złowieszczo.

— Niekoniecznie. W każdym razie nie musimy się martwić, jak mnie zapewnił.

Dyrektor miał tego ranka inny powód do zmartwienia. W południowej Afryce rozpoczęły się jakieś podejrzane ruchy wojsk; na tym tle Daniel Farrell wydał się nagle sprawą małej wagi.

— No to nie będziemy się martwić. A może powinien się martwić Farrell? Jeśli żyje, rzecz jasna.

Roger

W drodze z lotniska do domu udało mu się w końcu ustalić, co kryje się za nękającym go uczuciem, że przeoczył coś ważnego. Być może nie zamknął skrzynki pancernej. Czyżby? Taka dziecinna nieodpowiedzialność? Niby tak, ale przecież bardzo się spieszył, pragnąc jak najszybciej zastąpić przeszłość rozkoszną teraźniejszością. Nie miał wątpliwości, że Martha pozwoli mu zapomnieć o Florence Carey.

Roześmiał się w duchu, z ironią i pogardliwie. Freud powiedziałby, że rozmyślnie dopuścił do ujawnienia rodzinnej przeszłości, by nie kandydować na gubernatora.

Powiedział taksówkarzowi, że zmienił zdanie i zamiast do domu pojadą na uniwersytet.

Nie, na pewno zamknął zarówno kasetę, jak i szafę z aktami.

Miał mieć tego wieczoru wykład u Rycerzy Kolumba. Zawahał się raz jeszcze. A może by poczekać do jutra? Lepiej jednak pozbyć się definitywnie tego dokuczliwego niepokoju.

Na uniwersytecie kazał taksówkarzowi poczekać i smagany przejmującym zachodnim wiatrem chwiejnym krokiem dotarł do drzwi instytutu.

W biurze pani Marshfield rozmawiała oczywiście przez telefon. Ona zawsze wisiała na telefonie. Nie zadała sobie trudu, by przywitać go czy choćby spojrzeć w jego stronę. Jedno musiał oddać pani Marshfield: pod jego nieobecność nie pracowała mniej wydajnie niż zwykle.

Poszukał kluczy, otworzył szafę i wyjął kasetę. Szyfrowy zamek nie był zamknięty. Trzęsącymi się palcami podniósł pokrywę i zaczął przerzucać teczki.

174

Brakowało Florence Carey Farrell. Niemożliwe, chyba się pomylił. Jeszcze raz przejrzał wszystko.

Znalazł ją w końcu w szafie na dnie szuflady, schowaną pod starymi zeznaniami podatkowymi. Sam jej tam nie włożył. Ktoś musiał wyjąć teczkę z kasety, a potem wrzucił ją w inne miejsce.

Ogarnięty paniką zajrzał do środka: wszystko poprzewracane; jego notatki znajdowały się z tyłu za wycinkami, chociaż umieścił je na początku.

— Pani Marshfield — zawołał dławiąc się niemal — czy ktoś otwierał szafę z moimi aktami?

— Jestem w tej chwili przy telefonie — odparła wyniośle.

Roger skoczył przez pokój i wyrwał jej z ręki słuchawkę.

— Nie obchodzi mnie, co pani robi. Proszę odpowiadać na moje pytania. Kto ruszał moje akta?

— Ten młody dziennikarz — odparła tonem zranionej męczennicy. — Sam pan polecił, by mu pomagać. Zrobiłam dla niego kopie.

— Miał obejrzeć moje maszynopisy, a nie prywatne dokumenty!

— Ale nie kazał pan go pilnować, prawda?

Taniec piąty

Allemande

*Taniec powolniejszy niż galiarda, odpo-
wiedni dla ludzi, którzy tańcząc nie chcą
być narażeni na wykonywanie nieprzystoj-
nych ruchów.*

T. Morley
*Proste i łatwe
wprowadzenie do muzykowania*

Irene

Za wszelką cenę powinna uniknąć zebrania komitetu organizującego wiosenny zlot Koła Pań. Na plebanii będzie na pewno John Farrell, który z wolna stawał się jej obsesją. Jakżebym jednak miała nie pójść? pytała sama siebie z udaną pobożnością. Była przecież przewodniczącą komitetu; w chwili słabości, uległszy prośbom pani Riordan prezesującej od wieków Kołu, zgodziła się szefować dorocznemu „wydarzeniu".

Wiosenne spotkania nie różniły się od siebie: zawsze ta sama pogoń świeżo upieczonych przedstawicielek irlandzkiej klasy średniej za splendorem przynależnym bardziej uprzywilejowanym i w efekcie niezdarne naśladownictwo wiosennych zlotów organizowanych przez protestantów. Co dziwne, choć Irlandczycy finansowo zaszli daleko, starsze kobiety, takie jak pani Riordan, ciągle jakby nie były świadome wpływu tego na ich pozycję społeczną. Nie uświadamiały sobie również, że protestantki zrezygnowały już dawno z wiosennych lunchów, zastępując je popołudniowymi koncertami w filharmonii. Pani Riordan niestety nie wiedziała, gdzie się znajduje filharmonia, a na dobrą sprawę mogła niezbyt pojmować, czym jest filharmonia.

Tak więc czekało ją takie sobie jedzenie i nudny pokaz mody w jakimś drogim hotelu, Drake'u lub Ritzu-Carltonie (najpewniej w tym drugim, jeżeli przewagę w głosowaniu na temat lokalizacji dorocznego „wydarzenia" uzyska grupa bardziej postępowa). Parafianki — te, które zdecydują się przyjść — będą za dużo pić, uwodzić księży, a potem w godzinie największego ruchu na drogach niepewnie wracać do domów; aż dziwne, że żadna z nich nie rozbiła nigdy dotąd rodzinnego cadillaca. Może aniołowie stróże mają godziny nadliczbowe?

— Jak ty to wytrzymujesz, John? — spytała Irene.

Kiedy członkinie komitetu zmarnowały już głupią paplaniną prawie całe popołudnie proboszcza, zostali wreszcie tylko we dwoje w pachnącej sosnowym drewnem sali parafialnej, uzgadniając ostateczne szczegóły, co zwyczajowo należało do przewodniczącej i proboszcza.

— Cóż, taka jest cena czterech albo i pięciu tysięcy dolarów, których w żaden inny sposób nie bylibyśmy w stanie pozyskać. — John odchylił się na krześle, przystojny i mocny, bardziej męski i lepiej zbudowany niż Roger. — Zawsze tak było i gdybyśmy nagle położyli kres tradycji, pani Riordan oraz jej podobne mogłyby utracić wiarę.

— Rządy wszechwładnych matron?

— Coś w tym rodzaju. Żadna katolicka parafia się przed tym nie uchroni. — John podniósł się z krzesła. — Chodź na górę na drinka, nie możemy zaprzepaścić całego popołudnia.

Irene wiedziała, że nie powinna się zgodzić, że powinna odmówić.

— Wspaniały pomysł.

Powtarzała sobie, że od Johna pragnie wyłącznie serdeczności i przyjaźni. Jeśli nawet jej ciało reaguje po swojemu na jego obecność, jego smutne oczy, niesforny kosmyk włosów opadający na bladą twarz, wyraziste usta, nie można traktować tego serio. To przecież jej szwagier i ksiądz, nadęty i nudny, a przy tym mężczyzna, dla którego nigdy nie była niczym więcej niż ładnym przedmiotem.

Jednakże znalazłszy się teraz w mieszkaniu proboszcza parafii Świętej Praksedy, świętym miejscu swego dzieciństwa, zapragnęła obnażyć się przed nim na oczach wiszących na ścianach papieży i kardynałów. Co za rozpustny i głupi pomysł, wyśmiała samą siebie.

— Były nowe napady ze strony kolegów księży? — spytała obserwując Johna przygotowującego drinki.

— Tym razem anonimowy list — odparł. — Wysłany do wszystkich księży w diecezji.

Irene podeszła do baru, gdzie John w sporym dzbanku mieszał martini. Fizyczna bliskość wyzwoliła w niej zmysłowy dreszcz, który natychmist ogarnął ją całą, aż zacisnęła usta, by zapanować nad niesfornym ciałem.

— Co w nim jest?

— Z powodzeniem mógłbym wytoczyć autorowi proces, gdyby list był podpisany. Pomawia mnie, że wykorzystuję pieniądze parafii, by pokrywać koszty programu, po czym biorę pensję z telewizji. Mało tego, twierdzi, że „zadaję się” z producentem.

— Mój Boże, to straszne! — zawołała Irene. — A co właściwie robisz z tymi pieniędzmi?

— Wspieram nimi parafię. Oczywiście nie muszę, ale wiesz, że dla Farrellów pieniądze nie są problemem — oświadczył. — Głupiec, nie ma zielonego pojęcia, jak funkcjonuje telewizja.

Jedna czwarta dzbanka wypełnionego martini z lodem znalazła się w szklance z inicjałami J.W.F.

— Zamierzasz odpowiedzieć?

— Czy to zrobię, czy nie, i tak mnie potępią. Jeżeli odpowiem, księżulkowie powiedzą, że skoro biorę sprawę poważnie, musi w niej być jakaś cząstka prawdy. Jeśli nie odpowiem, uznają, że zarzuty są prawdziwe; nie milczałbym przecież, gdyby było inaczej.

Napełnił drugą szklankę i bez słowa stuknął się z Irene.

— No to co zrobisz?

— Odpowiem. Nie zamierzam jednak ani ich informować, ile dostaję za program — w sumie zaledwie dwieście dolarów tygodniowo — ani mówić, że przekazuję pieniądze parafii. Jak mówił Jezus: niech nie wie prawica, co czyni lewica.

— Och, John... — mruknęła.

Zdała sobie sprawę, że jej głos zabrzmiał prowokująco. Ale nie przejmowała się tym. Choć był jej szwagrem, księdzem, mężczyzną, którym często gardziła, choć znajdowali się na plebanii, nie miało to teraz znaczenia.

Usiedli obok siebie na jednej ze skórzanych kanap, które zawsze uważała za szczyt klerykalnej pompatyczności. A przecież powinna uciec na drugą stronę pokoju, być od niego tak daleko, jak to tylko możliwe... Zmysłowe napięcie wypełniało pokój coraz szczelniej, gdy ostatkiem sił podjęła rozpaczliwą próbę wyrwania się pożądaniu.

— Wiesz, że Noele była u doktora Keefe'a? — zmieniła temat.

Troska Irene wypogodziła na moment twarz Johna, lecz teraz znowu przybrał surowy wyraz.

— Tak, wiem. Brigid zaraz do mnie zadzwoniła, gdy dowiedziała się o tym od doktora. Na Boga, Irene, czy nie możesz powstrzymać tego dziecka?

— Zarówno ty, jak i twój brat, a nawet matka psujecie ją przez całe życie, a teraz spodziewasz się, że ja nad nią zapanuję? — rzuciła gniewnie.

John był wyraźnie zakłopotany.

— Przepraszam, Irene.

— Ignoruje każde moje polecenie, ponieważ wie, że zawsze może się odwołać do ojca. Roger przekonuje ją tym swoim uczonym profesorskim stylem, ona mu grzecznie przytakuje, po czym umawia się z Jaimiem Burnsem i robi, na co tylko ma ochotę.

— Naprawdę musimy ją pohamować, w przeciwnym razie wszyscy ucierpią.

— Słyszę to od kilku tygodni — zniecierpliwiła się Irene.

— Ale jak dotąd nikt mi nie wyjaśnił dlaczego. A może ukrywacie jakieś rodzinne tajemnice, których ja nie znam?

— Znasz jedną i to wystarczy. — Wydawało jej się, że w głosie Johna czai się coś okrutnego; na szczęście trwało to tylko przez ułamek sekundy. — Tak jest lepiej, Irene.

— Zamilkł, a po chwili dodał: — Każdemu z Farrellów grozi niebezpieczeństwo.

— Ale największe mojemu bożonarodzeniowemu dziecku.

— To kolejny powód, by ją powstrzymać.

Irene smętnie pokiwała głową. Jedyna pociecha, że rozwiało się narastające między nimi zmysłowe napięcie.

— Ona sądzi, że Danny żyje.

— Co?

Spodziewała się złości, a tymczasem w oczach Johna dostrzegła żal, jakby i on nie mógł się pogodzić ze śmiercią Danny'ego. Po tylu latach wszyscy go nadal kochają, uznała.

— Skąd o tym wiesz? Powiedziała ci?

— Nie, ale potrafię to wyczuć. Jestem w końcu jej matką.

— Rzeczywiście — powiedział, jakby z odrobiną ironii.

— Oprawiła jego zdjęcie dyplomowe z Annapolis w srebrną ramkę i powiesiła nad łóżkiem jak Najświętsze Serce Jezusa...

— Przedziwne...

— Na pewno. Ale czy myślisz... że on może żyć? — zawahała się, pozwalając sobie po raz pierwszy postawić głośno to pytanie.

— Oczywiście, że nie — odparł szorstko.

— Lecz...?

— Lecz gdyby tak było — John zrobił się śmiertelnie poważny — popadlibyśmy wszyscy w prawdziwe tarapaty, zgodzisz się chyba ze mną?

Przede wszystkim ja, powiedziała do siebie w duchu Irene.

Roger

Biuro dyrektora college'u katolickiego, gdzie studiował Joe Kramer, jakoś dziwnie nie pasowało do ogromnie żywiołowego gospodarza, który zdaniem Rogera w ostatnich latach dawał swej energii upust w czymś innym niż prawdziwa działalność akademicka. Błękitne ściany, zagracone biurko i fotografie z kościelnymi i politycznymi znakomitościami przywoływały czasy, kiedy był zdecydowanie wolniejszy, nie obarczony obowiązkami międzynarodowej sławy, którą wrogowie określali mianem ,,wiecznego przeniewiercy", gdyż miał nieprawdopodobny talent do zawierania przyjaźni z każdym kolejnym prezydentem Stanów Zjednoczonych.

— Nie zwykliśmy podobnych rzeczy tolerować — powiedział dyrektor stanowczo.

— Miło mi to słyszeć — odparł Roger. — Jednakże, ojcze, muszę zwrócić uwagę, że młody człowiek pisał artykuł na zamówienie waszego tygodnika i przez niego był opłacany, a zatem szkoła jest formalnie odpowiedzialna za to, co się zdarzyło.

— A konkretnie za co? Jak rozumiem, autor otrzymał zezwolenie na zapoznanie się z pana dokumentami, prawda?

— Prosił o udostępnienie mu brudnopisów artykułów i książek, by mógł się zorientować w moich metodach pracy. Nigdy nie upoważniałem go do oglądania, a tym bardziej kopiowania moich osobistych i poufnych zapisków — rzekł Roger, zdając sobie nagle sprawę, że pewnie przyjdzie mu powtarzać to jeszcze wiele razy. — To prawda, że sekretarka dała mu nieopatrznie klucze do mojej prywatnej kartoteki, jednakże ani ja, ani nikt inny nie upoważnił go do wynoszenia z biura kopii całkowicie osobistych dokumentów.

— Rozumiem — powiedział dyrektor. — Zatem problem polega nie tyle na dotarciu do tych materiałów, ile na ich skopiowaniu, no i oczywiście wyniesieniu z biura.

— Zabranie ich bez zgody właściciela jest równoznaczne z wykroczeniem.

— Z całą pewnością — zgodził się dyrektor. — Naszym celem nie jest jednak, jak sądzę, postawienie młodego człowieka w stan oskarżenia, ale raczej doprowadzenie do zwrotu pańskich materiałów bez narażania na szwank dobrego imienia szkoły.

— Proszę mi wierzyć, daleki jestem od tego, by wytaczać mu proces — westchnął Roger. — Ale nie jest w moim interesie ujawnienie treści dokumentów, także ze względu na kampanię wyborczą, w której biorę udział.

Dyrektor uniósł ręce, jakby chciał powiedzieć: widzisz, jak łatwo można sobie ze mną poradzić?

— Nie zamierzam wnikać, co zawierają te dokumenty, Roger, wystarczą mi pańskie znakomite osiągnięcia akademickie — uśmiechnął się jowialnie. — Chcę wyłącznie pomyślnie rozwiązać problem.

Precyzyjnie przemyślane — w równym stopniu uprzejme, jak nieustępliwe, uznał Roger.

— Czy mogę zatem liczyć, że porozmawia ojciec z tym człowiekiem i zażąda zwrotu materiałów?

— Tego nie mogę obiecać. — Dyrektor przesunął leżącą przed nim na biurku stertę papierów. — Poinformuję go, że nie popieramy tego, co zrobił, jeśli więc pragnie pozostać w college'u, powinien zwrócić kopię pańskich dokumentów. Muszę być jednak bardzo rozważny, nie chciałbym go za bardzo przypierać do muru, by nie posunął się do jakiegoś desperackiego kroku.

Roger poczuł się tak, jakby był przestępcą zabiegającym o przychylność sędziego szlachetnego i sympatycznego, lecz traktującego go z lekką pogardą.

— Taktyka zależy od ojca, ale proszę pamiętać, że ten stan rzeczy nie przyniesie ani mnie, ani szkole nic dobrego.

— Tak, naturalnie — dyrektor uścisnął dłoń Rogera.

— College jednak, jak pan zapewne słyszał, zdołał wyjść obronną ręką z gorszych kryzysów.

Noele

Żona Timothy'ego Nolana była drobną istotą o śnieżnobiałych włosach, twarzy dziecka i donośnym głosie niezbicie dowodzącym kłopotów ze słuchem. Wyraźnie lubiła użalać się nad sobą i zrzędzić, co Noele dziwiło, bo nie mogła zrozumieć, na co w tym wieku można narzekać.

Uległszy nagłemu impulsowi i nie wtajemniczając w swe plany nikogo, nawet Jaimiego, Noele wsiadła na rower i pojechała Jefferson Avenue do domu Nolanów, smagana lodowatym północnym wiatrem, pod którym uginały się nawet najpotężniejsze drzewa w parku. Uznała, że rower będzie lepszy niż auto, bo nastolatka na rowerze wyzwoli życzliwsze uczucia niż za kierownicą samochodu. Pani Nolan i tak wpuściła ją do domu z rzucającą się w oczy rezerwą. Najwyraźniej zapomniała, że Noele zjawiła się po to, by porozmawiać z mężem na temat „pracy zaliczeniowej, którą właśnie piszę", i natychmiast zaczęła ciskać gromy na zwariowanych młodych kierowców. Po chwili przerzuciła się na zdrowie męża — „sześć ataków serca i dwa wylewy, moja droga, nie masz pojęcia, jakie mam z tym jego zdrowiem utrapienie".

Zupełnie jakby chciała, żeby już umarł, pomyślała Noele.

W końcu została poproszona do biblioteki kapitana Nolana. Ciemny zakopcony pokój przesiąknięty był zapachem cygar i wypełniony książkami, które wyglądały tak, jakby nie były ruszane od czasu, gdy trzydzieści lat temu umieszczono je na półkach. Kapitan, staruszek kruchy jak porcelanowa lalka, siedział spowity chmurą dymu w głębokim fotelu i w kompletnej ciszy, z wyłączonym dźwiękiem, oglądał na wielkim ekranie jakiś serial telewizyjny.

— Czego sobie życzysz, panienko — zawył niemal, bez wątpienia równie głuchy jak jego żona.

Głowa kapitana skojarzyła się Noele z wielkanocnym jajkiem, które nie zabarwiło się równomiernie. I jeśli nawet mogło się zdawać, że Timothy Nolan — jak mówiła jego żona — „jedną nogą jest już w grobie", to głos miał tak gromki i mocny, jakby krył w sobie niezgłębione pokłady witalności.

— Jestem Noele Farrell — przedstawiła się, postanowiwszy zachowywać się jak niewinna i urocza nastolatka.

— Wiem, kim jesteś — krzyknął, podczas gdy jego stare, lubieżne oczy błądziły po jej dżinsach i swetrze.

— Piszę pracę na temat historii mojej rodziny — ciągnęła, starając się panować nad obrzydzeniem wywołanym przez spojrzenie jajogłowego.

— Nic dobrego z tego nie wyniknie — uśmiechnął się, uwodzicielsko w swym mniemaniu.

Noele wzięła głęboki oddech.

— I chciałabym się dowiedzieć czegoś więcej o śmierci Clancy'ego Farrella.

Spodziewała się, że wywoła w nim wściekłość, tymczasem kapitan pykał najspokojniej w świecie cygaro, wpatrując się z niezwykłym skupieniem w ekran telewizyjny.

— Nie wiem, o co ci chodzi — odezwał się w końcu. — Przeprowadzono dochodzenie. To był wypadek.

Kłamiesz, nie było żadnego dochodzenia, powiedziała do siebie w duchu, a głośno spytała:

— Jak mogło być przeprowadzone dochodzenie, skoro doktor Keefe podpisał świadectwo zgonu, gdy tylko się zjawił?

Małe oczka jajogłowego błysnęły niebezpiecznie.

— Przeprowadziłem nieoficjalne dochodzenie już po wszystkim, by uchronić rodzinę od kłopotliwego wpisu do policyjnego rejestru.

— Pan się mnie boi, prawda, kapitanie Nolan? — nie dawała za wygraną Noele.

— Wynoś się stąd! — wrzasnął. — Margie! Do diabła, gdzie ona jest? Zabierz stąd tę smarkatą!

Noele wstała.

— Wychodzę, nie chcę mieć dłużej do czynienia z nieuczciwym policjantem, panie Nolan, choćby nawet był zgrzybiałym starcem.

— Ja zgrzybiały? — krzyknął kapitan. — Nieuczciwy? Nolanowie zawsze byli uczciwsi niż Farrellowie. To twoja rodzina jest nieuczciwa, bezczelna dziewczyno!

— W każdym razie nigdy nie złamała przysięgi — rzekła wyniośle Noele, niby gotowa do wyjścia, ale ciągle stojąc w drzwiach w nadziei, że uda jej się coś jeszcze wydusić z rozwścieczonego, przerażonego, nikczemnego starca.

— Łamanie przysięgi, coś takiego! Ty lepiej uważaj. Już jedna w rodzinie Farrellów zadawała zbyt dużo pytań i źle skończyła. Marge! Zabierz stąd tego wrednego dzieciaka!

Noele zakręciło się w głowie, jakby od dawna nic nie jadła, a zapach cygar dotarł do niej nagle ze zdwojoną siłą, wywołując mdłości. Florence Farrell! Nie, to niemożliwe!

Kapitan Nolan rozkaszlał się straszliwie, na co jego żona, która wcześniej nie odpowiadała na żadne wołania, zareagowała natychmiast i wpadła do pokoju jak burza.

— W tej chwili stąd wyjdź! Z Farrellami zawsze tylko kłopoty. Nie widzisz, że ten biedak ma znowu atak?

— Nie zamierzam pozostawać tu ani chwili dłużej, pani Nolan — oświadczyła Noele i wypadła na mroźne grudniowe powietrze.

Pędząc do domu pragnęła tylko jednego — żeby czas się cofnął, żeby nigdy nie zadano im pracy na temat historii rodziny.

Ktoś zabił matkę Danny'ego.

Mój Boże! — wzniosła oczy ku niebu.

Kiedy tylko znalazła się w swoim pokoju, natychmiast wykręciła numer Notre Dame.

— Potrzebuję następnych informacji prasowych, Jaimie. Czy byłbyś taki kochany i sprawdził, co pisano w 1944 roku o wypadku samochodowym, w którym zginęła Florence

Carey Farrell? Gdyby udało ci się jeszczo znaleźć, kto był w to w jakikolwiek sposób zamieszany, byłoby super.

Jaimie milczał dłuższą chwilę.

— Jeśli naprawdę tego chcesz, M. N. — wydusił w końcu.

— Tak, bardzo. Chyba znalazłam motyw zabójstwa.

Czy naprawdę chciała udowodnić, że Danny Farrell pomścił matkę? Nie, oczywiście, że nie.

Powróciła samotność, jakby wtargnęła do pokoju wraz z duchem Florence Farrell.

Czyżby to duch, któremu nie jest dane zaznać spokoju, był jej samotnością?

Burke

Kiedy odkładał słuchawkę, była cała mokra od potu, jak jego dłonie. Przecież to jeszcze dziecko, przekonywał sam siebie. Nie mogę dopuścić, żeby coś jej się stało. Ale w dżungli, którą znał Burke, dziecko też można było potraktować jak kobietę.

Podszedł do okna i spojrzał na tłum spieszący przez plac Daley Civic Center. Ostatnimi czasy rzadko używało się oficjalnie nazwiska „Daley", pani burmistrz zdecydowanie go nie lubiła. Posunęła się tak daleko, że kazała ustawić świąteczną choinkę w innym miejscu, aby nie kojarzono Bożego Narodzenia i Daleya.

Czy tego dziecka nic nie jest w stanie powstrzymać?

Najpierw doktor Keefe, który miał niezdrową skłonność do udawania, że wie więcej niż w rzeczywistości, a wiedział i tak za dużo. A potem, dobry Boże, Tim Nolan, ten najniebezpieczniejszy na świecie starzec. Kto jeszcze przyjdzie jej do głowy? Marszałek? O nie, Boże, tylko nie ten szaleniec.

Trzeba być ostrożnym. Z ojcem tego jej chłopaka bardzo się liczą w Kongresie. Przewodniczący podkomisji zajmującej się wywiadem... Lodowate ciarki przeszły Burke'owi po plecach. Czyżby z nim rozmawiała?

Natychmiast wrócił do biurka i przerzuciwszy w pośpiechu notes, wykręcił numer.

— Jim?... Burke Kennedy z tej strony... Tak, tak, wiem... Mam nadzieję, że uda ci się przyjechać do domu na święta... Pewnie się zobaczymy na urodzinach Noele... O tak, fantastyczna dziewczyna... szkoda, że jedynaczka... Jak tam, udało ci się wydobyć coś z Agencji na temat Dana Farrella?... Podziwiam jej odwagę, że spytała, i ciekaw jestem...

Po drugiej stronie zapadła głucha cisza; Jim Burns bez wątpienia próbował przeniknąć zaskakujący telefon i jego intencje. A potem Burke otrzymał dokładnie taką odpowiedź, jakiej należało się spodziewać — perfekcyjnie mglistą i nic nie mówiącą.

— Tak, zdaję sobie sprawę, jak Agencja podchodzi do takich spraw... Oczywiście, nie żyje, wiadomo... Ale znasz Bridie... Irlandzkie matki zawsze się karmią nadzieją...

I znowu ten przelotny żal — dlaczego nie urodziła mu syna.

— Tak, dziękuję, Jim. Pozdrów ode mnie Jane. Wesołych świąt...

Burke Kennedy odwiesił słuchawkę i ukrywszy twarz w dłoniach, osunął się na biurko.

Nigdy już nie zazna spokoju. Nigdy.

Roger

— Oczywiście doceniam ojca wysiłek... — Nawet przez telefon Roger nie był w stanie ukryć irytacji. — Proszę zrozumieć, w jakim straszliwym napięciu żyję, a tu jakiś dylemat moralny, z którym boryka się młody człowiek... Naprawdę nie jestem w stanie pojąć, o co mu chodzi.

Noele przyparła do muru Tima Nolana. Niezawodnie trafia w dziesiątkę; przecież ten policjant...

— Utrzymuje, że materiały są jego własnością — wyjaśniał dyrektor — i zamierza je zatrzymać. Twierdzi także, że nie może być mowy o kradzieży, gdyż zabrał tylko kopie, a nie oryginały.

— Na Boga! Jak może coś takiego twierdzić? Żaden sąd w tym kraju nie zgodziłby się z poglądem, że tracę prawo do swych dokumentów w momencie, gdy zostały skopiowane. Czyżbyście nie uczyli już dzisiaj dziesięciorga przykazań?

— Przedstawiam tylko jego punkt widzenia — powiedział dyrektor z lekką przyganą. — Dziennikarz uważa, że pozwalając mu wejść do biura, jakby wyrzekł się pan prywatności. A poza tym jest zdania, że jako robiąca karierę osoba publiczna musi się pan pogodzić z wnikliwą obserwacją.

— Inaczej mówiąc, jeśli na przykład mam parę dolarów, inni mogą czuć się moralnie uprawnieni do zabrania mi ich?

Niby taki niewinny staruszek z tego Nolana, a przecież to najbardziej jadowity stwór. Noele naraża się na prawdziwe niebezpieczeństwo, może nawet na śmierć. A ja muszę się zajmować tym głupim gnojkiem.

— Cały czas cytuję tylko naszego dziennikarza, Roger. Sądzi więc, że jego obowiązkiem jest opublikowanie tych materiałów, a jeśli tego nie zrobi, złamie zasady etyki zawodowej.

Pokłócili się straszliwie z Irene w związku z wizytą Noele u Nolana. Co dziwne, zaatakowała go, twierdząc, że to on ponosi za wszystko odpowiedzialność.

— Proszę mi wybaczyć irytację, ale jestem naprawdę wyczerpany. Doceniam jednak wysiłek ojca.

Nagle zdał sobie sprawę, że może niezupełnie ma prawo powoływać się na dziesięcioro przykazań. Godzinę wcześniej... zerknął na zegarek... właściwie czterdzieści minut temu złamał szóste przykazanie, jeszcze raz dopuszczając się cudzołóstwa z Marthą Clay. Rozkosz uwolniła go na chwilę od rodzinnej przeszłości. Ale nie do końca. Gdy kochał się z Marthą, powracał do niego w myślach Danny Farrell, może dlatego, że Dan miał zwyczaj kpić z jego opętania kobietami twierdząc, iż Roger nieustannie próbuje dowieść swojej męskości.

— Jak ma spódniczkę, to musisz ją ściągnąć — mówił Danny, naśladując irlandzką wymowę. — Ale nie gustujesz w dużych cyckach, co? Nic z tych rzeczy.

— Zostawiam je tobie.

Poczuł się winny z powodu tych skojarzeń, lecz zaraz się pocieszył, że grzeszny rachunek i tak się nie zmieni, gdy cudzołożąc pozwoli sobie jeszcze na homoseksualne fantazje. Wszyscy jesteśmy trochę perwersyjni, przekonywał sam siebie jako doświadczony socjolog, który wie, jak nieprawdopodobnie skomplikowany jest seksualizm człowieka. Dlaczego więc rezygnować z tej przyjemności?

Kwartał dobiegał końca i nazajutrz Martha miała wyjechać na święta do rodziców w Bostonie. Zamierzała też spotkać się z byłym mężem. „Ty widujesz żonę codziennie i nie mam żadnych zastrzeżeń. Czy obowiązują nas różne normy?"

Sprawa awansu Marthy ciągle jeszcze nie była rozstrzygnięta. Dwa dni wcześniej dziekan zatrzymał Rogera, aby mu powiedzieć, że papiery zostały wysłane do rektora z „najbardziej pochlebną opinią, na jaką mogłem sobie w zgodzie ze swym sumieniem pozwolić". „W zgodzie z sumieniem" oznaczało po prostu obojętność, Roger nie miał co do tego wątpliwości.

— Czy sądzisz, że pani Clay gotowa byłaby się zgodzić na rozwiązanie kompromisowe? — spytał na zakończenie dziekan.

Uniwersytet mówi o kompromisie? ożywił się. A więc jeszcze nie wszystko stracone.

— To znaczy profesura na czas określony? — Innymi słowy, awans, lecz bez stałego zatrudnienia.

— Powiedzmy, choć rzecz jasna nie mogę wypowiadać się w imieniu rektora — zgodził się dziekan. — Może coś w tym stylu uda się wcielić w życie, oczywiście jeśli znajdą się środki.

Uniwersytet lubił uskarżać się na brak pieniędzy, ale potrafił znaleźć fundusze na wszystko, jeśli tylko naprawdę chciał.

— Całkiem interesująca możliwość. Spróbuję się dyskretnie dowiedzieć, jak zapatruje się na to katedra.

Najpierw jednak musi się porozumieć z Marthą, o czym dziekan doskonale wiedział. Niewykluczone, że poczuje się dotknięta, uznawszy kompromis za poniżającą szowinistyczną zniewagę, i odrzuci ofertę. Mimo wszystko bardziej prawdopodobne, że zapomni na moment o swych zasadach i zgodzi się na pięcioletnie, a może i dłuższe zatrudnienie. Decydując się na bezwzględną konfrontację bardzo łatwo mogłaby przegrać: zwycięstwo moralne za niebagatelną cenę dwudziestu ośmiu tysięcy rocznie.

Nieprzytomnie spragniony, by ją znowu posiąść, Roger w pośpiechu opuścił biuro. Ciekawe, ilu jeszcze pracowników uczelni wychodzi dziś wcześniej, by zabawić się ze swymi kochankami, nim święta położą tamę rozkoszom? Już niebawem przyjdzie mu zerwać ten związek. Gdyby Martha opuściła z końcem roku uczelnię, wytoczywszy jej być może przedtem proces, romans znalazłby naturalny i łatwy finał. A jeśli nie...?

Jakie to dziwne, zastanawiał się wchodząc do jej mieszkania, że wyborcy gotowi są wybaczyć swym politycznym przywódcom nawet zupełnie jawne cudzołóstwo. Tymczasem jego może czekać utrata szans na fotel gubernatora, ponieważ pewien młody człowiek, naruszając wszelkie kanony etyki dziennikarskiej, znalazł informacje dotyczące zbrodni, którą popełniono całe wieki temu. Co się stało z moralnością? Czy nie ma już dziś miejsca na uczciwość, na prawdę? Tyle że prawda mogła zniszczyć jego i jego rodzinę, a nawet zagrozić życiu córki.

Kimże on jest, aby się uskarżać?

John

Druga niedziela grudnia u Brigid gorsza była od stu lat w czyśćcu. Irene powróciła do roli biernej i nudnej żony. Roger i Brigid jak zwykle traktowali ją protekcjonalnie, a John poczuł, że sam też jest gotów wkroczyć na swój utarty szlak. Ile razy w ciągu ostatnich piętnastu lat ją obraził? I jaki był z niego nadęty i zarozumiały głupiec. Dlaczego ta wspaniała wrażliwa kobieta znosi to wszystko?

Zatęsknił za uczuciem ciepła, gdy trzymał ją przez chwilę w ramionach. Pożądanie, które zawsze w nim wzbudzała, bogatsze było teraz o szacunek, podziw i sympatię, czyniące ją jeszcze bardziej atrakcyjną i może bardziej niebezpieczną. Niesamowicie się do siebie zbliżyli wtedy na plebanii. Za bardzo. Nie może sobie pozwolić nigdy więcej na zostawanie z nią sam na sam.

Ponurą atmosferę przy stole potęgował jeszcze niepokój o Noele. Nie było jej dzisiaj, poszła z Jaimiem na tańce, Brigid skorzystała więc z okazji, by przepytać Rogera.

— Czy jesteś pewien, że możemy spać spokojnie, nie obawiając się, że wpadnie na jakiś kolejny bzdurny pomysł związany z tą swoją pracą zaliczeniową? — zażądała wyjaśnień.

— Z całą pewnością. Odbyłem z nią długą rozmowę na ten temat.

— Wielka szkoda, że matka nie jest w stanie nad nią zapanować.

Traktowana jak mebel matka zachowywała się tak, jakby nim faktycznie była; puściwszy zniewagę mimo uszu, nie powiedziała jednego zdania w swej obronie.

— Chciałbym zamienić z tobą parę słów, dobrze? — szepnął Johnowi Roger, gdy wstawali od stołu.

— Oczywiście — zgodził się sądząc, że chodzi o wyczyny Noele.

— Pojawił się nowy problem. Ktoś zabrał z mojego biura pewne materiały, które mogą nam przysporzyć poważnych kłopotów.

— Jakie materiały? — spytał John, rozdrażniony chłodnym, profesorskim tonem brata.

— W głównej mierze dokumenty dotyczące śmierci Florence Farrell, które po pogrzebie znalazłem wśród papierów taty, a także moje zapiski związane z tą sprawą.

— Sądzisz, że tato mówił tamtego wieczoru prawdę? — zdziwił się John.

— Danny w to wierzył.

— A ja nie. Uważałem to za taką samą bujdę, jak jego bredzenie o szpiegostwie.

— Nasz ukochany ojciec bał się bez wątpienia, że Florence może się w końcu zbuntować. Naciskany przez naszą równie ukochaną babkę uznał, że trzeba się jej pozbyć. Zapisałem coś takiego i notatka ta niestety znajdowała się wśród materiałów, które ten człowiek wyniósł z biura.

— Boże... — przerażony John omal się nie zakrztusił.

Roger tymczasem skrzywił się w uśmiechu, jakby bawił go gatunek Homo Farrellensis.

— Tim Nolan też był w to zamieszany. Osłaniał nie tylko Danny'ego, wcześniej chronił także Clancy'ego. Obawiam się, że Noele mogła się tego domyślić. W przeciwnym razie po co by odwiedzała Nolana?

John nie potrafił odpowiedzieć na pytanie, czy kocha swego brata. Raziła go zawsze intelektualna poza Rogera, raziło go to, jak traktuje Irene. Miał jednak ogromny szacunek dla jego błyskotliwej inteligencji i dowcipu. Miłość? Nie o nią tu przecież chodziło, tylko o lojalność. Trzeba być lojalnym wobec rodziny, szczególnie kiedy jest w kłopotach, choćby nawet wyłącznie wtedy... Roger bez wątpienia był w kłopotach.

— Po co do cholery robiłeś te zapiski? — spytał John, próbując, jak przystało na prawdziwego Irlandczyka, ukryć troskę pod maską zniecierpliwienia. — Trudno o większą głupotę. A poza tym czy jesteś pewien, że to tato? Zaplanowanie morderstwa...? Takie coś to specjalność Burke'a.

— Burke nie miałby motywu.

— Jak to nie? A mama, najważniejszy motyw jego życia?

— Niemożliwe — powiedział Roger.

Chcesz wierzyć, braciszku, że to był tato, pomyślał John. Dlaczego?

Temperatura na dworze spadła dobrze poniżej zera i John, który nie nosił płaszcza, co stanowiło część wizerunku wiecznie zaaferowanego księdza, cały drżał. Ale nie tylko z powodu zimna.

— Robiłem te notatki, bo uważam, że naszym obowiązkiem jest pozostawienie jakiegoś przesłania następnemu pokoleniu — ciągnął Roger. — Co będzie, jeśli ktoś kiedyś natknie się na tę sprawę? Powiedzmy, dziecko Noele, któremu za dwadzieścia lat zdarzy się pisać pracę zaliczeniową na temat historii rodziny?

— Teraz cały świat może się na to natknąć — burknął John.

— Niestety. A najgorsze, że zamieszana jest w to mafia.

— I co z tym zamierzasz zrobić? Nie dałoby się znaleźć kogoś, kto by odzyskał te materiały? Czy Burke nie mógłby wysłać swych przyjaciół z wizytą?

— Myślałem o tym. Tyle że — roześmiał się gorzko — jako kandydat na gubernatora muszę się bardzo pilnować, sam rozumiesz. Na razie chciałem tylko, żebyś wiedział.

— Pragnąłbym ci jakoś pomóc... — Dobre chęci Johna równe były bezradności.

— Gdyby doszły cię słuchy, że Noele węszy dalej, natychmiast zadzwoń do mnie. Wiesz, jakie to może być niebezpieczne, zwłaszcza teraz.

John skinął głową.

— Zastanawiam się, czy Dick McNamara nie ma na nią złego wpływu. Znasz jego romantyczną fascynację młodością.

— Będziesz próbował się go pozbyć?

— Mogę... Chociaż na Danny'ego nie miał wpływu, a przecież właśnie on i tak nie chciał być dorosły.

— Wiesz, kiedy Noele patrzy na mnie tymi niesamowitymi zielonymi oczami i pyta, jakie nasza rodzina ma winy na sumieniu, naprawdę nie wiem, kto jest dorosły, a kto nie.

John nie zdążył zareagować na to złowieszcze wyznanie, w drzwiach bowiem pojawiły się matka i Irene.

— John, w tej chwili wsiadaj do samochodu i wracaj do domu — rozkazała Brigid, jakby ciągle miał pięć lat. — Stoisz na takim zimnie bez płaszcza i na pewno dostaniesz zapalenia płuc.

— Niektórzy się zupełnie nie zmieniają — roześmiał się John.

— A niektórzy są odporni na zapalenie płuc.

— Dobranoc, John — pożegnała go łagodnie Irene.

Czy Roger zdawał sobie sprawę, jakim jest szczęśliwcem? Prawdopodobnie nie. Docenia się to dopiero wtedy, gdy już jest za późno.

Kiedy dotarł na plebanię, wydała mu się bardziej pusta i nieprzyjazna niż kiedykolwiek.

James III

Zwykle pełna życia twarz Noele zamarła przerażona, jakby zobaczyła zamordowane dziecko. Jaimie delikatnie dotknął jej policzka — spojrzenie dziewczyny mówiło, że go nie poznaje, i minęła dobra chwila, nim wróciła do siebie.

— Och, Jaimie... — szepnęła.

Płonący na kominku ogień rozjaśniał łagodnym blaskiem gabinet kongresmana, z pokoju obok docierał świeży zapach choinki, radio nadawało kolędy — Boże Narodzenie ogarniało ich ze wszystkich stron swym ciepłem, zapachem i muzyką, ubrana zaś w błękitny sweterek Noele wyglądała jak najpiękniejszy gwiazdkowy prezent. Tyle że jej bezgranicznie smutne oczy pełne były łez.

Jaimie gładził twarz Noele, podczas gdy drugą ręką pospiesznie zbierał z brązowej skórzanej kanapy wycinki dotyczące Rocca „Marszałka" Marsalla.

— Sprawia mu przyjemność bicie człowieka kijem baseballowym, aż ofiara wyzionie ducha? — przeczytała na głos, jakby nie mogła uwierzyć własnym oczom.

— Istnieją tacy ludzie — wydusił, nie bardzo wiedząc, co powiedzieć.

— I przypalanie ciała kobiet papierosem... czterdzieści ran na skórze jednej dziewczyny?

— To bestia.

Nie miał zamiaru pokazywać jej następnych wycinków prasowych dotyczących wypadku, w którym zginęła Florence Carey, aresztowania kierowcy ciężarówki, Rocca Marsalla, i postawienia mu zarzutu o nieumyślne spowodowanie śmierci. Tym bardziej nie chciał, by zobaczyła serię artykułów, które mówiły o karierze Marsalla w mafii po półrocznym pobycie w więzieniu w 1946 roku; o przemocy, zamachach, torturach, kierowaniu imperium prostytucji i pornografii, mafijnych zaszczytach i ostatecznie szaleństwie.

Miał z sobą jeszcze jedną kolekcję wycinków: zarzuty o powiązania mafijne, dochodzenia, przekupstwo, groźba postawienia w stan oskarżenia, czyli historia wyjątkowo zdeprawowanego policjanta, Timothy'ego Nolana.

Niestety, Noele przyparła go do muru i w końcu uległ, wręczając jej wszystko, co zgromadził.

— Matka Danny'ego została przez tego człowieka zabita! — krzyknęła, odsuwając twarz od jego dłoni.

— To mógł być wypadek...

196

— Oczywiście. Tim Nolan był przypadkowo policjantem, który go aresztował, a potem przypadkowo powiedział, że Florence stawiała zbyt dużo pytań, więc zginęła. Zapomniał tylko dodać, że zabito ją przypadkowo. Jaimie, ona pytała o spadek syna i dlatego musiała umrzeć.

— Być może.

— No bo jak to inaczej wyjaśnić? — Mimo wszystko miała nadzieję, że może istnieje jakieś wytłumaczenie.

Jaimie głaskał jej długie miękkie włosy, aż w końcu uśmiechnęła się słabo.

— Załóżmy, że pytanie o podział majątku doprowadziłoby do formalnego śledztwa i Brigid mogłaby się znaleźć w więzieniu. Czy myślisz, że Burke gotów był na wszystko, by ją przed tym uchronić?

Noele skinęła głową.

— Sypiali ze sobą od wielu lat i na pewno dla niej przed niczym by się nie cofnął.

— I nie ma żadnych dowodów na to, że Danny odkrył, iż jego matka zginęła z ręki gangstera?

— No to kto zepchnął Clancy'ego ze schodów? — dotknęła twarzy Jaimiego z takim namaszczeniem, jakby był bezcennym skarbem.

Próbował zachować jasność myśli i spokojny ton.

— Może rzeczywiście upadł, jak przekonują cię wszyscy, albo...

— Albo co?

— Może zepchnęła go twoja babcia?

Noele natychmiast odsunęła się od niego.

— Co ty opowiadasz? — oburzyła się. — Dlaczego miałaby to zrobić?

— Nie chciałem o tym wspominać, ale... no właśnie, podobno kiedyś dużo się mówiło... mój dziadek mi to powiedział... że Clancy ją bił.

— Dlaczego? — Twarz Noele raz jeszcze zamarła.

— Pewnie był zły z powodu Burke'a i... cóż — Jaimie wił się jak na mękach — niektórzy mężczyźni nie są w stanie się podniecić, jeśli...

— Sadomasochiści — powiedziała z miejsca.

— Coś w tym rodzaju — odparł Jaimie, jak zwykle skrępowany jej znajomością rzeczy.

— Chcesz powiedzieć, że to Burke i Brigid są odpowiedzialni?

— Niekoniecznie. Chcę ci tylko uświadomić, jak trudno jest udowodnić, że dokonano zabójstwa, a jeśli nawet, to i tak nie wiadomo, kto był mordercą. Na dobrą sprawę można by oskarżyć prawie każdego. To było tak dawno temu, że nie sposób znaleźć dziś dowody.

Noele objęła Jaimiego i położyła mu głowę na piersi.

— Myślisz, że powinnam o tym zapomnieć?

— Przynajmniej do Bożego Narodzenia. — Przyciągnął ją do siebie blisko, delikatnie, jakby była czymś niewyobrażalnie kruchym. Mógł liczyć jedynie na przyrzeczenie, że pozostawi swe śledztwo w spokoju na jakiś czas.

— Czy CIA kontaktowało się z ojcem?

— Nie. Co znaczy, że nic nie znaleźli.

Noele pocałowała go, na co odpowiedział żarliwie, i po chwili trwali złączeni pocałunkiem tak namiętnym, jakby odnaleźli się po długim niewidzeniu. Jeszcze chwila, pomyślał Jaimie, a nie wytrzymam i zdejmę jej sweter...

Jednakże nie zrobił tego, tylko zdecydowanie odsunął ją od siebie.

— Nie skończyliśmy ubierać choinki — powiedział ochryple.

— Tak jest — zgodziła się bez entuzjazmu.

— I aż do gwiazdki ani słowa o tajemnicach Farrellów, dobrze?

— Tak jest.

Jaimie poklepał ją czule.

— Moja wspaniała dziewczyna.

— Tak jest — zachichotała, umykając przed następnym pieszczotliwym klapsem.

A jednak Jaimie czuł, że pomimo złożonej obietnicy gdy tylko Noele wyjdzie od niego, natychmiast wróci do swojej sprawy.

Irene

Pomruk suszarki na dole zwiastował koniec swobody. Widocznie Noele nie miała po południu zajęć z gimnastyki, skoro wcześniej wróciła ze szkoły. Zdominuje znowu rozmowę przy obiedzie, usuwając w cień nawet prześwietną kampanię Rogera.

Boże, jaki on był nieznośny, westchnęła i dźwięk ten przypominał jej Brigid.

Praca nad nowym opowiadaniem szła jakoś opornie. Musi koniecznie przyjrzeć się jeszcze raz postaci ojca Toma, która pojawiała się czasem we wcześniejszych utworach, przede wszystkim w „Kupowaniu dziecka". Dotąd był wyniosły i nieczuły, a teraz trzeba go pokazać jako subtelnego, wrażliwego, kochającego, dbając o charakterologiczną konsekwencję, co było niełatwe technicznie, ale i z przyczyn osobistych niosło z sobą trudność prawie nie do pokonania. Bohaterką nowego opowiadania była zamężna kobieta, którą ojciec Tom ogromnie pociągał. Jak oddać targające nią sprzeczne uczucia, zastanawiała się Irene, powracając równocześnie pamięcią do niedzielnego obiadu u Brigid i spojrzeń, które raz po raz wymieniali z Johnem nad stołem.

W samej bieliźnie rozciągnęła się na sofie w sypialni, rozkoszując się ciepłem, które zdecydowanie przekroczyło normę. Termostat widocznie się zepsuł, Roger więc nie będzie mógł narzekać, że temperatura jest wyższa niż wyznaczone dwadzieścia stopni, ona tymczasem ma ciepły dom, taki jak lubi.

Czy ojciec Tom na pewno się zmienił? A może zmieniła się Lorraine, jej bohaterka i alter ego?

Jaki był kiedyś w „Kupowaniu dziecka"?

Wyjęła z teczki opowiadanie i zaczęła czytać zakończenie:

Ojciec Tom podał kopertę podenerwowanemu młodemu mężczyźnie. Ten zajrzał do środka, jakby chciał przeliczyć banknoty, lecz zażenowany wcisnął ją zaraz do kieszeni starej tweedowej marynarki.

— Wszystko się dobrze ułoży — powiedział uprzejmie ojciec Tom, powtarzając to zdanie już chyba po raz dziesiąty tego dnia.

Jaki brak wrażliwości! nie mogła się nadziwić Lorraine. Pieniądze za takie cudowne rudowłose, zielonookie dziecko. Matka płakała pewnie całą noc, obwiniając męża za to, co się stało, a on — choć cierpiał po swojemu — nie był w stanie uronić nawet jednej łzy.

Trzymając w ramionach dziecko, Lorraine jeszcze raz zadała sobie pytanie, czy postąpili słusznie.

Nie, John nie jest ojcem Tomem, uznała Irene. Cierpiał tak samo jak wszyscy inni. Cierpiał przez całe swe życie, tyle że ukrywał ból pod maską konwencjonalnych form. Czasem tak skutecznie, że zapominał o swym cierpieniu. Niestety, maski mają to do siebie, że stają się drugą skórą, gdy nosi się je zbyt długo i często.

— Cześć, mamo. — Noele wtargnęła do pokoju Irene ubrana w pikowany biały płaszcz kąpielowy, na który opadały długie kosmyki jeszcze mokrych włosów. — O! — gwizdnęła z podziwem. — I ty mówisz, że ja mam nieprzyzwoitą bieliznę!

— Jeśli jeszcze raz wejdziesz do mojego pokoju bez pukania — powiedziała zakłopotana Irene — przez miesiąc nie będziesz wychodzić wieczorem z domu. Ile razy mam ci powtarzać...

— Już dobrze, mamo. — Noele była tego popołudnia wyjątkowo dobrze usposobiona. — Uważam, że wyglądasz fantastycznie. Co robisz? Znowu coś piszesz? Mogę zobaczyć? — Sięgnęła po maszynopis.

Irene zdecydowanie zamknęła teczkę.

— Nie złość się na mnie. — Noele wyszczerzyła się w uśmiechu. — Któregoś dnia na pewno się złamiesz i dasz mi się przekonać, jaką jesteś świetną pisarką, może nie?

Bożonarodzeniowe dziecko zniknęło równie szybko, jak się pojawiło, zostawiając matkę zawstydzoną, upokorzoną i przerażoną.

Jest taka niewinna i świeża, pomyślała Irene. I wszystko to może przepaść raz na zawsze, gdyby przeczytała moje opowiadanie. Każdy się zamartwia, że może ją zranić przeszłość, którą tak uparcie tropi. Co się tam kryje? Kto miałby zranić Noele?

Nikt inny tylko ja.

Wstała z sofy i włożyła szlafrok. Musi zaraz odłożyć teczkę z opowiadaniami do sekretnego schowka na dole, gdzie trzyma inne maszynopisy.

Jak zwykle miała trudności z otwarciem staroświeckiego zamka w biurku. Klucz zaklinował się i za nic nie mogła go ruszyć, gdy nagle rozległ się dzwonek. Wahała się przez moment, w końcu wepchnęła teczkę do środkowej szuflady i poszła odebrać telefon.

Była to pani Riordan z długim i skomplikowanym pytaniem na temat wiosennego zlotu.

Roger

Wyczerpanie zwiastujące koniec sesji egzaminacyjnej dotknęło na uniwersytecie wszystkich, najbardziej jednak Rogera Farrella, który ciągle jeszcze czekał z lękiem na telefon od dyrektora college'u i z nie mniejszym niepokojem wypatrywał, czy jego nagle posłuszna córka faktycznie wycofa się bezpiecznie z pożaru, jaki sama wywołała.

Ostatniej niedzieli bardzo go poruszyła reakcja brata. John naprawdę chciał mu pomóc. Roger nie miał co do tego wątpliwości, choć jedynym sposobem, by dać temu wyraz, był atak na bezmyślne gromadzenie niebezpiecznych dokumentów i robienie zdradliwych notatek. My, Irlandczycy, jesteśmy dziwni, pomyślał, wyjątkowo utalentowani w skrywaniu swych najlepszych uczuć. Tak, ale też na dobrą sprawę John niewiele mógł zrobić.

A co by było, gdyby mu Roger powiedział, że kłopotliwe położenie, w którym się znalazł, to być może kara za jego grzechy? Przebacz mi, bracie, albowiem zgrzeszyłem. Dopuściłem się wielokrotnie cudzołóstwa, i to zaprawionego perwersją. Czy chcesz poznać szczegóły mego wyuzdania, bracie? Kto wie, może wydałoby ci się to zabawne? Próbowałem załatwić zatrudnienie na uniwersytecie mojej kochance, choć wiedziałem, że nie ma należytych kwalifikacji. Dlatego właśnie, drogi bracie, Bóg zesłał Josepha Kramera, by mnie trapił. Jestem człowiekiem niezwykłych zasad w życiu publicznym i wyjątkowym nikczemnikiem prywatnie, toteż całkowicie zasłużyłem sobie na to, co mnie teraz spotyka.

Dzwoniący telefon nie pozwolił Rogerowi ciągnąć spowiedzi, zanim jednak zamiejscowa doszła do skutku, połączenie zostało przerwane.

Jak by zareagowali matka i Burke, gdyby im powiedział o tej notatce? Wściekliby się, to pewne. Czy musiał zapisywać coś tak głupiego? Już słyszał, jak mówią: ,,Przeklęty akademicki mądrala".

A jeśli John ma rację? Jeśli to rzeczywiście Burke wydał wyrok na Florence? Czy nie pasowało to bardziej do niego niż do ojca? Przecież tata ciągle coś udawał. Mógł zmyślić tę straszną historię, żeby zrobić na złość Danny'emu, bo tego wieczoru strasznie się na niego wściekł, nie mogąc mu wybaczyć zadawania się z ,,tą dziwką Conlonów".

Jednakże myśl, że Burke za zgodą Brigid załatwił Florence, była jeszcze bardziej nieznośna niż podejrzenie, że zrobił to ojciec. Niestety — jeśli Brigid czuła się zagrożona, choćby w znikomym stopniu, Burke gotów był na wszystko.

Telefon rozdzwonił się znowu.

— Wygląda na to, że mogę panu życzyć wesołych świąt, Roger — powitał go dyrektor college'u. — Pan Kramer zwrócił mi dziś wszystkie materiały, więc natychmiast wkładam je do koperty i wysyłam na adres uniwersytetu. Inaczej mówiąc, kryzys minął.

— Nie zostawił żadnych kopii? — spytał Roger nerwowo.

— Zapewnił mnie, że nie — odparł dyrektor spokojnie.
— Zatem cieszmy się świętami. Będzie za co dziękować podczas pasterki.

Roger miał wrażenie, jakby ktoś odciął jednym szybkim ruchem wiszący mu od wielu dni u szyi potworny ciężar.

— Jestem niezwykle zobowiązany, ojcze, naprawdę, i może być ojciec pewien, że nigdy nie zapomnę o ojcu ani o ojca college'u.

Czyli jedno skończone, dzięki Bogu. Nieba okazały się wspaniałomyślne, wymierzając mu tak łagodną karę za grzechy.

Choć daleko jeszcze było do końca dnia pracy, pani Marshfield już wyszła, przemyślnie chowając gdzieś korespondencję, którą jej wcześniej dyktował, tak że nie mógł nawet sprawdzić, co rzeczywiście zrobiła, jeśli w ogóle cokolwiek.

Kiedy wreszcie opuszczał biuro, telefon zadzwonił raz jeszcze.

— Halo, Roger. Mówi Lawrence.

Rektor zwykł się przedstawiać jako „rektor" lub „Lawrence", przy czym na to drugie liczyć mogła tylko specjalna kategoria uniwersyteckiej społeczności. Zaszczyt ten nie był równoznaczny ze stałym zatrudnieniem ani nawet profesurą; stawał się wyłącznie udziałem tych, którzy — jak zauważył Roger — jadali lunch przy jednym z okrągłych stołów Klubu Akademickiego.

— Dzień dobry, Lawrence. Mam nadzieję, że miałeś dobrą pogodę w St. Maarten.

— Och, ta pogoda to prawdziwe zbawienie dla zdrowia Penny — odparł rektor trochę niespokojnie. Jak wszyscy, którzy pozwalali sobie w końcu kwartału na ucieczkę z Chicago, tłumaczył to zdrowiem żony. — Wiesz, dzwonię do ciebie, by nieoficjalnie i poufnie przedyskutować sprawę Marthy Clay. Mam nadzieję, że mnie rozumiesz — mówił tak słabym głosem, jakby miał wyzionąć ducha, nim rozmowa dobiegnie końca.

Roger rzecz jasna rozumiał. Rektor złoży kompromisową ofertę, na którą odpowiem odmownie, w efekcie pozbędą się Marthy i do wiosny będzie po wszystkim.

— Oczywiście, Lawrence — mruknął uspokajająco.

— Jeśli mam być szczery, to dawno nie miałem do czynienia z przypadkiem tak skomplikowanym jak sprawa pani Clay. Nasz uniwersytet, jak ci zapewne wiadomo, nigdy nie ulegał żadnym zewnętrznym naciskom, gdy idzie o zatrudnienie, co nie znaczy, że gotowi jeteśmy odrzucić młodego obiecującego naukowca, tylko by pokazać, jak bardzo jesteśmy niezależni — ciągnął rektor. — Pani Clay otrzymała od swej katedry niezbyt entuzjastyczne poparcie. Co więcej, paru naszych luminarzy podaje w wątpliwość jej potencjał badawczy. Także Winston w swym piśmie polecającym jest dość powściągliwy. Chyba rozumiesz, Roger, jak twardy mam orzech do zgryzienia?

Roger mruknął coś, co od biedy można było uznać za potwierdzenie.

— Ciężkie czasy nastały dla uniwersytetu. — Czasy zawsze były ciężkie, powiedział do siebie Roger. — Wiem jedno: żaden otwarty konflikt nie jest w naszym interesie, zwłaszcza gdy zebrane opinie, jak w tym wypadku, nie przemawiają w sposób ewidentny przeciwko stałemu zatrudnieniu... — Zrobił pauzę, dając Rogerowi czas na podziwianie jego strategicznego geniuszu. — A zatem gotów jestem udzielić wstępnie poparcia pani Clay i skierować sprawę do senatu. Zastrzegam się, że decyzja ciągle jeszcze nie jest ostateczna. Chciałbym zapoznać się z całością materiałów, by mieć rzeczywiście pełny obraz sprawy. — Rektor, który w ciągu trzydziestu lat swej kariery akademickiej opublikował zaledwie jedną niewielką książkę i dwa artykuły, nie czytał nic; bardzo możliwe, że nie sięgał nawet po „Chicago Tribune". — Rzecz jasna jej przypadek jest czymś marginalnym — dyrektor zmienił wątek. — Zresztą czasami władze uniwersytetu muszą się zdać na swój instynkt i oczywiście instynkt tych pracowników, których opiniom ufamy bez zastrzeżeń.

— Bardzo mi pochlebia, że tak się liczysz z moim sądem, Lawrence. — Roger przykrył ręką słuchawkę i mruknął: Ty głupi tchórzu. Boisz się zadzierać z kimś, kto niebawem może zostać gubernatorem.

— Nie muszę dodawać — rektor stękał jak na mękach — że wszystko to jest całkowicie wstępne, nieobowiązujące i rzecz jasna poufne. Wierzę, że ta rozmowa pozostanie między nami i nie dowiedzą się o niej nasi koledzy, a już szczególnie pani Clay.

I na pewno nie dziekan — dostałby chyba szału.

— Jak mi się zdaje, pani Clay wyjechała na Boże Narodzenie do swych rodziców w Massachusetts — rzekł Roger, dając do zrozumienia, że naturalnie nie ma jej numeru telefonu, a nawet gdyby miał, to i tak nie zakłócałby jej świątecznego odpoczynku. — Niewykluczone, że ze swym byłym mężem, który pracuje w Massachusetts Institute of Technology.

— Właśnie, właśnie — powiedział rektor takim tonem, jakby nagle poczuł się akademikiem z zupełnie innej uczelni, co najmniej tak prestiżowej jak Cambridge.

Powinienem czuć radość, przecież wygrałem, pomyślał Roger, a jednak tak nie jest. Bóg daje i Bóg odbiera. Tym razem byłoby lepiej, gdyby Marthę zabrał.

A jednak... I już oczami wyobraźni widział wcielone w życie fantazje, kiedy po powrocie zakomunikuje jej dobrą nowinę.

Brigid

Brigid przepadała za nowinkami, nieważne, czy to były kuchenki mikrofalowe czy komputery. Twierdziła, że ułatwiają życie, lecz w gruncie rzeczy lubiła się nimi bawić, może dlatego, że jako dziewczynka miała tak niewiele zabawek. Najnowszą zabawką był telewizor z ogromnym ekranem, na którym właśnie pojawił się jej większy niż w naturze syn. Przeprowadzał wywiad z brodatym bojownikiem o pokój, może i o dobrych intencjach, ale wyjątkowo ograniczonym, i był przy tym tak onieśmielony i niepewny siebie, że Brigid aż się przeraziła.

— Marny jesteś na tym wielkim ekranie, John — zdyskwalifikowała syna. — Gdybyś tu był, pewnie byś wygłaszał kazanie, że taki telewizor to niepotrzebny luksus, ale co ty wiesz... Ty nie musiałeś przez czternaście lat chodzić do wygódki za domem.

Do pokoju wszedł Burke z dwoma napełnionymi po brzegi kieliszkami brandy. Nacisnął wyłącznik i monsignore John Farrell zniknął.

— Wiesz dobrze, Bridie — zaczął z dziwną powagą — że jestem z tych, którzy rzadko się czymś przejmują. Ale tym razem jesteśmy naprawdę w opałach.

Nie ma wyjścia. Raz jeszcze trzeba stłamsić w sobie uczucia i okazać bezlitosną przebiegłość. I zawsze już tak będzie.

— W jakich opałach?

— Z powodu Noele. — Burke opadł na fotel i podał jej kieliszek. — Wiesz, że mam do niej słabość, ale tym razem ta wścibska diablica powinna oberwać.

— O mój Boże, co zrobiła?

— Dowiedziałem się paru nowych szczegółów na temat jej rozmowy z Timem Nolanem. Pewnie za dużo wypił, bo zadzwonił do mnie dzisiaj i powiedział, że Noele być może wie coś o śmierci Flossie. Podobno omal go nie doprowadziła do następnego ataku serca.

— Niech go szlag trafi, wcale się tym nie przejmę — rzuciła wściekle Brigid.

— Ani ja. — Burke upił łyk brandy i skrzywił się. Ona faktycznie pije po barbarzyńsku, jakby to była coca-cola, a nie szlachetny trunek. — Ale nie o niego chodzi. Obawiam się, że zadzwonił do Marszałka, a Bóg raczy wiedzieć, co ten szaleniec może zrobić.

— Niech wszyscy święci mają nas w swej opiece! — Aż zakręciło jej się w głowie; odstawiła więc kieliszek i zasłoniła dłońmi oczy.

— Za wszelką cenę musimy położyć temu kres — nie ustępował Burke. — Nawet gdyby Roger nie miał kampanii wyborczej, nikt z nas nie może sobie pozwolić na potrząsanie tą skrzynią z dynamitem. Wiesz o tym.

Wiem, i to lepiej niż ty, kochany, powiedziała do siebie Brigid.

— Co powinniśmy zrobić?

— Ktoś musi odbyć stanowczą rozmowę z Noele i koniecznie ją okiełznać.

— Próbowaliśmy. — Brigid pokręciła głową. — Skutkuje na krótko. Ale też Roger nie jest dość stanowczy, a ta kobieta zupełnie do niczego. Dzieciak jest potwornie uparty, bardziej niż ktokolwiek w rodzinie, łącznie ze mną.

Gniewnie przełknął kolejny łyk brandy.

— Co wobec tego proponujesz?

— Uważam, że powinniśmy zorganizować naradę rodzinną jeszcze przed Bożym Narodzeniem i opracować wspólną strategię.

— Jaką strategię? — przyjrzał się jej podejrzliwie.

— Przede wszystkim upewnić się, że wszyscy: ty i ja, John i Roger, jesteśmy zgodni co do wersji wypadków. A potem siąść z Noele i wyłożyć jej prawdę.

— Prawdę? — zdziwił się Burke. — Jak to sobie wyobrażasz?

Jakże on staro dzisiaj wygląda, pomyślała Brigid.

— Trzeba przyznać, że Danny Farrell był pijany, pokłócił się z Clancym i w końcu zepchnął go ze schodów. Ukryliśmy to, ponieważ w gruncie rzeczy nie było to prawdziwe morderstwo, tylko nieumyślne zabójstwo, a w rodzinie dość już mieliśmy skandali.

— To dość bliskie prawdy — zamyślił się Burke. — Jeśli uwierzy... Jest trochę dziwna, jakby coś z nią było nie tak.

— Bzdura — powiedziała Brigid zdecydowanie. — Jest po prostu bardzo bystra i bardzo silna. — Wolałabym, dodała w duchu, dla jej własnego dobra, żeby nie była taka inteligentna i zdecydowana.

— Może i ma to sens — zgodził się niechętnie. — Ale o innych sprawach nic nie mówimy?

— Oczywiście.

Jednym haustem wypiła zawartość kieliszka, aż się zakrztusiła.

— Kobieto, w niczym nie jesteś wstrzemięźliwa. — Spojrzenie Burke'a jak zawsze pełne było zachwytu. — A kto z nią porozmawia?

— Och — westchnęła głęboko, prawdziwie po irlandzku — na pewno nie jej matka. Miękka jak stara szmata. I powiem ci szczerze, mój syn, gwiazdor telewizyjny, jest niewiele lepszy. Albo ja, albo Roger. Noele liczy się z nami. Myślę, że kiedy się dowie, co Danny zrobił, przestanie się nim interesować i urojona miłość skończy się raz na zawsze.

Burke zerknął smętnie na swój opróżniony kieliszek.

— Jeszcze jedna brandy albo ty, kochana...

— Więc koniec z piciem — odparła stanowczo.

Burke objął ją wpół, mocno i nieubłaganie, a ona poczuła, jak wszystko w niej topnieje.

— Piekielne ognie już płoną — szepnął Brigid do ucha.

— To zaledwie letni początek — odparła kusząco.

Irene

Grudzień pokazał już swe ostre pazury — przybyły z Kanady ośnieżony stwór, zły i kąsający boleśnie. Nieznośny wiatr dobijał się do okien i wciskał w każdą najmniejszą szczelinę domu. Irene, choć ubrana dużo cieplej niż zwykle, nie mogła sobie znaleźć miejsca.

W tej chwili zapomniała jednak o wyjącym wietrze, tak była wściekła na Johna i jego żałosny występ. Uległ naciskowi zakłamanego katolickiego dogmatyka, który zdołał narzucić jego programowi własny punkt widzenia. Nie ma wątpliwości, że notowania Johna po tym wieczorze spadną. Pokojowy bojownik, zjadliwy i pełen nienawiści, nie uznawał żadnej niejednoznaczności i odrzucał możliwość, że ktoś, kto nie zgadza się z jego wezwaniem do bezzwłocznego całkowitego jednostronnego rozbrojenia, czyni to w dobrej wierze.

— Zniszcz go, John! — zawołała gniewnie. — Jesteś sto razy mądrzejszy od niego.

Praca nad nowym opowiadaniem uwolniła Irene od męczącej uporczywej gorączki. Zastąpił ją przejmujący chłód, dużo dotkliwszy niż ten dobijający się teraz do okien „pracowni", i okrutna nieubłagana jasność, tak różna od półmroku, w którym żyła, dopóki nie zakochała się w swym szwagrze. I w świetle tym ujrzała wreszcie siebie, męża i szwagra wyraziście i bez osłonek.

John był zagubionym, udręczonym człowiekiem, który jak powietrza potrzebował do życia akceptacji środowiska kościelnego, i to prawdopodobnie dużo bardziej niż kobiety. Wystarczyłoby, żeby Dads Fogarty napisał o nim coś pochlebnego, a John natychmiast wyleczyłby się z miłości do niej.

Roger z kolei był mężczyzną o niewiarygodnych potrzebach erotycznych, poślubił zaś kobietę nie będącą w stanie ich zaspokoić. Znajdował więc to, bez czego nie mógł żyć, w związkach z młodymi kochankami. Czy nie bardziej niż do Rogera pasowałaby do Johna? Taki romans nie miał jednak sensu ani przyszłości. Wprawdzie erotyczne wtajemniczanie wrażliwego i przystojnego czterdziestodwulatka, który nigdy nie zaznał kobiety, przyniosło Lorraine niewyobrażalną rozkosz, lecz postać ta żyła w nierealnym świecie, gdzie ból nie musiał być nieodłączną częścią spełnienia.

Najbardziej bezlitośnie Irene przyjrzała się sobie. Tak, była kompletną idiotką, która spędziła całe swe życie opłakując umarłego i próbowała się pocieszać pisząc opowiadania, których nikt nigdy nie przeczyta. Jutro spali je wszystkie.

Wywiad zbliżał się do końca. John z włosami w nieładzie nachylił się ku swemu gościowi i jego niebieskie oczy błysnęły. Czyżby groźnie?

— Dziękuję bardzo, bracie, za wizytę w programie — zaczął nieobowiązująco. — I za podzielenie się z nami tak intrygującymi i prowokującymi poglądami. Na zakończenie chciałbym jednak dodać coś od siebie. Wyścig zbrojeń nie od dziś napawa wielu z nas niepokojem. Sam już siedemnaście lat temu opublikowałem artykuł na ten temat. I moim zdaniem, bracie, podchodzisz wyjątkowo naiwnie do problemu, którego nie da się rozwiązać prosto i jednoznacznie. Wierz mi, ludzie myślą o tym dłużej niż ty, modlą się żarliwiej i dręczą boleśniej. Nie ma nic odkrywczego w stwierdzeniu, że wyścig zbrojeń jest niebezpieczny, a ty nie masz żadnego prawa, by zakładać, że twoje rozwiązanie jest jedynym, za którym każdy przyzwoity chrześcijanin powinien się opowiedzieć. Wybacz mi, bracie, ale myślę, że jesteś aroganckim i ograniczonym pyszałkiem, który sądzi, że dogmatyczną pasją można zastąpić zrozumienie tak skomplikowanego problemu.

Irene była równie wstrząśnięta jak pokojowy aktywista, który najzwyczajniej zaniemówił. Wykręciła natychmiast prywatny numer Johna, mając nadzieję, że ubiegnie innych.

— Jesteś wcielonym diabłem, John — zawołała podniecona, gdy podniósł słuchawkę. — To było niesamowite.

— Nie mów tylko takich rzeczy przy swojej córce — roześmiał się, najwyraźniej uszczęśliwiony jej entuzjazmem.

— Wiem, co powinieneś teraz zrobić — ciągnęła podekscytowana. — Sprowokuj Larry'ego Rievesa, Parsona Railsa i Dadsa Fogarty'ego, by zjawili się u ciebie w programie i przedstawili ci te swoje bezpodstawne oskarżenia. Jestem pewna, że po prostu ich zmiażdżysz.

— Rieves za nic nie da się na to namówić. Wie, że straciłby wiarygodność, gdyby się pojawił w telewizji, odmawia więc udziału w jakichkolwiek audycjach.

— Mimo wszystko zaproś go, a kiedy odmówi, zażądaj, by „Tribune" przysłała jakiegoś dziennikarza, który zaprezentuje stawiane ci zarzuty. I wtedy go załatwisz.

Na drugim końcu linii przez chwilę trwało milczenie.

— Cieszę się, że takie masz do mnie zaufanie, Irene — powiedział wreszcie John, a jego głos do złudzenia przypominał zakochanego nastolatka, bardziej nawet zadurzonego niż niejaki Jaimie Burns.

— Daj sobie z tym spokój — odparła Irene zdecydowanie. — Nie o zaufanie tu chodzi. Jesteś w tym dobry, John, i tyle. Lepszy niż ci się wydaje, lepszy niż ktokolwiek się spodziewał. Pozwól sobie na gniew! Stań do walki i rozłóż ich na łopatki!

Siedziała na brzegu krzesła, lecz wychyliła się jeszcze naprzód, jakby za chwilę sama zamierzała ruszyć do ataku.

— Zabawne, Irene, zaczynasz mi przypominać Danny'ego. Czy dasz mi trochę czasu na zastanowienie?

Na szczęście John nie mógł widzieć, jak oblała się cała rumieńcem.

— Oczywiście. I dodam ci nawet jeszcze parę minut na rozmowę z ojcem Ace'em.

Byłeś chyba na swój sposób przywiązany do Danny'ego, tak jak i ja. Boże, jak mogłam pozwolić mu odejść?!

Do pokoju z udaną obojętnością wszedł Roger. Porozmawiali trochę, a potem ni stąd, ni zowąd objął ją i zaczął wkładać ręce pod sweter. Tak, oczywiście; kochanka wyjechała na ferie świąteczne. Wiadomo, po co są żony: by służyć seksualnym zastępstwem.

Gdy znaleźli się w sypialni, Irene najpierw symulowała, że bawi ją wstępna gra. A potem perfidnie podatne zmysły uległy nowym sztuczkom Rogera, których pewnie nauczył się od swej kochanki, i jej ciało przestało udawać. Kiedy jednak porażająca słodycz ogarnęła ją całą, Irene wyobrażała sobie, że kocha się tej nocy nie ze swym mężem, lecz z jego bratem. A brat ten w jakiś przedziwny sposób przypominał swego kuzyna, Danny'ego.

Brigid

Pierwsza śnieżna nawałnica przewaliła się przez Chicago, zostawiając stopę mokrego śniegu w mieście, a potem — niczym podpity świąteczny biesiadnik — zatoczyła się w stronę jeziora i dodała jeszcze dwie stopy na brzegu Michigan. Po drugiej stronie jeziora dużo szybciej uporają się z oczyszczaniem ulic, pomyślała Brigid, mimo że żaden burmistrz nie zabiega o to, by go znowu wybrano. Ich dzielnica jak zawsze ma niewłaściwe sympatie polityczne i przyjdzie jej czekać znacznie dłużej. Choćby jednak jej synowie piechotą mieli wędrować przez śnieżne zaspy, mowy być nie mogło o odwołaniu rodzinnej narady.

Koktajle podano i rodzina rozsiadła się w staroświeckim salonie, w którym jej pierwszy mąż umarł gwałtowną śmiercią. Panie, zmiłuj się nad nim, pomyślała i przeżegnała się w myślach.

Burke był zmęczony i ponury, John zatroskany, a Roger nerwowy i jakby trochę wystraszony. Idealna kompania, pomyślała, by zwalczać rodzinny kryzys.

— Stoimy w obliczu bardzo poważnego problemu, panowie — zaczęła Brigid, próbując mówić i równocześnie zapalać papierosa, co oczywiście bez pomocy męża nie mogło się udać. — Jeśli go nie rozwiążemy, i to błyskawicznie, możemy znaleźć się w naprawdę dramatycznej sytuacji. Nasz problem to Noele. Jej tropienie przeszłości rodziny wymknęło się całkowicie spod kontroli. Roger, musisz położyć temu kres.

— Noele nie jest osobą, która da się kontrolować, mamo — powiedział cicho Roger.

— Doskonale o tym wiem — warknęła Brigid. — Ale dla własnego dobra musi się poddać. Czy wiesz, że dopytuje się wszędzie o okoliczności śmierci Florence? A jak wiadomo, morderstwa nie ulegają przedawnieniu.

— A więc to było morderstwo? — John pobladł jak ściana.

— Istnieje takie przypuszczenie — wyjaśnił Burke z powagą. — Zawsze tak podejrzewaliśmy, chociaż nie było innych dowodów prócz ustawicznego strachu twego ojca, że testament może zostać poddany rewizji.

— No i jeszcze kłótnia z Dannym tamtej nocy — dodał Roger.

— Nie mające końca pogrążanie się głębiej i głębiej — jęknął John do wtóru myślom Brigid.

— Nie za późno na myślenie o tym, staruszku? — Roger pełen był sarkazmu.

— Wszystkiemu winna jest ta twoja teoria wychowywania dzieci bez żadnych zakazów. „Siądźmy i porozmawiajmy, córeczko" — pokpiwał z brata John. — Nie potrafiłeś zażądać niczego od Noele i złoić jej skóry, kiedy na to zasłużyła.

— Nie będziesz pouczał żonatego człowieka, jak ma wychowywać własne dzieci — odpalił wściekle Roger.

— Własne dzieci, rzeczywiście — odparował John.

— W tej chwili zamknijcie się obydwaj — rozkazała Brigid. — Musimy to dziecko chronić.

John westchnął.

— Tak, oczywiście. Na pewno masz jakiś pomysł, mamo, prawda? Jeśli nie, byłoby to po raz pierwszy w życiu.

Brigid zaskoczyła złośliwość syna. Nigdy taki nie był...

— Naturalnie, że mam pomysł. Ktoś w końcu musi myśleć w tej rodzinie. Wiem, że różnimy się — wyraźnie irlandzki akcent jak zwykle świadczył o napięciu Brigid — w spojrzeniu na to, czy Noele jest niespełna rozumu czy też wręcz przeciwnie, ma go w nadmiarze. Ja osobiście jestem za tym drugim. Tak czy inaczej, nie jest osobą, którą łatwo omamić, w związku z czym proponuję, by powiedzieć jej prawdę. Oczywiście niecałą prawdę.

— My, Farrellowie, nigdy nie mówimy całej prawdy — wymuszony uśmieszek zagościł na ustach Rogera.

— Roger, czy mógłbyś przerwać na parę minut te swoje akademickie popisy? — wtrącił się Burke. — Uniwersytecka ironia jest tu ni w pięć, ni w dziewięć.

— Ironia? Nie bardzo wiem, o czym mówisz — powiedział oziębłe.

— Uspokójcie się obaj! — zażądała raz jeszcze Brigid. — Słuchajcie. Ty, Roger, musisz w najbliższych dniach wymóc na Noele, by przestała wypytywać o przeszłość naszej rodziny, bo gdyby pewne fakty wyszły na jaw, mogłyby nam straszliwie zaszkodzić. Powiedz jej otwarcie, że słusznie podejrzewa Danny'ego o zabicie Clancy'ego. Ale wyjaśnij też, iż był to wypadek, pijacka awantura, i trudno obarczać za nią odpowiedzialnością wyłącznie Danny'ego. — Zgasiła papierosa, zaciągnąwszy się zaledwie raz. — Staraliśmy się to ukryć, ponieważ jego notowania w związku z usunięciem z marynarki i tak przedstawiały się niezbyt ciekawie. Uznaliśmy wszyscy, że trzeba mu dać jeszcze jedną szansę. Doktor Keefe i kapitan Nolan współpracowali z nami, bo także uważali, że w gruncie rzeczy nie był winien, a oskarżenie nawet o niezamierzone morderstwo czy nieumyślne zabójstwo zaszkodziłoby nam wszystkim. A potem Bóg czy Chińczycy, czy jeszcze ktoś wmieszał się w to i odebrał Danny'emu tę szansę, więc tym bardziej nie było sensu rozpoczynać śledztwa w sprawie śmierci Clancy'ego.

— Co zasadniczo nie mija się z prawdą — zauważył Burke.

— Zasadniczo. — Roger opróżnił szklaneczkę ze szkocką. — Jednakże to i owo w dalszym ciągu jest niejasne, co nasza szalona albo też genialna rudowłosa mogła już sobie uświadomić.

— Kłamstwa, kłamstwa, kłamstwa!... — pomstował John.

— Małą mam z was pomoc — uznała Brigid. — Nie kłamiemy, John, tylko mówimy niecałą prawdę.

— A co mam jej powiedzieć na temat Florence?

— Nic, dopóki nie zapyta. Myślę jednak, że gdy odczepi się od Danny'ego, przestanie ją interesować, co było wcześniej.

— A jeśli mimo wszystko będzie się dopytywać?

— Powiedz jej, że uważamy to za wypadek. A nie wnieśliśmy sprawy o zabójstwo przeciwko Roccowi Marsallowi, gdyż nie mogliśmy sobie w tamtych czasach pozwolić na zadzieranie z mafią.

— Tak samo jak dziś — nie omieszkał wtrącić Roger.

Brigid udała, że nie słyszy, chociaż miała przemożną ochotę go uderzyć, co często czyniła, gdy jako chłopiec był zbyt zuchwały i bezczelny.

— Kiedy powiesz, co Danny zrobił, skończy się to jej głupie zauroczenie i najgorsze będziemy mieć za sobą.

— Nigdy nie dość prawdy, nigdy nie dość — westchnął John.

— Nie potrzebuję, monsignore, byś wywiązywał się przede mną ze swych religijnych zobowiązań — oświadczyła Brigid. — Wszyscy zgadzamy się, jak rozumiem, że naszym obowiązkiem jest chronić Noele przed jej własną głupotą. Czy ktoś ma lepszy pomysł?

— Ja nie. — Burke wpatrywał się smętnie w swoją brandy.

— W tej sytuacji nie. — Roger wzruszył obojętnie ramionami. — Porozmawiam z nią, oczywiście, chociaż mówiła mi, że oddała już pracę zaliczeniową i dostała nawet celujący, jak więc rozumiem, sprawa jest tak czy inaczej zamknięta.

— John? — Brigid przyglądała się uważnie swemu synowi księdzu.

— Myślę — zaczął bardzo cicho i wolno — że może powinniśmy powiedzieć Noele wszystko, całą prawdę.

— Naprawdę tak myślisz? — Brigid utkwiła w nim swoje bezlitosne spojrzenie.

— Nie — John westchnął po raz nie wiadomo który. — Masz rację, mamo, jak zawsze. Powiedzenie całej prawdy więcej złego niż dobrego przyniosłoby...

— ...wszystkim — skończyła za niego Brigid.

— Tak — zgodził się John. — Wszystkim.

John

Natychmiast po powrocie z bierzmowania w Evergreen Park John padł na kolana. Dawno temu usunął z klęcznika pluszową poduszkę w nadziei, że wzbudzi w sobie pokorę i teraz czuł, jak niemiłosiernie uwiera go twarde drewno.

Udział w bierzmowaniu nie był zbyt mądrym posunięciem. Proboszcz wydawał się co najmniej zaskoczony, gdy zobaczył Johna wkraczającego beztrosko na plebanię, kardynał z kolei przywitał go w charakterystyczny dla siebie sposób — z udanym entuzjazmem: ,,Witaj, John, miło cię widzieć. Świetnie sobie radzisz w telewizji. Ostatni program był znakomity. Dałeś temu pokojowemu fanatykowi to, na co zasługuje. Życzę dalszych sukcesów.''

Hipokryzja kardynała po piętnastu latach, podczas których kierował w prawdziwie psychopatycznym stylu archidiecezją chicagowską, była czymś tak oczywistym, że nikt nie zwracał uwagi na to, co mówi. Toteż i John nie wierzył ani przez moment, że kardynał oglądał jego program. Ktoś mu o nim powiedział, zapewne twardogłowy Jim Mortimer, który przechadzał się teraz napuszony po drugiej stronie jadalni.

Mortimer mógł także powiedzieć kardynałowi, że po programie nie przestawano dzwonić do studia, wychwalając bezkompromisowość monsignora Farrella. Może więc kardynał spojrzał na niego nieco przychylniej, ale i tak tylko po to, by powrócić potem do swej niszczycielskiej pasji z zawziętością niedźwiedzia grizzly tropiącego ofiarę.

Innym duchownym obecnym na obiedzie daleko było do hipokryzji kardynała. Kiedy rozlano już odpowiednią ilość trunków, kpili okrutnie z jego walki na śmierć i życie z Larrym Rievesem albo ze śmiechem się podpytywali, jak bardzo spadły ostatnio jego notowania (faktycznie ulegały wahaniom, lecz i tak oglądalność jego programu była dużo większa niż innych na pozostałych kanałach o tej porze). Niektórzy wychwalali konferencję na temat komunikacji i nie mogli się nadziwić, dlaczego go tam nie było, krótko mówiąc, zachowywali się niczym żałobnicy w domu rodziny, której krewniak został zabity podczas napadu na bank. Właściwy duchownym sposób bycia objawiał się jak zwykle mieszaniną zawoalowanej obłudy i niby-dowcipnego protekcjonalizmu.

John postanowił wyjść zaraz po obiedzie, rezygnując z przywdziania fioletów na procesję rozpoczynającą bierzmowanie. Inni też rzecz jasna nie wytrwają do końca ceremonii, wrócą jednak na plebanię na kolejne drinki, brydża, pokera i długie jeszcze, hałaśliwe i wulgarne, męskie biesiadowanie. John nie chciał mieć z tym nic wspólnego. Spakował sutannę i popędził do swego czarnego buicka w takim pośpiechu, jakby opuszczał dom o wątpliwej sławie.

Szczupły łysiejący proboszcz Henry McKeon, starszy od Johna o jakieś piętnaście lat, złapał go na parkingu.

— John, to co robisz w telewizji, jest fantastyczne — oświadczył zdecydowanie. — Nie daj się zniszczyć tym łajdakom. *Invidia Clericalis* to nic innego jak dzieło szatana. Chcę, żebyś wiedział, że wielu z nas jest ci przychylnych, jeśli nawet ze strachu nic nie mówią.

John ze ściśniętym gardłem podziękował McKeonowi za dobre słowo. Jednakże wracając wśród śnieżnej bieli na plebanię, pytał sam siebie, jakie znaczenie może mieć jeden sojusznik, skoro tylu jest mu niechętnych. McKeon się nie mylił: miał wielu milczących zwolenników, którzy wyjdą z ukrycia, gdy porzuci swój program, i pewnie będą pisać listy zapewniając, jak bardzo żałują, że został zmuszony do rezygnacji. Niestety, nie wspierają go teraz, kiedy najbardziej się to liczy.

Klęcząc John pomyślał, że zapewnienie Henry'ego McKeona stanowi w gruncie rzeczy jeszcze jedno brzemię, które przyjdzie mu nosić. Przede wszystkim wszakże ciążyły mu stosunki z Irene. Od czasu tamtych cudownych chwil na plebanii starał się nie pozostawać z nią więcej sam na sam. Ale nawet rodzinny obiad u Brigid okazał się prawdziwą męczarnią. Siedząca obok, tak łatwo osiągalna, a zarazem daleka i niedostępna — prześladowała go wszędzie swą tajemniczą, prowokującą, niemal mistyczną obecnością. Próbował przekonywać sam siebie, że uwolnił się od szalonej mieszaniny pożądania i miłości, lecz zaraz nachodziło go wspomnienie serdeczności w głosie Irene, powracał jej obraz przy stole u Brigid, rozbrzmiewał znajomy stukot obcasów na stopniach plebanii. I wszystko to wyzwalało pragnienie, które porażało ciało, serce i umysł.

Co dziwne, lęk o Noele zbliżał go do Irene jeszcze bardziej. Ktoś musi chronić je obie. Groziło im niebezpieczeństwo i żadna z nich nie zdawała sobie z tego sprawy. Dwie niewinne, wrażliwe istoty, ofiary lubieżności i zachłanności Farrellów, a także jego głupiej lekkomyślności, teraz zaś cel mężczyzny, którego pasją było znęcanie się nad pięknymi kobietami.

— Dobry Boże — błagał wpatrzony w wiszący nad nim krucyfiks — przebacz nam, przebacz, przebacz...

Roger

Urzędujący gubernator stawał się coraz mniej popularny, czemu trudno się było dziwić — machina stanowa zardzewiała już i nie działała dość skutecznie. Mimo wszystko wyniki nominacji przeszły najśmielsze oczekiwania Rogera.

Fachowcy od badania opinii publicznej — jak najdalsi od uproszczeń ze względu na jego wiedzę politologiczną — twierdzili, iż Roger jest w stanie bez specjalnego wysiłku wygrać wybory, pod warunkiem że nie da się ciągnąć prasie za język na niebezpieczne tematy.

— Łatwo powiedzieć — mruknął sarkastycznie Roger, odkładając pięciostronicowe sprawozdanie.

Tuż przed świętami wystąpił przed grupą najbardziej wpływowych chicagowskich biznesmenów, z którymi spotykał się raz w miesiącu na obiedzie wzbogacanym odpowiednią liczbą koktajli. Większość z nich była już odrobinę wstawiona, jednakże reagowali całkiem przytomnie na jego niejasną obietnicę „nowych, twórczych i rzetelnych relacji między władzami federalnymi i stanowymi". A więc zarządzenia stanowe zdominują federalne, myśleli z nadzieją, zapominając, że biurokracja stanowa zwykła być i bez wątpienia będzie bardziej nieustępliwa niż centralna.

Czuł się kompletnie wykończony, kiedy dobrze po północy dotarli z Irene do domu po świątecznych tańcach w Country Club. Postanowił jednak mimo wszystko czekać na powrót Noele. Byłoby prawdziwą lekkomyślnością, gdyby z danego matce przyrzeczenia nie wywiązał się tak szybko, jak to tylko możliwe. Miał też dziś jeszcze w planie seks z Irene, ciągle będąc pod wrażeniem jej wieczorowej sukienki, która odsłaniała tak dużo, że podpici goście wodzili za nią nieprzytomnie oczami, aczkolwiek nie sprawiło mu to specjalnej przyjemności.

Stojąc przy oknie, dostrzegł samochodowe światła na ośnieżonym podjeździe i niemal natychmiast usłyszał zdecydowane trzaśnięcie drzwi. Żadnych ciągnących się w nieskończoność pożegnalnych czułości z Jaimiem Burnsem. Dobrze. Zerknął na zegarek. Była pierwsza czterdzieści pięć. Dzięki Bogu, że nie wraca jeszcze później.

Pewnie zajrzy do gabinetu, jak zawsze, gdy dostrzegła palące się światło. A jednak nie — szybkie kroki najwyraźniej podążały przez salon w kierunku schodów. Cóż, przychodzi taki czas, gdy córka przestaje całować ojca na dobranoc.

— Zapomniałaś o czymś — zawołał wesoło. Była już w połowie schodów.

— O, Roger, to ty jeszcze nie śpisz?

Zbiegła niżej i przechyliwszy się przez balustradę, pocałowała go w czoło.

Miała na sobie ciemnoczerwoną sukienkę przewiązaną w talii szeroką białą szarfą. I wszystko w niej promieniało — sukienka, rude włosy, zielone oczy, jasna karnacja, doskonale uformowane młodzieńcze piersi i ramiona, gdy zaś pochyliła się ku niemu, jej delikatna, dopiero zrodzona kobiecość zachwyciła Rogera bardziej niż dojrzałe wdzięki żony.

Choć tak olśniewająca, Noele wyglądała na strapioną.

— Coś nie tak, Śnieżko? Pokłóciłaś się z Jaimiem?

— Chyba żartujesz — wzruszyła ramionami. — Z Jaimiem Burnsem nie można się kłócić.

Zupełnie nie była w nastroju do rozmowy, co nader rzadko się zdarzało. Zawahał się. Mimo wszystko musi z nią porozmawiać. Teraz. Za nic na świecie nie chciał się narazić na gniew Brigid.

— Ciągle jeszcze siedzisz nad tą swoją pracą?

— Już skończyłam. I dostałam celujący — odparła zniecierpliwiona, jakby miała do czynienia z małym nieznośnym chłopcem. — Przecież ci mówiłam.

— Wybacz, Śnieżko. Zapomniałem. Zbyt dużo mam na głowie i jestem chyba przemęczony. Obawiam się, że podczas kampanii wyborczej będziesz musiała naprawdę uzbroić się w cierpliwość.

Noele uśmiechnęła się czule.

— Gubernator Roger Farrell. Brzmi całkiem nieźle. Nie martw się, gubernatorze. Będę cię popierać na całej linii. — Przechyliła się przez poręcz i pocałowała go raz jeszcze, po czym szybko pobiegła na górę, odbierając Rogerowi szansę wyznania prawdy o Dannym Farrellu.

Irene

Było już wpół do dziesiątej, a Irene ociągała się ze skończeniem śniadania, pijąc trzecią filiżankę kawy, zjadając dodatkowego tosta, czytając „Star Herald" i odczuwając lęk przed zbliżającym się zebraniem zarządu wolontariuszek szpitalnych. Bardzo lubiła odwiedzać chorych, szczególnie tych starszych, którzy nie mieli już nikogo. Jak to możliwe, że uważali ją za wesołą i pogodną, i uśmiechali się, gdy tylko stanęła w drzwiach? Ale to byli chorzy, zupełnie czym innym zaś był zarząd złożony z najbardziej wiedźmowatych kobiet, jakie kiedykolwiek w życiu spotkała. Zaraz będzie musiała pójść na górę i ubrać się, a potem pojechać do szpitala, by wyjaśnić, że nie interesuje jej objęcie funkcji prezesa zarządu — nie wspominając oczywiście o zasadniczej przyczynie, czyli o tym, że zupełnie sobie nie wyobraża, jak mogłaby te baby spotykać co miesiąc.

Śnił jej się znowu Danny. Ostatnio prawie co noc powracał do niej w snach. Dziwne, ale kiedyś, zanim Noele zaczęła tropić rodzinną przeszłość, nigdy rano nie pamiętała, o czym śniła nocą. Teraz widywała go dokładnie to w białym mundurze, to znów takiego jak na zdjęciach z czasów Grand Beach. Danny — prawdziwy geniusz, a jednocześnie szalony wesołek. Nic dziwnego, że rodzice go nie lubili. Ja też byłabym podejrzliwa, gdyby Noele spotykała się z takim chłopcem.

Czy gdyby żył, zmarnowałby swe życie tak samo jak ona? Zapytała go kiedyś, czemu unika ojca McNamary.

— Jesteście obaj naprawdę jedyni w swoim rodzaju — przekonywała go.

— Aha — zgodził się. — Właśnie dlatego wolę się do niego nie zbliżać. Czyta mi w myślach.

— Mógłby ci pomóc w pisaniu. Mnie dał dużo dobrych rad.

— O nie, nie ma mowy, nie pokażę mu niczego, dopóki nie będzie naprawdę coś warte.

— A kiedy to nastąpi?

Pocałował ją tak, że prawie straciła oddech.

— Wcześniej niż myślisz, ale później niż się spodziewasz.

Taki właśnie był Danny...

Wstała dziś dużo później niż zwykle. Mimo że poprzedniego wieczoru w klubie nie tknęła alkoholu, okropnie bolała ją głowa. Ostatnio czuła się fatalnie prawie każdego ranka. Przez kilka dni zabawiała się nawet myślą, że jest w ciąży.

Nie, to przecież niemożliwe.

A może jednak?... Może ostatnie objawy pożądania u Rogera wcale nie oznaczały, że zabrakło mu kochanki?

Może miał nadzieję, że braciszek Noele mógłby stanowić atut w kampanii wyborczej? Niegodziwiec. Już dość miała jego nieustannego gderania: źle się ubiera, za dużo pije, mówi zawsze głupoty, niczego nie potrafi zrobić dobrze. A przecież na zabawie wszyscy się nią zachwycali. Któregoś dnia nie wytrzyma i naprawdę się zbuntuje... Nie, tego nie zrobi. Odgrażała się od pierwszych miesięcy małżeństwa, a przecież nigdy do tego nie doszło.

Przewróciła kolejną stronę gazety i trafiła na artykuł Larry'ego Rievesa. Och, nie, znowu atak na Johna. ,,Telewizyjny ksiądz raz jeszcze w opałach" — głosił tytuł. Rieves przeprowadził wywiad z ostatnim gościem Johna. Shawn Plotke skorzystał z okazji, by oskarżyć monsignora Farrella o nielojalność, gruboskórność, brak odwagi moralnej i rzecz jasna obojętność wobec problemu zagrożenia nuklearnego. ,,Czego zresztą można się spodziewać po kościelnym dostojniku urodzonym wśród bogaczy i do nich należącym?" pytał Plotke.

Jedno trzeba mu było oddać — w przeciwieństwie do innych nie atakował Johna anonimowo, jak na przykład wielu cytowanych przez Rievesa uczestników konferencji na temat mediów, z których jeden, ,,zajmujący bardzo prestiżową pozycję w Kościele", sugerował nawet, że ,,jeśli monsignore Farrell będzie swymi telewizyjnymi występami nadal przynosił Kościołowi wstyd, konieczne może się okazać podjęcie przeciwko niemu bardziej zdecydowanych kroków".

Na innej stronie Parson Rails powrócił znowu do swych południowych korzeni, by opowiedzieć przypowieść o duchownym, który stał się tak popularny jako występujący gościnnie kaznodzieja, że przestał dbać o homilie przygotowywane dla własnej parafii. W końcu postawiono mu warunek, że musi ,,zająć się swymi wiernymi i wśród nich głosić Słowo Boże", w przeciwnym razie rozwiąże się jego umowę o pracę.

— Ograniczony hipokryta — syknęła Irene, wypuszczając z rąk gazetę i nie zwracając uwagi na to, że dział sportowy ląduje w maśle.

John musi walczyć. Jeśli nie zaprosi Rievesa i nie zmierzy się z nim na oczach widzów, utraci godność i dobre imię.

Irene niechętnie odsunęła krzesło od stołu i zerknęła na zegarek. Zazwyczaj porządkowała stół przed przyjściem gosposi; jeśli tego nie zrobiła, czuła się winna. No cóż, trudno — przyjdzie jej przeżyć ten dzień w poczuciu winy.

W sypialni rozwiązała szlafrok i zrzuciła go na podłogę, nieobecnym wzrokiem wpatrując się w okno. Iskrzący się w słońcu śnieg, który zalegał cały podjazd do domu, wywołał w niej drżenie, jakby kłujący mróz wkradł się do pokoju. Na tle tej bieli wyrosła nie wiadomo skąd czarna plama... Samochód Johna?

Zdjęła z wieszaka spódnicę i w pośpiechu zaczęła się ubierać.

Ale nagle czas się zatrzymał. A potem rozpacz, która towarzyszyła jej podczas pisania ostatniego opowiadania, znowu dała o sobie znać. Zmarnowała całe życie. Mężczyzna, którego kochała, umarł. Nie kochała i nie miała nadziei pokochać swego męża, tak jak i on nie był w stanie obdarzyć jej prawdziwym uczuciem. Jedno tylko w życiu dobrze zrobiła, lecz z jej własnej winy zaprawione to było goryczą. Nikt nie będzie jej żałował, gdy odejdzie na zawsze. I nic nie pozostawi po sobie. Nie jest warta więcej niż Brigid.

Rzuciła spódnicę na łóżko i z powrotem włożyła szlafrok, przewiązując go niedbale paskiem. Co miała do stracenia? Tuż obok czekał na wtajemniczenie atrakcyjny mężczyzna, który nigdy jeszcze nie zaznał kobiety. Zbiegła ze schodów, aby go powitać.

John niemal oniemiał, ujrzawszy ją otwierającą mu drzwi. Ale kiedy wszedł do środka, natychmiast padli sobie w ramiona, ich ciała zaś przywarły do siebie z taką gwałtownością, jakby chciały stopić się w jedno. Każdy pocałunek był jak płomyk. Zapalało się ich coraz więcej i coraz większy płonął pożar, jak gdyby nieubłagany podmuch trawił suche trawy prerii. Twarz Johna zdradzała udrękę pożądania, Irene pojękiwała już w oczekiwaniu rozkoszy. Nie wiadomo jak znaleźli się na kanapie i jego dłonie z łatwością trafiły pod okrywającą ją cienką tkaninę, niosąc błogość i szczęście spragnionemu ciału. Choć pożądał jej tak bardzo, był delikatny i uważny — urodzony kochanek.

Nie spodziewałam się tego. Myślałam, że będziesz trochę brutalny, że znajdę w tobie pragnienie posiadania kobiety po

221

to, by zatriumfować, powiedziała do siebie, obserwując jakby z oddali ich namiętne uściski. A tymczasem jesteś taki wrażliwy i czuły!...

Szlafrok zsunął jej się z ramion. O tak, obnaż mnie. Posiądź mnie całą. Chcę należeć do ciebie. Ożyw mnie miłością. Ty wiesz, czego potrzebuję. Tak jak Danny.

Danny, zawsze Danny.

— Nie powinniśmy, John... — szepnęła, mając nadzieję, że jej nie usłyszy.

Usłyszał.

Gdy odsuwali się od siebie, pomyślała z żalem, że tylko ksiądz może mieć tyle samozaparcia i wielkoduszności, by w takiej chwili powiedzieć „nie".

Skąd to zło we mnie? A ty jesteś dobrym księdzem, nadętym może i próżnym, ale i tak naprawdę wspaniałym księdzem. Przebacz mi, proszę.

Och, Danny! Czy zostawisz mnie kiedyś w spokoju?

Brigid

Burke i Brigid spędzili przedświąteczny wieczór przed telewizorem, oglądając program „Monsignore Farrell pyta".

— Część widzów być może wie — powiedział na zakończenie John — że prowadzony przeze mnie program spotkał się z dezaprobatą niektórych kolegów księży, a także znanego w Chicago krytyka telewizyjnego. Czy nie sądzicie państwo, że byłoby uczciwie stworzyć im możliwość wypowiedzenia się przed kamerą? A zatem zapraszam monsignora Jamesa Mortimera, przedstawiciela archidiecezji i szefa Telewizji Katolickiej w Chicago, oraz pana Lawrence'a Rievesa, autora felietonów w „Star Herald", by zechcieli poprowadzić następny program, robiąc w ten sposób świąteczny upominek telewidzom.

John zamilkł na moment i uśmiechnął się rozbrajająco.

— A gościem programu będzie John Farrell. Pan Rieves i monsignore Mortimer będą mogli bez ograniczeń zasypać mnie pytaniami. Kojarzy się to państwu ze starą irlandzką propozycją spotkania w cztery oczy w celu uregulowania rachunków? Całkiem słusznie — rzekł ze śmiechem. — Ale proszę się nie obawiać, zapewniam, że nie dojdzie do aktów przemocy choćby ze względu na bożonarodzeniowego ducha. Mogą się jednak państwo spodziewać interesującej rozmowy, o co zresztą staramy się każdej soboty.

— Zakładam, że zarówno pan Rieves, jak i monsignore Mortimer przyjmą moje zaproszenie. Gdyby tak się nie stało, to aby nie rozczarować widzów spragnionych potyczki w starym dobrym stylu, zwrócę się do innego duchownego i dziennikarza, którzy jak sądzę, każą mi się prawdziwie napocić, kto wie, czy nie bardziej niż ja moim rozmówcom. A teraz już wesołych świąt i pokoju ducha życzy państwu John Farrell. Dobrej nocy.

— Do diabła, nie mogę uwierzyć własnym oczom! — zagrzmiał Burke.

— Co się z tym chłopakiem dzieje? — Brigid osłupiała ze zdumienia. — Coś takiego nie zdarzyło mu się od czasów, gdy Danny podbechtywał go do różnych psot.

— Gdybym go nie znał, pomyślałbym, że ktoś zafundował mu seks pierwsza klasa. Na co i ty możesz liczyć, jeśli tylko ładnie poprosisz.

— Co to, to nie, Burke, nawet o tym nie marz — zachichotała Brigid.

Roger

Wnętrze chicagowskiego Klubu Dziennikarza spowijają kompletne ciemności podziemi. Pokryte lustrami ściany zwiastują tajemnicę. Czyje w nich widać odbicie — własne czy też kogoś z drugiej strony? Niczego nie można być pewnym. To jedno z sekretnych miejsc, gdzie spotykają się spiskowcy — truciciele, złodzieje, mordercy. Innymi słowy, członkowie Klubu Dziennikarza.

Tutaj decyduje się o faktach, nim jeszcze się zdarzą, zabiega o dziennikarską sławę, rzuca oszczerstwa na osobistości publiczne, przydziela recenzje książkowe wrogo nastawionym krytykom, wymyśla intrygi, poniża siebie, byle zadowolić ważniaków z Nowego Jorku, planuje seksualne podboje, gratuluje sobie nawzajem wyrafinowania i cynizmu, a nade wszystko topi troski w kosztownych trunkach. Każdy chwyt jest dozwolony, byle napisać artykuł, który pozwoli błysnąć na tym padole marności.

Na dzień przed Wigilią Roger spotkał się w klubie z Billem Wellsem, wydawcą „Star Herald". Propozycja wspólnego lunchu wyszła od Wellsa, uważanego w Chicago — nie wiadomo, czy bardziej z powodu postępowych poglądów czy atrakcyjnego wyglądu — za znakomitego dziennikarza. Widziano w nim nawet przyszłego senatora, choć rekomendacja jego gazety okazała się dla niejednego kandydata zwiastunem klęski.

— Trzeba się liczyć z ludźmi ze „Star Herald" — powiedział Mick Gerety. — Przyda nam się ich poparcie.

— Ile okręgów wyborczych może załatwić Wells? — mrugnął do niego Roger.

— Szybko się uczysz, gubernatorze. Czy nie za szybko?

Wells miał jedną wadę — nie lubił przechodzić od razu do sedna sprawy. Pomrukiwał niewyraźnie nad kolejnymi martini, nim zdobył się na odwagę i wydusił, co ma na wątrobie.

— Pański brat ostatnio ostro przyciął Larry'emu Rievesowi, gubernatorze — powiedział ze starannie wyćwiczonym uśmiechem.

— Nie miałem okazji go widzieć, ale z tego, co mi mówiła żona, wynika, że był to John Farrell zupełnie inny niż ten, którego znam od czterdziestu lat.

Było to tylko częściowo prawdą — John czasami potrafił wykrzesać z siebie prawdziwy żar, choć faktem jest, że raczej nie zdarzało mu się sensownie go wykorzystać.

— W redakcji rozwieszono plakaty reklamujące pojedynek Rieves-Farrell.

— Rieves zamierza na to naprawdę pójść?

— Nie bardziej niż Jim Mortimer — roześmiał się Wells. — Pański brat pożarłby ich żywcem, na deser zostawiając sobie jeszcze kąsek w postaci Parsona Railsa. Ale podobno gotowi są przyjąć zaproszenie Neal Marlowe z „Tribune", który jest jednym z najbardziej nieustępliwych dziennikarzy w mieście, i młody Mick Murphy, prezes Stowarzyszenia Księży Chicago. Może mieć z obydwoma twardy orzech do zgryzienia. Krótko mówiąc, zapowiada się doskonała zabawa, kto wie, czy nie najlepsza w sezonie świątecznym... Bardzo odważne posunięcie — ciągnął. — Jeśli przegra, za dwa, trzy tygodnie bez wątpienia zerwą z nim umowę. Gdyby jednak udało mu się wygrać, nikt już nigdy nie ośmieli się tknąć Johna Farrella.

Zapadło niezręczne milczenie. Roger zaczął się denerwować; nie po to go chyba Wells zaprosił na lunch, by rozmawiać o Johnie.

— A jak rozwija się kampania wyborcza? — spytał tak cicho, że Roger z trudem łowił słowa.

— Całkiem nieźle. Za wcześnie wprawdzie, by przesądzać o przyszłości, ale myślę, że mamy szanse na zwycięstwo.

Wells nie podnosił oczu znad pustego kieliszka po martini.

— Miałem niedawno gościa z pewnego katolickiego college'u. Ten młody człowiek, który szuka pracy, utrzymuje, że ma interesujące materiały na temat pańskiej rodziny i może je nam udostępnić, jeśli zatrudnimy go na etacie reportera. Jak twierdzi, wyleciałby z uczelni, gdyby dyrektor dowiedział się o jego propozycji.

Jeśli można poczuć, jak krew nagle zatrzymuje się w żyłach, a wokół żołądka zaciska się obręcz, to tego właśnie doświadczył Roger.

— Czy widział pan te materiały?

Wells uniósł brew.

— Naturalnie.

— Ten człowiek bez pozwolenia skopiował moje prywatne dokumenty.

— Nie wiedziałem o tym.

— Jak inaczej, do diabła, mógłby je zdobyć? — zaperzył się Roger.

— Czytelnicy mają prawo znać prawdę.

— Czy pańska gazeta zwykła analizować prywatne zapiski obywateli, i to w oparciu o nielegalnie sporządzone kopie?

— Jako wydawca dziennika, który zamierza wspierać pana w marcu i listopadzie, czuję się zobowiązany do solidarności z panem.

— A zatem?

— A zatem nie zamierzamy rzecz jasna zajmować się tą sprawą. Zresztą jakie mamy dowody poza notatką sugerującą, że pański ojciec prawdopodobnie zlecił czterdzieści lat temu zamordowanie ciotki, o czym być może wiedziała matka i ojczym? Nawet jak na dzisiejsze standardy to bardzo niewiele, Roger.

— A gdyby się znalazły dowody bardziej wiarygodne?

— To co innego — rzekł beztrosko Wells — jakkolwiek nie mam pojęcia, skąd mielibyśmy je wziąć. Zresztą cóż to za temat? Jednodniowa sensacja, choć nie ulega wątpliwości, że gazeta sprzedawałaby się tego dnia znakomicie... Nawet gdyby wprowadzić postać Rocca „Marszałka" Marsalla, byłaby to rewelacja zaledwie na dwa dni.

Skoro to takie mało ważne, dlaczego Wells zadał sobie trud, by zaprosić go na lunch? Nie ma wyboru, uznał, musi się zdobyć na szczerość.

— Czy pana zdaniem powinienem się wycofać?

Wells nie od razu odpowiedział, dobrą jeszcze chwilę przeżuwając kawałek selera.

— Kiedy dochodzi do przecieków w takiej sprawie, ktoś ją w końcu wyniucha. Gubernator na pewno się zainteresuje i jego ludzie zaczną węszyć, po czym wszystkie lokalne gazety i stacje telewizyjne uznają pańską rodzinę za wyjątkowo smakowity kąsek. Gdyby ojciec żył, z pewnością nikt nie stawiałby go w stan oskarżenia. Niestety jest inaczej i jak podejrzewam, wszyscy będą chcieli zrobić z Farrellów chicagowskich Borgiów. Prawdę mówiąc, Roger, przez lata krążyły niesamowite plotki o pańskiej rodzinie. Z pewnością matka i Burke Kennedy nie są gorsi niż inni, ale zdecydowanie bardziej rzucają się w oczy...

— Czy ktokolwiek z nich ma coś wspólnego ze mną w sensie osobistym lub z moimi kwalifikacjami na gubernatora?

— Ależ nie! — Wells zesztywniał, jakby połknął kij. — Nic panu nie można zarzucić, kiedy jednak rusza lawina rodzinnego skandalu, nie sposób pozostać nietkniętym.

Nie wiedzieć czemu Rogerowi przyszedł do głowy Danny. O tak, on by wiedział, jak wyciągnąć mnie z tarapatów i jak obronić kobiety przed Rockiem Marsallem. Dlaczego musiał umrzeć?

— Czy ktoś zdołał przejść przez coś takiego? — spytał.
— To znaczy, czy komuś ubiegającemu się o funkcję we władzach przyglądano się aż tak wnikliwie?

Wells wzruszył ramionami.

— Dzięki takim sprawom sprzedają się gazety i telewizja zdobywa widzów.

Niccolo Machiavelli byłby na pewno zachwycony, powiedział do siebie Roger. Ale coś takiego w ustach liberała, który domaga się najwyższych wartości od osób reprezentujących władzę?

— Muszę się nad tym wszystkim poważnie zastanowić.
— Jeśli o mnie chodzi, nie widzę lepszego kandydata na gubernatora niż pan i hańbą byłoby zniszczenie takiego potencjału.

— Ale gazeta musi się sprzedawać.
— I czytelnicy mają prawo wiedzieć — dodał Wells, ułamując kawałek tostu.

A zatem, uznał Roger, czeka mnie przyjemna kampania. Jeśli mnie w ogóle czeka.

Dyrektor CIA

Dyrektor zapakował papiery do teczki, zdecydowany wyjść z biura o trzeciej. Choćby nie wiem co zmalowali Rosjanie, świat będzie musiał jakoś sobie radzić bez niego podczas tych świąt, które postanowił spędzić z rodziną na Wyspach Dziewiczych.

W drzwiach stanął Radford. Co może ktoś taki jak on robić podczas Bożego Narodzenia? Czy w ogóle je obchodzi? Czy ma rodzinę? Dyrektor zdecydowanie nie miał ochoty szukać odpowiedzi na te pytania.

— Jeśli to coś ważnego, Radford, nie chcę o tym wiedzieć.

— Nie za bardzo. Widziałem się wczoraj z moim Chińczykiem.

— Tak?

— Powiedział, że sprawa Farrella załatwiła się sama.

— Załatwiła się sama?

— Tak się z nimi rozmawia.

— W porządku, Radford. Mów zatem szybko, co to może znaczyć.

— Jak sądzę, niewłaściwie zrozumieli naszą ciekawość i wyprzedzili oczekiwania. Innymi słowy, jakiś czas temu Farrell żył jeszcze, ale to należy już do przeszłości.

— Myślałem, że zaniechali ekspresowych egzekucji.

— Nie wtedy, gdy ich lojalny sojusznik zdaje się mieć tego rodzaju życzenie.

— Wcaleśmy tego nie żądali.

— To prawda. Ale oni sądzili, że jest inaczej. Zapewne gdyby byli w naszej sytuacji, tego by się właśnie spodziewali.

— Sądzisz, że przyświecały im dobre intencje?

Radford trwał w swym chłodzie.

— Mogło być gorzej, oczywiście z punktu widzenia agencji. A możliwe, że i Farrella. Ale to już ich tajemnica, prawda?

A może to Radford poprosił Chińczyków, by rozwiązali sprawę Farrella? Nie, to nie wchodzi w grę. Nigdy nie wykraczał poza instrukcje; na tyle na ile mu wiadomo, rzecz jasna.

— To wszystko, jak rozumiem — powiedział ponuro dyrektor. Zatem duch Daniela Farrella będzie mu towarzyszyć podczas świątecznego wypoczynku. — Gdy w przyszłym miesiącu zbierze się Kongres, porozumiem się z Burnsem. A teraz już wesołych świąt, Radford.

— Wesołych świąt, dyrektorze.

Taniec szósty

Gigue

Potem rozpięto mnie na krzyżu,
grot włóczni moje ciało przebił,
utoczył wodę, dobył krew,
jak prośbę, by mój miły przybył.

Dzień mego tańca
Średniowieczna pieśń wielkanocna

John

— Widzę, że jesteś dziś w świetnej formie, John. — Ace McNamara, który przeniósł się na plebanię w związku z dodatkowymi obowiązkami świątecznymi, uniósł głowę znad „New York Timesa". — Czyżbyś uległ już nastrojowi Bożego Narodzenia? A może to dzięki zbesztaniu krytyków?

— Mam czyste sumienie, dobrze funkcjonującą parafię i perspektywę wolnego tygodnia po Nowym Roku. Czego więcej potrzeba proboszczowi do szczęścia? — roześmiał się John.

A tak naprawdę czuł się wspaniale, bo był zakochany. I choć nie zaznał jeszcze swej miłości, wiedział, że już niebawem... Irene kochała go nie mniej niż on ją, a jeśli coś ich dzieliło, to tylko pamięć o Dannym Farrellu. Jeśli jednak będzie dobry, delikatny, uważający, przeszłość w końcu przestanie ich osaczać. Kto wie, może kiedyś wyzna wszystko Ace'owi. Ale teraz? Nie czuł przecież wyrzutów sumienia ani żalu, tylko radosną gotowość. Proboszcz parafii Świętej Praksedy będzie miał niebawem kochankę. I co z tego? Nie był w Kościele katolickim pierwszym ani ostatnim księdzem, który zboczył ze ścieżki cnoty... A miłość do Irene pozwoli mu zapomnieć o dawnych zbrodniach, wykradzionych dokumentach i rodzinnej winie.

— Czyli zaraz po pierwszym wyjeżdżasz na południe, zostawiając parafię na łasce byłego kapelana marynarki — powiedział Ace. — Nie obawiasz się, że gdy wrócisz, nie poznasz swojej plebanii, bo tak sobie tu razem z Jerrym będziemy poczynać?

— Mało prawdopodobne. Podejrzewam, że niewielkie masz szanse go ujrzeć.

— Nie mniejsze niż gdy ty jesteś tutaj.

— À propos — John zmienił niewdzięczny temat. — Wybierasz się na przyjęcie urodzinowe Noele?

— A mam jakiś wybór? Odrzucić zaproszenie M. N., obrazić majestat?

— Chyba nie utwierdzasz jej w przekonaniu, że jest nadzwyczajna? Nie jest wcale lepsza od innych zwariowanych nastolatek. — W głosie Johna pojawił się cień irytacji. — A w ogóle wpakowała nas w nie lada tarapaty w związku z tą swoją pracą zaliczeniową...

— Telefon, proszę księdza — przerwała mu gospodyni. — Zdaje się, że bratowa.

— Odbiorę na górze, Maeve — rzekł, podnosząc się od stołu. — Zobaczymy się później, prawda?

— Oczywiście — odparł Ace. — Pozdrów ode mnie Irene. I powiedz jej, że ona też nie jest nadzwyczajna.

Idąc na górę, John zastanawiał się, czy jego przemiana bardzo zaskoczyła McNamarę. Znali się w końcu bardzo długo, a Ace był wyjątkowo bystrym obserwatorem.

Irene

Irene odwiesiła słuchawkę. Po co dzwoniła do Johna? W związku z urodzinami Noele? Nie, oczywiście, że nie. Chciała go usłyszeć, bo była zakochana, tak samo jak on.

Nie tak dawno czytała w artykuł o romantycznej miłości, pożądaniu, namiętności. Takie rzeczy, uznała wtedy, zdegustowana odkładając gazetę, zdarzają się tylko nastolatkom, jak Noele i Jaimie. A teraz dotknęło to ją, kto wie, czy nie bardziej niż Noele. Autor artykułu twierdził, że każdy dzień nie zaspokojonej miłości to kolejne, coraz większe męczarnie. Wystarczy jednak, by doszło do zbliżenia kochanków, a romantyczna miłość się kończy, roztapia w codzienności.

Zdrowy rozsądek podpowiadał Irene, że ich miłość nie jest głębokim, dojrzałym uczuciem. Para samotnych, udręczonych istot, świadomych własnej kruchej śmiertelności, przylgnęła do siebie w nadziei, że nim wieczność ogarnie ich swym chłodem, zdołają zaznać przez moment czułości i ciepła. Wiedziała też, że to dopełnienie młodzieńczej niespełnionej miłości, potężniejszej teraz i bardziej wymagającej, bo nie są już dziećmi. Tak czy inaczej, jeśli wierzyć autorowi artykułu, pobaraszkują trochę w łóżku i oboje będą uzdrowieni. Dlaczego zatem nie teraz? Czemu nie poszukać jakiegoś pretekstu, uciec w święta we dwoje i spędzić ze sobą tydzień w łóżku, uwolnić się od napięcia? John tak bardzo tego potrzebował. Był jednak za dobry i nie chciał wywierać na nią nacisku.

Głupi. Dlaczego nie obstawał przy swoim?

Dobrze wiedziała dlaczego. Nauczono go żyć z myślą o innych i tego się trzymał, nawet jeśli nie do końca rozumiał, co to właściwie znaczy.

A ja? Co mnie nie pozwala wymknąć się, by przeżyć z nim parę dni rozkoszy?... Mężczyzna, i to nieżyjący od dawna — on trwa na posterunku.

Noele

Wigilię Noele wypełnioną miała po brzegi. Dzień rozpoczął się od zawodów gimnastycznych w szkole Najświętszego Serca Jezusa w Lisle. O dwunastej musiała wrócić do kościoła na próbę zespołu. Potem pojechać do domu, by zapakować prezenty i wysprzątać pokój — zobaczysz, mamo, będzie bez skazy — oraz skończyć przygotowywanie dekoracji na przyjęcie urodzinowe. I gdzieś pomiędzy tymi zajęciami znaleźć czas na umycie włosów, wyglądały bowiem strasznie.

Po wszystkim trzeba będzie podrzucić Jaimiemu gwiazdkowy upominek (moherowy sweter, robiony specjalnie dla niego), później pojechać do babci na wieczerzę wigilijną, po której czekała ją jeszcze jedna próba, po pasterce zaś bardzo wczesne śniadanie u Burnsów.

Stanowczo za dużo. A teraz flame zbuntowała się i nie chciała zapalić.

Noele jak burza wpadła do domu. Roger był na zebraniu, ale jego seville, tak samo jak i datsun, stały w garażu (a także stary okropny mercedes, którego Noele za nic nie odważyłaby się tknąć). Mamy nie było w pobliżu — nigdy nie można jej znaleźć, gdy jest potrzebna — pokojówka zaś oczywiście nie miała pojęcia, dokąd wyszła. Och, mamo! złościła się Noele.

Przypomniała sobie nagle, że w małym biurku na dole matka trzyma różne skarby, wśród nich zapasowy komplet kluczy do seville. Nigdy nie powiedziała Noele, że nie wolno ich brać, toteż, przekonywała samą siebie, nic nie stoi na przeszkodzie, aby ich użyć. Przecież musi natychmiast pojechać do Lisle, jeśli ma zdążyć na próbę zespołu.

Popędziła przez hol do umeblowanego antykami gabineciku mamy i otworzywszy szufladę, znalazła to, czego potrzebowała. — Mamo, wybacz, nie miałam innego wyjścia. Złapała klucze leżące na stosie zadrukowanych kartek. Pospiesznie rzuciła na nie okiem; pierwsza strona opatrzona była tytułem: „Kupowanie dziecka".

Noele zawahała się. Mama nigdy nie pokazywała jej swych opowiadań. Zawsze je gdzieś chowała. Ale to jedno nie było ukryte. Zostawiła je tutaj, gdzie każdy mógł zajrzeć, a więc nie miała nic przeciwko temu, żeby ktoś je zobaczył. A w ogóle czy to możliwe, by matka nie chciała pokazać jednego choćby opowiadania własnej córce?

Niby racja, lecz mimo wszystko czuła się trochę jak złodziej, gdy przysiadłszy obok biurka zaczęła czytać.

Opowiadanie wydawało się całkiem nieźle. Historia Lorraine i księdza Toma, wybierających się do położonego pod Los Angeles miasteczka La Puente, by kupić dziecko, była zgrabnie napisana i intrygująca. Ojciec Tom był bratem męża Lorraine, Alfreda, który nie chciał wziąć udziału w wyprawie, choć nie miał nic przeciwko samemu zakupowi.

Alfred! Noele poczuła nagły przypływ gorąca, jakby ktoś bez uprzedzenia włączył saunę. Siły kompletnie ją opuściły, a ręce trzęsły się tak, że z trudem przewracała kolejne strony.

Opis życia młodej pary, od której kupowano dziecko, był żywy i przejmujący. Osaczeni przez dłużników i rozpaczliwie potrzebujący pieniędzy, mieszkali w odrapanym domku, w którego oknach popękały szyby, a trawnik zastępował wybetonowany podjazd. „Jeśli w Wietnamie zacznie się gorzej dziać, przemysł lotniczy będzie potrzebował inżynierów. Może wtedy Lockheed zatrudni Herberta i uda nam się znowu stanąć na nogi", karmiła się nadzieją Marsha, matka dziecka.

Ojciec Tom, wręczając Herbertowi białą kopertę pełną banknotów studolarowych, zachowywał się tak, „jakby to było spotkanie przedstawicieli amerykańskiego i radzieckiego rządu, którzy na moście między wschodnim i zachodnim Berlinem dokonują wymiany więźniów". Dobry pomysł, przemknęło Noele przez myśl, gdy przewracała kolejną stronę.

Dziecko zamieniono na gotówkę. Herbert zajrzał do koperty, lecz nie policzył banknotów. Kiedy Marsha złożyła niemowlę w ramionach Lorraine, ta odsunęła kocyk z główki dziecka, by upewnić się, że jest rude. Zarówno obie kobiety, jak i Herbert płakali, ojciec Tom zaś, modelowy przykład klerykalnego zdrowego rozsądku, powiedział nieszczerze: „Wszystko dobrze się ułoży".

Noele siedziała odrętwiała przy biurku, bezmyślnie układając kartki maszynopisu. Wyrównała brzegi, postukała plikiem papierów o biurko i odłożyła wszystko z powrotem do szuflady.

Po czym z kluczami w dłoni wypadła z domu prosto w słoneczny zimowy poranek.

W szkole przy parafii Najświętszego Serca Jezusa dokonywała na poręczy istnych cudów, zapewniając swej drużynie zwycięstwo, z niezwykłą energią kierowała próbą zespołu w Świętej Praksedzie, prześlicznie zapakowała prezenty, doprowadziła pokój do nienagannego stanu, wręczyła gwiazdkowy prezent Jaimiemu Burnsowi, obdarzając go płomiennym pocałunkiem, z należytą powagą zjadła wigilijną kolację u babci, podczas pasterki śpiewała donośniej niż kiedykolwiek, wypiła pół kieliszka szampana u Burnsów, po czym wróciła do domu i w ciszy idealnie wysprzątanego pokoju szlochała tak długo, aż w końcu zapadła w sen.

Roger

Z żoną w objęciach i przyspieszonym nadal oddechem Roger czuł, że błądzi po omacku niczym zagubiony wśród tajemnych ostępów wędrowiec.

Zaczęło się zwyczajnie — rutynowym seksem po pasterce. I nagle oboje stali się innymi osobami. Ona, bierna zawsze i uległa żona, zamieniła się w namiętną burzę zmysłów, która przywiodła go w rozkoszy do granic fizycznej wytrzymałości. On zaś, po raz pierwszy w ich małżeństwie, oddał się jej bez umiaru i granic, doznając w efekcie upojenia, w porównaniu z którym seks z Marthą wydał się czymś banalnym.

— Co się stało? — zdołał tylko wykrztusić.

— Może polityka tak cię pobudziła — odparła niewinnie.

Niewykluczone, że miała rację; przyprawiające o zawrót głowy podniecenie kampanią wyborczą mogło go rzeczywiście odmienić.

Ujął jej rękę w swe dłonie.

— Kocham cię, Irene.

Tak wiele razy wymawiał te słowa, nie zdając sobie sprawy z ich znaczenia! A czy teraz było inaczej? Jedna szalona noc to za mało, by zmienić wszystko, może być jednak punktem zwrotnym.

Wolna dłoń Irene rozpoczęła kolejną serię pieszczot, a on podniecił się szybciej niż kiedykolwiek.

— Jeszcze? — szepnął zdziwiony, nie będąc w stanie zrozumieć jej pożądania ani własnej reakcji.

— O tak!... — odparła żarliwie.

Nie pozwolę, by cię skrzywdzili, powiedział do siebie w duchu, niemal miażdżąc ją w namiętnym uścisku. Rozkosz wypełniająca każdy milimetr ciała była tak potężna, że zdawało mu się, iż za chwilę eksploduje.

— Śpiąca? — spytał chwilę po tym, jak równocześnie dotarli do upajającego kresu.

— Uhm.

— Chciałbym ci coś powiedzieć.

— Tak? — Tym razem ona ścisnęła jego dłoń.

— Być może będę musiał zrezygnować z kandydowania.

Irene natychmiast oprzytomniała.

— Dlaczego?

— Kilka gazet zdobyło moje prywatne dokumenty, a właściwie zrobione bez zezwolenia kopie. Wygląda na to, że mój ojciec zatrudnił młodego kryminalistę, by zamordował Florence i Danny'ego, ponieważ obawiał się, iż ostatnia wola dziadka może zostać zakwestionowana. Najprawdopodobniej byli w to także zamieszani matka i Burke.

Nie sposób było przewidzieć, jak zareaguje na taką sensację Irene.

Zapaliła światło i bacznie mu się przyjrzała.

— A więc — odetchnęła głęboko — to dlatego wszyscy byli tacy przerażeni, gdy Noele zaczęła pytać o przeszłość?

Smętnie pokiwał głową.

— Niebezpieczeństwo grozi każdemu z nas. Zabójca jest człowiekiem mafii.

— Czy ty naprawdę chcesz być gubernatorem? — spytała, wodząc palcami po jego twarzy, jakby miała wątpliwości, czy Roger istnieje.

— Stuprocentowo — odpowiedział jej z sarkastycznym chichotem. — Chyba nigdy niczego bardziej nie pragnąłem, a wiesz, że nie należę do ludzi, którzy chcą szczególnie mocno.

— No to nie rezygnuj.

Obdarzyła go długim, czułym pocałunkiem, a kiedy przylgnęła do niego swym wspaniałym biustem, zapomniał, że uważał go kiedyś za zbyt obfity.

— Co się z naszą rodziną dzieje? John zmienił się w wojowniczego buntownika, ty stałaś się niemal rozpustna... to komplement!... a mnie ciągnie, by zostać krzyżowcem.

— Może to duch Danny'ego Farrella wywołany z zaświatów przez Noele.

— Cokolwiek się stanie, zawsze będziesz przy mnie, prawda? — Rogerowi zdawało się, że powiedział coś bardzo romantycznego.

Ściągnęła z niego prześcieradło.

— Pod jednym warunkiem... natychmiast pójdziesz ze mną do łazienki i zrobimy sobie długą, rozkoszną, pienistą kąpiel.

— Teraz, w bożonarodzeniowy poranek? — zdziwił się; nigdy dotąd nie proponowała czegoś podobnego.

— A czemu nie?

— Cudowny pomysł — odparł, zaskoczony po raz nie wiadomo który.

Irene

Coś dziwnego działo się z Noele, lecz jej matka zbyt była zajęta własnym rozdwojeniem — rozpaczą z jednej strony i rozbudzonymi zmysłami z drugiej — by dostrzec swe rudowłose zielonookie dziecko. Irene uznała, że być może jest winna cudzołóstwa tak samo jak Roger. W końcu jeden mężczyzna ją podniecał, kochała się z drugim, a w każdym z nich szukała śladu jeszcze kogoś innego.

Poczucie winy? Nic takiego jej nie dokuczało. Jeśli coś czuła, to tylko cudowne zmęcznie nieustanną orgią z Rogerem, który może nie był jedynym kochankiem obecnym w jej łóżku, ale za to niewątpliwie najbardziej rzeczywistym. Gdyby nadal dawali sobie tyle przyjemności co przez ostatnie dwie noce, może by padł dzielący ich mur i mogliby nawet zostać przyjaciółmi. Irene jednak wcale nie była pewna, czy chce takiej zmiany.

Przyjrzawszy się ze wszystkich stron nowej zagadce swego życia, zdała sobie najpierw niejasno, a potem wyraźnie sprawę, że jej gwiazdkowe dziecko nie było szczęśliwe podczas Bożego Narodzenia ani w trakcie urodzinowego przyjęcia w dzień świętego Szczepana. Noele wydawała się zupełnie nieobecna, jakby trwała na jakiejś innej planecie, może nawet w innym uniwersum. Niby wszystko było takie samo — promienny uśmiech, uprzejmość, serdeczność — ona wciąż była tą samą rządzącą łaskawie w Świętej Praksedzie monarchinią, ale czegoś przecież zabrakło. Nie padały już tak dobrze znane: „Gadanie" ani „Ekstra" czy też „Genialne". Nieustępliwa i gwałtowna część osobowości Noele wyparowała gdzieś jak nieuchronnie przemijająca magia świąt.

Czyżby kłótnia z Jaimiem Burnsem? Mało prawdopodobne, by poróżniła się ze swym chłopcem, który jakby w dyskretnym pogotowiu kręcił się wśród gości niczym nowe wcielenie rycerza Lancelota, gotowego zmiażdżyć czaszkę każdemu, kto ośmieli się zakłócić spokój pani jego serca. Nieporozumienie z przyjaciółmi? Eileen zachowywała się dokładnie tak, jak przystało na następczynię tronu w obecności królowej matki. Kłopoty w szkole? Noele nigdy nie miała problemów z nauką.

A jednak coś dręczyło świeżo upieczoną siedemnastolatkę. Czy zwierzy się matce? Z bólem serca Irene musiała sobie powiedzieć, że choćby Noele próbowała udawać, że jest inaczej, nie mogło być między nimi mowy o prawdziwym zaufaniu.

W nagłym porywie odszukała w tłumie gości jedynego mężczyznę, co do którego mogła mieć pewność, że jej nie zawiedzie.

— Witaj, ojcze — powiedziała do Ace'a, w otoczeniu młodych ludzi snującego opowieść o obozie rekrutów. Były to pierwsze od piętnastu lat skierowane do niego słowa.

Ileż straszliwego cierpienia musiały widzieć w Wietnamie te błękitne oczy! Mimo to zachowały świeżość i śmiechem Ace wybuchał równie łatwo jak kiedyś.

— Dawnośmy się nie widzieli, Renie — powitał ją wesoło. — Jak tam pierwszy semestr w St. Mary?

— Strasznie.

Chłopcy wybuchnęli śmiechem i czując, że nie są potrzebni, zniknęli.

— Przykro mi — ciągnęła — ale chyba je... zmarnowałam.

— Co zmarnowałaś? — udał zaskoczenie.

— Życie.

— Złamana stara kobieta. — Upił spory łyk jamesona.

Przez chwilę trwało niezręczne milczenie wypełnione poszukiwaniem nic nie znaczących słów.

— Wyglądasz na zmęczoną — rzekł wreszcie od niechcenia. — Może potrzebny ci wypoczynek po świętach?

— Mamy od Rafertych zaproszenie do ich domu w Tuscon. Nie wiem, czy gubernator — powiedziała to bez ironii — zdoła się wyrwać. Ale ja na pewno pojadę.

239

— Widzę, że cały klan Farrellów wyjeżdża z miasta. Proboszcz wybiera się do Portoryka, a Brigid i Burke oczywiście do Acapulco.

— Parafii dobrze zrobi, gdy się od nas uwolni na jakiś czas. Ojciec też się gdzieś wybiera?

— Obawiam się, że tropików wystarczy mi na całe życie.

— Chciałabym się z tobą spotkać — z trudem przeszło Irene przez usta.

— Kiedy tylko chcesz, Renie.

Dziwne, nawet nie zapytał dlaczego. Czyżby wiedział?

— Coś ją dzisiaj dręczy, prawda? — uniósł kieliszek ku solenizantce.

— Tak sądzisz?

— Ahoj, M. N.! — krzyknął, udając irlandzkiego marynarza. — Kiedy dadzą nam wreszcie coś do jedzenia?

Noele, która rozmawiała z byłym kongresmanem Burnsem, odwróciła się natychmiast i odpowiedziała tonem grzecznej panienki:

— Już za parę minut, ojcze.

— To nie ona, nie jej styl.

— Może to tylko okresowe, może przechodzi przez nową fazę dojrzewania.

— Tak... — pokiwał głową Ace. — Niech to się nazywa faza. Ale coś mnie w niej niepokoi.

Brigid

Choć Brigid była w dzielnicy na niezliczonych przyjęciach, nigdy nie pozbyła się wrażenia, że w gruncie rzeczy do niej nie należy. Uczucie to nie opuściło jej nawet podczas urodzin wnuczki, szczególnie gdy Mugginowie pozwalali sobie na różne żarty na temat obcych. Toteż jak zwykle czuła się lekko podenerwowana, choć robiła wszystko, by wydać się czarującą, i nikt w efekcie nie wiedział, co się naprawdę z nią dzieje. Wszystkich wyprowadziła w pole z wyjątkiem Burke'a, rzecz jasna.

Dawno już powinni porzucić tę dzielnicę. Mieli w końcu dość pieniędzy, by zamieszkać w Lake Forest. Kiedy chłopcy się wyprowadzili — John dostał swą pierwszą posadę w North Side, Roger wyjechał na studia dyplomowe, a Danny do Chin — powinna była posłuchać Burke'a i wynieść się w inne miejsce, zamiast upierać się, że bliżej stąd do firmy. Tak naprawdę chodziło jej o coś innego — ciągle miała nadzieję, że uda jej się udowodnić sąsiadom, iż jest kimś więcej niż niewykształconą emigrantką. A teraz ci, którym chciała utrzeć nosa, w większości nie żyli. Niebawem odejdzie i ona.

Irytowali ją młodzi przyjaciele Noele, wytworni dziś w świątecznych ubraniach. Jeszcze tak niedawno byli małymi dziećmi!... A Noele? Jakaś dziwnie spokojna i jakby pokonana, zupełnie niepodobna do siebie. W gruncie rzeczy nigdy do końca nie rozumiałam, uznała Brigid, co się w tej rudej głowie dzieje ani co widzą te niesamowite zielone oczy. A przecież to wszystko z myślą o niej. Czy ma to dla Noele jakieś znaczenie? Dlaczego ta dziewczyna musi myszkować w przeszłości? Czy nie rozumie, że takie młode kobiety jak ona bardzo łatwo giną? Jak Florence... Co by po nas wtedy zostało?

Chyba trochę za dużo wypiłam, pomyślała Brigid, czując zawroty głowy i mdłości. To przez te przeklęte dzieciaki, bo tak hałasują. Może powinnam pójść na górę i położyć się na moment? Potem Burke się mną zajmie.

Na piętrze natknęła się na Irene; trzeba przyznać, że ładnie dziś wyglądała w bladozielonej sukience.

— Czy Roger rozmawiał już z małą? — spytała, zapomniawszy, że synowa nie brała udziału w naradzie rodzinnej.

— Nie mam pojęcia, o co ci chodzi — odparła Irene, próbując ją wyminąć.

— Jak to możliwe, że nie potrafisz zapanować nad dzieckiem? Co z ciebie za matka?

— Matka, która nie może powstrzymać teściowej od psucia jej córki — odparła Irene cierpko.

W powietrzu wisiała kłótnia ostrzejsza niż zwykle.

— I co z ciebie za żona, że nie jesteś w stanie zaspokoić własnego męża? — Po co to powiedziałam? Czemu nie ugryzłam się w ten głupi język? beształa się w duchu Brigid.

— Matka tego męża tak go zdominowała, że sam niczego nie potrafi zwojować — krzyknęła Irene. — A poza tym... przejrzałam cię, wiem, co starasz się ukryć. To ty, twój mąż i twój kochanek zabiliście Florence Carey.

— Kłamstwo — odpaliła wściekle Brigid. — Jedynym mordercą w naszej rodzinie był Danny. To twój kochanek zabił mojego męża.

Irene wpatrywała się w Brigid, jakby chciała ją porazić wzrokiem.

— On tego nie zrobił, ty stara czarownico.

Powiedziawszy to, poczuła jak życie z niej uchodzi, odwróciła się więc i szlochając pobiegła do sypialni.

Brigid zakłuło coś w sercu. Przeklęta Maeve, zgromiła się swym dawnym imieniem, to jedna z najgorszych rzeczy, jaką kiedykolwiek zrobiłaś.

Ace

Łzy płynęły nieprzerwanie po delikatnych policzkach Noele. Nie była to jeszcze histeria, lecz i tak Ace dziwił się, że mogła się aż tak do niej zbliżyć.

— Wiem, jestem okropna, nie powinnam była tego czytać — łkała Noele.

Trzeba bardzo ostrożnie dobierać słowa, zdać się na instynkt, tak jak w Wietnamie: kiedy ktoś wołał „Padnij!", robił to nie pytając dlaczego i może dzięki temu do dziś żyje.

— To opowiadanie nie musi być prawdą, M. N.

— Chciałam się dowiedzieć, kim jestem, choć ty, ojcze, i Jaimie, i wszyscy radzili mi, bym dała sobie spokój z szukaniem prawdy. Wytropiłam ją, a teraz chciałabym, żebym jej nigdy nie poznała.

Rozumiem, czemu tak dziwacznie zachowywała się podczas urodzinowego przyjęcia. Czy Irene wie, że Noele przeczytała tę historię? Może właśnie dlatego chce się ze mną spotkać.

— Opowiadania są tylko opowiadaniami, Noele. Mogą opierać się na faktach, ale nie muszą być prawdą.

Otarła oczy zwiniętą chusteczką.

— Gdyby je ojciec przeczytał, myślałby inaczej.

— Jesteś taka podobna do matki... Te same kości policzkowe, ten sam wyraz twarzy, to samo piękno.

Uśmiechnęła się przez łzy.

— Lizus!

— Mówię poważnie. Naprawdę jesteś do niej podobna. No i twoja więź z Rogerem... nigdy nie widziałem bliższej relacji między ojcem i córką — trwał przy swoim. — Co jest zresztą złego w adopcji? Pozostajesz przecież ciągle sobą.

— Czyli kim...? — skrzywiła się. — Oczywiście, wiem, ojcze, to samo mówię każdemu, kto wpada w obłęd, dowiedziawszy się, że został adoptowany. Ale...

— Co zamierzasz zrobić? Spytasz rodziców?

Pokręciła głową. — Sama nie wiem.

Ace zawahał się. Do diabła! Zawsze był lojalny...

— Mogłabyś porozmawiać z wujkiem.

— Z wujkiem Johnem?

— Czemu nie?

Noele przetarła oczy.

— Jakoś o tym nie pomyślałam.

— A co z Dannym Farrellem? — spytał ciekaw, czy temat jest aktualny.

— Skończyłam z tą sprawą — machnęła ręką lekceważąco. — Już mi się to nie wydaje takie ważne.

— Żadnych znaków, że żyje?

Zamyślona zmarszczyła brwi, co całkiem odmieniło jej noszącą jeszcze ślady łez twarz.

— Nie — odparła z wahaniem. — A czy ojciec sądzi, że wujek powie mi prawdę?

— Na pewno.

— Będę musiała poczekać, aż wróci z Portoryka, prawda?

— Na to wygląda.

Biedny John, powiedział do siebie Ace, to nie będzie łatwe. Ale i tak życzę ci szczęśliwego Nowego Roku.

Burke

Farrellowie, którzy rozsiedli się przed telewizorem w salonie Brigid, nie wierzyli własnym oczom patrząc, jak John opiera się dwóm kto wie, czy nie najtwardszym dziennikarzom, jacy kiedykolwiek pojawili się w chicagowskiej telewizji. Neal Marlowe, doświadczony korespondent polityczny, i „ojciec Micky" Murphy, zadziorny i nieustępliwy rudowłosy Irlandczyk z Cannaryville, najwyraźniej nie zamierzali oszczędzać monsignora Farrella i świetnie się bawili każdą minutą pojedynku.

Ale także, co dziwne, całkiem dobrze bawił się John.

— Jak widać, John — na twarzy rudowłosego księdza pojawił się lekki grymas — wszystko sprowadza się do pytania, czy służba duszpasterska może iść w parze z telewizyjną popularnością. Czy nie sądzisz, że bracia księża mają prawo czuć się urażeni wykorzystywaniem kapłaństwa do celów komercyjnych? I czy na pewno ojciec Fogarty jest w błędzie sugerując w naszym piśmie, że najzwyczajniej zaprzedałeś się, by wynieść na wyżyny samego siebie?

— Skoro jestem taki sprytny, to dlaczego ryzykuję debatę z tobą, Micky? — spytał z rozbrajającym uśmiechem John. — Wcześniej zresztą zachęcałem też do wizyty w programie Dadsa Fogarty'ego, ale nie przyjął zaproszenia. Najwyraźniej woli jednostronny atak niż dialog twarzą w twarz. Widzisz, Micky, zostałem wychowany w przekonaniu, że księża powinni dążyć do doskonałości we wszystkim, co robią, gdyż działają w imieniu Jezusa, a On na to zasługuje. Jako duchowny katolicki staram się dawać z siebie maksimum właśnie w tej audycji. Prowadzę ją, bo potrzebuje tego Kościół, który widzi, jak istotny wpływ na współczesną kulturę mają środki masowego przekazu. Wierz mi, gdybym miał jakiekolwiek wątpliwości co do udziału w tym programie, natychmiast bym się wycofał. Przykro mi, że niektórzy koledzy mają mi ciągle coś do zarzucenia, ale cóż, i tak będę postępował zgodnie z własnym sumieniem.

Bardzo ładnie, nie ma co, mruknął Burke. Szkoda, że nie jesteś taki mądry w innych sprawach. Obaj z Rogerem nie nadajecie się do niczego; mięczaki, które nie potrafią obronić własnej matki ani nawet zrozumieć zagrożenia, w jakim się znalazła. Już ta mała ma więcej rozumu.

— A zatem, ojcze, o, przepraszam, ekscelencjo... — Marlowe uśmiechnął się nieszczerze; cały czas celowo się mylił, wyraźnie licząc, że w ten sposób wyprowadzi Johna z równowagi. — Do czego właściwie sprowadza się rola księdza w telewizji?

— Och, Neal — zaskoczył go John — czy musimy się trzymać tych oficjalnych form? Czemu nie mówisz mi po prostu John? — Zgromadzona w studiu widownia wybuchnęła gromkim śmiechem.

— Dobrze, ekscelencjo... to znaczy, John... — Neal Marlowe zrezygnował tym razem z uśmiechu.

Wyjątkowo zabawne, sarknął Burke pod nosem. Ksiądz, a taki dowcipny, i na dodatek przystojny. Znałem już jednego tak samo przystojnego i niby bystrego, twego ojca, i też brakowało mu ikry, zupełnie jak tobie.

— Próbuję robić w telewizji to co Jezus głoszący w świątyni słowo Boże czy święty Paweł, który przed ołtarzem „nieznanego Boga” na Areopagu utrzymywał, że jest Jego uczniem i pragnie mu służyć. Daleko mi na pewno do Jezusa czy świętego Pawła, ale próbuję. A jeśli Larry Rieves nie jest zachwycony tym, co robię, bardzo proszę, niech przyjdzie tu i zajmie moje miejsce.

Danny Farrell, przypomniał sobie nagle Burke. To był przynajmniej mężczyzna, ktoś z charakterem. Jak mu na czymś zależało, walczył o to jak lew, nieszczęśnik. Prawdziwy wojownik, nie żaden gładki mydłek jak ty czy Roger. To niesamowite, ale chciałbym, żeby tu znowu był. Waleczni, tacy jak on, są nam teraz potrzebni. A zostałem już tylko ja, stary i zmęczony. Okropnie zmęczony.

— Nie wierzę własnym oczom i uszom — powiedziała Brigid, gdy program dobiegł końca. — Co się z tym chłopakiem dzieje?

— Mówiłem ci już, Bridie, na pewno się z kimś przespał. — Burke powrócił do swego nieokrzesanego stylu.

— Burke, nic wstrętniejszego nigdy od ciebie nie słyszałam — wybuchnęła Noele, markotna i nieobecna duchem podczas całego programu. — Naprawdę myślisz, że tylko seks może wzbudzać w ludziach pasję?

— Nic złego nie miałem na myśli — usprawiedliwiał się Burke. — A jeśli kiedykolwiek będę potrzebował dowodu, że dziewictwo i ognisty temperament mogą iść ze sobą w parze, ciebie dam za przykład.

Wspaniałomyślna zwykle Noele nie dawała się udobruchać.

— Nie potrzebuję twoich tandetnych komplementów. Żądam przeprosin.

Burke tym razem natychmiast się poddał.

— W porządku, Noele, przepraszam.

— To już co innego — mruknęła, po czym wróciła do swego odległego, zagadkowego świata.

Wygląda na to, że zapomniałem o jeszcze jednym walecznym w rodzinie, uznał Burke.

— Co dręczy to dziecko? — spytał Brigid po chwili, gdy wszyscy zbierali się już do wyjścia. — Czy Roger rozmawiał z nią? Może powiedział jej coś o Flossie?

— Twierdzi, że tak, ale wcale nie jestem pewna, czy powiedział jej całą prawdę.

Stali w drzwiach wejściowych, przyglądając się Rogerowi — dogonił w drzwiach żonę i chwyciwszy ją za rękę, poprowadził w stronę samochodu, tuż za córką, która wypadła z domu bez pożegnania.

To wszystko rozpadnie się wkrótce, dumał Burke również dotknięty poczuciem beznadziei. Zbliżamy się do ostatniego aktu.

Noele

Noele nie zwracała uwagi na brzęczący telefon, zajęta wystukiwaniem na nowej maszynie, którą dostała na gwiazdkę, recenzji z ostatniej lektury. Telefon dzwonił jednak uparcie i najwyraźniej nie zamierzał przestać.

— Do diabła! — nie wytrzymała. — Czy nikt w tym domu nie może odebrać?

Podniosła słuchawkę i powiedziała cierpko:

— Mieszkanie Farrellów, mówi Mary Noele. — Po drugiej stronie ktoś dyszał ciężko. — Słucham, kto to?

Dyszenie stawało się coraz bardziej natarczywe, aż Noele rzuciła w końcu słuchawkę.

Telefon zadzwonił znowu.

— Czego chcesz, do diabła?

— Jeśli nie przestaniesz zajmować się nie swoimi sprawami, cycki ci poobcinam — powiedział przytłumiony głos i połączenie przerwano.

Takie obrzydliwe telefony trafiały się także innym dziewczętom w dzielnicy. Trochę ją ten zboczeniec nastraszył, ale to przecież nic poważnego. Dziwiło ją tylko jedno — wcale nie był obsceniczny, tylko wstrętny. Na pewno pomylił numer.

Mimo wszystko poczuła wędrujący po plecach chłód.

Roger

Oparł się o drzwi gabinetu Marthy Clay, maleńkiej betonowej dziupli mieszczącej się na czwartym piętrze Green Hall. Pracownikom po habilitacji, zwłaszcza gdy byli kobietami, przydzielano biura, które w zasobnych latach sześćdziesiątych otrzymywali trzeciorzędni asystenci. Jaka szkoda, że minęły te wspaniałe czasy, gdy rząd nie szczędził pieniędzy na naukę.

— Witaj w domu, profesor Clay. Jak ci minęły wakacje?

Martha podniosła oczy znad pisma, które właśnie czytała.

— Fantastycznie! — zawołała. I uświadomiwszy sobie, że mogło go to zaboleć, dodała zaraz: — Ale oczywiście cieszę się, że już wróciłam

— A ja cieszę się, że znowu cię widzę. — Czyżby pojednanie z mężem? Jeśli nawet, to na szczęście szybko z tym skończyła. — Nie powinienem ci tego mówić — zerknął niespokojnie w stronę korytarza — ale rektor dał mi dyskretnie do zrozumienia, że przedłużą ci umowę. Rzecz jasna to ciągle nieoficjalne, rokowania są jednak całkiem dobre.

— Przedłużenie umowy na pięć lat? — spytała.

Czyżby była gotowa na kompromis?

— Więcej. Wygląda na to, że całkiem się poddali i możesz nawet liczyć na stałe zatrudnienie.

Martha uśmiechnęła się rozanielona.

— Co za rozkosz wygrywać! Ale świętowanie zwycięstwa musimy chyba odłożyć do formalnego potwierdzenia wspaniałej nowiny. Nigdy nie można być pewnym tych szowinistów. W każdej chwili mogą sobie przypomnieć, że jestem kobietą.

— Dobrze o tym wiedzą, jak mi się wydaje. Rektor cały czas nazywał cię „panią Clay". Tak czy inaczej, uważam, że nie bacząc na śnieżycę, możemy zacząć nieoficjalnie świętować już dziś po południu.

Perspektywa spotkania zawisła kusząco w powietrzu, Martha tymczasem wpatrywała się z uporem w puchową kołdrę świeżo spadłego śniegu. Czy tak bardzo jest mu potrzebne upewnienie się, że ciągle dominuje nad nią w łóżku? Chyba tak.

— Wiesz, jak cię kocham, Roger, ale niestety, mam zebranie zarządu Komitetu Kobiet, a potem przyjęcie organizowane przez studentów. Początek semestru, sam rozumiesz... Mógłbyś mi towarzyszyć, nie wiem tylko, jak się na to zapatrujesz.

— Nie wiem, praktycznie jestem już na urlopie. — Irene wyjechała na cały tydzień i choć co dzień rozmawiał z nią przez telefon, czuł się osamotniony.

— No to może jutro albo pojutrze wieczorem? — zaproponowała. — Kiedykolwiek ci odpowiada.

— Jutro wieczorem czeka mnie wystąpienie w Rock Island. Ale pojutrze po południu będę wolny.

Seks z Marthą nie mógł się oczywiście równać z prawdziwą ekstazą, której doznał z Irene podczas świąt, lecz był czymś pewnym, nie budzącym wątpliwości. Przedziwne — żona, która w łóżku poraża, i kochanka, która uspokaja. Kochał obie i aż przechodziły go ciarki na myśl o utracie jednej z nich. A mogło tak się stać, jeśli nie będzie dość ostrożny.

— Zatem u mnie o trzeciej trzydzieści, dobrze? — uśmiechnęła się kokieteryjnie.

W drodze do biura Roger poczuł niepokój. Jakiś fałszywy ton pojawił się w rozmowie z Marthą, nie wyczuwał w niej już takiego entuzjazmu jak niegdyś, kiedy żadne zebranie nie mogło jej przeszkodzić w spotkaniu. I czuł, że jeśli dzieje się coś złego, on nie ma wpływu na to, co się dalej stanie — i to bolało go jeszcze bardziej.

Dotarłszy do siebie, wziął się za poprawianie przemówienia. Tak, zdecydowanie potrzebowało więcej „mięsa", jak by powiedział Mick Gerety.

Gdyby nie nalegania Micka, który utrzymywał, że nie należy rezygnować z żadnego wystąpienia, choć nominacja pokazała, iż na dobrą sprawę nie ma kontrkandydata, Roger wyjechałby z żoną do Tuscon. Irene ostatnio bardzo się zmieniła: tak dotąd nieskomplikowana, coraz częściej zachowywała się w sposób trudny do przewidzenia. Czuła i pełna miłości, stawała się nagle nie wiedzieć czemu skora do kłótni, niechętna mu i zjadliwa. Tuż przed wyjazdem była pogodna i tak bardzo oddana, natomiast poprzedniego wieczoru w ogóle nie miała ochoty z nim rozmawiać. Czy podczas mającej trwać niemal rok kampanii potrzebne mu tak zmienne stosunki z żoną? Wystarczyłaby mu w końcu Noele. Ciągle czekała go rozmowa z nią, z czego doskonale zdawała sobie sprawę Brigid, która oczywiście przejrzała jego kłamliwe zapewnienia, że dopełnił już swego zobowiązania.

Wystukał na maszynie parę zdań porównujących sytuację gospodarczą Illinois i stanów Południa. Słoneczne Południe — tam przecież była Irene, jego bogini kilku nocy. Czy to możliwe, że przeżyli coś tak wspaniałego? Oczywiście to tylko rozkoszna chwila, krótkotrwałe uniesienie, które nie jest w stanie przetrwać. Ale Boże, cóż to były za noce!...

Wprowadzając kolejne poprawki do przemówienia, równocześnie przekonywał sam siebie, że po powrocie Irene będzie taka jak kiedyś, nijaka i mało atrakcyjna.

A sprawa Noele? Wcale nie wyglądała aż tak poważnie, jak wydawało się Brigid. Dostała już bardzo dobrą ocenę z wiedzy o społeczeństwie i była teraz zajęta przygotowywaniem się do testów na wyższe studia. Dlaczego jednak gdzieś głęboko odzywał się w nim głos, który ostrzegał, że milczenie Noele wcale nie oznacza zakończenia poszukiwań? Zanim wszakże zdążył się nad tym zastanowić, zadźwięczał telefon.

— Jakiś człowiek utrzymuje, że chce z panem mówić — oznajmiła nieoceniona panna Marshfield takim tonem, jakby wątpiła w to, co mówi.

— Słucham, Farrell.

— Mówi Bill Wells. Nie odzywasz się, Roger, więc domyślam się, że nie zamierzasz rezygnować.

— I słusznie — odparł, mając nadzieję, że jego głos dowodzi zarówno uprzejmości, jak i pewności siebie. — Postanowiłem zaryzykować: jeśli wyborcy nie zechcą mnie w fotelu gubernatora, najlepiej, by dali temu wyraz przy urnach wyborczych. To dużo bardziej miarodajne niż skandale prasowe.

Wells milczał przez dobrą chwilę.

— Jesteś naprawdę nieugięty, Roger.

— Nie sądzę, bym miał jakiś wybór.

— Faktycznie... — westchnął. — Słyszałem, że nasz młody dziennikarz próbował coś zwojować z konkurencją, ale bez skutku. Zaproponowali mu dwieście pięćdziesiąt dolarów za artykuł, nie zgodził się jednak. Nadal mu się zdaje, że jest nie wiadomo kim i wykreuje aferę na miarę Watergate.

— Ja już podjąłem decyzję, Bill: będę walczył do końca. Tak czy inaczej, dzięki za informacje.

Roger czuł się fatalnie. Co za ohydny świat, ile brudu wokół. Może lepiej było zostać księdzem, jak John?

Co to chodziło mu po głowie, gdy zadzwonił telefon?... A tak, Noele. I jej humory. Nuda — to słowo stało się ostatnio wszechobecne. Szkoła, klub, młodzieżowa msza, lekcje baletu, gimnastyka, wszystko było potwornie nudne. Czy historię Danny'ego też uzna za nudną? Bóg raczy wiedzieć. Postanowił przyprzeć Noele do muru zaraz po powrocie do domu. Niestety, nie zastał jej — niańczyła tego wieczoru dzieci.

Wreszcie tuż przed północą wkroczyła do gabinetu i zasiadła w fotelu, przybierając pozę kompletnego znużenia, niczym uczeń, którego znowu czeka kazanie nauczyciela.

— A więc... — zawiesiła głos — o czym chcesz ze mną rozmawiać?

Roger przesunął językiem po spierzchniętych wargach.

— Właściwie chciałem wrócić do twojej pracy na temat rodziny.

— Ach, to! Skończyłam ją już na początku grudnia. — Nawijała na palec pasmo długich włosów, co było nieomylnym znakiem kompletnego znudzenia.

— Cała rodzina doszła do wniosku, Śnieżko, że masz prawo wiedzieć, co się naprawdę zdarzyło tamtej nocy, gdy umarł twój dziadek, bo po pierwsze jesteś członkiem rodziny, a po drugie chcemy, byś zrozumiała, dlaczego jesteśmy tak bardzo zaniepokojeni.

Noele milczała jak zaklęta.

— Prawdą jest... — Przed oczami miał znowu koszmar tamtej nocy. — Do diabła, Noele, nie masz pojęcia, jak trudno o tym mówić... Mój ojciec miał to i owo na sumieniu, nie był też zbyt dobry dla babci. Ale przecież to ojciec...

Udręka Rogera nie wzbudziła współczucia Noele i w jej głosie wyczuwało się chłód.

— Wiem, że był dla babci niedobry.

— No to przejdźmy do sedna: Danny zabił mojego ojca. Taka jest prawda, Noele.

— Wiem — odpowiedziała jakby trochę zniecierpliwiona.

— A czy chcesz się dowiedzieć, dlaczego to zrobił?

— Jeśli tobie na tym zależy. Bo mnie nie.

— To była głupia awantura. Obaj wieczorem za dużo wypili, a ojciec robił się w takich sytuacjach, powiedzmy... dość bezceremonialny. Danny też był w gorącej wodzie kąpany. Kłócili się już tego dnia i po powrocie do domu znowu zaczęli skakać sobie do oczu. Ojca ogarnęła taka wściekłość, że przyłożył Danny'emu laską, a ten oczywiście nie pozostał mu dłużny: złapał laskę i zrewanżował się tak skutecznie, że ojciec wyleciał z pokoju, potknął się na krawędzi schodów i runął w dół.

— Potworne — powiedziała beznamiętnie, nieskora do okazania, co naprawdę czuje.

— Kiedy zjawiła się policja, nikt nie miał wątpliwości, że to był wypadek. Mama, John i ja, wiesz... żal nam było Danny'ego. Miał przed sobą bardzo niebezpieczną misję i uważaliśmy, że pracując dla CIA ma szansę zrobić dla kraju dużo więcej, niż siedząc w więzieniu. Zresztą to nie było morderstwo, w każdym razie nie w sensie prawnym. Może uznano by to za nieumyślne zabójstwo czy coś w tym rodzaju i skazano go na jakiś rok czy dwa. — Roger zamilkł na moment. — Danny oczywiście wiedział, że go chronimy, nigdy jednak nie zdobył się na podziękowanie. Nawet mnie, choć byłem jego najbliższym przyjacielem. — Głos Rogera zadrżał; niewdzięczność Danny'ego ciągle sprawiała mu ból. — Niebawem wyjechał na szkolenie CIA, a parę miesięcy później już nie żył.

— Czyżby? — powiedziała posępnie.

— Noele! — niemal krzyknął Roger. — Danny nie żyje.

— Skoro tak twierdzisz...

Co jeszcze może jej chodzić po głowie? Cokolwiek to jest, trzeba sprawę doprowadzić do końca.

— Ojcu nic już nie mogło przywrócić życia, po co więc było niszczyć Danny'ego? Myśleliśmy, że może gdy wyjedzie z kraju i popracuje parę lat dla CIA, wróci dużo dojrzalszy i wtedy... Sam nie wiem, na co liczyliśmy. Ale rozumiesz, prawda, Noele?

— Tak, rozumiem — skinęła głową.

— Więc chyba nie dziwi cię, że zostawiliśmy wszystko tak, jak było, i nie chcieliśmy, abyś brnęła dalej w to swoje rodzinne śledztwo — zakończył zdesperowany.

— Och, Roger — westchnęła — przecież wiesz, że dawno z tym skończyłam. To takie nudne.

Irene

Irene odłożyła słuchawkę i wystawiła do słońca starannie natłuszczone olejkiem ciało. Jak to dobrze, że Raferty udostępnili jej ten dom w Tuscon, z którego zresztą sami bardzo rzadko korzystali. Większość czasu spędzała wylegując się w błogim spokoju nad basenem u podnóża gór Santa Catalina. Nikt nie wiedział, że tu jest, poza Rogerem, który dzwonił każdego dnia, by dzielić się z nią swymi gubernatorskimi marzeniami, tak bardzo przypominającymi fantazje idealisty z czasów, gdy spotkała go w Berkeley. Tamte ideały zaprzepaściła tragiczna seria roku 1968 — morderstwo

Kennedy'ego i Kinga, rozruchy podczas konwencji demokratów, wybór Nixona na prezydenta. Roger uciekł wówczas w pozę niezaangażowanego, nieco ironicznego akademika. Teraz marzenia powróciły, a wraz z nimi coś, co przypominało miłość. To nie potrwa zbyt długo, myślała, taki drobny epizod, chociaż musiała przyznać, że płomienny. Wystarczyło trochę więcej alkoholu w wigilię Bożego Narodzenia...

Ale dzisiaj była znowu dobrą mamusią, powiernicą, która tak świetnie koiła rany, nowym i może lepszym wcieleniem Brigid. Czy nie tę samą rolę grała wobec jego brata księdza? Byli do siebie podobni — jednako namiętni, gdy ogarniało ich podniecenie, lecz pozbawieni wrażliwości Danny'ego... I znowu Danny. Kiedy się spotkali, wiedział o kobiecych potrzebach niewiele więcej niż dzisiaj oni. Ale bardzo się przykładał do nauki i był wyjątkowo pojętny. To przecież przy niej uczył się, jak być wobec kobiety opiekuńczym i czułym, kiedy płonąć namiętnością, a kiedy okazywać delikatność. I jak na nią patrzeć. Nigdy nie zapomni tego spojrzenia, wprawiającego w zakłopotanie i pełnego erotyzmu, spojrzenia, za którym tak dobrze ukrywał prawdę o sobie.

Nie powinna o nim myśleć. Miała przecież rozkoszować się słońcem i spokojem, bez pośpiechu sączyć martini, a czasem ni stąd, ni zowąd prosto z materaca skakać do wody. Nie wychodziła z domu, jeśli nie liczyć dwóch wypraw po jedzenie. Żadnego zwiedzania ani włóczenia się po sklepach, żadnych kontaktów z ludźmi. Gdzieś daleko czekają na nią problemy. Tymczasem była w innym świecie i mogła o nich wszystkich zapomnieć. Krótki, cudowny przerywnik.

— Życie ciągle ofiarowuje nam niespodzianki, Renie — powiedział ojciec McNamara. — Czy nie tym właśnie jest Boże Narodzenie?

— Noele była niespodzianką, to prawda — odparła z uśmiechem. — Ale od tego czasu nie trafiły mi się żadne inne.

— Żadne, które byś zauważyła.

Dziwna to była rozmowa. Nie wspomniała o oskarżeniu Danny'ego przez Brigid ani o niebezpiecznym flircie z Johnem, ani nawet o ukrywanych opowiadaniach. Zaczęła za to przepraszać McNamarę, że go zawiodła.

— A ja byłem tak rozczarowany, że wstąpiłem do marynarki.

— Nie to miałam na myśli. Wiązałeś jednak ze mną nadzieje, prawda?

— Pragnąłem twego szczęścia — roześmiał się. Ciągle był skory do śmiechu, taki sam jak kiedyś. — A ty chciałaś być pisarką, ale wmówiłaś sobie, że to mój pomysł, czyniąc z tego obowiązek, któremu trzeba sprostać. Kiedy zaś zostałem twoim księdzem, uciekłaś ode mnie.

— Czy nie chciałeś, żebym pisała?

— Na dobrą sprawę nie miałem pojęcia, na co cię stać. Dopiero gdy pokazałaś mi te opowiadania, przekonałem się, jaka jesteś dobra. Pewnie nadal masz ten dar. Pisarstwo uczyniłoby cię szczęśliwą. Tyle że to nie jedyna droga. Bóg jest pluralistą i daje nam dużo więcej szans.

— Z pewnością.

— Ale nie porzucisz swych zobowiązań, by mi sprawić przyjemność, prawda? Dobrze, już dobrze, nie będę zrzędził, choć jestem złamanym człowiekiem, gdyż Renie Conlon...

Wybuchnęła śmiechem równie głośnym jak jego, lecz zaraz zaczęła mówić o czym innym:

— Czy Noele próbuje cię zadowolić?

— Wręcz przeciwnie. Dlaczego zmieniasz temat?

Nie była w stanie mówić o sprawach, które ją trapiły, a on nie naciskał. Typowo irlandzkie — błagała o pomoc, słowem nie napomykając, że jej potrzebuje. Ace rozumiał jednak, mówiąc jej swym śmiechem, że jest obok i może na niego liczyć. Była taka sama jak wszyscy pędzący ku zgubie Farrellowie. Na pewno będzie go potrzebować. Już niebawem.

— Jakaś ty piękna!...

— John...? — Ledwie go mogła poznać zza słonecznych okularów. Powinna natychmiast coś znaleźć, by zasłonić swe niemal nagie ciało, lecz rozleniwiający upał pozbawił ją całkowicie woli. — Co ty tu robisz?

— Wracam z Karaibów do Chicago przez Arizonę.

Ubrany w jasnobłękitne spodnie i sportową marynarkę stał nad nią z założonymi rękami jak prawdziwy zdobywca.

— Tak bardzo cię pragnę, Irene.

— Ja ciebie też...

Przysiadł na brzegu basenu i przytulił ją. Spragnione wargi powędrowały ku piersiom Irene... Dziecko szukające matki. Objęła go i przyciągnęła bliżej, jeszcze bliżej... Tak, tak, tak. Dlaczego nie? Tylko to ma sens... I nic innego się nie liczy.

— Och, Danny... — szepnęła.

Odsunął się zdecydowanie.

— Nie jesteś jeszcze gotowa, Irene.

— Potrzebuję trochę czasu. — Jak inaczej wytłumaczyć tę okropną pomyłkę? A on taki cierpliwy, wcale się na mnie nie złości.

— Oboje musimy ochłonąć.

Mówiąc to popchnął ją lekko, tak że wpadła do wody, po czym w ubraniu skoczył za nią do basenu. W tym momencie był naprawdę jak Danny.

Kiedy owinięci ręcznikami sączyli później martini, powiedziała mu, co naprawdę o nim myśli.

— Udajesz liberała, John, ale w gruncie rzeczy jesteś strasznie apodyktyczny. A poza tym tak bardzo ci zależy na opinii innych księży i parafian, że czasami wydajesz się człowiekiem bez charakteru.

— Suchej nitki na mnie nie zostawiłaś — odparł lekko, lecz wyraźnie go to zabolało.

— Jeszcze nie skończyłam... Wszyscy o tym wiedzą, a jednak cię kochają, bo jesteś dobry, życzliwy, szlachetny.

— Ty też mnie kochasz?

— Oczywiście.

— Tak samo jak każdy? — ścisnął jej dłoń.

— Nie, tak jak kobieta kocha mężczyznę.

Uścisk zelżał.

— Ja mogę poczekać, Irene.

— Nie, nie to miałam na myśli. — A co? W głowie jej się kręciło. Za dużo alkoholu, za dużo erotycznych podniet.

— Kochać się może każdy, nie każdy może być księdzem.

— A kim jest ksiądz? — nie ustępował.

— Kimś, kto może kochać, ale nie musi iść zaraz do łóżka.

John odwrócił się i powędrował wzrokiem ku odległym górskim szczytom, skąpanym już w fioletowym zmierzchu.

Po co to powiedziałam? biła się z myślami Irene. Jestem kompletnie pijana. Ale to wcale nie znaczy, że nie mam racji. Źle zrobiłam. Trzeba mu było pozwolić się kochać. Szybko by się mną nasycił i już byłoby po wszystkim. A teraz...

Dlaczego pomyliłam go z Dannym?

Noele

Dwa pierwsze tygodnie stycznia Jaimie Burns spędził z DeWittem Carlisle'em na nartach w Steamboat Springs, skąd wrócił fantastycznie opalony.

— Coś takiego — skarżyła się Noele, gdy spotkali się w piątek wieczorem w barze „U Reda". — Wyglądam przy tobie blado jak duch.

— Wyjątkowo piękny duch — roześmiał się Jaimie.

— Co robiłeś w tym Steamboat Springs? Chyba masz coś na sumieniu, skoro zaczynasz od komplementów.

— Absolutnie nic złego — zapewnił.

— Dla mnie cola i frytki — zwróciła się do Reda, który jak zawsze upierał się, że musi ją sam obsłużyć.

— Czyli normalnie — mrugnął Red.

— Nie inaczej — uśmiechnęła się zalotnie.

— Mnie oskarżasz o wyskoki, a sama flirtujesz z Redem.

— Nie bądź śmieszny. Chcesz dowiedzieć się czegoś nowego o Dannym Farrellu?

Jaimie spoważniał w mgnieniu oka.

— No pewnie.

Z uwagą wpatrywał się w Noele, gdy opowiadała o rozmowie z Rogerem.

— Sprawiasz wrażenie, jakbyś nie bardzo w to wszystko wierzyła.

— Do pewnego stopnia wierzę, to znaczy, nie myślę, że Roger całkiem mnie okłamuje. Ale jest kilka rzeczy, których za nic nie mogę zrozumieć. — Nie zamierzała mówić Jaimie-mu o „Kupowaniu dziecka", jeszcze nie teraz, a może nigdy.

Wiedziała już, co zrobi. Kiedy tylko wujek John wróci z Portoryka, przyciśnie go do muru i zażąda całej prawdy.

Potem porozmawia z ojcem Ace'em i być może powie o wszystkim Jaimiemu. No i na koniec podejmie kilka bardzo ważnych decyzji.

— Czy pytałaś ojca o śmierć Florence Farrell?

— Nie — westchnęła. — Zresztą na pewno by mi powiedział, że to wypadek. A gdybym naciskała, okazałoby się, że wszystko zainicjował Clancy, jeśli nawet nie jest to prawdą. Tyle że Clancy nie żyje, a Burke ciągle tu jest.

— Sądzisz, że to Burke?

— Sam powiedziałeś, że zrobiłby wszystko, by ochronić babcię... Wszystko.

— I co dalej? — spytał, chwyciwszy dłoń Noele.

Jakie silne miał ręce! Nic dziwnego, że tak dobrze sobie radził z przejęciami na boisku, nie gorzej niż Czarni. Przez moment chciała mu powiedzieć o dziwnych telefonach, lecz w końcu uznała, że nie ma powodu, by go niepokoić. Musi być samodzielna, radzić sobie bez niczyjej pomocy.

— Pomyślę o tym jeszcze, porozmawiam z ojcem Ace'em, a potem wrócimy do tego... O, dziękuję, Red, ale za dużo tych frytek, naprawdę.

Jaimie uniósł twarz Noele, by patrzeć jej prosto w oczy.

— Powinienem ci o czymś powiedzieć. Ojciec miał telefon z CIA. Danny nie żyje. Rzeczywiście był jeńcem, i to przez wiele lat, ale teraz z całą pewnością nie ma go już wśród żywych.

— Danny nie żyje — powtórzyła wolno. — Od pewnego czasu chodziło mi to po głowie... Tak, chyba będę musiała wymazać go z pamięci.

Czuła się zupełnie tak samo jak w czasach, gdy jako dziewczynka wspinała się na płot, by go przeskoczyć. Chciała się uwolnić od Danny'ego; chciała uwierzyć, że nie żyje, aby móc o nim zapomnieć i martwić się raczej o siebie. Ale nie była w stanie pokonać przeszkody imieniem Danny Farrell. Mogła mówić, że nie jest zaskoczona jego śmiercią, lecz sama w to nie wierzyła, w każdym razie niezupełnie, na pewno nie.

— Obiecasz mi coś? — ręka Jaimiego zacisnęła się mocniej na dłoni Noele.

— Jasne.

— Nie rób nic ważnego bez porozumienia ze mną.

— Nigdy w życiu! — zawołała, jakby chciała powiedzieć, że nie, w żadnym wypadku, za nic nie zrobiłaby czegoś podobnego. W gruncie rzeczy jednak wiedziała, że tak naprawdę do nikogo już nie ma zaufania, nawet do Jaimiego. Poza tym nadal czuła się oszołomiona, tak samo jak w wigilię Bożego Narodzenia, gdy przeczytała „Kupowanie dziecka". Zasłużyłaś sobie na to, pomyślała, ty wścibska mała jędzo.

Kiedy wreszcie dotarła do domu, powitała ją kompletna pustka. Roger pewnie gdzieś przemawiał, mama była nadal w Arizonie. Drżąc cała wskoczyła pod koc, lecz nie zdążyła go dobrze naciągnąć na siebie, gdy zadzwonił telefon. Nim podniosła słuchawkę, wiedziała kto to jest. Rozległo się to samo dyszenie, a potem groźba:

— Cycki ci poobcinam, zobaczysz, ja cię urządzę.

John

Siedzieli po mszy razem na plebanii: Ace wertował niedzielne wydanie „New York Timesa", John oddawał się lekturze działu rozrywkowego w „Chicago Tribune".

— Twoja opalenizna przynosi hańbę takim grzesznikom jak ja — powiedział po chwili Ace, biorąc się do obierania przywiezionych przez Johna pomarańczy.

— Jedź do Portoryka, zobaczysz, jak ci to dobrze zrobi.

John postanowił nie wracać z Arizony na Florydę, by stamtąd dopiero lecieć do Chicago. Niewielu w końcu wiedziało o jego pobycie w Portoryku i raczej mało prawdopodobne, by właśnie ich spotkał w samolocie z Tuscon. Leciał więc zatłoczonym DC-10 do Chicago i wcale nie czuł się winny. Zakochał się. Jego ukochana nie była jeszcze gotowa, potrzebowała trochę czasu, wahała się, lecz on miał zamiar czekać tak długo, jak to będzie konieczne. A potem ją posiąść.

Potem?... Będzie się tym martwił, gdy przyjdzie co do czego. Mimo to ogarnął go niepokój — poczucie winy dopadło go już teraz. Koniecznie musi się komuś zwierzyć.

— Dick, wpadłbyś do mnie na górę? — spytał nie zastanawiając się długo. — Chcę z tobą o czymś pogadać.

— Nie ma sprawy. — Ace złożył porządnie „New York Timesa", bo w marynarce nauczył się wszystko robić porządnie, i podążył za proboszczem.

Zamknąwszy drzwi pokoju, John nie pytając przygotował dwa drinki: martini z wódką — smak ten przypominał mu Irene — dla siebie i irlandzkiego jamesona dla ojca McNamary.

Siedli w okazałych skórzanych fotelach, tworzących stosowną — jak zawsze sądził — oprawę dla proboszcza parafii Świętej Praksedy. Teraz fotele i kanapa wydały mu się idiotycznie pretensjonalne.

— Dobrali ci się już do skóry? — zainteresował się Ace.

— O, tak — odparł John, w sumie zadowolony, że nie musi mówić o tym, co dręczy go najbardziej.

— Znalazłeś się w punkcie krytycznym, John, i musisz się zdecydować — powiedział Ace. — Jeśli będziesz kontynuować swój program, szczególnie na skalę krajową, koledzy duchowni nie dadzą ci spokoju przez resztę życia.

— I ty to mówisz? — zdziwił się John.

— Nie namawiam cię, byś zrezygnował, tylko ci uświadamiam, do czego dojdzie: staniesz się ofiarą zbiorowej zawiści. Motywy twojego działania zostaną podane w wątpliwość, a twój charakter i osobowość tak zdeformowane, że nie poznasz samego siebie. Rodzina i przyjaciele będą musieli stawać w twej obronie przy każdym spotkaniu z księdzem czy zakonnicą, każde twoje wyjaśnienie zostanie odpowiednio przekręcone, by zadośćuczynić fobii. Staniesz się ukochanym obiektem nienawiści. Tak właśnie będzie, sam zobaczysz.

— Chcesz mnie doprowadzić do paranoi? — spytał posępnie John.

— Nie, skądże, ostrzegam tylko przed paranoją tych, którzy niebawem na ciebie zapolują. — McNamara roześmiał się, lecz wcale nie wyglądał na rozbawionego. — Zazdrość jest motorem ludzkiego działania, tak jak głód i popęd płciowy. Rzecz jasna dotyczy to nie tylko duchownych. Niewiele się jednak o tym mówi, nawet na kursie psychologii nie znajdziesz uczciwej analizy zjawiska zazdrości.

— Czy jesteśmy pod tym względem gorsi od innych? — spytał John, właściwie z góry znając odpowiedź McNamary.

— Prawdopodobnie. Z jednej strony na niewiele nagród możemy liczyć, z drugiej już w seminarium wyzwala się w nas zawiść, bo to bardzo pomaga w sprawowaniu kontroli i sterowaniu młodymi umysłami. Oczywiście negatywnie wpływa na osobowość, ale jakie to ma znaczenie dla naszych nauczycieli?

— Sądzisz, że powinienem się upewnić, czy mam dosyć krewnych i przyjaciół gotowych mnie wesprzeć?

— Nie licz zbytnio na przyjaciół. — Ace napełnił opróżnioną szklankę irlandzką whiskey. — Niektórzy w głębi ducha ci zazdroszczą, a inni ulegną wizerunkowi złego, nie oprą się sile mitu, który już na zawsze do ciebie przylgnie.

— Ty też? — rzekł cicho John.

— Ja należę do tych, których można kupić — roześmiał się Ace. — Butelka jamesona w każdy weekend i kapitan McNamara buja jak najęty.

John uznał, że czas najwyższy zdobyć się na odwagę i powiedzieć wreszcie o Irene.

— Sprawa programu wiąże się z czymś, o czym chcę z tobą porozmawiać, Dick. Zakochałem się.

— Co? — McNamara niemal osłupiał.

— Nie przez cały czas byłem na Karaibach. Część urlopu spędziłem z kobietą. Nie, nie spałem z nią, jeszcze nie... — John czuł, że jest śmieszny, szczególnie w oczach księdza psychologa.

— Zamierzasz porzucić kapłaństwo? — przymknąwszy powieki beznamiętnie spytał Ace.

— Nie wiem. Nie sądzę, byśmy mogli się... pobrać. Sam zrozumiesz dlaczego, gdy ci powiem, kim ona jest.

— Nie muszę wiedzieć.

— Owszem, musisz.

— Czyżby?

— To Irene.

Błysk w oczach byłego kapelana nie pozostawiał wątpliwości — wrażenie było piorunujące.

— Może rzeczywiście będzie lepiej, gdy opowiesz mi o wszystkim — uznał w końcu.

John zaczął od początku, od śmierci dziadka i bitwy w okolicach Filipin.

— Kapłaństwo było dla mnie rodzajem wybiegu, Dick. Sądziłem, że jako dobry ksiądz będę mógł odpokutować za całe zło, które się dokonało. Wprawdzie powołanie duszpasterskie zawsze wymykało mi się z rąk, ale byłem akceptowanym i podziwianym członkiem hierarchii. I byłbym nim do dziś, gdyby nie ta przeklęta telewizja. Nie musiałbym się zwracać ku Irene...

— Upraszczasz sprawę, John — zaprotestował Ace, a jego żywa twarz spochmurniała. — Pamiętaj, że jesteś w wieku, w którym łatwo się ulega romansowym zachciankom. Nie obwiniaj telewizji. I nie obarczaj rodziny odpowiedzialnością za swoje powołanie. Nie zostałeś księdzem z potrzeby pokuty.

— Tyle dla mnie poświęcili... Jestem im coś winien.

— Ace nie bardzo rozumiał, o co mu chodzi, lecz nie zdążył spytać, bo zadzwonił telefon.

— Noele? — John starał się robić wrażenie ożywionego i pogodnego. — Jak miło cię znowu słyszeć. Oczywiście, że tak... Jutro o ósmej wieczorem, dobrze? Za nic nie ośmieliłbym się stanąć na przeszkodzie twojej gimnastyce. Poza tym wszystko w porządku?

Taki jestem zajęty własnymi sprawami, pomyślał odkładając słuchawkę, że zupełnie zapomniałem o niebezpieczeństwie, które jej grozi, gdyby doszło do publikacji materiałów Rogera.

— Ją też coś gryzie — powiedział do McNamary.

— Nie przejmowałbym się Noele aż tak bardzo. — Po raz pierwszy od początku ich rozmowy na twarzy Ace'a pojawił się uśmiech. — Może i czekają ją trudne chwile, ale na pewno potrafi dać sobie radę.

— A ja nie?

Szukając odpowiedzi, Ace ukrył na moment twarz w dłoniach.

— W takich wypadkach, John, mężczyzna albo zrzuca sutannę, albo uwalnia się od kobiety.

— Co będzie ze mną?

— Wyjdziesz z tego obronną ręką. Martwię się raczej o Irene, piękną i utalentowaną kobietę, która prawdopodobnie nie kocha męża i z całą pewnością uważa, że zmarnowała swoje życie. A teraz zakochała się w mężczyźnie, który zastępuje jej nieżyjącego kochanka.

— Ja miałbym zastępować Danny'ego?

Ręka Ace'a znieruchomiała nad szklanką, którą już po raz trzeci napełniał jamesonem.

— Oczywiście, John. Nie zdawałeś sobie z tego sprawy?

Ace

Ace stał przy oknie pokoju gościnnego na plebanii i wpatrywał się w śnieg topniejący z wolna w zimowym słońcu. Znowu ta udawana odwilż, pomyślał, która zwodzić będzie Chicago przez następne miesiące. Ale boisko ciągle jeszcze przykrywa śnieg; żaden nastolatek tu teraz nie przychodzi.

Biedny John — ksiądz na rozdrożu, odrzucony przez kolegów i równocześnie zakochany. Roznamiętniony romantyk opętany głupią miłością, a tu jeszcze Noele szykuje nie spodziewającemu się niczego mocne uderzenie. John wszakże, próżny i nadęty, nieskomplikowany i poczciwy, nie zginie; to jeden z tych, którzy przetrwają najgorsze.

Ace zastanawiał się po raz nie wiadomo który, skąd w tej rodzinie pochłoniętych wyłącznie sobą przeciętniaków wzięła się osoba taka jak Noele. Pomyłka genetyczna? Raczej nie. Danny też nazywał się Farrell. I na pewno nie był człowiekiem przeciętnym. Ani nie należał do tych, którym zawsze udaje się przetrwać. Czemu każdy z Farrellów musi z uporem maniaka odrzucać wspaniałe możliwości, jakie mu życie ofiarowuje, przedkładając nad wszystko marność społecznego poważania? Roger, którego kampania wyborcza przypomina nudną akademicką piłę; John, który zamienia karierę telewizyjną w walkę z kulturą duchowieństwa; Irene, która zaprzepaszcza swój talent. I Danny, umierający młodo dla idiotycznych wyobrażeń o rycerskości. Na szczęście Noele zdołała się od tego uchronić. Chociaż kto wie...

Jak Irene mogła zrobić coś tak niemądrego? Dlaczego zostawiła na wierzchu to opowiadanie, pozwalając je przeczytać Noele? Zupełnie jakby tego chciała...

Brigid

Musiała spędzić parę dni pod rozżarzonym meksykańskim niebem, nim wyparowało z niej całe zmęczenie.

— Jedziemy do Acapulco — oznajmił drugiego stycznia Burke. I należało to traktować jak polecenie, a nie propozycję czy temat do rozmowy. Była zresztą zbyt znużona, aby się spierać.

Chociaż nie umiała pływać, a jej jasna skóra pokrywała się bąblami, gdy tylko musnął ją pierwszy promień słońca, Brigid kochała tropiki. Ubóstwiała wpatrywać się w morze, leżąc z Burkiem na ocienionym patiu domu na wzgórzu i trzymając go za rękę, jakby byli parą młodych kochanków.

— Zostanę tu jeszcze co najmniej tydzień — westchnęła. — Właściwie mogłabym wylegiwać się w tym rozkosznym cieple do końca swoich dni.

— Może to właśnie powinnaś zrobić, Bridie. — Burke uniósł się nieco i oparł wygodnie o poduszki. — Może nadszedł czas, by się zrelaksować? Świat się nie zawali, jeśli przestaniesz pracować.

— Miałabym porzucić firmę?

— Wycofaj się, odpocznij, oddaj się przyjemnościom. Prawie całe życie pędzisz jak szalona: uciekałaś od okrutnego ojca i okrutnego męża, a potem od przybranego syna, który groził, że cię zabije. Czy ta twoja firma była w stanie obronić cię przed demonami?

— Nie, ty jesteś moją jedyną obroną — odparła.

— Czas najwyższy, by przerwać tę gonitwę, Bridie.

— Teraz? Mamy się zatrzymać i pozwolić, by dosięgła nas sprawiedliwość? Nie wiem jak ty, ale ja czuję się za stara, by iść do więzienia. Jak się zrelaksować, mając na sumieniu tyle zła? Pracuję, żeby o nim zapomnieć.

— Możemy podróżować... opuścić Chicago — powiedział bez przekonania.

— I zostawić firmę podczas kryzysu? A co z Noele? To moja jedyna wnuczka. Co będzie, jeśli prawda wyjdzie na jaw? Może tak się stać i wtedy niech Bóg ma nas w swojej opiece... Kto zapewni opiekę Noele, jeśli mnie zabraknie?

— Przestań o tym myśleć — zniecierpliwił się. — Sprawa jest ostatecznie zamknięta.

— Może jest, a może nie — odparła ze złością. — Wszyscy jak opętani pędzimy na stracenie! Gotowi jesteśmy wyprzedzić Najwyższego, oszczędzając mu obowiązku ukarania nas! — Zaraz jednak, żałując swego gniewu, zaproponowała kompromis: — Czy będziesz zadowolony, jeśli obiecam, że się nad tym zastanowię?

— To dużo więcej, niż mogłem się spodziewać.

— Burke — pochyliła się ku niemu — jesteś potworem. Chwycił dłoń Brigid i ścisnął ją mocno.

— A ty jesteś delikatną i słabą kobietą, Bridie.

— Znam to twoje spojrzenie — powiedziała, udając, że chce mu się wymknąć. — Dobrze wiem, co ci chodzi po głowie.

Zsunął jej kostium z ramion.

— Tak? I co ty na to?

Wakacje wyzwoliły w nim ciągle jeszcze młodego samca, który zaczął ją teraz brutalnie obnażać. Przeraziła ją jego żądza — i zachwyciła. To jak Palmer House raz jeszcze. Straszny, straszny mężczyzno, nie masz żadnego szacunku dla przyzwoitej kobiety, westchnęła zrezygnowana, nie będąc w stanie mu się oprzeć. Na szczęście ciągle mnie pożąda. Dobry Boże, nie odbieraj mi go. Proszę, nie. Jeszcze nie teraz. Nigdy.

Pomimo żartów i śmiechu, i rozkoszy pod bezchmurnym meksykańskim niebem Brigid poczuła lęk, wcale nie mniejszy niż w tamten zimowy poranek, kiedy ojciec obudził ją i wyprawił na zawsze z domu.

Roger

Ogień na kominku w gabinecie dogasał. W telewizji wyświetlano czarno-biały francuski film, który w ogóle go nie interesował, tak potwornie był jednak zmęczony, że nie miał siły wstać i wyłączyć telewizora. Kandydat na gubernatora powinien bezwzględnie mieć pod ręką pilota, mruknął do siebie.

Chicago leżało zasypane dziesięcioma calami śniegu i lotnisko O'Hare zamknięto. Samolot Irene skierowano do Minneapolis, a potem do Milwaukee, skąd zadzwoniła do domu.

— Nie czekaj na mnie — powiedziała — wrócę nie wcześniej niż jutro w południe.

— Będę czekał — odparł i był w tych słowach zarówno niepokój o nią, jak i pożądanie.

— Zrób, jak uważasz — odparła lakonicznie.

To był naprawdę straszny dzień. Organizatorzy kampanii „Farrell gubernatorem" po raz pierwszy na cały dzień otworzyli biuro. Natychmiast wtargnęła do niego z kamerami ekipa Kanału Szóstego i jakby na to właśnie licząc, trafiła na kompletny chaos. Telefony były wyłączone, kopiarki zepsute, drzwi do toalety zatrzaśnięte, nie wiadomo gdzie podziały się listy z adresami wyborców, skomputeryzowany system analiz nie działał, a sam kandydat nie mógł sobie znaleźć miejsca.

— Początek niezbyt udany, prawda, profesorze? — zagadnęła go wysoka młoda blondynka z mikrofonem w dłoni.

— Zwykle dobrze zaczynają republikanie — odparł uśmiechając się pod nosem — demokraci za to znakomicie kończą.

— Czy to znaczy, że widzi pan już siebie kolejnym gubernatorem stanu Illinois? — nie ustępowała, przybierając ton dziennikarskich wyjadaczy.

Piękna, młoda, irlandzka sztuka — świat polityki też miał swój całkiem niezły rynek.

— Oczywiście — zachichotał raz jeszcze. Trzeba uważać: nie może powtarzać tego samego chwytu zbyt często. — Po to przecież biorę udział w tym wyścigu. Ale teraz, jeśli pani pozwoli, Maryjane, muszę się dowiedzieć, dlaczego nie przygotowano dla mnie odpowiedniego pomieszczenia.

Pewien, że może się podobać, uśmiechnął się uwodzicielsko w kierunku czerwonego światełka nad okiem kamery i wytrwał tak aż do chwili, gdy zgasło. Mrugnął wtedy do Maryjane Hennessey:

— Na dobrą sprawę nie jestem pewien, czy ktokolwiek z tu obecnych wie, o co w tym wszystkim chodzi.

Pięć minut później z obliczami długimi jak Mississippi do biura wpadli Mick i Angie. Joe Kramer wkroczył do akcji.

— Wszędzie się o tobie mówi, gubernatorze — przywitał go Mick ponuro.

— Do diabła, jak mogłeś dopuścić, by wyciągnięto ci te materiały z biura? — zaatakował go Angie.

Roger niezbyt uważnie wysłuchiwał ich zarzutów. Myślał o czym innym: martwił się o Noele, Brigid, o Irene, która zachęcała go, by kandydował. Tak, ona niczego się nie bała, bo niewiele wiedziała o Marszałku. Chyba rzeczywiście powinien ustąpić. Zrezygnować. Zawahał się. Zdrowy rozsądek podpowiadał, by się wycofać. Kandydować nadal to jak próbować przeskoczyć Wielki Kanion.

— Co się stało, to się nie odstanie, panowie — powiedział zdecydowanie. — Zamierzam kandydować niezależnie od tego, co będzie się dalej działo z tymi wykradzionymi papierami. Nawet to, że obecny gubernator może je wykorzystać przeciwko mnie w jesiennych wyborach, nie zmieni mojego stanowiska. Czy wyraziłem się jasno?

— Z pewnością nam to nie pomoże — jęknął zniechęcony Mick.

— Wiem o tym.

— Czyli gramy dalej niezależnie od tego, co sądzi o tobie prasa? — upewnił się Angie.

— Tak jest, zamierzam walczyć do końca, Angelo. — Podjął tę decyzję nagle, porzuciwszy myśl o Irene.

— Podziwiam twą odwagę, gubernatorze — powiedział Mick. — Kto wie, może uda się powstrzymać prasę, a jeśli nie... cóż, pozostaje nam liczyć na sprzyjające okoliczności.

Roger uśmiechnął się dobrotliwie.

— Czy przypadkiem nie ty, Michael powiedziałeś: „tworzyć sprzyjające okoliczności"?

Nim odwiedził Marthę Clay, wpadł jeszcze na uniwersytet. Na biurku znalazł notatkę — próbował się z nim skontaktować rektor. Oczywiście natychmiast do niego zadzwonił.

— Niestety, pojawiły się pewne przeszkody w związku z nominacją pani Clay, Roger.

— Zatem mamy coś na kształt dnia z przeszkodami — odparł Roger beztrosko. — Szkoda, Lawrence, że nie byłeś dziś w mojej kwaterze wyborczej.

Z drugiej strony dał się słyszeć sarkastyczny śmiech; rektor daleki był od popierania swego pracownika, któremu przyszło do głowy ubiegać się o fotel gubernatora.

— Trzej specjaliści od teorii społeczeństw — rozpoczął z taką powagą, jakby się sposobił do odczytania encykliki papieskiej — przedłożyli oświadczenie sprzeciwiające się nominacji pani Clay. Nie zamierzam ci teraz zawracać głowy jego treścią, ale mogę je przesłać.

Zupełnie jak przywołanie Pisma Świętego tuż przed spaleniem na stosie.

— Nie kłopocz się, Lawrence. Domyślam się bez czytania, co też takie oświadczenie może zawierać. Z całą pewnością żadnych analiz prac pani Clay, za to wysławianie dokonań uniwersytetu i ostrzeganie przed zbyt pochopnym zatrudnianiem na stałe.

— Jak zapewne wiesz — ciągnął Lawrence donośnie — zgodnie z tradycją uniwersytecką z uwagą i szacunkiem traktujemy tego rodzaju noty.

Szacunek? Raczej czołobitność wobec przemądrzałych teoretyków, którzy rzadko cokolwiek publikują i nieczęsto prowadzą zajęcia, trwają za to na wyżynach intelektualnej abstrakcji przeświadczeni, że sama ich obecność czyni z uniwersytetu niemal przedsionek Harvardu, a w gruncie rzeczy skupiają się głównie na wścibianiu nosa w politykę kadrową innych wydziałów rzekomo w imię dbałości o wysoki poziom akademicki i dydaktyczny, który — jak im się zdaje — sami reprezentują.

— Czy coś takiego może stanąć na drodze nominacji?

Rektor zawahał się. — Przewodniczący senatu jest wyraźnie poruszony, ale prawdę mówiąc, Roger, nie wiem.

— To naprawdę oburzające, Lawrence — ruszył do ataku. — Grono naszego wydziału, znanego i cenionego nawet na forum międzynarodowym, po długiej debacie zdecydowało większością głosów poprzeć kandydaturę pani Clay. Uczynił to również dziekan. Rozmawiałem także z tobą i powiedziałeś, że zamierzasz skierować wniosek do senatu, pozytywnie go opiniując. A teraz dowiaduję się, że

267

jakiś inny wydział, nie mający żadnych kwalifikacji, by wypowiadać się na temat nauk politycznych, usiłuje zdyskredytować opinię nas wszystkich. Naprawdę trudno mi, Lawrence, brać odpowiedzialność za ewentualne konsekwencje tej sytuacji.

Dzielny idealista kandydujący na gubernatora, a zarazem przebiegły manipulator próbujący promować swą kochankę. Całkiem możliwe, pomyślał, że nawet gdyby nie był Marthą tak opętany, i tak by ją popierał. Jeśli nawet trudno widzieć w niej przyszłą uniwersytecką znakomitość, to przy pewnym wysiłku może osiągnąć nie mniej niż wielu przeciętnych członków akademickiego grona.

— Doskonale rozumiem twój niepokój — powiedział rektor, zastanawiając się, czy Roger faktycznie może okazać się niebezpieczny, i uznając, że to całkiem prawdopodobne. — Jak przypuszczam, przemawiasz nie tylko w swoim imieniu, prawda?

Odpowiedział mu niewyraźny śmiech Rogera.

— Pracujesz na uniwersytecie tyle lat, Lawrence, więc chyba wiesz, jakiej reakcji można się na naszym wydziale spodziewać. Nawet ci, którzy mieli jakieś wątpliwości co do pani Clay, dostaną białej gorączki, sam zobaczysz.

To prawda, pod warunkiem że ich do tego sprowokuje, co zresztą zamierzał zrobić — w imię miłości rzecz jasna. Chyba straciłem nad sobą kontrolę, uznał. Nie panuję nad sytuacją, jestem jak rozpędzony pociąg, którego nie można zatrzymać.

Kiedy opowiedział jej później o rozmowie z rektorem, Martha nie wydawała się specjalnie poruszona.

— Lubią się poznęcać i tyle — stwierdziła niefrasobliwie zatopiona w jego ramionach.

Romans ożył na nowo, ale jakby coś się między nimi zmieniło. Czyżby zatracenie się Marthy nie było tak kompletne jak kiedyś? A może porównanie z żoną okazało się — o dziwo — niezbyt dla niej korzystne?

Półnadzy i zmęczeni miłością popijali w sypialni białe wino, gdy nagle spytała profesorskim tonem:

— Czy kiedykolwiek brałeś pod uwagę możliwość, Roger, że masz skłonności biseksualne?

Omal nie zakrztusił się winem.

— Wszyscy jesteśmy trochę biseksualni — odparł.
— Powinnaś wiedzieć o tym lepiej niż ja, w końcu częściej masz do czynienia z Freudem.

Co innego rozkosz pokrętnych fantazji, co innego, gdy na nich człowieka przyłapią. Czyżby prowadziła z nim jakąś grę?

— Czasami gdy się ze mną kochasz — ciągnęła beznamiętnie, jakby rozprawiali o analogiach między makiawelizmem a marksizmem — mam wrażenie, że widzisz we mnie raczej atrakcyjnego chłopca niż kobietę. W sumie jestem na tyle nowoczesna, by się tym nie przejmować, a prawdę powiedziawszy nawet mnie to podnieca. Kto wie jednak, czy dobrze by ci nie zrobiło wyzwolenie seksualne z przedstawicielami własnej płci.

Intelektualne reguły wymagały, by podtrzymać rozmowę na tym samym abstrakcyjnym poziomie, na który sprowadziła ją Martha.

— Daleki jestem od tego, by ignorować twoje obserwacje. Tak czy inaczej, naprawdę uważam cię za atrakcyjną kobietę i chcesz czy nie, musisz się z tym zgodzić.

— Najwyraźniej zajmujesz pozycję obronną, Roger. Niepotrzebnie, nie powiedziałam przecież, że jesteś pedałem. — W tym momencie pozwoliła sobie na profesorski półuśmieszek, coś w stylu rektora. — Jestem dostatecznie doświadczona, by wiedzieć, że nim nie jesteś, choć wcale nie miałabym nic przeciwko takiej ewentualności. Chcę ci tylko zwrócić uwagę, że zbliżenie z mężczyzną może otworzyć przed tobą nowe horyzonty. Na przykład ja nie jestem lesbijką w pełnym tego słowa znaczeniu, jednakże pewne homoseksualne doświadczenia ogromnie mnie wzbogaciły.

Lesbijskie uwertury, pomyślał z ironią. Para dbałych o pełną świadomość kobiet zabawia się ze sobą, by móc potem wypowiadać się ze znajomością rzeczy na temat homoseksualizmu.

— Jestem ci wdzięczny za szczerość. Pomyślę o tym — obiecał.

— Oczywiście nie musisz zdawać mi sprawy z rezultatów tych przemyśleń. — I znowu uśmieszek w rektorskim stylu.
— Jeszcze trochę wina?

Drzemiące w nim homoseksualne skłonności były najwidoczniej tak potężne, że jego kochanka nie mogła ich nie zauważyć. A jeśli dotąd nie zdecydował się przekonać, jak to jest z mężczyzną, to tylko dlatego, że miał sporo zahamowań i nie był tak wyzwolony jak ona. Co za perspektywa, podniecająca, a przy tym budząca lęk!... A jeśli Martha ma rację?

Zarówno to, że rzuciła mu takie wyzwanie, jak i możliwość, że tkwi w nim ziarno prawdy, zmieniły coś w jego stosunku do niej. Może o to jej właśnie chodziło? Ile czasu spędziła w święta z byłym mężem? Czy na pewno byłym? Czy faktycznie są rozwiedzeni?

Czekając na żonę przy gasnącym kominku, Roger zastanawiał się nad swym seksualizmem — całkowicie obiektywnie, jak przystało na profesora. Lubił towarzystwo mężczyzn przy okrągłym stole Klubu Akademickiego. Lubił też swych golfowych partnerów. Ale raz tylko zdarzyło mu się przeżyć „miłość", która przy całej swej intensywności nie miała w sobie nic fizycznego. Wyjąwszy jeden incydent. Ta miłość nie minęła. Pomimo że Danny nie żył.

Musiał przyznać, że dostrzega fizyczną atrakcyjność młodych przystojnych mężczyzn, choć nie działała nań tak silnie jak pięknych, młodych kobiet. Może się jednak hamuje? Ale w święta był u boku żony całkowicie heteroseksualny, co do tego nie było wątpliwości. Tylko czy uda mu się wytrwać w tym na dłuższą metę?

Przeklęta Martha, mruknął ze złością. Gotowa jest opowiadać tym swoim feministycznym przyjaciółkom, że lubię chłopców, co nie budzi wprawdzie jej zastrzeżeń moralnych, stawia jednak pod znakiem zapytania związek ze mną. A może szuka pretekstu, by odejść, podczas gdy ja jak głupi tyle dla niej ryzykuję, narażając się rektorowi?

Do diabła, wolę o tym nie myśleć. Za bardzo się rozkręciłem i pędzę na złamanie karku.

— Dzień dobry, gubernatorze.

Prawie się przestraszył, ujrzawszy nagle prowokacyjnie opartą o drzwi Irene w beżowym kostiumie, który podkreślał jej olśniewającą opaleniznę. Zdjęła żakiet i kokieteryjnie rzuciła go w jego stronę.

— Wyglądasz, jakbyś miał ochotę na coś, co twoja matka nazywa subtelnie „superpieprzeniem".

Poczuł, jak jego ciało natychmiast reaguje na zachętę, i napełniło go to prawdziwą radością.

John

— Wybacz, Noele, że tak długo kazałem ci czekać — usprawiedliwiał się John — ale naprawdę miałem dziś na plebanii wyjątkowo pracowity wieczór.

— Nie przejmuj się, wujku — odparła apatycznie.

— Gdy byłem młodym księdzem, wymagano od nas zamykania plebanii przed dziesiątą trzydzieści, a o jedenastej musieliśmy być w swoich pokojach. Nikt by się nie ośmielił wdawać o tej porze w dyskusje.

— Naprawdę? — jej głos zdradzał kompletną obojętność.

— Zdarzali się oczywiście nieposłuszni, których pomimo ustalonej przez diecezję bezwzględnej zasady o jedenastej ciągle jeszcze nie było w domu. Mój pierwszy proboszcz był jednak niesamowicie wymagający.

Noele robiła wrażenie nieobecnej.

— To znaczy musiałeś być codziennie na plebanii o jedenastej? I byłeś?

— W ciągu pierwszych czterech lat nigdy nie zdarzyło mi się spóźnić. Miało to swoje dobre strony, bo dawało mi zgrabną wymówkę i mogłem się ulatniać z nudnych przyjęć.

Noele najwyraźniej błądziła gdzieś myślami.

— Podejrzewam jednak, że nie zjawiłaś się tu, by wysłuchiwać opowieści o starodawnych obyczajach duchowieństwa.

— Chcę wiedzieć, kim jestem — powiedziała cicho z jakimś przejmującym smutkiem.

— Nie rozumiem. Jesteś Noele Marie Farrell, córka Rogera i Irene Farrellów.

— Nie, nie jestem. Ty i mama kupiliście mnie, gdy byłam niemowlakiem, od zwolnionego z pracy inżyniera lotnictwa z Kalifornii.

— Tak ci powiedziała mama? — wyrwało się Johnowi.

— Oczywiście, że nie — odparła wyniośle. — Ja po prostu wiem, wujku. I nie próbuj mnie znowu okłamywać. Bo wiem.

— To nie jest takie straszne, jak by można sądzić, Noele. — W popłochu szukał odpowiednich słów, które by pozwoliły wyjaśnić zagadkę przeszłości. — I nie sądź nas tak surowo.

— Kto jest moją matką? A kto ojcem? — domagała się bezwzględnie odpowiedzi.

— Może ci się to wydawać dziwne, Noele, ale twoja matka i ojciec są naprawdę twoimi rodzicami. Owszem, zostałaś kupiona, tyle że kupiliśmy cię od ludzi, którzy cię wcześniej adoptowali. Nie złość się, proszę, zaraz ci to wyjaśnię.

Oczy Noele pałały bezlitośnie.

— Spróbuj.

— Jak się może domyślasz, twoja matka kochała się w Dannym Farrellu. I twój ojciec go kochał. Rzecz jasna nie dokładnie tak samo, ale gotów był wielbić ziemię, po której stąpał Danny. Kiedy więc umarł, twoja mama i tato bardzo się do siebie zbliżyli. Po pewnym czasie Roger pojechał na studia dyplomowe do Berkeley, Irene zaś najzwyczajniej zniknęła. Wszyscy wkoło sądzili, że miała dość nie kończących się kpin rodziców, sióstr i braci. Tymczasem ona spodziewała się dziecka. Dziecka Rogera. Niestety, czuła, że ich związek daleki jest od idealnej miłości, a perspektywa niesnasek między jej i naszą rodziną napawała ją przerażeniem. Pojechała zatem do Kalifornii i tam urodziła ciebie, córkę, której życie mogło się równie dobrze skończyć aborcją, bo Irene bała się, a poza tym była przekonana, że nie nadaje się na matkę. Zostałaś więc adoptowana przez pewnego inżyniera lotnictwa i jego żonę sądzących, jak ich zapewniano, niesłusznie zresztą, że nie mogą mieć dzieci. Czy to do ciebie przemawia?

Noele była tak poważna, jakby brała udział w uroczystej mszy pontyfikalnej.

— Jak dotąd tak.

John poczuł się nieco pewniej i jego opowieść nabrała rozmachu.

— Twoi rodzice spotkali się znowu w Kalifornii. Wpadli na siebie niespodziewanie podczas jakiejś pokojowej manifestacji w Berkeley i zaskoczeni odkryli, że naprawdę się kochają. Szybko podjęli decyzję... a ja niebawem byłem w Kalifornii, by udzielić im ślubu. I wtedy dopiero twoja mama powiedziała nam o tobie. — Zatroskany potarł czoło.

— Boże mój, Noele, gdybyś nas mogła wówczas zobaczyć! Siedzieliśmy we troje w taniej meksykańskiej restauracji w Berkeley i płakali nad tobą. Byliśmy zgodni co do jednego: musimy zrobić wszystko, by cię odzyskać.

— Przeprowadziłem małe dochodzenie — ciągnął — i udało mi się dotrzeć do ludzi, którzy cię adoptowali. Jak się okazało, byli w dramatycznej sytuacji materialnej. Bardzo trudna była to decyzja, Noele, i to dla każdego. Można nas uznać za okrutnych wobec rodziny, która się tobą zajęła, ale naprawdę nie mieliśmy innego wyjścia.

Z zielonych oczu popłynęły łzy, a wraz z nimi uleciał płomienny żar.

— Nie płacz, proszę, nie chciałem cię zranić. — Twarz Johna zdradzała udrękę. — Ale powiedz sama, czy wszystko w końcu nie ułożyło się dobrze? Wróciłaś do prawdziwych rodziców, którzy nie mogli mieć więcej dzieci, podczas gdy parę zajmującą się tobą przez pierwsze dziesięć miesięcy życia los obdarzył jeszcze czwórką potomków. Ich ojciec został prezesem firmy elektronicznej, którą założył dzięki pieniądzom...

— ...otrzymanym za mnie? — Łzy płynęły nadal po policzkach Noele, lecz usta już układały się do uśmiechu.

— Masz pełne prawo nas osądzić, Noele. I wybacz nam, proszę, jeśli możesz.

— Nie ma nic do wybaczenia — wyszczerzyła zęby w uśmiechu. Znów była pewną siebie liderką grupy folkowej.

Boże, jak łatwo jest uzdrowić człowieka, powiedział do siebie w duchu.

— I nie jesteś zła?

— Dlaczego miałabym być na ciebie zła, wujku? — objęła go na moment, po czym jakby przypomniawszy sobie coś, dodała: — Jeszcze tylko jedno pytanie... Czy sądzisz, że mama wyszła za Rogera głównie dlatego, by móc mnie wykupić?

A już się zdawało, że po burzy przyszła pogoda.

— Poślubiła twojego ojca, Noele, ponieważ uświadomiła sobie, że w gruncie rzeczy zawsze go kochała. I on odkrył w swym sercu to samo.

Noele z powagą pokiwała głową.

— Tak też przypuszczałam.

Kiedy parę minut później klęknął do modlitwy, przed oczami miał ciągle wizerunek szczęśliwej dziewczyny zbiegającej z impetem po schodach i pędzącej przez zaśnieżoną ulicę w stronę czerwonego samochodu.

Przebacz mi. Tak straszliwy był w niej smutek, a ta historia ją uszczęśliwiła, tak jak kiedyś Brigid. Czyż nie jest prawdą to, czego pragniemy?

Irene

Irene siedziała przy biurku, wpatrując się jak zahipnotyzowana w zimowy pejzaż za oknem. Dwadzieścia pięć stopni poniżej zera nawet tu przejmowało chłodem, choć niebo było bezchmurne, a styczniowe słońce zwodniczo jaskrawe. Nadal pracowała nad opowiadaniem o kobiecie mającej romans ze swym szwagrem księdzem, wnikliwą analizą przypadku wzajemnego przywracania się życiu: miłość do brata rozpala w bohaterce namiętne uczucia wobec męża, których wcześniej nie dane jej było zaznać.

Irene wyjęła z sekretnego schowka maszynopis i położyła go na biurku. Przeczytawszy pierwsze zdanie, uznała, że przecinek należy zastąpić średnikiem. Ale pióro nie chciało pisać — trzeba je było napełnić. Westchnęła poirytowana. Gdzie może być atrament? Otworzyła środkową szufladę i zamarła: pod zapasowymi kluczami do seville leżało „Kupowanie dziecka". Musiało tu tkwić od kilku tygodni.

Co za głupota i bezmyślność. Przecież Roger mógł je przeczytać. Albo Noele... Przejrzała uważnie kolejne strony. Wyglądało na to, że nic się nie zmieniło, że są poukładane tak, jak je zostawiła. Trudno jednak mieć pewność, w takich sprawach pamięć często ją zawodziła. Każdy mógł tutaj zajrzeć, co do tego nie było wątpliwości.

Drżącymi rękami ułożyła maszynopis w skórzanej teczce, którą umieściła w schowku, i powróciła do pracy nad nowym tekstem.

Pragnęła, by ta opowieść przesycona była intensywną zmysłowością, lecz pozbawiona jednoznacznych opisów: im mniej szczegółów, tym wyrazistszy będzie erotyzm.

Przeczytała opowiadanie raz jeszcze, czasami przestawiając jakieś słowo albo dopisując zdanie, aż dobrnęła do ostatniej strony.

Klęczała przed nim, nie szczędząc mu najbardziej wyszukanych pieszczot. Wyczerpana i ogarnięta poczuciem winy oraz strachem przed podróżą w śnieżnej zawiei Lorraine kompletnie się zatraciła.

— Nigdy dotąd nie kochałam cię tak bardzo jak dziś.

— Słowa popłynęły jakby z ust kogoś innego. A przecież w tej właśnie chwili były całą prawdą o niej.

Już wiedziała, jak zakończyć, i zdecydowanie dopisała nowy finał:

Kiedy mężczyźni są młodzi, wykorzystują miłość, o której wiedzą niewiele, by nasycić swe zmysły, o których wiedzą bardzo dużo. Kobiety uciekają się do seksu, o którym wiedzą bardzo mało, by zaspokoić potrzebę miłości, o której wiedzą wszystko. Kiedy zaś przychodzi dojrzałość, jeśli przychodzi — większość mężczyzn i kobiet gotowa jest zbliżyć się do siebie, dzieląc wreszcie to samo pragnienie. Niestety, ani Lorraine, ani żadnemu z dwóch mężczyzn, dzięki którym miała nadzieję zagłuszyć swój ból, nie udało się nigdy wyjść poza opłotki niedojrzałości.

Uciekając przed rozpaczą w otchłań zmysłów, Lorraine stała się zwyczajną dziwką.

Przeczytawszy to, co napisała, zastanowiła się nad dodaniem jeszcze jednego zdania, które nieprzerwanie podpowiadała jej podświadomość:

Wkrótce jednak i zmysły ją odstąpią; pozostanie tylko rozpacz.

Pokreśliła całą stronę. To opowiadanie jest kłamstwem. Nawet nie wspomniała w nim o czwartej osobie dramatu, mężczyźnie, którego Lorraine kochała, umarłym, który pociągnął ją za sobą do dalekiego grobu.

Dyrektor CIA

Nareszcie mógł usiąść przed telewizorem z butelką piwa w dłoni i obejrzeć mecz Notre Dame—Georgetown. Piwo i koszykówka — dalekie to było od wizerunku, który dyrektor na własny użytek stworzył w firmie. A przecież grywał w kosza w czasie studiów i przepadał za ostrym, nowojorskim stylem Ala McGuire'a.

Westchnął ciężko, słysząc brzęczenie telefonu. Co znowu z tymi Rosjanami?

— Tu Radford, szefie. Przepraszam, że przeszkadzam w oglądaniu meczu.

Skąd wiedział, do diabła, co teraz robię?

— Słucham — odezwał się niezbyt zachęcająco.

— Mam dla pana niespodziankę.

Brigid

Rodzina zasiadła do stołu w komplecie. Brakowało tylko Noele, ponieważ pozwolono jej obejrzeć końcówkę meczu Notre Dame—Georgetown w towarzystwie czarnoskórego kolegi Jaimiego, DeWitta Carlisle'a, który mierzył sześć stóp i jedenaście cali i był zdaniem Noele absolutnie uroczy, a przy tym tak bystry, że przy badaniu ilorazu inteligencji poprzestano po prostu na 175.

Brigid zerknęła po zgromadzonych. Rodzina najwyraźniej była znowu nie w formie: Irene śmiertelnie poważna, John pobudzony i niespokojny, Roger tak markotny, jakim go jeszcze nigdy nie widziała, nawet Burke posępny i nieodgadniony. Cóż, wszyscy doszli pewnie wniosku, że zmierzają nieuchronnie ku zgubie.

Kiedy John odmówił modlitwę, Brigid — chcąc ucieszyć Burke'a — oświadczyła, że zamierza rozstać się z firmą i rozpocząć nowy etap, co może oznaczać, „jeśli wierzyć mojemu mężowi, nierobienie niczego poza czerpaniem maksimum przyjemności z życia".

— Niezupełnie tak, Bridie — odparł Burke sztywno.

— Ale perspektywa spędzenia kolejnego miesiąca lub dwóch w Meksyku i tak wydaje mi się nadzwyczaj kusząca.

— Naprawdę chcesz się usunąć w cień, mamo? — spytał John. — Jesteś przecież jeszcze taka młoda.

— Nie chodzi o rezygnację z życia, tylko z firmy, a na niej życie się przecież nie kończy.

— Taki pogląd w twoich ustach, Burke? Dość szokujące — przerwał mu Roger. — Sądzisz, że mama gotowa jest przekształcić się w damę, która podróżuje po świecie tylko dlatego, że nie ma nic ciekawszego do roboty?

— Burke z pewnością wierzy, że dłużej będę młoda, jeśli porzucę cały ten obłęd. — Brigid wiedziała, że jej odejście na emeryturę nie wywoła entuzjazmu synów. — A co ty o tym myślisz, moja droga? — skinęła głową w kierunku Irene, właściwie nie wiedząc, dlaczego to robi, tyle że ciągle miała w pamięci ich niedawne starcie i zaskakującą odwagę synowej.

— Nie podejrzewałam, że może cię interesować moja opinia. Skoro jednak zależy ci na tym, by ją poznać... Powinnaś zrobić to, co chcesz.

— To znaczy co? — nie ustępowała Brigid.

— I jedno, i drugie. — Uśmiechnąwszy się blado, Irene powędrowała myślami w zaświaty, gdzie zresztą przebywała ostatnio częściej niż kiedykolwiek.

— Świetna odpowiedź. — Brigid rozejrzała się wokół, jakby zamierzała wyjaśnić rodzinie, w jaki sposób można pogodzić jedno z drugim.

W tym momencie do pokoju weszła Noele. Jaka ta dziewczyna jest piękna, pomyślała Brigid, szczególnie z tym blaskiem w oczach. W zarumienionej twarzy i płonących oczach było wszakże coś, co wywołało z najgłębszych pokładów przesądnej natury Brigid uśpione demony.

— Mecz już się skończył? — spytał Roger.

— W skróconym serwisie informacyjnym podano wiadomość, która na pewno wszystkich zainteresuje. — Głos Noele wzmógł czujność Brigid. — Ambasada amerykańska w Pekinie doniosła, że został zwolniony ostatni Amerykanin przetrzymywany w Chinach jako jeniec. Najprawdopodobniej był pracownikiem CIA, a jego U-2 zostało zestrzelone podczas lotu w 1964 roku. Nazywa się Daniel Farrell. Mieszkał ostatnio w Chicago w stanie Illinois.

Taniec siódmy

Bolero

Taniec wykonywany przez jedną lub dwie osoby, charakteryzujący się niezwykle skomplikowanym układem kroków, szybkimi zwrotami i raptownym zamieraniem w charakterystycznej pozie z ręką uniesioną łukiem ponad głową.

Roger

Na ekranie pojawiła się Ambasada Amerykańska w Pekinie, a przed nią uśmiechnięty siwowłosy Danny Farrell w szarym garniturze.

— Wygląda zupełnie jak Paul Newman. Jakie niesamowite ma oczy! — podniecenie Noele sięgało zenitu.

— Czy pracował pan dla Centralnej Agencji Wywiadowczej? — spytał przeprowadzający wywiad dziennikarz.

Szczupła przystojna twarz ożywiła się, błękitne oczy rozbłysły.

— Dla kogo?

— CIA — nie poddawał się reporter.

— Nigdy o czymś takim nie słyszałem. — Słowom towarzyszyło szelmowskie spojrzenie Danny'ego.

— No nie, naprawdę ma oczy Paula Newmana — upierała się Noele. — Nie mam racji, babciu?

— Cicho, dziecko — szlochała Brigid.

— Czy prawdą jest, że to pan pilotował osiemnaście lat temu U-2, który zestrzelono nad terytorium Chin?

— Tak się tutaj mówi.

— Jaki był cel pańskiego lotu?

— Robiłem zdjęcia.

— Dla kogo?

— Dla amerykańskiego tygodnika, który jak się dowiaduję, przestał się już ukazywać.

— Czy czuje się pan jak ktoś, kto zmartwychwstał?

— W żadnym wypadku. Żyłem cały czas; to raczej reszta świata powstała z martwych.

— Czym się pan zajmował przez ostatni tydzień?

— Czytałem zaległe numery „Time'a".

— Czy dostrzega pan jakieś negatywne zmiany w społeczeństwie amerykańskim?

— Niestety, tak. Zniknęło mini.

— Co pozwoliło panu przetrwać te wszystkie lata?

Uśmiech raz jeszcze rozświetlił jego twarz.

— Wiara.

— Danny Farrell wróci do Stanów za parę dni — zakomunikowała Jane Pauley — i natychmiast spotka się z szefai tygodnika, który dawno temu przestał się ukazywać. Przypuszcza się, że spotkanie będzie mieć miejsce w naczelnej kwaterze CIA w Langley, w stanie Wirginia.

— Ten sam Danny. — John jakby ciągle nie mógł uwierzyć w to, co zobaczył i usłyszał.

— Czy to na pewno on? — zadumał się Roger. — Ciekaw jestem...

— Widzieliście jego włosy? — Brigid niemal tonęła we łzach. — Mój biedny chłopiec.

— To już nie chłopiec, Bridie — stwierdził z powagą Burke. — Niestety.

Milcząca Irene przypominała pogrążoną w żałobie wdowę.

— A według mnie wygląda po prostu jak Paul Newman — tonem nie znoszącym sprzeciwu oświadczyła Noele.

— Absolutnie.

Dyrektor CIA

Odchyliwszy się na krześle, Radford poluzował krawat i przetarł spocone czoło.

— Do diabła, wiem, że ma pan w biurku butelkę bourbona. Mógłby mi pan nalać, dyrektorze? Podwójny, bez lodu.

Nigdy jeszcze dyrektor nie widział Radforda w takim stanie. Spełnił życzenie podwładnego, który jednym haustem opróżnił pół szklanki.

— Spróbujmy, szefie, złożyć to wszystko. Skoro Dan Farrell wrócił i ma zamiar z nami pozostać, bez wątpienia jest w stanie zająć pańskie miejsce, a wszystkich nas uszczęśliwić jakimś spokojnym odosobnieniem.

— Niewątpliwie.

— Powiedziałem mu, rzecz jasna, że traktujemy go jak kogoś, kto przez ostatnie osiemnaście lat był na naszej liście płac, z uwzględnieniem wszystkich podwyżek oraz ewentualnych dochodów z lokaty kapitału.

— Nie da się ukryć, niczego sobie suma — odparł wyraźnie podenerwowany dyrektor. — I co on na to?

— Powiedział: „Tom"... podczas całej rozmowy zwracał się do mnie Tom albo generale. „Nie sądzisz chyba, że to wystarczy, by zamknąć mi usta, gdybym miał ochotę opowiedzieć swoją historię, choć może za dużo, gdybym nie chciał."

— Chce nas wpakować w tarapaty?

— Twierdzi, że nie. Pytał tylko, kto mu zgotował taki koniec, sugerując, że powinien być zwolniony, bo marnie wywiązał się z zadania.

— A ta powieść, którą pisze? — skrzywił się dyrektor — To o nas?

— Nie, jest o rodzinie irlandzkich katolików z Chicago. Nie o jego, w każdym razie tak twierdzi. Podobno ma całą książkę w głowie, musi tylko siąść do maszyny i spisać to wszystko. Powiedział, że o Agencji nie wspomni w powieści ani razu. Ale zaraz dodał z tym swoim uśmieszkiem: „W każdym razie, generale, nie w tej".

— A co nasi psychiatrzy o nim myślą? Miał pranie mózgu?

— Nie protestował przeciwko hipnozie, która w końcu odsłania podświadomość. Podczas rewolucji kulturalnej nie poddawno go chyba presji większej niż innych. Siedem lat temu Chińczycy zwolnili go z więzienia i zesłali do okręgu Hunan, gdzie został robotnikiem rolnym i członkiem lokalnych oddziałów obrony cywilnej. Wszystko wskazuje na to, że udało mu się całkiem nieźle wkomponować w obcy świat. Mówi biegle po chińsku i na pewno jest w stanie dostarczyć sporo interesujących informacji. Zdaniem psychiatrów zdołał się znakomicie dostosować do całkowicie odmiennych warunków kulturowych i wyjść z nich bez specjalnego urazu. Twierdzą, że jest bardzo inteligentnym i łatwo adaptującym się facetem, który ukrywa się za maską błazna, gdyż słusznie, jak się okazało podczas tych osiemnastu lat, uważa że nie ma lepszego sposobu na przetrwanie.

Dyrektor złapał butelkę i dolał Radfordowi, tym razem nie zapominając też o sobie.

— Czy to cała prawda o nim?

— Skąd!... Komediant, który udaje Irlandczyka i puszcza do każdego oko, to zaledwie powłoka. Pod nią kryje się niemal geniusz, najwyższej klasy pilot i oficer marynarki wojennej, a na dobrą sprawę ktoś, kto jest w stanie osiągnąć doskonałość we wszystkim. Gdzieś w środku jednak gotuje się w nim gniew i lęk. Taki wyjechał do Chin i taki wrócił. Tyle że może jeszcze bardziej wściekły.

— Wściekły na kogo?

— Na tych dwoje. — Z pliku fotografii Radford wyciągnął dwa zdjęcia. — To Burke Kennedy, ojczym. A raczej ojczym przybrany, gdyż poślubił wychowującą Danny'ego ciotkę. Wcześniej był jej kochankiem. Bardzo wpływowy skorumpowany prawnik. Nasi spece od duszy węszą tu zazdrość o miłość przybranej matki. Kompleks Edypa.

Na moment zapadło milczenie, jakby obaj zastanawiali się nad czymś, o czym nie chcieli mówić głośno.

— A ta druga osoba?

— Kobieta. Irene Conlon Farrell. Najwyraźniej był w niej zakochany, i to bardzo. Gdy doszła ją wieść, że zginął, wyszła za mąż za jego przybranego brata, a właściwie kuzyna. Zdaniem naszego psychoanalityka ma jej to za złe, uważa, że go zdradziła.

— Nadzwyczaj atrakcyjna kobieta... — Dyrektor raz jeszcze zerknął na zdjęcie Irene. — Mógłby ją zabić?

Radford pokręcił głową.

— Może tak, może nie. Jedni psychiatrzy widzą w nim człowieka opętanego pragnieniem zemsty, inni zaś kogoś, kto potrafi skutecznie rozładować swój gniew. Co do jednego nie ma jednak wątpliwości: ten gniew się w nim gotuje.

— Czyli mamy bombę z opóźnionym zapłonem.

— Do wybuchu może dojść w każdej chwili.

— Tego nam akurat potrzeba. — Dyrektor uporczywie wpatrywał się w szklankę z bourbonem. — A jeśli wyładuje gniew na nas?

— I zapragnie nas zniszczyć, tak jak my jego?

— Właśnie.

— Ciągle jeszcze możemy liczyć na tego, kto już raz próbował się go pozbyć.

Irene

Program „Today Show" rozpoczął się wywiadem Chrisa Wallace'a z Danem Farrellem. Irene wpatrywała się w ekran z bijącym sercem, usiłując — co czyniła bezskutecznie od dwóch tygodni — uporać się z myślą o powrocie Danny'ego, a przede wszystkim zdecydować, jak ma się wobec niego zachować.

— A zatem, panie Farrell — powiedział pełen młodzieńczego uroku Wallace — podczas lotu nad Sinkiangiem U-2 najzwyczajniej przestał działać. Tych samolotów używają, zdaje się, nasze siły powietrzne oraz CIA, prawda?

— Podobno.

— I twierdzi pan, że przydzielono panu jeden z nich do wykonania serii zdjęć z lotu ptaka?

— Czy nie po to są samoloty? — nie dawał się zbić z tropu Danny.

Mój Boże, jak dobrze znała ten szelmowski uśmiech! Ileż razy miała z nim do czynienia, gdy próbowała rozbić chroniący Danny'ego pancerz! Związek z Dannym był kompletnym przeciwieństwem relacji z jego braćmi. Oni pragnęli, by ich wysłuchiwała, podczas gdy on słuchał jej — zawsze wrażliwy, oddany, czuły przyjaciel. Ale kiedy próbowała okazać mu przyjaźń, uciekał od niej daleko, duchem czy ciałem, przepadając nagle na parę dni albo nie pisząc tygodniami. Kobieta mogła być jego miłością, mogła być kochanką, kiedy jednak chciała zostać przyjacielem, Danny po prostu znikał.

— W jaki sposób udało się panu siąść za sterami U-2?

— Niebawem to ujawnię — mrugnął Danny.

— I nadal zaprzecza pan, że był zatrudniony przez CIA czy Siły Powietrzne Stanów Zjednoczonych?

— Sądzi pan, że będąc pracownikiem CIA, właśnie przed panem bym się teraz spowiadał? — Zabrzmiało to jak dobry żart, a sam Danny śmiejąc się wyglądał na zdrowego i szczęśliwego. Kiedy wszakże jego twarz poważniała, wydawał się mizerny, wyczerpany, rozbity.

— Dlaczego Irlandczycy zawsze odpowiadają pytaniem na pytanie? — spytał Wallace.

— Naprawdę?

— Zatem utrzymuje pan, że powieść, której zamysł zrodził się w Chinach, w ogóle nie dotyczy ani więzienia, ani CIA?

— Ta na pewno nie.

— Czy znalazł pan już wydawcę?

— Jeszcze nie. A kogo pan by polecał?

— Minęły już dwa tygodnie od pańskiego powrotu z Chin, ale jakoś nigdzie się pan nie pokazywał. Co pan w tym czasie robił?

— Odzyskiwałem siły w domu wypoczynkowym w Wirginii.

— Niedaleko Langley?

Danny raz jeszcze się roześmiał.

— Chyba tak się nazywa to miasteczko.

— Podobno zamierza pan teraz wrócić do Chicago i pracować nad powieścią. Dobrze będzie znaleźć się znowu w domu, prawda?

— Bez wątpienia.

— Czy będąc w Chinach często pan o tym marzył?

Odpowiedziało mu długie milczenie, ekran zaś wypełniła obojętna, pozbawiona wyrazu twarz Danny'ego.

— Nigdy.

— Szkoda, że nie zostałeś tam na zawsze! — zawołała Irene, zanosząc się histerycznym szlochem.

Brigid

— Trzeba mu dać szansę, Burke. Widziałeś go w telewizji, wcale nie wydaje się zły. Przecież to ciągle ten sam Danny.
— Właśnie tym się martwię, Bridie. — Burke robił wrażenie zdenerwowanego. — Cóż, poczekamy, zobaczymy. Poniosło nas tamtej nocy, nie da się ukryć, ale to w końcu było dawno temu. Nie będę go jednak spuszczał z oczu. Nie chcę, żeby on ani ktokolwiek inny zrobił ci krzywdę.
— Przyrzeknij mi, że nie podejmiesz żadnych decyzji bez porozumienia ze mną.
Burke zawahał się z odpowiedzią.
— Do diabła, Burke, musisz mi to przyrzec.
— Zgoda, Bridie, obiecuję — zrezygnowany wzruszył ramionami.
— Poza tym obiecaj, że nigdy... — wstrzymała oddech — nie wspomnisz przy nim o śmierci Clancy'ego.
— Jeszcze raz mam przyrzekać? — zerknął na nią kpiąco. — Dobrze, już dobrze. Bądź co bądź wyświadczył nam w jakimś sensie przysługę. Nie będę się zresztą spierał, bo i tak z tobą nie wygram.
Brigid westchnęła — teraz przyjdzie jej wymóc to samo na Rogerze. Tak się cieszę z jego powrotu, że gotowa byłabym umrzeć ze szczęścia, powiedziała do siebie. I tak się boję, że ze strachu już umieram.

John

Bracia Farrellowie patrzyli w milczeniu na zaśnieżone boisko, zastanawiając się, czy Danny będzie odnosił sukcesy w sporcie, tak jak kiedyś.
— Myślisz, że znowu będzie grał w kosza? — głos Rogera dobiegł gdzieś z oddali.
— Pewnie tak — mruknął John. Związek z Irene nie miał już przyszłości; raz jeszcze jego miejsce zajmie Danny.
— Mam nadzieję, że nie zamierza wracać do naszej dzielnicy — powiedział Roger, odwracając się od okna.

— Nie wiadomo — zasępił się John. — Dowiesz się, czy chce, by go odebrać z lotniska?

Roger skinął głową.

— Zdaniem Angela Spiny ta jego historia zrobi mi taką reklamę, jakiej nie kupi się za żadne pieniądze.

W śmiechu Johna czuło się coś nieszczerego.

— Pewnie tak samo jak ja marzyłeś nieraz, że Danny żyje.

— A teraz tak samo jak ty nie jestem pewien, czy potrzebnie.

— Cieszymy się przecież, że wrócił. — John rozsiadł się w jednym ze swych niegustownych skórzanych foteli. — Zrobić ci drinka?

— Nie, nie teraz... Och, tak, oczywiście dobrze, że wrócił. Wspaniale będzie go ujrzeć. — Roger rozpromienił się, lecz zaraz znowu sposępniał. — Choć kto wie, czy w związku z tym nie czeka nas rozpad wszystkiego.

— Kompletny chaos — zgodził się John. — I Bóg raczy wiedzieć, co się z niego zrodzi...

Masz do stracenia żonę, pomyślał. A ja może...

— Irene radzi sobie nieźle — zaskoczył go Roger.

— Tak?

— Zachowuje rezerwę i w ogóle o nim nie wspomina. Za to Noele nie mówi o niczym innym.

— Nie spuści z niego oka, to pewne — ostrzegł John.

— Jak w banku.

Noele

Noele nie mogła się uspokoić. Nigdy, ale to nigdy nie przyszło jej do głowy, że będzie niski. Paul Newman bez dwóch zdań — te same błękitne oczy, kręcone włosy, boska twarz. Ale taki niski? Czy to możliwe? Naprawdę niski! Może nie taki jak ja, choć już tylko trochę brakuje mi do pięciu stóp i czterech cali, ale chyba tylko o cal wyższy od mamy, a ona ma pięć osiem. Westchnęła. I ta przedpotopowa, beznadziejna marynarka, w której robi wrażenie jeszcze niższego. Trzeba będzie nad nim popracować. Absolutnie.

Postanowiła mówić do niego Daniel z wyjątkiem sytuacji oficjalnych — wtedy będzie go nazywać Danielem Xavierem. Danny prosił, by nie czekali na niego na lotnisku, chciał bowiem uniknąć spotkania z rodziną pod czujnym okiem mediów. Nim taksówka dowiezie go do domu, uwolni się — przypuszczał — od dziennikarzy. Skąd miał wiedzieć, że wypatruje go tam niecierpliwie Noele, która nie gorzej od telewizyjnej kamery rejestrować będzie każdy gest towarzyszący powitaniu?

Najpierw rzecz jasna Brigid — oboje tonęli we łzach, zasypując się potokiem im tylko znanych czułych słówek. Daniel Xavier jakby trochę przesadzał, ale przecież nikt nie radził sobie z babcią lepiej niż on, zawsze trafiając pochlebstwami w dziesiątkę. Momentami jego oczy były jednak zupełnie inne niż Paula Newmana. Inne nawet niż Roberta Redforda. Przypominały raczej oczy starego człowieka, może Lawrence'a z Arabii, którego zapamiętała z jakiegoś filmu.

Po Brigid przyszła kolej na jej męża, któremu Danny uścisnął dłoń.

— Przyjmij spóźnione życzenia, Burke. Bardzo żałuję, że nie mogłem być na waszym ślubie. Niestety, miałem coś do załatwienia daleko stąd.

Niezbyt się lubią, uznała Noele. Tak było kiedyś i najwyraźniej nic się nie zmieniło.

Johna wziął Danny z rozmachem w ramiona niczym zawodnik futbolowy, który nie oszczędza się w rozstrzygającym meczu, dając z siebie wszystko.

— Jak dobrze cię znowu widzieć, Jackie. No, Brigid, możesz być naprawdę dumna: masz syna monsignora, a przy tym telewizyjną sławę, no i oczywiście proboszcza naszej parafii. Chyba dasz mi parę dni wolnego, nim zostanę odkomenderowany do służby jako naczelny stróż porządku w twoim kościele?

Jasne, że naczelny.

— Kościół bardzo się zmienił, Danny. — Wujek nie był sobą: gładki zwykle i swobodny jąkał się teraz i gubił. — Możesz dziś czytać Ewangelię podczas mszy albo kierować śpiewem, jak Noele.

— Da się na tym coś zarobić?

Przedstawienie na pokaz, uznała Noele, dobrze odegrane, ale pozbawione jakiegokolwiek znaczenia. Czarujący sposób bycia był tylko powłoką, pod którą krył się zupełnie inny Daniel Farrell, i to jemu należało się przyjrzeć. Czasami się odsłaniał, kiedy jego oczy błysnęły nagle niczym światła, które prowadzący nocą kierowca to zapala, to gasi. Był zdenerwowany, przerażony i samotny. I płonął skrywanym gniewem.

Mamę pocałował w rękę, aż się zarumieniła, co nie zdarzało jej się prawie nigdy.

— Irene, wyglądasz piękniej niż kiedykolwiek. Przyznaję, że wchodząc tu modliłem się, byście się obie, ty i mama, nie zmieniły. Tymczasem jesteście jeszcze piękniejsze, zyskałyście z czasem jak najlepszy francuski burgund.

— Tak ci się wydaje — mama nie przestawała się rumienić, niby zadowolona, lecz równocześnie trochę zła — bo dawno nie miałeś okazji widzieć żadnej Amerykanki.

Daniel wybuchnął śmiechem.

— Na pewno, Irene, ale i tak żadna nie mogłaby się z tobą równać. Och, Roger! — jeszcze jedno powitanie, prawie tak entuzjastyczne jak babci. — Następny gubernator stanu Illinois. Zawsze podejrzewałem, że źle skończysz: polityk z doktoratem! Chyba znajdziesz dla swego kuzyna jakąś ciepłą posadkę, by przez resztę życia nie musiał się parać żadną uczciwą pracą?... O właśnie, przecież nie jestem nigdzie zarejestrowany. Czy ktoś, kto nagle ożył, będzie mógł brać udział w wyborach?

— Jestem pewien, że komisja wyborcza znajdzie jakiś sposób. — Roger jako jedyny z obecnych wydawał się naprawdę szczęśliwy. Musiał rzeczywiście lubić Danny'ego.

Teraz kolej na mnie. Noele, nie łam się, zacytowała samą siebie.

— Naprawdę nie mogę uwierzyć, że ta cudna istota, żywcem wyjęta ze starej irlandzkiej legendy, jest moją bratanicą — zaczął Danny.

— Kuzynką — poprawiła go.

Uniósłszy twarz Noele, delikatnie ją pocałował, aż nogi się pod nią ugięły.

— Zdaje się, że mam wobec ciebie dług wdzięczności, rudowłosa irlandzka boginko.

Był to jeden z tych rzadkich momentów w życiu Noele, kiedy nie była w stanie wydusić z siebie słowa.

— Tak? — zainteresował się Roger.

— Jeśli ci, dla których nie pracowałem, mówią prawdę, Noele rozmawiała ze swoim chłopcem, który odbył rozmowę z ojcem kongresmanem, ten zaś zwrócił się do mojego szefa, którego asystent wziął na spytki Chińczyków. Zdaje się zatem, że wszystkiemu jest winien ten chłopiec.

— Sama rozmawiałam z kongresmanem — wybuchnęła Noele czując, jak oblewa się rumieńcem.

— Nic nam o tym nie mówiłaś, kochanie — zdziwiła się Brigid.

Wyraźnie nie byli z niej zadowoleni.

— Nie uważałam tego za NWS — odparła Noele, za wszelką cenę próbując zapanować nad sobą, co wydawało się prawie niemożliwe, dopóki Danny unosił jej brodę, wpatrując się z zachwytem w oczy.

— NWS? — spytał, a jego palce pogłaskały pieszczotliwie policzek dziewczyny. — Wygląda mi to na jakieś jezuickie zaklęcie.

— Coś ci się pomyliło. NWS to „nadzwyczaj ważna sprawa". — Zawrócił mi w głowie, powiedziała do siebie. Kompletnie. Po prostu zwalił mnie z nóg.

— Oczywiście, że to żadna nadzwyczaj ważna sprawa. Wielkie mi rzeczy! Wyciągnięcie starego, biednego kuzyna z Chin. Mało ważny dobry uczynek na zakończenie dnia i tyle — mrugnął do niej porozumiewawczo.

— Jasne — zająknęła się Noele, lecz nim rodzina zasiadła do obiadu, zdołała odzyskać zimną krew i czujne oko kamery zapaliło się w niej znowu.

Wyglądało na to, że jedyną osobą naprawdę zadowoloną z powrotu Danny'ego jest Roger. Burke wydawał się nieufny i podejrzliwy, Brigid dziwnie niespokojna, oczy Johna połyskiwały nerwowo, a mama ciągle się rumieniła. Co to wszystko znaczy, Danielu Xavierze? Wróciłeś do domu i życiem tych ludzi jakby coś wstrząsnęło. Chyba wcale nie uważają, że zrobiłam im przysługę, rozmawiając z kongresmanem Burnsem.

— Co zamierzasz robić, Danny? — spytał Burke.

— Wystrzegać się kłopotów. — Daniel pochłaniał duszone ziemniaki tak łapczywie, jakby starał się nadrobić osiemnaście lat, podczas których był ich pozbawiony.

— Nie mówi się z pełnymi ustami — zwróciła mu uwagę Noele.

Mrugnął do niej szelmowsko, nie przerywając jedzenia.

— Planujesz zamieszkać w okolicy? — W pytaniu Johna czuć było sarkazm.

— Na razie zatrzymałem się w Drake'u, choć powinienem wybrać raczej Mayfair Regent albo Ritza-Carltona. Może niebawem wynajmę jakiś stary dom przy Mandrake Parkway albo Dalton Road, żeby popracować nad powieścią.

— Whitehall — rzuciła Noele.

— Co? — widelec Danny'ego zawisł nad ziemniakami.

— Whitehall to supermiejsce.

— Widzę, że od ciebie najwięcej się dowiem — uznał i powrócił do ulubionego dania.

— Masz już wydawcę? — spytała mama.

— Oczywiście — oczy Danny'ego zatrzymały się na jej twarzy dłużej, niż to było konieczne. — Dlatego wystąpiłem w „Today Show". Po programie wydawca sam się zgłosił. Wystarczyło pierwsze trzydzieści stron, żebym zawarł umowę i dostał zaliczkę. Może doprowadzę tę książkę do końca tu, w okolicy, a potem pomyślę, co robić dalej.

— Pewnie będziesz się chciał wtedy gdzieś ruszyć, co? — Wyglądało na to, że wujek John chce jak najszybciej pozbyć się Danny'ego.

— Tyle masz w życiu do nadrobienia!... — włączyła się babcia.

Daniel porzucił ziemniaki na dobre.

— Ale ja wcale nie zamierzam niczego nadrabiać ani powracać tam, gdzie byłem osiemnaście lat temu. — Wyginał nerwowo palce, starając się panować nad napięciem. — Potrzebuję tylko nieco czasu, by się przyzwyczaić do myśli, że znowu należę do żywych. Wy żyjcie po swojemu własnym życiem i nie przejmujcie się już mną, dobrze? — wyszczerzył się rozbrajająco. — Oczywiście możecie czasem zrobić dla mnie pieczeń wołową z ziemniakami, Bridie, Irene, a nawet ty, Noele. Umiesz chyba gotować, co?

— Bez wątpienia, Danielu Xavierze.

— Bez wątpienia — powtórzyła mama — to znak ostrzegawczy. Uważaj, niebezpieczeństwo wisi w powietrzu.

— Mamooo... — syknęła Noele.

— A gdy mówisz do mnie Danielu Xavierze, czy to znaczy, że mogę się znaleźć w kłopotach?

— To znaczy — sapnęła — że dobrze by było, gdybyś poprawnie się zachowywał.

Całe towarzystwo wybuchnęło śmiechem. Z wyjątkiem Noele, rzecz jasna.

— Cóż, jest tak, jak powiedziałem — Danny rozłożył szeroko ręce niczym papież udzielający błogosławieństwa. Albo rozgrzeszenia. — Życie dla mnie jest czymś nowym, a dla was to codzienna rutyna. I nie powinniśmy sobie nawzajem wchodzić w drogę.

Pomruk zgromadzonych przy stole wyrażał aprobatę i ulgę. Jedna tylko Noele nie włączyła się w ten zgodnie brzmiący chór. Marne szanse, pomyślała.

Nim ktokolwiek z obecnych pomyślał o wyjściu, Danny wstał.

— Wybaczcie, muszę nadrobić zaległości w spaniu — wyjaśnił. Już przy drzwiach dotknął długich rudych włosów Noele. — Nawet w najśmielszych chińskich marzeniach nie wyobrażałem sobie, że wrócę do domu i spotkam tak zachwycającą dziewczynę.

— Gadanie!... — Noele udawała złość, lecz kolana znowu się pod nią ugięły.

Nie uwolnisz się tak łatwo od przeszłości, Danielu Xavierze. Nie ma mowy, to się nie uda. I jeszcze usłyszymy o tobie.

Ace

— Chyba odnalazłaś już swoją tożsamość, M. N., skoro kuzyn wrócił do domu? — spytał Ace, wspierając się na miotle.

— Może sobie ojciec darować — odparła. — I dość obijania, nie zamierzam sama sprzątać po tej bandzie smarkaczy.

Noele była odpowiedzialna za doprowadzenie do porządku sali parafialnej, którą właśnie opuściło pięciuset młodych ludzi. Kiedyś księża mieli dobrze, westchnął Ace. Nie musieli pracować. Ale to było przed soborem i rządami Noele Farrell.

— Jaki on jest?

— Przecież wiesz.

— Tak, ale ciekaw jestem twojej opinii... Dobrze, dobrze, już się biorę za sprzątanie.

— Jest niski!!

— Tobie też daleko do olbrzymki.

— Teraz poważnie... Jest uroczy i przystojny, i zabawny, i miły, i prawie tak dorosły jak Micky Kelly.

— Młodszy brat Eileen?

— Chyba nawet mniej dojrzały.

— Coś takiego... A jak zareagowała rodzina?

— Przedziwnie. Burkie i babcia wyraźnie się boją, mama jest zakłopotana, John się szarpie, a Roger zachowuje się raczej głupawo. Myślę, że wszyscy marzyli, by ożył, a teraz życzyliby sobie, by nigdy nie wracał do domu.

— Ciągle jakieś zagadki?

— Nie przerywaj, ojcze, zamiataj... — Przez chwilę zgodnie przesuwały się po podłodze miotły obojga. — On sam nie wie, kim jest, więc jak jego powrót ma mi pomóc?

— Sądzisz, że jeśli rozwiążesz wszystkie zagadki, Danny dorośnie, a ty dowiesz się, kim jesteś?

— W każdym razie wyjaśni się — z całych sił uderzyła miotłą o ścianę — dlaczego Farrellowie są tacy pokręceni.

Ja wcale nie chcę tego wiedzieć, rzekł do siebie Dick McNamara.

Brigid

Dany kończył kolejną porcję zupy szparagowej w restauracji L'Escargot w hotelu Allerton.

— Naprawdę trudno poznać nasze miasto, takiej nabrało klasy — rzucił między kolejnymi łyżkami zupy.
— Muszę ci wierzyć na słowo, Burke, że elita przepada za tą restauracją. Ja należę do pokolenia, które nie chodziło do francuskich restauracji ani nie znało się na dobrych winach. — Skończywszy zupę, sięgnął po kieliszek chenin blanc.
— Zupa szparagowa, chenin blanc i zupełnie inny Allerton, gdzie kiedyś wpadało się z kolegami do baru. Chicago zrobiło się niesamowicie eleganckie. Nowe domy, nowe hotele, nowi ludzie... Ale dobrze być tu znowu!

Danny'emu marzyło się mięso w domowym stylu i ziemniaki, jednakże Brigid zaproponowała restaurację L'Escargot. Polubiła francuską kuchnię i L'Escargot stało się jej bistrem, jak je nazywała. Jasne meble, bezpośredniość kelnerów, wesoły gwar — tu nie czuła się skrępowana jak w innych francuskich restauracjach. „Pozostałe przypominają domy pogrzebowe dla lepszego towarzystwa", twierdziła. „Boisz się otworzyć usta, by nie powiedzieć czegoś nieodpowiedniego."

Niepoprawny czar Danny'ego spowodował, że oboje z Burkiem zaczęli się nieco rozluźniać. Kryzys nie minął jeszcze, lecz jakoś sobie ze wszystkim poradzi, uznała.

— Nie mogę się nadziwić, jak świetnie wyglądasz, Bridie. Życie seksualne tak cię konserwuje? Bo jak inaczej wyjaśnić, że jesteś atrakcyjniejsza niż osiemnaście lat temu?

W Burke'a jakby diabeł wstąpił.

— Jasne, ta kobieta jest w łóżku pierwsza klasa.

Brigid aż zapłonęła.

— Cicho bądźcie, i to już. Jak można mówić takie rzeczy w miejscu publicznym, nie bacząc na towarzystwo przyzwoitej kobiety!

— Daj spokój — roześmiał się Danny. — Przyzwoita czy nie, powinnaś być zadowolona, że mężczyźni tak o tobie mówią.

— Ale są za dosłowni i nie przebierają w słowach — obstawała przy swoim.

— Dobrze nam ze sobą — spoważniał Burke. — Nie wiadomo jednak, co będzie za miesiąc, bo ta kobieta zapracowuje się na śmierć. Może ty spróbujesz ją przekonać, by zrezygnowała z firmy i zaczęła życie wolne od obowiązków.

— Już widzę Bridie w Pałacu Dodżów albo Uffizi czy w Luwrze. Pamiętaj tylko, że może być trudno odzwyczaić ją od jedzenia popcornu.

— Ugryźcie się obaj w te swoje niewyparzone języki! — wybuchnęła Brigid, lecz wcale nie wyglądała na urażoną.

Burke zaczął wtajemniczać Danny'ego w sprawy firmy, wyjaśniając, jak można by sobie radzić z jej kierowaniem po odejściu Brigid.

— To wszystko będzie kiedyś należeć do ciebie, Danny. Staraliśmy się bardzo... — dodała dziwnie smutno, jakby lata wyrzeczeń napełniły ją goryczą.

Danny nie podjął jakoś tematu firmy.

— O nie, dosyć wina na dzisiaj. Obiecałem, że jeśli uda mi się wydostać z Chin, będę pił tylko wino, i to w niewielkich ilościach.

— Komu obiecałeś coś takiego? — spytała Brigid.

— Bogu, komu by innemu?

Niezależnie od pogody każdego ranka Danny chodził na mszę do katedry Najświętszego Imienia Jezus, co — nawet biorąc pod uwagę osiemnaście lat spędzonych w Chinach — zaskoczyło wszystkich.

— Czy wyobrażałeś sobie kiedyś siebie jako prezesa firmy? — spytał od niechcenia Burke. — Oczywiście wszystko zależy od Bridie, ale warto się nad tym zastanowić. Nie musi to być praca na cały etat. Mógłbyś pisać książkę i równocześnie podziałać trochę w interesach.

Danny wyraźnie unikał wzroku obojga.

— Czy mogę wstrzymać się z odpowiedzią?

— Jasne, nie ma gwałtu — odparł Burke uspokajająco. — Pomyśl jednak o tym.

— Obiecuję, ale najpierw muszę pomyśleć o deserze — zachichotał.

— W każdym razie nie mówisz „nie". — Brigid wpatrywała się w niego uporczywie.

Odpowiedział jej szelmowski uśmiech.

— Co to, to nie, kobieto.

— Bardziej mu teraz ufasz? — spytała niespokojnie Brigid, gdy pożegnawszy Danny'ego jechali do domu wyludnionymi ulicami Chicago.

— Zawsze był twoim ulubieńcem, nie mam racji? — Na moment zapadło milczenie. — Co się stało, Bridie, to się nie odstanie, pamiętaj jednak, że nie wszystkiemu my jesteśmy winni.

— Ale czemu ciągle jesteś taki nieufny?

— Powiem ci, skoro naprawdę chcesz wiedzieć. Kiedy przed wojną byłem na Sycylii, pojechałem obejrzeć Etnę. Niewielki obłok dymu wydobywał się ze szczytu. Lekki, śliczny obłoczek. Czy coś takiego może być groźne? Niemożliwe. A jednak w każdej chwili, i to bez ostrzeżenia, ta przeklęta góra może eksplodować, wyrzucając z siebie zabójczy ładunek.

Burke

Wyciągnął rękę w stronę śpiącej Brigid i delikatnie dotknął jej piersi. Westchnęła zadowolona. W pewnym wieku nawet mała rozkosz dana kobiecie ma niewyobrażalny smak. Zsunął się pod cienką kołdrę i pieszczotliwie przesunął dłońmi po ciele żony, muskając raz jeszcze piersi, lecz bardzo lekko, by nie zbudzić zmęczonej Bridie. Przez moment trwał w błogim spokoju. Ciągle jednak nie był w stanie zasnąć. Na chwilę tylko udało mu się zapomnieć o Dannym i jego sile. Tak, w gruncie rzeczy zawsze byli rywalami: kochanek i ulubiony syn. Trudno było wszakże gniewać się na Danny'ego kiedyś, a tym bardziej teraz, gdy wrócił z prawdziwego piekła i mimo wszystko ciągle jeszcze potrafił się śmiać.

Tak, śmiał się, ale pod tą wesołą powłoką Burke wyczuwał złość, tłumioną przez niemal dwadzieścia lat wściekłość, która zdawała się bliska eksplozji, jakby jej miara się przebrała.

Burke podejrzewał, że gniew skierowany jest w dużym stopniu przeciwko niemu. Czuł go, jak czai się za zmrużonymi niebieskimi oczami. Te oczy czasem odwracały się nagle od Brigid, jakby patrzenie na tę ufającą mu bezgranicznie i bezbronną istotę przekraczało siły Danny'ego.

Burke poczuł pod palcami twardniejące brodawki jej piersi. Jeszcze kilka ruchów i obudzi się, podniecona i gotowa, by go przyjąć. Nie, pomyślał, odsuwając się, sen Bridie jest ważniejszy niż moje pożądanie.

Miłość i pożądanie — jak dziwnie się splatają. Kiedyś próbował oddzielić je od siebie, lecz porzucił ten daremny trud. Jedno wie na pewno: kocha ją i gotów jest zniszczyć każdego, kto jej zagrozi.

Nie wierzę mu. Nigdy nie będę mu ufał.

Rozprostował nocną koszulę Brigid i przewrócił się na drugi bok — jego wyobraźnię wypełnił obraz dwóch dzikich bestii, które prężą się wyczekująco przed sobą, gotowe do ataku.

Noele

Flame podobnie jak Noele nie lubiła zimna. Samochód ślizgał się więc i prychał, a ona usiłowała pogodzić bezpieczną jazdę z prędkością pozwalającą nie spóźnić się do szkoły. Skręciwszy z Jefferson Avenue w Dziewięćdziesiątą Trzecią nagle dostrzegła Danny'ego, który zmagając się z wiatrem — ubrany tylko w dżinsy i cienką wiatrówkę — podążał przed siebie zaśnieżonym chodnikiem.

— Danielu Xawierze, co tu robisz w taki mróz bez czapki i płaszcza?

— Czy łaskawa pani gotowa jest mnie podwieźć? — mrugnął swoim zwyczajem.

— Wsiadaj natychmiast! — zawołała. — Czy nie stać cię na kupienie porządnego płaszcza albo samochodu?

— Szczerze mówiąc, śliczna kuzynko, nie chcę więcej nosić watowanych płaszczy. A jeśli chodzi o samochód, to jak myślisz, co powinienem kupić?

— Zawsze mówię mamie — odparła bez zastanowienia — że niepotrzebnie jeździ datsunem, gdy stać ją na porsche. Bo wiesz, mama przepada za sportowymi wozami. Dziwne. Kompletnie to do niej nie pasuje. No właśnie, mógłbyś kupić porsche i zostać jej kierowcą.

Kątem oka zauważyła zmieszanie Danny'ego. Czyżby ciągle się w mamie kochał?

— Byłem tak zajęty książką, że brakowało mi czasu na cokolwiek. A może chciałabyś któregoś dnia rozejrzeć się ze mną za jakimś ładnym autkiem?

— Jasne!

— Świetnie. — Danny rozsiadł się wygodnie. — Prowadzenie porsche może być równie zabawne jak U-2.

— Tylko go nie rozbij jak ten samolot — pomstowała, przypominając matkę, której syn ma na sumieniu zniszczony rower.

— To nie była moja wina. — Danny miał najwyraźniej ochotę zaspokoić ciekawość Noele. — Samolot się rozbił, ponieważ silnik przestał pracować. Próbowałem się katapultować, okazało się jednak, że i ta aparatura jest zepsuta. Fatalnie. Na szczęście mechanizm, który powinien w sześćdziesiąt sekund po uruchomieniu wyrzutni doprowadzić do eksplozji samolotu, także nie działał. Chińskie migi nie chciały strzelać do tak cennego obiektu, dlatego przeżyłem i jak szybowcem wylądowałem na pustyni. Wiesz, że U-2 zamiast kół ma płozy?

— Jasne, koła odpadają przy starcie. — Noele wiedziała o U-2 wszystko. — Czyli to nie był wypadek?

— Na to wygląda. Niektórzy ludzie w szanownej Agencji przypuszczają, że wydano na mnie wyrok. Szef bezpieczeństwa w Japonii, działający z polecenia Waszyngtonu... tak w każdym razie utrzymywał... zrobił ze mnie kogoś, kto na dobrą sprawę przestał służyć swym pracodawcom. Zlecono technikom odpowiednie „przygotowanie" samolotu i sądzono, że zginę. Tyle że parę osób miało chyba wątpliwości i dano mi szansę.

Noele była oburzona.

— Jak mogło dojść do czegoś takiego?

— Może myśleli, że jestem szpiegiem? W każdym razie ci, którzy dziś kierują Agencją, twierdzą, że Waszyngton nigdy nie wydał rozkazu wykończenia mnie. Szef bezpieczeństwa podjął decyzję na własną rękę. Kilka miesięcy później przeszedł na emeryturę i wyprowadził się do Meksyku, gdzie zaczął życie na poziomie, który zdecydowanie przekraczał jego wcześniejsze dochody. Coś w tym musi być, chociaż szanownej Agencji nigdy nie można być do końca pewnym.

— Sądzisz, że ktoś go opłacił, by się ciebie pozbyć? — Pytanie z trudem przeszło Noele przez gardło.

— To się zdarza. — Danny ze stoickim spokojem wzruszył ramionami, jak człowiek, którego koń rezygnuje z biegu w połowie zwycięskiego wyścigu.

Noele skręciła z Glenwood Drive w Mandrake Parkway, z trudem pokonując śliskie wzniesienie ulicy, i w końcu zatrzymała samochód przed wynajętym przez Danny'ego domem.

— Czy zdajesz sobie sprawę, że skoro ktoś raz chciał się ciebie pozbyć, może znowu spróbować?

— Noele, czytasz za dużo powieści kryminalnych.

— Ten, kto opłacił szefa bezpieczeństwa, nie był książkowym mordercą.

— Przypuszczalnie nie — zgodził się Danny Farrell.

— Danielu Xawierze — powiedziała, stukając palcami w kierownicę — musisz zacząć dorosłe życie. Powinieneś kupić sobie przyzwoite ubrania, ustatkować się, trzymać prosto, nie rozczulać się nad sobą, a przede wszystkim pilnować, by ktoś znowu nie próbował cię zabić...

— Jaimiemu Burnsowi też tak rozkazujesz?

— Wariat! — trzepnęła go z całych sił. — A w ogóle to Jaimie zachowuje się jak dorosły i nie potrzebuje żadnych instrukcji.

— Dlaczego tak się o mnie troszczysz? — spytał miękko.

— Ponieważ jesteś moim kuzynem, którego utraciliśmy na tak długo. — Nie wiedzieć czemu zabrakło jej tchu. — A poza tym chcę, żebyś żył... Dlatego.

— Złościsz się na mnie?

— Nie, skądże znowu. — Nadal bębniła palcami w kierownicę. — Jesteś po prostu niemożliwy.

— Zaskoczyło cię to? Rodzinka mnie dotąd nie opisała?

Ucałował ją delikatnie na pożegnanie, po czym wyskoczył z samochodu i brnąc przez śnieżne zaspy z opuszczoną głową i pochylonymi ramionami, pospieszył do domu.

Spóźni się na pewno do szkoły. To nic. Ten biedak tak bardzo jej potrzebuje! Kilka minut minęło, nim się uspokoiła i była w stanie poprowadzić znowu niesforną flame.

Roger

— Jeśli włożysz coś innego niż wiatrówka i sweter — powiedział Roger — wezmę cię na lunch do naprawdę eleganckiego klubu albo pójdziemy się zabawić do East Bank.

Danny, który wchodząc kiedyś do pokoju przykuwał uwagę wszystkich, kręcił się teraz po kwaterze wyborczej Rogera nie zauważany przez nikogo. Lata spędzone w Chinach nauczyły go, jak być niewidzialnym.

— Możemy się gdzieś wybrać na hamburgera — odparł. — Nie mam ochoty na żadne wytworne miejsca.

Był jeden z typowych dla lutego pozornie wiosennych dni. Temperatura podniosła się do piętnastu stopni, lód i śnieg stopniały nieco, sekretarki jadły lunch na ławkach przy Dearborn Street, nawet jakieś zespoły zaczęły muzykować, udając, że jest lato. Tym razem skromna wiatrówka Danny'ego pasowała w sam raz.

Szli Dearborn Street, która pod nieobecność Danny'ego ogromnie się zmieniła, toteż komentował nowości, dziwując się pracom Miró oraz kpiąc z rzeźby Picassa w Urzędzie Miejskim im. Daleya, kiedyś nazywanym po prostu ratuszem.

Roger miał za sobą ciężki ranek. Gdy zjawił się w kwaterze wyborczej, natychmiast natknął się na Micka Gerety'ego, którego mina nic dobrego nie zwiastowała. Jak się okazało, „materiały Kramera" trafiły do rąk Rodneya Weavera, niegdysiejszego liberała, wydawcy niewielkiego tygodnika „Chicago Informer". Podobno ciągle jeszcze się wahał, czy je wydrukować.

— Pewnie poczeka do prawyborów — oznajmił ponuro Mick. — Wtedy chicagowskie media, które wcześniej nie chciały zajmować się tą sprawą, będą musiały opublikować rewelacje „Informera".

Roger uważał, że sprawa zostanie ujawniona tak czy inaczej i lepiej, żeby stało się to jak najszybciej niż tuż przed listopadowymi wyborami. Do lata rodzinny skandal zdąży nieco przyschnąć.

Gerety widział przyszłość w czarnych kolorach.

— Skoro masz zwyczaj robić tego rodzaju zapiski, może się pojawić pytanie o twą wiarygodność, a także o zdrowy rozsądek.

Dochodzący gdzieś z podświadomości głos radził: rzuć to i wracaj do szacownej nudy okrągłego stołu w Klubie Akademickim. Co go do cholery podkusiło, by wdawać się w to wszystko?

— Trzeba walczyć, Mick, i tyle. A właśnie, jak ci się wczoraj podobało moje kolejne starcie z Radiganem?

— Byłeś nie do pobicia, nieustraszony i twardy jak skała — przyznał Gerety cierpko. — I tak trzeba trzymać, gubernatorze.

Tim Radigan był dziennikarzem radiowym, niezbyt bystrym, za to agresywnym Irlandczykiem, który lubił wprawiać rozmówców w zakłopotanie i dawno zapomniał, co znaczy fair play. Na jak długo jeszcze starczy mi sił, by odpierać ataki takich jak on? pytał Roger sam siebie. Przez chwilę miał ochotę zwierzyć się Danny'emu, lecz oznaczałoby to rozmowę na temat śmierci jego matki i ojca Rogera, a tego w żadnym razie nie chciał.

Idąc dalej Dearborn Street, dotarli do siedziby władz federalnych. Danny aż jęknął z zachwytu ujrzawszy ogromną czerwoną rzeźbę Caldera. Zostawił Rogera i podbiegł bliżej, by objąć jedno z purpurowych ramion.

— Nigdy nie widziałem czegoś tak pięknego! Jedyne w swoim rodzaju! — zawołał niemal w uniesieniu.

— A co to za rodzaj?

Danny odwrócił się ku niemu zdziwiony.

— Rzadka odmiana niegroźnej czerwonej tarantuli. Miałeś jakieś wątpliwości?

— Większość mieszkańców Chicago uważa, że to flaming.

Szli dalej, aż w niewielkim barze kupili w końcu hamburgery i siedli na ławce.

— Co cię gryzie, Danny? — spytał Roger bez ogródek.

— Lęk — wymamrotał z pełnymi ustami. — Jestem przerażony, Roger, nie zauważyłeś? Od powrotu kładę się każdego wieczoru spać marząc, żeby następnego dnia obudzić się w Chinach. Nie było to szczególnie miłe miejsce, ale nie wymagało od człowieka podejmowania decyzji. I nie trzeba było dbać o siebie.

— No to świetnie udajesz kogoś, kto nie wie, co to strach. — Roger wycisnął resztki keczupu na ostatni kęs hamburgera.

— Nie pamiętasz Danny'ego Farrella, nieodłącznego druha swojej młodości? Jasne, że dobrze udaję. Nawet osiemnaście lat w Chinach nie mogło mnie zmienić. A w środku ciągle to samo trzęsące się zero. Może nie trzeba było wracać i rozdrapywać starych ran? Sam nie wiem.

Skończywszy hamburgera, wytarł ręce w serwetkę i wepchnął ją do kieszeni.

Roger chciał coś powiedzieć, lecz jakoś nie potrafił znaleźć właściwych słów.

— Nie przejmuj się, Roger — odgadł jego niepokój Danny. — Brigid i Burke zaproponowali mi przejęcie firmy, ale nie wezmę tego na siebie. Załamałbym się przy pierwszej trudnej decyzji. I nie zrobię nic, by zniszczyć wasze, twoje, Renie i Noele, szczęście. Nigdy już nie będę się mieszał w wasze życie. Ani w nic innego. Może w ogóle powinienem stąd wyjechać? Mój wydawca chce mi znaleźć mieszkanie w Nowym Jorku.

— Mieszkanie z gotową na wszystko panienką?

Żart Rogera przypomniał stare czasy, śmiech Danny'ego wszakże zaprawiony był goryczą.

— Nie wiedziałbym, jak się do niej zabrać. Całkiem już zapomniałem, co to kobieta i seks — westchnął. — O jednym pamiętaj, Roger: nie zamierzam nikomu z rodziny stawać na drodze. Skończyłem z tym raz na zawsze.

— Jak mawiał Harry Truman: „Nigdy nie mów nigdy, bo nigdy to bardzo długi czas".

— Racja. — Danny skrzywił się tylko i zmienił temat. — Co tu się działo w latach sześćdziesiątych po moim wyjeździe? Czytałem to i owo, ale tak naprawdę nie wiem. Byłeś wtedy wojującym idealistą i nadal jesteś, czyli ty się nie zmieniłeś.

— Odszedłem od tego na długo, Dan. Sześćdziesiąty ósmy rok potwornie wszystkich rozczarował. Wcześniej sądziliśmy, że polityka to coś więcej niż puste słowa, ale kiedy tylu ludzi zabito, a wojna trwała, wszyscy nastawieni radykalnie, liberalnie, a nawet umiarkowani katolicy, jak choćby ja, wycofali się. Teraz niektórzy wracają, choć trudno mieć pewność, czy warto.

— Tym razem jednak nie rezygnuj, bo nigdy już nie zaznasz spokoju.

— I kto to mówi? Ten, który sam tłumaczy się strachem — odciął się Roger.

— Punkt dla ciebie. — W spojrzeniu Danny'ego czuć było ironię. — Ale nie rób tego, co ja robię, zrób to, co ci mówię.

W tym momencie jakby coś zatrzasnęło się między nimi i Danny wyraźnie unikał dalszej rozmowy.

Kiedy się rozstali, Roger postanowił pojechać na uniwersytet, by odebrać pocztę. W biurze znalazł list Lawrence'a, a w nim obietnicę ostatecznego rozstrzygnięcia sprawy pani Clay. Marthy nie było. Wyjechała na konferencję kobiet socjologów do Davenport, miejsca dziwnie nie pasującego — jak się Rogerowi zdawało — do radykalnych akademickich feministek. Tęsknił za Marthą, a równocześnie pragnął zakończyć ich romans. Musiał się od niej uwolnić, choćby nie wiem jak kusząca była perspektywa kolejnych spotkań.

Wieczorem ton rozmowie nadawała jak zwykle Noele. I tematem był oczywiście Danny. Zaakceptowany został nowy porsche, całkowicie i bezwzględnie, w przeciwieństwie do jego strojów, sposobu noszenia się i postawy, które ciągle były nie do przyjęcia. Roger zerkał od czasu do czasu na żonę, ciekaw, jakie wrażenie robi na niej fascynacja córki Dannym. O dziwo, Irene zdawała się zupełnie obojętna.

Po obiedzie Roger próbował pracować nad przemówieniem, nie mógł się jednak uwolnić od myśli o Irene. Tak, musi z nią porozmawiać, choćby miało to być nie wiedzieć jak trudne.

Gdy wszedł do sypialni, leżała już w łóżku, czytając ostatnią seryjną powieść. Powstrzymał się od komentarzy — unikał ich od pewnego czasu — na temat jej literackich upodobań. Jakie to zresztą miało znaczenie? Była taka pociągająca w swej frywolnej, całkiem gustownej bieliźnie.

— Czy nie masz nic przeciwko kilku minutom poważnej rozmowy? — Od powrotu Danny'ego związek z Irene powrócił do starej, dobrze znanej rutyny rzadkich i niezbyt wybujałych uniesień.

Zdjęła okulary i wygładziwszy starannie obwolutę, odłożyła książkę.

— Mógłbyś sobie darować ten oficjalny ton.

— Sam nie wiem, jak zacząć — odparł. — W porządku, Irene, spytam cię tylko o jedno. Chcesz, bym się wyprowadził?

— Z domu? — zdziwiła się.

— Nie, z sypialni.

— Aha.

— Powinniśmy porozmawiać już dawno, wiesz o tym.

— Chyba tak — westchnęła. — Ale nic szczególnego się nie stało, prawda? Mam nadzieję, że nie chodzi ci o Danny'ego. Widzisz sam, jaki jest zagubiony, wystraszony i niepewny, a przy tym zupełnie mną nie zainteresowany.

— Rzeczywiście. Ale chcę, żebyś wiedziała, że możesz czuć się wolna i zrobić to, na co masz ochotę.

Oparłszy się o poduszki, Irene przyglądała mu się z uwagą.

— Tak bardzo kochasz Danny'ego, że dla niego gotów jesteś porzucić żonę?

Roger drgnął, jakby ktoś niespodziewanie wbił mu nóż w plecy.

— Dużo mi można zarzucić, Irene, ale tym razem nie jesteś sprawiedliwa. Tak bardzo cię kocham, że twoja wolność jest dla mnie ważniejsza niż własne szczęście.

Podniosła się i chwyciła dłoń Rogera.

— Wybacz mi, kochanie, jestem okropna.

— Kocham cię, Irene — powiedział namiętnie, czując jak ogarnia go tamten bożonarodzeniowy żar. — I zawsze będę bolał nad tym, że tyle czasu musiało minąć, bym zrozumiał, jak bardzo jesteś godna miłości.

— To takie piękne, Roger — odparła, czując łzy zbierające się pod powiekami. — Ja też potrzebowałam dużo czasu, by naprawdę cię poznać.

Przycisnęła jego rękę do piersi, a on zaczął ją delikatnie gładzić i rozkosz, którą poczuła, zdawała się nie do zniesienia. Gdy puściła jego dłoń, odsunął się jednak. Szybko gaśnie ten płomień, pomyślała.

Czy byłby w stanie z niej zrezygnować? A może nie do niego należeć będzie decyzja?

Irene

Po raz pierwszy Irene spotkała Danny'ego sam na sam w supermarkecie przy Dziewięćdziesiątej Trzeciej. Miał na sobie niebiesko-żółtą kurtkę Notre Dame.

— Widzę, że Noele przekonała cię do właściwych barw — zagadnęła. — Tego nie bierz, lepszy jest świeży w butelce — poradziła widząc, jak nie może się zdecydować, który z mrożonych soków pomarańczowych wybrać.

— Przydałby mi się przy zakupach taki doradca jak ty — uśmiechnął się słabo.

— Dziwne, że w ogóle masz czas, by coś kupić. Przez tę twoją książkę niewiele częściej cię widujemy, niż gdy byłeś w Chinach.

— W najbliższą sobotę wyjdę jeszcze wszystkim bokiem, bo John namówił mnie na występ w swoim programie. Powiedz mi, Irene, co się dzieje z tymi moimi przyrodnimi braćmi, kuzynami czy jak ich tam nazwać? Roger startuje do wyborów i wygląda na świetnego kandydata. John gra na nosie kościelnej hierarchii i najwyraźniej jest z siebie zadowolony.

— A ty zamieniłeś się w pustelnika.

Danny budził w niej lęk. Jego oczy brały ją we władanie, ilekroć się spotykali, czasem obnażając i pieszcząc, kiedy indziej rozszarpując na kawałki z zimną, mściwą złością. O tak, miał prawo ją nienawidzić.

Nie nienawiść była jednak najgorsza, lecz dziwna mieszanina gniewu i miłości. Nie może się zdecydować, co do mnie czuje, uznała Irene. Zresztą... I tak jestem wobec niego kompletnie bezbronna, cokolwiek postanowi. To nic, niech mnie terroryzuje, myślała, przynajmniej mam pewność, że coś dla niego znaczę.

Wepchnął ręce do kieszeni i pokręcił głową.

— Wszystko skończone, Irene.

— Tak — szepnęła.

Niemożliwe, byś tak myślał, Danny. Możesz mnie zabić. Możesz się ze mną kochać. Możesz zrobić jedno i drugie, tylko nie mów, że wszystko skończone.

— Czasem myślę, że lepiej by było, gdybym został w Chinach.

— Za nic! — niemal krzyknęła.

Uśmiechnął się zakłopotany.

— Przypominasz mi zupełnie Noele.

— Kiedyś będziesz musiał napisać powieść o swoim zmartwychwstaniu.

— Może — powiedział słabo. — A ty? Nadal piszesz?

— Trochę.

— Mogę zobaczyć?

— Jeśli pokażesz mi swoją powieść.

— Zastanowię się — odparł. — Ale ciebie w niej nie ma, Irene. — Mordercza pasja błysnęła w oczach Danny'ego.

— Szkoda — odparła, za wszelką cenę starając się ukryć, co się z nią dzieje.

— A ja jestem w twoich opowiadaniach?

Cały gniew gdzieś się ulotnił. Och, Danny, zdecyduj się, proszę.

— Oczywiście, że jesteś.

Roger

— Czy możemy się dowiedzieć, jakie, nazwijmy to, reguły gry pani proponuje, Maryjane? — Roger poprowadził Danny'ego i dziennikarkę do stojącego przy oknie River Room stolika. Zamarznięty dopływ Chicago River lśnił w zimowym słońcu jak kryształowa tafla.

— Naturalnie, gubernatorze. Po pierwsze, ja płacę rachunek, po drugie, wszystko zostaje między nami, po trzecie, żadnego uwodzenia — wyliczyła na palcach swe zasady.

Byli zatem gośćmi Maryjane, która wcześniej pokazała im klub East Bank, po czym zmieniła swój klubowy uniform, czyli biało-czerwono-niebieskie trykoty, na sukienkę z dzianiny w odcieniach wrzosowo-zielonych z odpowiednio dobraną apaszką. Naprawdę wiedziała, jak wyglądać profesjonalnie, a równocześnie ponętnie.

W mieście krążyły plotki, że w klubie East Bank widuje się całkiem nagie kobiety. Roger rozebrał więc oczami wyobraźni Maryjane, chłopięcą i kobiecą zarazem, wysoką, zgrabną, wysportowaną, nową podnietę, intrygujący, zupełnie inny niż Martha obiekt biseksualnych fantazji.

— Wiesz, Danny, pani Hennessey jest przeciwniczką seksualnego wyzwolenia — oświadczył Roger.

— Seksualnego wyzysku — poprawiła go.

— Naprawdę? — roześmiał się Danny. — Czy podobnie myślą wszystkie zachwycające kobiety, które krążą tu tak kusząco roznegliżowane?

— Boże, jak to brzmi!... Czysta poezja... Nie, oczywiście, że nie wszystkie — dodała. — Ale co myślisz o klubie East Bank?

— Fantastyczne miejsce. Za jednym zamachem trzy najmocniejsze uderzenia, którymi świat mnie po latach powitał: szaleństwo fizycznej sprawności, feminizm i swoboda seksualna, czymkolwiek to jest.

— Wspaniale. Nie masz nic przeciwko temu, że zapiszę to i owo, wyłącznie dla siebie, by lepiej pamiętać? — Nie czekając na odpowiedź, wyjęła pokaźnych rozmiarów notatnik. — Co sądzisz o tych wszystkich zmianach? A jak na tym tle wygląda seks w Chinach?

Roger już zapomniał, co Danny potrafi robić z kobietami, jak niewiele czasu potrzebuje, by wyzwolić w nich tę elektryzującą iskrę. Cień uśmiechu, błysk oka, nagłe skupienie uwagi — i kobieta płonie. Z Maryjane uporał się w trzydzieści sekund. Piekielny Danny.

— Pochwalam — powiedział rozbrajająco. — A Chiny? Kontrolują przyrost naturalny podobnie jak Irlandczycy sto lat temu i na dobrą sprawę usunęli z życia seks. Po pewnym czasie można się do tego przyzwyczaić, żyć bez pokus. Rok w chińskiej komunie dostarcza ich zresztą mniej niż jeden dzień w tej świątyni kultury fizycznej.

— Zamierzasz się ożenić? Co w ogóle sądzisz o amerykańskich kobietach? — Maryjane z trudem panowała nad porządkiem myśli.

Dan roześmiał się.

— Nie w głowie mi małżeństwo, choć amerykańskie kobiety są wspaniałe, wspanialsze nawet niż kiedyś ze swoją nową niezależnością i tupetem. I naprawdę jestem zafascynowany tym miejscem: piękne dziewczyny w obcisłych trykotach i maszyny do średniowiecznych tortur, najzupełniej poważne podnoszenie ciężarów, mężczyźni i kobiety skaczą pokrzykując w rytm muzyki, obok korty tenisowe, skąpo przyodziane piękne dziewczyny, boiska do piłki ręcznej, piękne dziewczyny prawie w ogóle nie ubrane, biegacze ze słuchawkami na uszach...

Maryjane uśmiechnęła się zakłopotana; trzymała w ręku walkmana, jakby byli na bieżni.

— ...Na basenie pływackim frywolne kostiumy, bar dla samotnych w wielopoziomowym atrium, fantastyczne jedzenie, politycy i dziennikarze przy każdym niemal stoliku. Czy gdziekolwiek poza Chicago znajdzie się pod jednym dachem wcielone w życie tak różne cele?

— Kpisz sobie... — długopis zawisł w powietrzu, a brwi Maryjane uniosły się podejrzliwie.

— Nie, skąd. Składam tylko hołd monumentalnemu, aksamitno-marmurowemu mauzoleum rozmaitości — odparł Danny. — Dlaczego nie miałyby iść ze sobą w parze najnowocześniejsze metody tracenia wagi i jej zyskiwania? Dlaczego nie mogą się spotkać najwyższe wartości i najrozkoszniejsze występki? Mówię poważnie, Maryjane, to cudowne miejsce, jeśli nawet ja nie mogę z niego korzystać, bo jestem wyjałowiony i za stary.

— Ależ znakomicie do niego pasujesz — zaprotestowała żarliwie.

Och, Danny, powinieneś się wstydzić.

— Chyba nie byłbym w stanie rywalizować z tymi szałowymi... tak się ich określa, prawda?... osobnikami w ekstrawagancko spłowiałych, prowokacyjnie opiętych dżinsach.

— Warte zapisania — mówiąc to, notowała coś zapamiętale.

Pomimo młodzieńczego zapału i żywiołowości Maryjane Hennessey była wyjątkowo przytomna i daleka od podniecania się lokalnymi znakomitościami. Danny jednak kompletnie zawrócił jej w głowie. Kiedy żegnała się z nim po lunchu — podczas którego Roger nie miał okazji powiedzieć niemal ani słowa — jej brązowe oczy płonęły bezgranicznym zachwytem. W łóżku, pomyślał Roger, byłaby lepsza niż Martha Clay, ale wygląda na to, że jest nie do zdobycia.

— Łajdak — mruknął, gdy opuszczali hałaśliwą przystań obowiązkowego braterstwa, zmierzając do podziemnego garażu.

— Zazdrosny? — spytał Danny niewinnie. — Chyba nie jesteś nią zainteresowany.

— Jasne, że nie.

— To tak samo jak ja — roześmiał się. — Ani nikim innym, jeśli o to chodzi. Chociaż właściwie miło się przekonać, że nie jestem tak całkiem do niczego, jak twierdzi mój kochany kuzyn.

— Naprawdę chcesz zrezygnować z małżeństwa? — Roger otworzył drzwi samochodu.

Jak miał mu powiedzieć, że męska przyjaźń jest sto razy ważniejsza i potężniejsza niż nie kończące się seksualne gry, które mężczyźni uprawiają z kobietami? Jak dać mu do zrozumienia, że wolałby jeść lunch z nim niż z blondynką Maryjane? Nie mógł się zdradzić. Nie mógł zaryzykować raz jeszcze upokorzenia, jakie przeżył trzydzieści lat wcześniej w sali kinowej.

Brama podniosła się i wyjechali z garażu. Mróz wychłodził wnętrze mercedesa i choć Roger natychmiast włączył ogrzewanie, drżeli obaj jeszcze dobrą chwilę.

— Nie martw się, Roger, masz ją. A ja nie.

— Maryjane? — zdziwił się, zaskoczony nagłą zmianą tematu.

— Skąd.

— Myśleliśmy, że nie żyjesz, Dan. W przeciwnym razie... — głos zawisł w powietrzu.

— Nie ma sprawy. — Danny nie patrzył na niego; obserwował w skupieniu kulących się na mrozie przechodniów. — Naprawdę nie ma sprawy.

Jest sprawa, Danny. I może mieć dalszy ciąg.

Noele

— Czeka nas dzisiaj niezwykłe spotkanie — zaczął monsignore Farrell. — Gościem programu jest mój kuzyn, Daniel Farrell, przez osiemnaście lat więziony w Chinach z powodów, którymi nie będziemy się dzisiaj zajmować. Mieliśmy już raz okazję spotkać go w zeszłym miesiącu po meczu Notre Dame z Georgetown i zapewne wielu widzów zaintrygowało wyznanie Danny'ego, że udało mu się przetrwać więzienie i nie poddać zwątpieniu wyłącznie dzięki wierze. Czy zechciałbyś powiedzieć nam coś więcej na ten temat, Danny?

— Zapewne pamiętasz — odparł z udaną powagą — że jako młody człowiek nie wsławiłem się specjalną pobożnością. Pewnego razu, jeśli sobie przypominasz...

— Chyba tego nie powie! — podskoczyła Noele, niemal przyklejona do ekranu i chłonąca każdy szczegół programu.

— Cicho! — fuknęła na nią Irene.

Danny siedział wyprostowany, w eleganckim garniturze prezentując się całkiem nieźle. Nie, to niemożliwe, by chciał opowiedzieć historię przebrania w sportowy strój figury świętej Praksedy. A jednak — zrobił to.

— Obawiam się, że po tej opowieści niektórzy mogą się zastanowić, czy nie należy cofnąć mi święceń — zachichotał John. — Ale wróćmy do twojej wiary i Chin.

Danny mówił wolno, bardzo starannie dobierając słowa, chociaż dzień wcześniej przećwiczył wszystko z Noele.

— Długo, bardzo długo daleki byłem od sacrum. Na dobrą sprawę często myślałem, że Bóg źle mnie traktuje. Mój ojciec został zabity podczas drugiej wojny światowej, jak ci wiadomo. Matka zginęła potrącona przez ciężarówkę. Miałem Mu to za złe, ale ponieważ wychowywałem się w rodzinie katolickiej, trwałem w wierze. A potem dostałem się w ręce Chińczyków. Okazało się, że nie zamierzają mnie zabić i przyjdzie mi żyć w kraju, którego nie znałem i specjalnie nie lubiłem. Postanowiłem zacząć się modlić do kogoś nieokreślonego, nawet jeśli nie istnieje Ten, który otoczyłby mnie opieką. Weszło mi to w nawyk. Bardzo często myślałem jednak, że coś tu się nie zgadza, bo skoro w Niego... moja

311

siostrzenica upiera się, by dodać: „albo w Nią"... no więc skoro nie wierzyłem, dawno już powinienem się zabić. Czasami byłem na Niego zły... wybacz, Noele, na Nią... że nie pozwala mi umrzeć ani porzucić nadziei, nawet gdy bardzo tego chciałem...

— Co za tupet! — wybuchnęła Noele, w głębi ducha uszczęśliwiona: jej imię padło w telewizji. Ciekawe, jak zareaguje na to Jaimie.

Dalszy ciąg rozmowy nie zrobił na niej wrażenia: bracia Farrellowie mówili same poprawne rzeczy na temat Boga, religii, wiary i miłosierdzia. Dyskutowali o Bogu, w którego na pewno wierzyli. Ale skoro taka silna jest ta ich wiara, dlaczego nie mogą się uporać z tajemnicą rodziny?

Pokręciła głową zdegustowana. Danny, choć elokwentny jak zwykle, zdawał się mimo wszystko spięty. Zresztą od czasu jego powrotu cała rodzina była taka. Ktoś musi ich wyzwolić. I Noele nie miała wątpliwości, kto to zrobi.

Po programie mama i Roger zadzwonili do obu Farrellów z gratulacjami, a Noele pomaszerowała na górę, czując się dziwnie nieswojo. Gdy wchodziła do pokoju, w którym miała własną linię, zadzwonił telefon.

— Dość tego, mała. Mówiłem ci, żebyś się odczepiła. Co ty myślisz, że dam się wsadzić po tylu latach do pudła? A ta twoja przeklęta rodzina wyobraża sobie, że może wyciągać całą historię w telewizji? Prosisz się, by wylądować w szpitalu, ty pindo.

Rozłączył się, a Noele stała ze słuchawką w dłoni, roztrzęsiona, nie będąc w stanie zrobić jakiegokolwiek ruchu. Wiedziała już, kim jest prześladowca.

John

— Gdybym tego nie widział na własne oczy — Danny kręcił głową nieufnie — nigdy bym nie uwierzył.

— Po 1965 charyzmatycy stali się niemal potęgą — powiedział John. — Nie jestem ich entuzjastą, ale wiem, że nikomu nie robią krzywdy, a niektórym rzeczywiście pomogli.

Smagani śniegiem wracali z sali parafialnej na plebanię. Fałszywa wiosna zniknęła i zima zaatakowała ze zdwojoną siłą. Danny często teraz pojawiał się na plebanii, czego dawniej nigdy nie robił, jak ktoś, kto chce odzyskać czas utracony. Patrząc na jego twarz, inteligentną i kruchą zarazem, John czuł, że wyparowują z niego wszystkie urazy, jakie żywił wobec kuzyna, jeśli w ogóle miał mu cokolwiek za złe.

— Nazywają to, zdaje się, chrztem ducha? — spytał Danny. — Nie masz nic przeciwko takim praktykom u siebie?

— Widziałeś, jak to wygląda, prawda? Dominikanin doprowadził zgromadzonych niemal do szaleństwa, a potem każda z osiemdziesięciu pięciu osób najzwyczajniej odpłynęła. Widzisz, Danny, to jedna z nowych rzeczy w Kościele: ksiądz pozwala ludziom na wszystko, czego pragną, wyjąwszy herezję i amoralność, choć i one nie są już takie jednoznaczne jak kiedyś.

— Ciekawe, mdleli jeden po drugim, ale nikt nie zrobił sobie krzywdy, gdy padali na podłogę. Na takich sprawach dobrze się znają Chińczycy...

Był to jeden z rzadkich momentów, kiedy Danny wspomniał o Chinach. John nie chciał jednak naciskać i żądać, by wyjaśniał, co łączy porażenie ducha ze zbiorową histerią w Chińskiej Republice Ludowej.

— Wpadniesz do mnie na drinka?

— Najwyżej na kawę. Poza winem do obiadu nie pijam alkoholu.

John przygotował kawę i Danny próbował ją studzić, dmuchając do filiżanki.

— Jakie reakcje po naszym występie? — spytał.

— Notowania programu poszły w górę i naczelny jest zachwycony. Ale widziałeś chyba dziś rano Larry'ego Rievesa, który twierdzi, że skoro mój brat ubiega się o fotel gubernatora, nieetyczne jest prezentowanie kuzyna, rzekomego bohatera. Typowy Rieves.

— Tak, widziałem go — wyszczerzył się Danny. — I chętnie bym skurczybykowi przyłożył.

— Podzielam twoje pragnienia — poparł go John. Wybuchy gniewu, jak zauważył, nie zdarzały się Danny'emu zbyt często, mogły za to budzić lęk.

— A jak tam twoi koledzy duchowni, którzy tak ci się dobierali do skóry?

John nalał sobie jeszcze jedną filiżankę kawy, żałując, że nie może jej zastąpić martini.

— Był tu dzisiaj Edward Keegan, prawa ręka kardynała, jeden z najbłyskotliwszych znawców prawa kanonicznego w całym Kościele katolickim. Od dobrych kilku lat kardynał utrzymuje się przy władzy dzięki niemu, bo tak dobrych argumentów używa w Rzymie.

— Świetnie by sobie radził w Chinach, szczególnie podczas Rewolucji Kulturalnej.

— Kardynał chce, żebym zrezygnował z programu. Tym razem jest to polecenie, choć nie wyrażone na piśmie — westchnął. — Za dużo Farrellów na antenie, co może się niekorzystnie odbić na nim.

— Na nim? — Danny odstawił filiżankę. — Co złego mogą mu zrobić Farrellowie?

— Opinia publiczna za bardzo się nami interesuje. Źle było, gdy musiał znosić mnie i Rogera, a teraz dołączyłeś jeszcze ty i kardynał czuje się naprawdę zagrożony. Keegan dobrze wie, w jakie struny uderzyć: osobiste życzenie kardynała, polecenie przełożonego, który jest Bożym wysłannikiem, szacunek kolegów księży... I cały czas w tym stylu.

— Nonsens — rzucił Danny pogardliwie.

— Tak myślisz? Gdybyś się w tym wychował, też by na ciebie działało. Keegan jest szczerze oddany Kościołowi, a przy tym naprawdę niegłupi, kiedy więc twierdzi, że tracę coś niezwykle ważnego, czyli szacunek innych duchownych, jestem poruszony. Choć kiedy mówi, że wszyscy księża uważają mnie za egoistę kompromitującego duchowieństwo i Kościół, nie bardzo mu wierzę.

— No nie! I nikt cię nie poprze? — Danny wściekle wyrzucał z siebie słowa. — Czyli wszyscy księża to kompletne zera.

John potarł dłonią czoło.

— Nie, nie wszyscy, może nawet nie większość. Ale ci, którzy tak myślą, robią dużo hałasu i buntują parafian. Wywierają na mnie nacisk, bym zrezygnował z programu albo z parafii.

— Noele mówiła mi o programie, w którym sam siebie wystawiłeś na cel. Pomogło?

— Żaden ksiądz w całej diecezji nie odezwał się słowem, nikt nie zadzwonił, nie napisał, nie zrobił żadnego komentarza podczas pogrzebu, na którym spotkaliśmy się tydzień później. Zupełnie jakby tego programu nie było. Zresztą taka sama zmowa milczenia jest po wywiadzie z tobą. Świetne notowania, mnóstwo telefonów i listów, a duchowieństwo milczy. Oczywiście niechętni obmawiają mnie za plecami, dostarczając argumentów kardynałowi i Keeganowi, moi zwolennicy natomiast dalecy są od tego, by zaryzykować i dać o sobie znać.

— Tchórze!

— Skądże. Praktykują cnotę, którą ja także wcielałem w swe kapłańskie życie: ostrożność.

— Pieprzona ostrożność! — wybuchnął Danny. — Roger w swej kampanii usiłuje być przede wszystkim ostrożny, bo grunt podobno niepewny, i ty na swoim terenie robisz to samo. Do diabła, kiedy zrozumiecie, że jeśli czegoś chce się w życiu dokonać, trzeba walczyć?

Miał rację oczywiście. Pieprzona ostrożność.

Kilka minut później Danny opuścił plebanię. John natychmiast przygotował sobie podwójne martini, a potem patrzył za odchodzącym, w którego przygarbionych plecach była cała prawda o zmartwychwstałym.

Po wizycie Keegana John zadzwonił do Irene, prosząc o spotkanie. Unikał jej wprawdzie od powrotu Danny'ego, tłamsząc w sobie tęsknotę i doskwierającą mu boleśnie samotność, Keegan złamał go jednak, pozbawiając za jednym zamachem woli i dobrego mniemania o sobie samym. Irene nie zgodziła się, czego zresztą należało się spodziewać. A teraz Danny doszczętnie nim zawładnął, tak samo jak Irene przed Bożym Narodzeniem; zajął jej miejsce i nie pozwalał zapomnieć o sobie nawet na chwilę.

Ironia losu. Raz jeszcze odżyły stara zawiść i zazdrość, te same uczucia, od których nie mógł się uwolnić tamtego lata, gdy Danny namówił go, by wrócił do seminarium, po czym sam związał się z Irene. Czy z nią sypiał?... Na samą myśl o tym John zacisnął pięści. Nienawidził Danny'ego, bo Irene go kochała. Niby absurdalne, lecz gniew, który go ogarniał, choć nie wypowiedziany, był równie potężny jak pamiętna furia Clancy'ego.

Wysączył resztki martini. Ten sam konflikt. I on znowu skazany jest na klęskę.

Brigid

Duże nadzieje wiązali z budową wielkiego centrum handlowo-mieszkalnego przy North Michigan Avenue. Gdyby udało im się wygrać ten przetarg, firma miałaby się dobrze przez kolejny rok niezależnie od sytuacji na rynku, a Brigid mogłaby pójść za radą Burke'a i zrezygnować z pracy. Została jeszcze wprawdzie sprawa Danny'ego, lecz niebawem będzie już wiadomo, na co się zdecydował.

Danny, Danny, jak cudownie, że wróciłeś, jeśli nawet zrobiło się przez to niebezpiecznie!

Pozycja przetargowa firmy była tymczasem całkiem dobra; niewielu zresztą dało się znaleźć w mieście kandydatów działających na odpowiednią skalę, a w każdym razie nieliczni mogli konkurować z niskimi cenami Farrell & Sons, za którymi kryła się drobiazgowa skrupulatność Brigid. Na szczęście, westchnęła, tym razem nie trzeba myśleć o łapówkach.

Pochyliła się nad biurkiem z długopisem w dłoni, szukając, gdzie by tu jeszcze można dokonać cięć, obniżyć koszty, co uczyniłoby ich ofertę całkowicie bezkonkurencyjną. Za oknem w zwodniczym lutowym słońcu połyskiwał sprzęt budowlany w biało-zielonych kolorach, stojący tak już od miesięcy niczym unieruchomione okręty wojenne.

Tyle czasu i energii poświęciła firmie! Z perspektywy wydało jej się to nagle bezsensowne. Nie potrzebowała przecież pieniędzy, a jej synów całe to dziedzictwo zupełnie nie interesowało. A Danny, który miał największe prawo do spadku, z nieznanych powodów był jakiś zagubiony i zły. Do czego to wszystko doprowadzi? Bóg raczy wiedzieć.

Próbowała się skoncentrować na długiej kolumnie liczb, ale nie wiedzieć czemu druk zaczął się rozmazywać. Czyżby traciła wzrok? Zamknęła oczy, po chwili otworzyła je znowu. Cyfry nabrały wyrazistości, lecz tylko na moment, bo zaraz cała strona zrobiła się czarna i Brigid poczuła, jak ogarnia ją i pochłania otchłań.

Irene

Irene pomagała Rogerowi w kampanii wyborczej. Siedziała więc w głównej kwaterze w hotelu Midland, przepisując listy, odbierając telefony, zaklejając koperty, a wszystko po to, by uwolnić się od myśli o Dannym. Miała nadzieję, że nikt jej nie zauważy, że zdoła się ukryć w tłumie współpracowników Rogera. Niestety, jako atrakcyjna żona kandydata znalazła się niebawem w centrum uwagi.

Mick Gerety i Angelo Spina byli wobec niej uprzejmi i pełni szacunku. Zdawali się zachwyceni wywiadami, jakie przeprowadzały z nią lokalne gazety, oraz zdjęciami regularnie pojawiającymi się w prasie.

— Jest pani wyjątkowo fotogeniczna — stwierdził Angelo.

— Czy to źle, gdy żona kandydata dobrze wygląda?

— Ależ skąd — zapewnił żarliwie.

Nie mogła nie zauważyć, że zarówno Mick i Angelo, jak i Roger dręczą się skradzionymi dokumentami. I ten ich niepokój przypominał jej coś, o czym sama próbowała zapomnieć: zamordowaną matkę Danny'ego. Takie to odległe, nierealne, jak stary film. Ale co zrobi Danny, jeśli publicznie zacznie się mówić o zabójstwie? A śmierć Clancy'ego? Też morderstwo, jak przypomniała niedawno Brigid. Lecz może Danny nie...

Jak uwolnić się od tych myśli? Jeszcze parę tygodni temu sądziła, że kocha dwóch mężczyzn, a teraz wie, że żadnego z nich nie kocha. Zawiodła Johna. Boże, jak upokorzony się czuł, gdy nie chciała się z nim spotkać po wizycie Keegana! Co to by była za miłość, John, gdybym cały czas wyobrażała sobie, że jesteś Dannym? Z Rogerem, który kochał tylko wtedy, gdy bał się, że ją utraci, mogła udawać. Nie przejmowała się już jego uniwersytecką kochanką ani Maryjane

Hennessey, uroczą dziennikarką telewizyjną, za którą Roger wodził łakomym wzrokiem przez całe popołudnie.

Może tobie, Roger, potrzeba kilku kobiet? Właściwie jakie mam prawo, aby cię osądzać?

A gniew Danny'ego narasta. Już wkrótce...

W biurze Rogera zadzwonił telefon, ponieważ zaś wokół nie było nikogo, Irene weszła do środka i podniosła słuchawkę.

— Noele?... Co?... W szpitalu?... Poszukam Rogera. Jesteś tam z Dannym, tak?... Zaraz przyjedziemy.

Brigid

Danny i Noele zjawili się pierwsi. Danny przysiadł na łóżku i objął ją ramieniem, Noele chwyciła dłoń Brigid i trzymała tak mocno, jakby życie zależało od tego uścisku.

— Co ty wyprawiasz, kobieto? — Danny jak zwykle próbował udawać irlandzką wymowę. — Ledwie wróciłaś ze styczniowych wakacji, a już marzą ci się następne? Nie ma mowy, nie możemy się na coś takiego zgodzić. Jeśli chcesz nas opuszczać bez zapowiedzi, będzie trzeba chyba znaleźć nowego prezesa firmy.

— Danny, byłam bliska śmierci, naprawdę. Czułam, jak wyciąga rękę, by mnie porwać w piekielne otchłanie.

— Co za niestworzone historie! Ani mi się śni tego słuchać — nie poddawał się Danny. — Lekarze twierdzą, że nie ma powodu do obaw: ciśnienie w normie, ekg nie budzi zastrzeżeń, jesteś zdrową kobietą, Brigid. Za dużo pracujesz, to wszystko.

— Tym razem udało mi się wymknąć. Ale wiem, że śmierć już czyha: zawlecze mnie do piekła i będę tam gnić przez całą wieczność.

— Przestań, babciu — powiedziała Noele surowym tonem. — To daleka przyszłość, masz przecież wnuczkę nastolatkę, ale jak już kiedyś umrzesz, Jezus powita cię u wrót swego domu i powie: Wejdź, Bridie, czekałem na ciebie. Siadaj i odpocznij, a ja zaparzę ci świeżej herbaty.

Brigid uniosła się, by objąć Danny'ego i Noele. W cudownych, nieprawdopodobnie zielonych oczach zobaczyła lśniące łzy. A może Noele ma rację? Może Bóg wybaczy jej całe zło, które wyrządziła obojgu?

Wzrok Brigid powędrował ku Danny'emu. Nie, nie ma co liczyć na rozgrzeszenie.

Burke

Jak przerażająco pusty bez niej był dom!

A zawsze myślałem, że ja pierwszy umrę. Może nie jest tak źle; zdaniem lekarzy to nic poważnego. Tylko co oni wiedzą?

Oczy Danny'ego zieją nienawiścią. On coś knuje. Jestem tego pewien. Nawet zadurzona w nim Noele to spostrzegła.

— Wyglądasz dziwnie nieprzyjaźnie, Danielu Xavierze — zagadnął go w szpitalu.

— Martwię się o nią i tyle.

Wygadany łajdak.

Nigdy nie chciałeś, by należała do mnie. Mimo to miałem ją przez czterdzieści lat. I nie zamierzam jej oddać, choćbym musiał cię zabić.

Roger

Przygoda z Marthą Clay dobiegała końca, a im mniej czasu mieli przed sobą, tym bardziej ekstatyczne były ich zbliżenia. Czując bliski kres, jak straceńcy oddawali się oboje każdej możliwej rozkoszy, delektując się smakiem gasnącej miłości. Roger żądał od jej drobnego ciała więcej niż kiedykolwiek, a ona reagowała bezbłędnie erotycznym tańcem, którego każdy ruch kontrolował niczym wytrawny choreograf. Złączywszy się w miłości jak w walce, jęczeli z rozkoszy i bólu niczym dzikie bestie, czułość zaś, jaką obdarzali się nasyciwszy zmysły, miała w sobie niewyobrażalną słodycz, w której z wolna roztapiały się ich upojone ciała.

Roger przestał się przejmować swymi perwersyjnymi fantazjami — stały się nierozerwalną częścią rozkoszy. O ileż bardziej podniecająca była Martha, gdy widział w niej młodego Danny'ego! Dziwne, bo prawdziwy Danny wcale nie wywoływał w nim zakazanych seksualnych skojarzeń, a jedynie serdeczność, jak dobry przyjaciel.

Poprzedniego dnia Roger wpadł do niego i zastał kuzyna uderzającego z pasją w klawisze starej maszyny do pisania.

— Dwieście pięćdziesiąt stron — oznajmił rozpromieniony Danny. — Kiedy dotrę do siedemset pięćdziesiątej, dodam już tylko finał i na tym koniec. Resztę pomysłów zatrzymam na następną książkę!

Roger siadł na rozpadającej się kanapie, która zresztą stanowiła jedyny poza stołem i krzesłem mebel w pokoju. Zdecydował się powiedzieć wreszcie Danny'emu o wiszących nad nim czarnych chmurach.

— Z moją kampanią wyborczą związana jest pewna nieprzyjemna sprawa, o której powinieneś wiedzieć — zaczął niepewnie.

Danny nie odrywał palców od maszyny.

— Wal śmiało.

Przedstawił zatem dość niejasno historię dokumentów zabranych przez Joego Kramera z jego biura oraz telefonów Roda Weavera, który groził ich publikacją, unikając cały czas powiązań ze śmiercią matki Danny'ego.

— Spodziewasz się pewnie — skrzywił się Danny — że prasa rzuci się na mnie, gdy sprawa wyjdzie na jaw. Wiesz, co im powiem? Mam gdzieś wuja Clancy'ego. Co się stało, to się nie odstanie, a on za swoje grzechy już zapłacił. Ja nie zamierzam się bić w piersi w poczuciu winy i tobie radzę to samo.

Reakcja Danny'ego w pierwszej chwili zaskoczyła go spokojem, ostatnie słowa zabrzmiały jednak złowrogo. Co właściwie miał na myśli? Czyżby sam siebie rozgrzeszył?

Gwałtowna namiętność, jaką wróciwszy do domu objawił tej nocy swej błądzącej gdzieś myślami żonie, wyrwała ją na chwilę ze świata marzeń. Dobrze wiedział, że pragnęłaby czuć obok siebie Danny'ego, i świadomość ta czyniła ją jeszcze godniejszą pożądania. Przez krótką, absolutnie doskonałą chwilę Rogerowi zdawało się, że kocha się równocześnie z Irene i młodym Dannym, Dannym, którego utracił na zawsze.

Brigid

— Wyglądasz jak stuprocentowy okaz zdrowia. — Burke ustawił kolejny tuzin róż na nocnym stoliku i ucałował ją czule. — A pachniesz tak cudownie, że bez dwóch zdań musi iść ku lepszemu.

— Przestań paplać i powiedz, czy wygraliśmy przetarg. — Brigid była już najwyraźniej sobą.

— Oczywiście, że tak, Bridie. I wcale nie musiałaś iść do szpitala, by ten milion dolarów nam się dostał. Oficjalnie powiadomią nas jutro, ale ja mam własne źródła. A co nowego mówią lekarze?

— Czy uwierzysz, że przysłali tu głównego psychiatrę? Wszystko dobrze; stare ciało tylko trochę zmęczone. Ale jesteś pewien, że mamy ten kontrakt, tak?

— Absolutnie. Czy w tych sprawach myliłem się kiedyś?

— Nie, nigdy — przyznała bez entuzjazmu Brigid. — Teraz mi pewnie powiesz, że skoro dostaliśmy kontrakt, a ja jestem taka przepracowana, powinnam odpocząć, a najlepiej zrezygnować z pracy.

— Jestem na tyle rozsądny, Bridie, że dam ci czas do Wielkanocy, czyli masz jeszcze miesiąc. Zakończą się wtedy prawybory i będziemy mogli zrobić sobie długie wakacje... Wyjedziemy stąd, choćbym miał cię wyciągnąć za te cudne rude włosy.

— No dobrze, zgadzam się. Ale co z Dannym?

Burke pokręcił głową.

— Mniej będzie mnie martwił, kiedy zabiorę cię stąd, jak najdalej od niego. Ciągle nie ufam temu facetowi. Jest szalony, mówię ci. Te jego oczy jarzą się jeszcze bardziej dziko niż kiedyś.

— Biedak musi sobie znowu znaleźć jakieś miejsce.

— Miejsce w szpitalu wariatów, jeśli chcesz znać moje zdanie. Zobaczysz, on pewnego dnia wybuchnie i przeczytamy w gazetach, że wszedł na jakąś wieżę i zastrzelił z broni maszynowej kilkunastu ludzi.

— Myślisz, że naprawdę mógłby coś takiego zrobić? — ścisnęła kurczowo dłoń męża.

— Bridie, najdroższa, twój bratanek i przybrany syn to istna bomba zegarowa, nie mam co do tego wątpliwości.

Noele

Wystarczyło, by śnieg stopniał nieco, a już uśpieni zimą chłopcy, łącznie z Jaimiem, pojawili się w sobotni ranek na boisku, gotowi do koszykarskiej rundy. Czerwona flame normalnie przejechałaby obok, pewnie dając klaksonem znać o sobie, gdyby Noele nie zauważyła zaparkowanego na Dziewięćdziesiątej Trzeciej srebrzystego porsche'a. Stanęła tuż za nim i zgasiwszy silnik, przyglądała się grającym. Pomimo braku treningu Danny zaskakująco dobrze radził sobie z nastolatkami.

Weszła na boisko, gdy ostatni bezbłędny rzut Daniela wywołał dziki entuzjazm młodych graczy.

— Mamy nowego chłopaka w dzielnicy, Jaimie Burns? — mruknęła Noele.

— Coś w tym rodzaju. Jeszcze trochę nie w formie, ale skacze i rzuca świetnie — odparł jej smukły ukochany o rozmarzonych oczach.

Daniel siedział zmęczony z głową wspartą na piłce i dyszał.

— Nowy chłopak musi wrócić do starej formy, M. N.

— Coś ty powiedział?

Wlepił w nią swe szelmowskie oczy.

— M. N. Tak cię nazywają, może nie?

— Tylko koledzy.

— Przecież traktujesz mnie jak zapóźnionego nastolatka. Ale M. N. brzmi uroczo.

— To słowo wyszło z użycia co najmniej dziesięć lat temu — parsknęła.

— Porzucasz trochę, M.N., czy zrobiłaś się taka dumna, że już z nami nie grasz? — spytał jeden z chłopców, celując piłką w Noele.

Królewskim gestem zrzuciła z siebie białą puchową kurtkę i posłała piłkę do kosza, aż zaświszczało.

— Danielu Xavierze, pokaż, co potrafisz — zagadnęła.

— Czemu nie. Zagrajmy jeden na jednego, to zobaczysz. Pierwsze dwadzieścia jeden punktów zwycięża.

Danny był naprawdę dobry. Zaczął od rzutu z dystansu, potem jeden krótki i zaraz kolejne trzypunktowe. Nim przyszła kolej na Noele, prowadził trzynastoma punktami, a męski tłumek wiwatował ochryple na jego cześć.

Czas najwyższy dać im wszystkim nauczkę, uznała Noele. Zdobyła kolejno osiemnaście punktów, potem miała jeszcze jeden rzut za punkt, tak więc było dziewiętnaście do trzynastu na jej korzyść.

— Powinnaś grać w szkolnej reprezentacji. — Daniel trafił z dużej odległości do kosza.

— Wolę gimnastykę. To dużo bardziej cywilizowane — odparła nonszalancko.

Męskie potwory odpowiedziały zbiorowym jazgotem, aż musiała posłać im spojrzenie typu „dumna Noele", co zwykle skutecznie przywoływało ich do porządku.

Danielowi nie wyszedł kolejny rzut z dystansu i zdobył tylko punkt. Za to Noele udało się rzucić za dwa punkty, a zaraz po nim za jeden. Dwadzieścia dwa do czternastu.

— Wygrałam! — zawołała. — Pobiłam cię, Danielu Xavierze!

— Ale skąd. Musisz prowadzić w trzypunktowych — nie ustępował.

— To prawda, Noele, takie są reguły — dodał Jaimie.

— A ty po czyjej jesteś stronie? — skoczyła na niego.

Przy pierwszym rzucie szczęście nie dopisało Noele. Danny trafił dwa razy, przepadł jednak przy trzecim. Był remis.

— Następny trzypunktowy wygrywa — oświadczył Danny, podając jej piłkę.

Noele podeszła spokojnie do linii z najpiękniejszym ze swych uśmiechów na ustach. Chciałbyś mnie wykończyć psychicznie, co?

— Następny trzypunktowy wygrywa, Danielu Xavierze!

Piłka ze świstem przecięła powietrze, trafiając precyzyjnie w środek kosza. Potwory zgotowały Noele prawdziwą owację, spontaniczne uściski i pocałunki dostały jej się od Daniela, a jakby mniej entuzjastyczne od Jaimiego Burnsa. Najlepszy moment, by wyjść, uznała. Idąc do samochodu, poruszała się z pewną przesadą, lecz ufała, że Najwyższy, który sprawuje władzę nie tylko nad boiskiem i obdarzył ją wyjątkowo ponętną figurą, nie będzie miał nic przeciwko kołysaniu biodrami, skoro sytuacja bezwzględnie tego wymaga.

W drodze powrotnej do domu myślała nieprzerwanie o dwóch sprawach. Po pierwsze była przekonana, że Daniel nadal kocha się w mamie. Widziała to w jego oczach, gdy na mamę patrzył z tym samym pożądaniem, które czasem mignęło w spojrzeniu Jaimiego, kiedy byli sami. Cudownie jest czuć na sobie taki wzrok, lecz kiedy oczy Jaimiego mówiły, że jej pragną, nie miały w sobie tej niszczycielskiej siły, jaką zauważyła u Danny'ego.

Druga niepokojąca sprawa wiązała się z nią: zdawało jej się, że zakochała się w Danielu. Istnieją dwie odmiany miłości. Pierwszy rodzaj to miłość do chłopców takich jak Jaimie Burns. Całujesz ich, pozwalasz się obejmować, pieścisz, tańczysz z nimi, chodzisz na przyjęcia, dajesz prezenty na urodziny i gwiazdkę. I czasami serce pozwala ci stopić się z nimi w jedno. Kiedyś prześpi się z takim chłopcem, może okaże się to czymś trwałym, będzie mieć z nim dzieci, aż w końcu zestarzeją się razem. Inną miłością obdarza się gwiazdy rocka, aktorów, sportowców i podobne kultowe obiekty.

Daniel Xavier nie był chłopcem w stylu Jaimiego. Ale nie był też gwiazdą rocka.

John

Wypił trzy martini jedno po drugim, nim zdecydował się zadzwonić do kanclerza.

Ostatni numer gazetki Stowarzyszenia Księży zamieścił kolejny paszkwil, tym razem pióra Terry'ego Quirka, któremu w przeciwieństwie do Dadsa Fogarty'ego nie brakowało inteligencji i ciętego, zaprawionego złośliwością dowcipu. Zgorzkniały z powodu własnych niepowodzeń Quirk uparcie niszczył innych. Teraz wziął sobie na cel Danny'ego i Johna, wykpiwając zjadliwie ich wywiad.

John zadzwonił do Danny'ego, aby mu o tym powiedzieć, lecz telefon milczał jak zaklęty. Nie miał już siły, by walczyć dalej. Trzeba z tym skończyć, zdecydował.

— Możesz powiedzieć kardynałowi, że rezygnuję z programu. Podczas następnego nagrania poinformuję oficjalnie o swej decyzji.

— Koledzy księża będą z ciebie naprawdę dumni. Przyjmą cię w swe szeregi, jakby nigdy nic się nie stało — rzekł Keegan, nawet się nie zająknąwszy.

— Miło to słyszeć — odparł John obojętnie.

Irene

Noele namówiła ją w końcu na jogging.

— Zima nie jest żadną wymówką, mamo — przekonywała. — Można kupić ciepły dres. Zresztą wcale nie jest tak zimno.

Pierwsze trzy biegi były straszne. Ciało odmawiało posłuszeństwa, mięśnie miały za złe lata bezczynności, a kości protestowały przeciwko zadaniom, do których nie były przyzwyczajone. Z czasem jednak zaczęła uzmysławiać sobie więź z własnym ciałem, poczuła, że naprawdę należy do niej.

Tego ranka pomimo lekkiego mrozu w powietrzu pachniało wiosną, a słońce roztapiało zwały śniegu wzdłuż chodników Dziewięćdziesiątej Czwartej, którą biegła. Miała wrażenie, że cały czas podąża za nią samochód, postanowiła nie zwracać jednak na niego uwagi; w pełnym świetle dnia nie było się czego obawiać. W pewnym momencie kątem oka dostrzegła srebrne porsche, ale nie przerywała biegu. W końcu samochód zrównał się z nią i kierowca odsunął szybę.

— Dzień dobry.

— Przestraszyłeś mnie — powiedziała z wyrzutem, choć to, co się z nią działo, niewiele miało wspólnego ze strachem.

— A ty mnie kompletnie opętałaś — odparł, jego wargi zaś ułożyły się w coś na kształt uśmiechu.

— Myślałam, że kobiety nie mają już na ciebie wpływu.

— Też tak myślałem.

Zamilkli na moment i ich oczy się spotkały.

— Chodź do mnie, Irene — rzekł prosząco i rozkazująco zarazem.

— Taka jestem spocona...

— To nie ma znaczenia.

Przez całą drogę nie odzywali się do siebie niczym żałobnicy jadący na cmentarz.

— Jesteś pewna, że chcesz mnie odwiedzić? — Zaciśnięte na kierownicy dłonie i głos Danny'ego zdradzały napięcie.

Nie może się zdecydować: kochać mnie czy nienawidzić?

— Podtrzymujesz zaproszenie?

— Chyba strach mnie oblatuje.

— Możesz mnie jeszcze odwieźć do domu.

— Po tylu latach czekania? Skandal, jak by powiedziała Noele.

Nie bez dumy oprowadził ją po swym domostwie, dużo lepiej utrzymanym, niż mogła się spodziewać. Z okien frontowych domu, ulokowanego wysoko na wzgórzu, gdzie wieki temu piętrzyły się wydmy prehistorycznego Lake Michigan, widać było Sears Tower i Hancock Center, dwa chicagowskie giganty, z tyłu zaś wiodącą do Memphis autostradę numer 57.

— Najwyżej położony dom w hrabstwie Cook. Patrząc na te ulice wijące się malowniczo wśród porośniętych drzewami wzgórz, trudno uwierzyć, że to ciągle Chicago — tłumaczył, a ona z wyrazu oczu i ust Danny'ego wiedziała, że gniew ciągle walczy w nim z pożądaniem.

Zdjęła czapkę i rozsunęła nieco zamek dresu, gdy wyszedł, by zaparzyć herbatę. Pili ją potem w ciszy, a on pożerał Irene wzrokiem, na co odpowiadała uśmiechem, sycąc się jego rozmiłowanym spojrzeniem.

— Taka jestem spocona — powtórzyła.

— Tak? Naprawdę?

— Ile lat minęło, Danny?

— Dużo, ale jakby to było wczoraj.

Odstawił filiżankę i chwycił dłonie Irene. Gdy wstała, ich wargi musnęły się lekko, nieobowiązująco, jakby próbowały rozpoznać daleką przeszłość.

— Nie powinienem... — Chciał się odsunąć, lecz Irene trzymała go mocno.

— Masz do tego całkowite prawo. I ja też.

— Ślicznie ci w czerwonym — powiedział, dotykając jej bluzy. — Tak jak kiedyś.

— Noele ją wybrała, zresztą jak i twoją wiatrówkę Notre Dame, prawda?

— Ona troszczy się o wszystkich.

Wspomnienie Noele wyraźnie odmieniło Danny'ego. Napięcie zniknęło z twarzy, w oczach zamigotały długo nieobecne wesołe ogniki. Rozpiął bluzę Irene i to wystarczyło, by jej ciało ogarnęła błogość. Chciałabym stać teraz przed tobą naga, mówiła do siebie.

— Noele jest pełna miłości, dlatego dba o każdego.

Nigdy nie zdarzyło się jej myśleć o córce w ten sposób.

— Wielkie nieba, co za dziwactwa noszą teraz kobiety? — zsunąwszy bluzę, żartował z nowego stanika Irene.

Śmiała się, jakby przed chwilą piła nie herbatę, ale szampana.

— Noele namówiła mnie na to... Daj, sama zdejmę... Och, Danny, nic się nie zmieniło, nie zapomniałeś?

Jedyną odpowiedzią był przyprawiający o zawrót głowy pocałunek.

— Nie mogę uwierzyć, że wszystko wróciło.

Znowu gniew w jego oczach — jeszcze mi nie przebaczył.

Poprowadził ją do przeszklonego pokoju na froncie, ze stojącym w kącie łóżkiem i widokiem na Mandrake Parkway.

— Kiedy śpię, lubię mieć okna ze wszystkich stron — powiedział, zaciągając cienkie zasłony. — Nie bój się, nikt nas nie zobaczy.

Nie spiesząc się rozbierał ją dalej, po czym długo przyglądał się ciału Irene, jakby była dziełem sztuki, które ma oszacować. A potem zaczął ją pieścić i świat zawirował w rozkosznej gorączce.

— Moje ciało nie jest już takie jak kiedyś — szepnęła nieoczekiwanie skrępowana swą nagością.

— To nieprawda, Irene. Ciągle jesteś piękna.

Pierwsze zbliżenie przypominało wędrówkę po dawno nie odwiedzanych miejscach, po których Danny oprowadzał ją z delikatną czułością, choć nie mogła nie zauważyć gniewnego błysku migającego czasem w jego oczach. Dobrnęli do końca miłości, lecz spełnienie niosło w sobie raczej słodką obietnicę niż prawdziwe upojenie. Irene była jednak tak rozanielona, że natychmiast beztrosko zasnęła.

Nieoczekiwanie błogi sen zamienił się w przerażający koszmar: nie mogła złapać tchu, czuła, że coś ją dusi. Gdy otworzyła oczy, na szyi miała rękę Danny'ego.

Noele

Wielkimi literami napisała trzy słowa: FLORENCE. CLANCY. DANIEL. Trzy tajemnice.

Pogrążona w myślach i zupełnie nie zainteresowana nudnym wykładem pani Hounslow na temat Trzeciego Świata, dodała jeszcze czwarte: NOELE.

Pani Hounslow była ładną kobietą, nie taką starą, miała może dwadzieścia sześć lat czy coś koło tego. Zwolenniczka feminizmu, buntu i rewolucji, a równocześnie prawdziwa dama. Noele może i współczuła mieszkańcom Trzeciego Świata, zupełnie jednak nie przekonywały jej argumenty pani Hounslow, która twierdziła, że są biedni, ponieważ Amerykanie są bogaci.

Przy pierwszym imieniu napisała: „Clancy czy Burke?"

Noele nigdy nie wdawała się w dyskusje z panią Hounslow, gdyż uczniowie zaraz zaczynali z niej żartować, a wtedy ona — nie będąc w stanie im sprostać — wybuchała płaczem.

Drugie imię opatrzyła dopiskiem: „Daniel?" Ale zaraz go ze złością skreśliła, zostawiając tylko znak zapytania.

Kiedy skończy studia, przyłączy się do Korpusu Pokoju lub czegoś w tym rodzaju.

Przy trzecim imieniu postawiła wielki pytajnik.

Może zrobią to razem z mężem, jeśli wyjdzie za mąż.

Swoje imię przekreśliła; nikt przecież nie próbował jej zabić. Chciała tylko wiedzieć, kim jest — to była jedyna zagadka.

Nagle nie wiadomo dlaczego ogarnął ją paniczny strach, poraził całą, jakby dotknęła przewodu wysokiego napięcia.

— Czy coś się stało, Mary Farrell? — pani Hounslow patrzyła na nią przerażona.

— Źle się czuję — jęknęła Noele, wybiegając z klasy.

Nie poszła jednak do toalety; popędziła w stronę kaplicy.

Brigid

Weszła do biura, nawymyślawszy operatorowi dźwigu, który uszkodził drogi sprzęt. Dziwne, zawsze po takim wybuchu czuła się młodo, jakby była znowu dziewczyną w Irlandii. Irlandia... okrutne, twarde życie, a przecież nosiła w sobie także wspomnienie szczęśliwych chwil.

Burke nie wracał do swych pytań, lecz zada je niebawem, na pewno, nie miała co do tego wątpliwości. Tak, musi pojechać do Irlandii, stać się na tydzień Maeve, pogodzić z prawdziwą Brigid, poznać jej dzieci i wnuki. Właściwie nie było powodu, by się na nią, biedaczkę, gniewać. Ciekawe, jakie też są te jej wnuki? Z pewnością inne niż Noele.

Jak szybko można przebaczyć...

W Irlandii ciągle ciężko jest żyć. O ileż trudniej ma prawdziwa Brigid niż ona, udawana! A tutaj życie takie wygodne. Dlaczego jednak wszystko obraca się wniwecz?

Śmierć... William Farrell, Martin, Florence. Cudowna Florence. Naprawdę niełatwo ją było znienawidzić, chociaż wyszła za mąż za mężczyznę, którego chciała Brigid.

Potem Clancy i Danny. Tylko Danny zdołał przeżyć. Ciągle wszakże coś czai się wokół niego, coś groźnego wisi w powietrzu.

Na dobrą sprawę nic nie jest takie jak powinno. Z wyjątkiem Noele. A tyle budziła z początku wątpliwości. Tak, Noele jest skarbem, jedynym promykiem w ciemności.

Niespodziewanie potworny lęk ogarnął Brigid. Bezwiednie sięgnęła po torebkę i wydobyła z niej stary różaniec, jedyną rzecz, którą przywiozła ze sobą z Irlandii czterdzieści cztery lata temu. Sama nie wiedziała, dlaczego i o co się modli, lecz nigdy jej modlitwa nie była tak żarliwa.

Irene

— Wybacz mi, Danny, zdradziłam cię, zasłużyłam na karę.

Pokora Irene uciszyła jego gniew; zelżał uścisk palców, zamiast nich poczuła na szyi usta Danny'ego.

— Jestem chyba obłąkany, Renie. Przebacz, to się już nigdy nie powtórzy — szepnął udręczony i odsunął się od niej.

— Och, Danny, możesz robić ze mną, co tylko chcesz — wyciągnęła rękę, nie pozwalając mu się oddalić.

Wrócił bez oporów. Silne dłonie powędrowały ku piersiom Irene, potem osunęły się niżej, pieszcząc brzuch i uda, niosąc ukojenie i błogosławieństwo, podczas gdy wargi spijały słodycz z jej ciała, chcąc w ten sposób uśmierzyć własny ból. Cokolwiek nękało i przerażało Irene, zniknęło, jakby w tej jednej chwili stopniały śniegi, porywając ją i unosząc rwącym strumieniem przez potężne wodospady ku wielkiej rzece kończącej swą wędrówkę w bezkresnym oceanie rozkoszy, w którym pławiła się teraz szczęśliwa.

Zasnęła raz jeszcze, a gdy się obudziła, Danny stał nad nią przepasany ręcznikiem, z maszynopisem w ręku.

— Pozwolę ci to przeczytać, jeśli obiecasz, że pokażesz mi swoje opowiadania.

— Och, nie, zbyt się w nich obnażałam, bardziej niż teraz — zdobyła się na uśmiech.

— Świetnie, przyjemność będzie podwójna — mrugnął, jakby był małym chłopcem, któremu wpadł do ręki „Penthouse".

Odłożył maszynopis i siadł obok niej; z przygarbionymi ramionami wydawał się smutny i przegrany.

— Co ci jest, Danny? Coś cię dręczy?

— Niejedno, Renie. Nie powinienem był do tego wszystkiego dopuścić.

— Owszem, powinieneś, a poza tym przypominam ci, że i ja miałam tu coś do powiedzenia. Jak pamiętasz, nie opierałam się zbytnio.

— Ty zawsze byłaś przebojowa — uśmiechnął się smętnie. — Gdyby można wrócić do tamtych czasów... Ale

330

przeszłości nie da się odzyskać, a przyszłość napawa mnie lękiem.

— Nie tylko ciebie. — Uniosła się wyżej, by zajrzeć mu w oczy. Znalazła w nich nieopisane cierpienie i nagle uświadomiła sobie, że zawsze tam było, dużo wcześniej, nim zestrzelono jego samolot.

— Nie psuj tej cudownej chwili, zadręczając się przeszłością i przyszłością.

Poruszyła się zmysłowo i oczy Danny'ego złagodniały; zaczął ją całować z nieskończoną delikatnością, jakby była czymś tak kruchym, że każde dotknięcie mogłoby przynieść zniszczenie.

Odwiózł ją potem do domu i czekał w samochodzie, ona zaś pobiegła do gabinetu po ukrytą w biurku czerwoną skórzaną teczkę, w której przechowywała swe teksty. Wróciła z nią po chwili, a gdy się rozstali, uświadomiła sobie z radością, że oddając mu opowiadania uwolniła się od ciążącej tajemnicy.

Noele

— Wyglądasz na wykończoną, M. N. — powiedziała Eileen Kelly, kiedy Noele przyłączyła się do niej w zatłoczonej stołówce. — Szukałam cię po lekcji w toalecie.

— Byłam w kaplicy — odparła Noele, stawiając na stole frytki. — Już wszystko dobrze.

Gdy tylko klękła przed ołtarzem, ustąpił cały strach — na skutek modlitwy, a może z innego powodu, nie wiadomo, to zresztą nie miało znaczenia.

Daniel. Oczywiście, że Daniel. Gdzieś niedaleko czaiło się, czyhało na niego zło. Powie mu o swych przeczuciach... Nie, to bez sensu.

Teraz świat wrócił do normy, lecz na krótko; cokolwiek to było, pojawi się znowu. Gdyby zdołała rozwikłać zagadki, które wypisała sobie na lekcji, uporać się z przyjętym na siebie zobowiązaniem, może wszystko by się zmieniło.

— Nigdy jeszcze nie byłaś taka blada — zaszczebiotała Eileen Kelly.

— Wiesz, nie daje mi spokoju Trzeci Świat — zakpiła z przyjaciółki.

Biedna, głupia Eileen. A gdyby ją poprosić o pomoc? Nie, w żadnym wypadku. Sama muszę sobie radzić, zdecydowała.

Noele

— Czy kochałeś się w mamie jak Jaimie Burns we mnie?

Daniel Xavier wyglądał, jakby spadł na niego autentyczny grom z jasnego nieba. Z trudem łapał powietrze, niemal udławiwszy się ostatnim kęsem hamburgera.

— Jesteś rzeczywiście bardzo bezceremonialna, M. N. — powiedział, ścierając z ust resztki sosu.

— To nie jest odpowiedź na moje pytanie — nie dawała się zbić z tropu. — Proszę, skup się na temacie.

Zamierzał zastosować się do polecenia Noele, lecz nagle jej uwagę przykuła grupa wyrostków, którzy hałaśliwie wtargnęli do restauracji. Posłała im jedno ze swych niszczycielskich spojrzeń, co przywołało ich do porządku i utrzymało w nim przez dłuższą chwilę.

— Czy komuś udało się wygrać spór z tobą? — spytał Danny, pospiesznie usuwając z ręki resztki musztardy w obawie, że może zostać przyłapany na niechlujstwie.

— Czasami mamie tak się zdaje, ale nie ma racji — odparła poważnie. — W naszej rodzinie właściwie zawsze wygrywam ja.

— Jasne, któż by inny — mrugnął łobuzersko.

— Głupi.

Wymogła na Dannym, by dotrzymał jej towarzystwa na piątkowej zabawie, i spisywał się całkiem dobrze pomimo obaw, że może mieć trudności ze złapaniem nowych rockowych rytmów. Co prawda doprowadzał ją do rozpaczy, pozwalając się zapraszać do tańca młodszym dziewczynom, lecz nie mogła nie przyznać, że postępował dokładnie tak, jak zachowują się superfaceci. Rozprawił się z paru chłopakami, którzy wypili za dużo piwa, i rozdzielił kilka bójek, w jakie wdali się smarkacze z pierwszej klasy. I był na tyle mądry, że na zakończenie zatańczył z Noele. A tańczył świetnie. Bo i jakżeby inaczej?

Po zabawie porwała go do baru „U Reda" i zadała cios, który tak Danny'ego poraził.

— Nasz związek to było zupełnie co innego. Choć starsi, byliśmy chyba mniej dojrzali. Trwaliśmy w stanie kompletnego zaślepienia, podczas gdy ty i Jaimie wydajecie się... powiedzmy, bardziej ustatkowani niż mama i ja.

Uśmiechnął się uwodzicielsko, co natychmiast przyspieszało bicie jej serca.

— Zamierzałeś ją poślubić — oświadczyła, wymierzając w niego swego hot doga.

— Ja... — zawahał się. — Nie wydaje mi się, by do tego doszło. To była raczej letnia przygoda.

— Która zakończyła się, gdy wujka Clancy'ego zepchnięto ze schodów.

Daniel nawet nie mrugnął.

— Zepchnięto, spadł czy jakkolwiek było.

— Co miało związek z twoim odkochaniem się.

— Niezupełnie — odparł swobodnie. — Powodem był mój wyjazd do Azji... Do czego ty właściwie zmierzasz?

— Myślę, że powinieneś się ożenić — powiedziała spokojnie. — Dobrze się czujesz w towarzystwie kobiet, nawet gdy są tylko smarkatymi uczennicami. Musisz mieć kobietę, no wiesz, na stałe.

— Mam poślubić twoją mamę? — zakrztusił się, choć dawno już skończył hamburgera.

— Nie bądź prostakiem. Mama ma męża.

Wyglądało, że poczuł ulgę. Może nawet za dużą, pomyślała Noele.

— A więc jakąkolwiek kobietę? Nie wiem... Jeśli spotkam tę jedyną, może się zdecyduję. Ale ja jestem dość niepoważny, M. N., nie nadaję się na męża. — Uśmiechnął się znowu tym swoim obezwładniającym uśmiechem. — A poza tym muszę się zająć mnóstwem innych spraw.

— Na przykład dojrzewaniem. I przyzwoitym siedzeniem.

Wyprostował się posłusznie jak skarcony uczeń.

— Tak jest, proszę pani.

— Głupi. — Rzuciła mu swe najbardziej druzgocące spojrzenie, w zamyśle mieszaninę oburzenia i odrazy.

Danny lubił sposób bycia nastolatków, próbował mówić tak jak oni, choć nie zawsze z najlepszym skutkiem.

— Robię, co mogę — usiłował żartować z samego siebie.

— Nie dość dobrze. Nie starasz się rozszyfrować, kto był odpowiedzialny za sabotaż w twoim samolocie. I nie bierzesz pod uwagę możliwości, że ci sami ludzie mogą znowu próbować cię sprzątnąć. Chorobliwa skłonność do autodestrukcji. — Dobre sformułowanie, pochwaliła się w duchu, zapominając, że przejęła je od Jaimiego.

Danny pochylił głowę i wsparł na dłoni.

— Przez całe życie biegnę i nie mogę się zatrzymać. Jeśli chcesz się zabawić w psychoanalityka, M. N., możesz powiedzieć, że próbuję uciec od odpowiedzialności za śmierć matki. Jestem Joe Hero, jak mówiło się w czasach mojej młodości, krótkodystansowiec, bo nie stać mnie nawet na trwającą dłużej niż tydzień miłość czy nienawiść.

Wyglądał smutno i źle. Zmarszczki wokół oczu mogły się wydawać interesujące tylko komuś, kto nie wiedział, że są śladem osiemnastoletniej udręki. Był naprawdę dzielny, nigdy nie skarżył się na swój los, nie narzekał. Maskował się znakomicie. Czasem jednak, jak teraz, cierpienia nie dało się ukryć...

Noele zakłuło coś w sercu, boleśnie, mocniej niż kiedykolwiek. Wyciągnęła rękę i pogłaskała go po policzku, jakby miała do czynienia ze skrzywdzonym dzieckiem. Ale Danny nie był małym chłopcem — ucałował jej dłoń.

— Twoi smarkacze myślą, że cię podrywam — zaśmiał się.

— Nie dbam o to — odparła, próbując zachować zimną krew.

Kiedy wspomniałam wujka Clancy'ego, nie zmienił nawet wyrazu twarzy, a niemal udławił się hamburgerem, gdy spytałam o mamę. Trudno się w tym wszystkim połapać. Może zabił wujka Clancy'ego. A może nie. Ale mamę kocha nadal, co do tego nie ma wątpliwości.

Gdy rozstawali się przed domem, Danny pocałował ją na pożegnanie i było to niewyobrażalnie słodkie, choć inne niż pocałunki Jaimiego Burnsa. Jesteś w nim coraz bardziej zakochana, ostrzegał ją głos wewnętrzny. Naprawdę! To moja sprawa, odparła wojowniczo. Głos wewnętrzny też należało czasem przywołać do porządku.

Roger

Zaparkowawszy samochód na University Avenue, co nawet o trzeciej po południu było zadaniem dość karkołomnym, udał się w stronę betonowego bloku, w którym mieściło się biuro Marthy Clay. Nie było jej w mieście podczas weekendu, wyjechała bowiem do matki na urodziny. Chciał się podzielić dobrą nowiną, bo administracja w końcu podjęła decyzję: Marthę mianowano profesorem i zatrudniono na stałe na uniwersytecie. Przed nami niemal wieczność, westchnął bez cienia radości.

Miał za sobą kolejny uciążliwy dzień w kwaterze wyborczej. Zjawił się znowu Rod Weaver i zadręczał jego oraz Micka Gerety'ego, traktując ich jak zespół doradczy, który ma mu pomóc powziąć decyzję dotyczącą publikacji skopiowanych dokumentów. Weaver był niemłodym otyłym facetem, którego rozwichrzone włosy niezbyt skutecznie przykrywały coraz większą łysinę, a ogromny brązowy wąs nie był w stanie uszlachetnić nalanej ziemistej twarzy.

Roger starał się trzymać nerwy na wodzy, jakby miał do czynienia z rabusiem przykładającym mu nóż do gardła czy innym bandytą mierzącym do niego na autostradzie z pistoletu. Pozwolił się Rodneyowi wygadać, dorzucając czasem słówko, mające świadczyć o jego życzliwości wobec człowieka borykającego się z poważnym dylematem moralnym.

— Rozumiesz chyba, w jak trudnej znalazłem się sytuacji. — Weaver powrócił po raz czwarty do tego samego tematu. — Jak osiągnąć równowagę między prawem obywateli do poznania prawdy a moim obowiązkiem niewspomagania w wyborach niekompetentnego i skorumpowanego polityka?

— Gubernator już tak się skompromitował, Rod, że choćbyś miał przeciwko mnie zarzuty na dwadzieścia pięć lat więzienia, i tak go pokonam — oświadczył Roger, a Mick skrzywił się dziwnie.

— Mimo wszystko pozostaje problem moralnej odpowiedzialności za każdy głos oddany na niego w wyborach.

— Ale zgodzisz się chyba ze mną, że nie wyglądałbyś zbyt dobrze, gdyby gubernator przegrał pomimo opublikowania tych materiałów — urabiał go Mick.

— Nie o to chodzi, jak będę wyglądał — Rodney pokręcił swą wielką głową — ale o to, jaka jest moja powinność.

Roger zapukał do gabinetu Marthy Clay jak interesant raczej niż kochanek.

— Proszę!

— Mam dobrą wiadomość, Martho — powitał ją i to też zabrzmiało oficjalnie. — Jutro dziekan formalnie cię poinformuje, że rektor zatwierdził wreszcie twoją nominację. — A ja, dodał w duchu, będę znowu mógł się z tobą zabawić, jakbyś była Dannym Farrellem, gdy pójdziemy nieco później do łóżka, by świętować ten sukces.

Reakcja Marthy daleka była od entuzjazmu.

— Bardzo mi miło.

Roger poczuł się tak, jakby ktoś wymierzył mu policzek.

— Tylko miło?

— Naprawdę doceniam dowód zaufania uniwersytetu — uśmiechnęła się rozkosznie. — Obawiam się jednak, że będę musiała odmówić. Spotkałam się z Lloydem i zdecydowaliśmy się pojednać. W przyszłym roku wracam do Bostonu, a przez najbliższe miesiące będziemy się odwiedzać w weekendy. Lloyd spodziewa się nominacji w University of Massachusetts i sądzi, że ja też mogłabym dostać tam coś na pół etatu albo w Boston University, a może nawet w Boston College.

Wściekłość, która w nim wybuchła i poraziła całe ciało, miała w sobie coś zwierzęcego. Złapał Marthę za ramiona i bez słowa potrząsał nią jak szmacianą lalką.

— Uderz mnie, jeśli chcesz — szlochała, szczękając zębami. Wcześniejsza nonszalancka pewność siebie zniknęła bezpowrotnie. — Zasłużyłam sobie.

Gniew opuścił Rogera równie szybko, jak się pojawił.

— Tak mówi moja ukochana feministka? — szepnął, tuląc ją.

— Czuję się naprawdę winna. — Martha płakała i śmiała się równocześnie. — Ale to ty przekonałeś mnie, że miłość jest najważniejsza, i zdałam sobie sprawę, jak bardzo ko-

cham Lloyda, choć byłam dla niego taka okrutna. Aż trudno
uwierzyć, że dał mi jeszcze szansę. Ale zrobił to.
     Drobna twarz Marthy jaśniała radością, gdy ocierała
ostatnie łzy.
     — Cieszę się bardzo i życzę wam szczęścia. — Tak, to
będzie dobra formuła na zaręczyny Noele. Wtedy na pewno.
     — Wiedziałam, że mnie zrozumiesz — zawołała roz-
promieniona.
     Ależ oczywiście, powiedział do siebie ponuro.

     Ciągle jeszcze pod wrażeniem rozmowy z Marthą, stał
w sypialni bez ruchu, wpatrując się uważnie w dobrze znane
przedmioty — telewizor, w którym Irene miała zwyczaj leżąc
w łóżku oglądać poranny ,,Today Show'', co zdecydowanie
potępiał; budzik, który uparcie dzwonił rano, wyrywając go
ze snu; pusty wazon; bezładnie rozrzucone na toaletce
kosmetyki. Kim jest ten patrzący na niego z lustra głupiec?
Pospolity erotoman porzucony przez kobietę, którą jak
sądził, kocha. I niewierny mąż, tkwiący pomiędzy żoną
a mężczyzną, którego ona kocha.
     Wiedział, co musi zrobić, by przywrócić sobie poczucie
własnej wartości. Zwróci wolność Irene. Może okazując jej
wspaniałomyślność i panując skutecznie nad sobą, zdoła
odzyskać choć odrobinę utraconej godności. Prawdziwy
katolicki idealista odprawiający pokutę, pomyślał i skrzywił
się, spojrzawszy na swoje odbicie w lustrze.
     Nie, nie, nie, to wcale nie znaczy, że jestem zwolniony
z pokuty.
     Wyjął z szafy kilka garniturów oraz marynarek i zniósł je
do pokoju na dole, potem wrócił po przybory toaletowe,
koszule, skarpetki i bieliznę.
     Kiedy Noele poszła do siebie odrabiać lekcje, zakomuni-
kował Irene:
     — Przenoszę się do pokoju gościnnego. To chyba na
razie najlepsze rozwiązanie.
     Irene, wyjątkowo piękna tego wieczoru i wyjątkowo
czymś pochłonięta, skinęła głową, ledwie słysząc, co do niej
mówi.
     — Zgoda.

Noele

Wracała tego dnia ze szkoły wcześniej niż zwykle, rozmyślając nad listem, który zamierzała napisać do Jaimiego Burnsa przed kolacją. Wprawdzie mogła do niego zadzwonić, bo po piątej minuta rozmowy z Notre Dame kosztowała tylko pięćdziesiąt centów, lecz w liście miłosnym można powiedzieć coś innego niż przez telefon.

Musi się bardziej skupić na sprawie Danny'ego. Nikt w rodzinie nie chciał rozmawiać na jego temat i miała wrażenie, że wszyscy uważają go za trochę stukniętego. Wszyscy oprócz mamy. Ale też trudno mieć pewność, co mama naprawdę myśli, bo nigdy nie powiedziała o nim ani słowa. Czy ciągle go kocha? Też pytanie! Fatalnie, zwłaszcza że i on jest w niej zakochany. Nie ma wątpliwości, jestem zazdrosna, zbeształa samą siebie Noele.

Coraz trudniej było jej zachowywać bezstronność wobec kuzyna. To tylko dziecinne zadurzenie i nic więcej, próbowała się usprawiedliwiać. Jestem nastolatką i to normalne, że coś takiego mi się przytrafia. No tak, ale nigdy nie było aż tak mocne.

Westchnęła. Najgorsze ze wszystkiego jest jednak to, że nie kto inny jak ona, Noele, musi — była tego pewna jak wschodu słońca rano i zachodu wieczorem — rozwiązać zagadkę rodziny Farrellów, wyprowadzić na ludzi Daniela Farrella, a potem przekonać wszystkich po kolei, że powinni wziąć się poważnie za własne życie.

Nie wyłączając mnie, mruknęła. Bez dwóch zdań, Mary Noele.

Uderzenie było tak nagłe, że właściwie nie zdążyła nic zauważyć: ogromny pojazd, niczym miotający się w szale potwór, wpadł na flame, wyrzucił ją w powietrze i zgasił światło w głowie Noele.

Taniec ósmy

Ragtime

Ragtime ma swe korzenie w repertuarze białych śpiewaków ucharakteryzowanych na Murzynów i muzyce tanecznej przeznaczonej dla salonów rozrywki. Szczególnie popularny na przełomie wieków; przez wiele lat wykonywany w działach muzycznych domów towarowych.

Roger

Na dźwięk telefonu Roger ukrył głowę w dłoniach, w końcu jednak podniósł się i poszedł go odebrać. Kto może do niego dzwonić o tak późnej porze? Z pewnością jakiś głupiec z mediów.

W słuchawce ktoś dyszał ciężko.

— Kto tam? — warknął Roger ze złością.

— Ostrzegałem tę małą pindę, ale nie przestała węszyć. Jak z tym nie skończy, to następnym razem dostanie tak, że popamięta na całe życie.

— Kto mówi? Kto to? — Roger krzyczał na próżno. Połączenie zostało przerwane.

W popłochu pobiegł do pokoju Noele. Siedziała na łóżku z zabandażowaną głową i podbitym okiem, spierając się zapamiętale z matką i Dannym.

— Dobrze, że jesteś, Roger. Tłumaczę mamie, że nie obchodzi mnie, czy flame nadaje się do kasacji czy nie. Muszę ją mieć. Nie żadnego nowego czerwonego chevroleta, tylko moją starą flame. Co z tego, że naprawa kosztuje tyle samo co nowy samochód? Ja chcę flame.

— Ta dziewczyna majaczy w gorączce — Danny puścił do Rogera oko.

— Nie majaczę, Danielu Xavierze, zrozumiałeś? Lekarz powiedział, że poza guzem na głowie, podbitym okiem i paru stłuczeniami nic mi nie jest. Nie miałam nawet wstrząsu mózgu. I za nic nie dopuszczę, żeby jakiś stuknięty bandzior odebrał mi flame.

Zielone oczy Noele napełniły się łzami. Jak łatwo siedemnastolatka przemienia się w dwunastoletnią dziewczynkę, pomyślał Roger. No tak, flame to przecież lalka na czterech kołach.

— Zajmiemy się flame, nie musisz się już tym martwić — powiedział. — Chcę jednak wiedzieć, młoda damo, czy ktoś ostatnio próbował cię straszyć.

Noele wodziła niespokojnie oczami od Rogera do Danny'ego i Irene.

— Tak... — wydusiła w końcu.

— Na Boga, czemu nic nie powiedziałaś? — krzyknął niemal.

— Nie chciałam was martwić.

— Śnieżko — zmienił ton na przesadnie łagodny — wiesz, że jestem kandydatem na gubernatora. Mam, jak na pewno zauważyłaś, piękną żonę i równie piękną córkę, których zdjęcia pojawiły się w prasie i telewizji. To przykuwa uwagę szaleńców. Czy ten człowiek powiedział ci, kim jest i czego chce?

— Powiedział, że mam przestać interesować się przeszłością — mruknęła posępnie.

Roger poczuł, jak krew tężeje mu w żyłach, a żołądek skręca się boleśnie.

— Porozmawiam o tych telefonach z porucznikiem McNeallym, ale musisz mi obiecać, że natychmiast mi powiesz, jeśli się powtórzą. Zrozumiałaś?

— Tak — zmieniła się w potulną dziewczynkę.

— To dotyczy również ciebie, Irene, i ciebie, Danny, zresztą każdego w naszej rodzinie, kto miałby jakieś dziwne telefony.

Zszedł na dół do gabinetu i zadzwonił do porucznika McNeally'ego, po czym przygotował sobie drinka. Policjant, piegowaty złotowłosy młody Irlandczyk, zjawił się po piętnastu minutach.

— Fachowa robota, gubernatorze — powiedział, stanowczo rezygnując z proponowanego mu drinka. — Dzięki zeznaniom naocznych świadków udało nam się znaleźć ten mikrobus, porzucony dwie godziny po wypadku. Został skradziony firmie z Oak Lawn. Kierowca doskonale wiedział, jak rozbić samochód, nie powodując poważnych obrażeń kierowcy.

— Jesteście pewni, poruczniku? — spytał Roger z lękiem.

— Może to tylko zbieg okoliczności, ale raczej nie sądzę. Zbyt przypomina styl działania mafii. Czy zrobił pan lub powiedział coś, co mogłoby dotknąć naszych przyjaciół z West Side?

— Absolutnie nie. Czy mają zwyczaj ostrzegać w ten sposób każdego kandydata?

— Nie słyszałem dotąd o czymś podobnym.

— A telefony z pogróżkami? Moja córka powiedziała mi właśnie o kilku, a ja miałem dzisiaj jeden. Ten ktoś wiedział o wypadku i ostrzegł, że następnym razem posunie się dalej.

— To możliwe. Widocznie mają coś przeciwko pańskiej rodzinie. Zorganizujemy oczywiście ochronę, ale powinienem pana ostrzec, że jeśli ktoś bardzo chce śmierci pańskiej córki, cholernie trudno będzie temu przeciwdziałać.

— Boże mój! — przeraził się Roger. — Czy żyjemy w dżungli, poruczniku?

— Nie, to Ameryka roku 1982. Każdego można zabić, jeśli tylko ktoś chce dobrze zapłacić. To wyłącznie kwestia ceny. Tak naprawdę nikogo nie jesteśmy w stanie ochronić, nie wyłączając prezydenta Stanów Zjednoczonych.

McNeally wyszedł, a Roger osunął się wykończony na fotel. To robota Rocca Marsalla, pomyślał. Prawdopodobnie głos w telefonie należał do Marszałka, który obawia się, że morderstwo popełnione przed trzydziestu ośmiu laty może wyjść teraz na jaw, a on spędzi resztę życia w więzieniu.

Nie tylko ciekawość Noele budziła pewnie w Marsallu lęk. Mógł też wiedzieć o groźbie opublikowania przez Weavera dokumentów Rogera i choć „Chicago Informer" był poza strefą wpływów Farrellów, czuł się osaczony. Jego mózg — wynaturzony przez lata rozpustnego życia, w którym znęcanie się nad kobietami stanowiło najlepszą rozrywkę — nie funkcjonował normalnie. Marszałek reagował więc na groźbę ujawnienia faktów z przeszłości jak degenerat — nastawał na kobiety swych wrogów.

Irracjonalne zło nie staje się mniej niebezpieczne przez brak racjonalnych przesłanek, nie mógł oprzeć się refleksji w swym profesorskim stylu Roger.

Burke

— Wiesz, Burke, coś stuka w lewym tylnym kole flame — powiedziała Noele. — Mógłbyś zobaczyć, co to jest?

Oczywiście, że mógłby. Może wszystko, cokolwiek oderwie myśli od Marszałka.

Kontakt z ludźmi mafii wcale go nie uspokoił. Oni też uważali, że Rocco jest kompletnie szalony. Pozbawiony rozumu. A jednak *padrino* godzi się na wszystko. Jest mu coś winien za pewną przysługę. Gdyby podpisał kontrakt, jego życie byłoby niewiele warte, jak każdego płatnego zabójcy. Zabijasz i już nie jesteś potrzebny. Rada też jakoś nie protestuje. Nawet w związku ze sprawą przyszłego gubernatora. Tak, to dlatego, że z padrinem trzeba się liczyć. Jednakże gdzieś mu się noga powinie. Dlatego rada jest taka cierpliwa. Wiedzą, że go w końcu dopadną.

Czemu ta mała grzebała w przeszłości Marszałka? Trzeba ją było lepiej pilnować.

Za stary jestem, by go zabić, pomyślał Burke. Zostało mi już tylko dłubanie w samochodach, mruknął, ścierając z rąk grubą warstwę smaru. Wziął lewarek i podniósłszy flame, zdjął tylne koło. Obejrzał je dokładnie, po czym wczołgał się pod samochód, by sprawdzić stan łożysk. Trochę to niebezpieczne, lecz podnośnik był mocny, a podłoga garażu równa; robił to zresztą już wiele razy.

Leżąc pod flame, przypomniał sobie pierwszego chevy, przy którym pracował. W 1934 roku kosztował tylko 450 dolarów, a jaką dobrą miał konstrukcję, jaki był tani w eksploatacji! Życie w ogóle było kiedyś proste i łatwe. Jak to się stało, że sprawy przybrały taki fatalny obrót? Może rzeczywiście matka miała rację: żyj w zgodzie z prawem Bożym, a nie znajdziesz się nigdy w kłopotach. Pusty śmiech wstrząsnął Burkiem — nie udało mu się ani jedno, ani drugie.

Nagle obok lewego koła zobaczył tenisówki Danny'ego. Jedno kopnięcie w podnośnik, przemknęło mu przez myśl, i flame spadnie. Będzie po wszystkim. Danny nucił ,,The Whistling Gypsy''.

A więc tak wygląda koniec. Życie przedefilowało mu przed oczami, tak jak zawsze się mówi: matka, ojciec, żona, dzieci. Zawiódł wszystkich. Nawet Bridie. Do diabła, Danny, skończ z tym! Biało-brązowy but oparł się o podnośnik.

Gdybym miał jeszcze jedno życie, kochałbym cię tak samo. I tak samo bym zabił, gdyby trzeba było cię bronić. Nie przeciągaj już tego, łajdaku. Jestem gotów.

Nucenie ustało. Teraz.

Danny zmienił repertuar — rozległo się „Roddy McCorley".

Cholera, żeby tak mieć cygaro! Masz prawo to zrobić. Ja też próbowałem cię zabić. Czekam. Ale na Boga, skończ z tym.

Boże drogi...

— Czy to ty siedzisz pod wozem? — odezwał się Danny.

— Tak — powiedział Burke i zabrzmiało to jak zgrzyt żelaza.

— Dość niebezpieczne miejsce. Taki ciężar nad sobą...

— Być może. — Zapach benzyny wywołał nagle u Burke'a mdłości.

— Rozgryzłeś już, co dolega flame?

— Łożyska.

— W dawnych dobrych czasach dużo lepiej naprawiano samochody, co?

Do diabła, skończ wreszcie.

— Nie zawsze.

— Ale wyjdź już na powierzchnię, założymy koło. Pod tym wozem jest cholernie niebezpiecznie, naprawdę, wierz mi.

Burke wysunął się spod auta i stanął, czując każdy obolały z napięcia mięsień. Oparty nonszalancko o ścianę garażu Danny wyglądał jak typowy irlandzki wieśniak. Brakowało mu tylko fajki w zębach.

— Muszę się czegoś napić — mruknął Burke.

— O tak wczesnej porze? — udał zdziwienie Danny.

— Bardzo niedobrze zaczynać dzień od alkoholu. No, powiedzmy, tym razem można się wyjątkowo zgodzić. Przyłączę się do ciebie.

Zawieszenie wyroku. Na jak długo?

Brigid

— Mówię ci, Bridie, on chciał mnie zabić. Widziałem jego nogę opartą o podnośnik.

Dłonie Burke'a zaciśnięte kurczowo na kierownicy alfy romeo, którą jechali na lunch do klubu, nosiły ciągle wokół paznokci ślady smaru.

— Ale nie zrobił tego, prawda?

— Nie przejmujesz się specjalnie — sarknął Burke.

— Cóż, żyjesz przecież — starała się mówić rozsądnie Bridie — nie mam racji? Wydaje mi się, że dajesz się ponosić wybraźni, mając ciągle przed oczami, tak jak my wszyscy, tego strasznego Marsalla.

Delikatnie wypytała Burke'a, co przyniosła rozmowa telefoniczna, którą odbył przed wyjściem z domu. Musiała uciekać się do specjalnych wybiegów, aby nie użyć niebezpiecznego słowa „mafia"; jej zabobonna natura podpowiadała, że już samo wspomnienie organizacji może przynieść nieszczęście.

— Moi przyjaciele rozmawiali z nim. Jak sądzą, opanuje się nieco. Został ostrzeżony, że jeśli doprowadzi do rozlewu krwi, szef przestanie go chronić.

— A jeśli gazety opublikują całą historię? — Strach ścisnął ją za gardło, porażając jak uderzenie lodowatego powietrza w mroźny dzień.

— Może zaatakować znowu. Jest nieobliczalny w nie mniejszym stopniu jak szalony. Wystarczy, że zobaczy w wiadomościach telewizyjnych kandydata na gubernatora, przypomni sobie te przeklęte papiery i nabierze ochoty, by skrzywdzić kogoś bliskiego Rogerowi.

— Irene?... — jęknęła.

Burke zaparkował na pustym klubowym podjeździe.

— Albo ciebie.

John

Johnowi zdawało się, że twarze wiernych zgomadzonych w domu pogrzebowym kołyszą się, jakby unoszone potężną falą. Aż musiał parę razy mrugnąć, nim powróciło normalne widzenie.

— Jakże trudno nam zrozumieć, dlaczego człowiek tak młody, zaledwie czterdziestoletni, mający przed sobą znakomite perspektywy, zostaje powołany przed oblicze Pana.

Nadmiar jedzenia i picia, za dużo papierosów i stresów, zbyt wiele weekendów spędzonych w biurze.

— Dobrze wiemy, że spotkamy go znowu, ale ufność, którą pokładamy w przyszłości, nie może zmniejszyć teraźniejszego bólu. Lejemy więc łzy jak Jezus, gdy odszedł jego przyjaciel Łazarz, i jak Maria trzymająca w ramionach zwłoki syna. Jednoczymy się w żalu, jak czynił Jezus wobec Naimowej wdowy. I utwierdzamy się w wierze, że Michael Heggarty powstanie z martwych tak samo jak tamten młodzieniec.

Życie Noele w niebezpieczeństwie, historia rodziny podawana sobie z rąk do rąk przez wścibskich dziennikarzy, powrót targanego gniewem Danny'ego i Irene zakochana w nim bardziej niż kiedykolwiek, własna kariera zależna od psychopatycznego kardynała — jakim łatwym wyjściem może się czasem wydawać śmierć.

— Cierpiący chylimy dziś głowy i modlimy się, prosząc Pana, by uleczył nasze rany i dał nam siłę do dalszego życia.

Pogrążona w żałobie wdowa wytarła nos i skinęła twierdząco, najstarsza córka, koleżanka szkolna Noele, objęła ją troskliwie ramieniem.

— Albowiem wiemy, choćbyśmy błądzili we mgle po stromych zboczach gór, że gdzieś nad nami wznosi się szczyt promieniejący blaskiem wiecznej jutrzenki.

Uścisnąwszy dłonie wdowy, John objął dzieci, po czym dołączył do własnej rodziny, stojącej z boku wykładanego czerwonym dywanem domu pogrzebowego.

— Całkiem inne dziś te ceremonie żałobne. Dobrze, jeszcze jeden plus na rzecz nowego Kościoła — oświadczył

Danny. — A twoje wystąpienie, Jackie, naprawdę budujące. Gratulacje w imieniu rodziny.

— Czy ty czasem nie powinieneś zostać księdzem, Danny? Tak żywo interesujesz się Kościołem... — powiedział Roger dobrodusznie, choć daleki był od dobrego nastroju. Zbyt wiele spraw układało się źle, a jeszcze gorsze wisiały w powietrzu.

— Jedyne, co rzeczywiście mogłoby mnie do niego przyciągnąć, to celibat — odparł Danny. — Świetnie byłoby czuć się wolnym od pożądania.

— A wyobraź sobie, że ja czasami je miewam — rzucił John, nie mogąc się uwolnić od myśli o Irene, która tak pięknie wyglądała w czerni.

Wszyscy wybuchnęli śmiechem, tylko Noele nie wyglądała na ubawioną.

— Wujek kocha swoją parafię — odezwała się tonem matki przełożonej. — A niektórzy boją się kochać kogokolwiek.

— Czyżbyś myślała o mnie? — mruknął półgłosem Danny.

— Być może — prychnęła pogardliwie, po czym przyłączyła się do Julie Heggarty, podczas gdy reszta rodziny udała się w kierunku zasypanego śniegiem parkingu.

Zapach chryzantem przypomniał Johnowi inną uroczystość żałobną w tym samym miejscu: ojciec leżący w otwartej trumnie z głową na jedwabnej poduszce, która skutecznie skrywała ogromną ranę, przyczynę jego śmierci. Od tamtego wieczoru wszystko się zmieniło.

Siedząc już w swym buicku, przyglądał się żałobnikom potykającym się na zaśnieżonym parkingu niczym zawiani tancerze wracający z całonocnej zabawy. Taniec śmierci, powiedział do siebie. Zupełnie jak bohaterowie filmu Bergmana. Jeśli nie ma się dość siły, by wyrwać się z zaklętego kręgu tańczących, łatwo trafić tam, gdzie jest teraz Mike Heggarty.

Roger

Maryjane wprowadziła go do „Les Nomades" i poznała z Jovanem, właścicielem.

— Jestem zaszczycony, gubernatorze — przywitał Rogera.

— Zapomniany czar minionych dni. — Maryjane niedbale machnęła dłonią. — Atmosfera prawdziwego bistra, paryskie plakaty, dobre jedzenie, no i chwila oddechu od wyborców.

Roger miał dosyć problemów: skradzione materiały, Noele, Martha, Irene, Danny. Nie był mu potrzebny nowy romans. A jednak nie zdołał się oprzeć zaproszeniu Maryjane na obiad.

— Te same zasady co zwykle, gubernatorze. Zaryzykuję przypomnienie. — Długonoga blondynka napełniła jego kieliszek białym wytrawnym winem. — Po pierwsze, jesteś moim gościem i ja płacę. Po drugie, traktujemy naszą rozmowę jako całkowicie nieoficjalną. Po trzecie, podrywanie wykluczone.

— Nic takiego nie planowałem — oburzył się nieszczerze.

Maryjane uniosła rękę.

— Nie żądam deklaracji, ustalam tylko charakter naszego spotkania. — Odrzuciła z twarzy długi kosmyk włosów. — Tak się składa, że poważnie traktuję małżeństwo, zresztą nie jestem w stanie konkurować z twoją boginią seksu.

— Z Irene?

— Wiesz, gdybym była na jej miejscu i dowiedziała się, że się puszczasz, obcięłabym ci twój męski skarb.

Miał nadzieję, że jego śmiech zabrzmiał rozbrajająco. Maryjane nie żartowała. Ale Irene nie była tak zaborcza. Niestety, pomyślał, uświadamiając sobie z nagłą przenikliwością, że na dobrą sprawę poślubił ją w zastępstwie Danny'ego.

— Czy nie masz nic przeciwko osobistej refleksji? — Rozmowa z Maryjane przypominała grę wolnych skojarzeń.

— Absolutnie nie — odparł.

— Mam w pracy do czynienia z wieloma politykami. — Spojrzała nieśmiało znad kieliszka. — I nigdy nie spotkałam nikogo, kto działając pod presją potrafiłby zachować taki wdzięk jak ty. Jesteś klasą samą w sobie.

Roger osłupiał. Maryjane nie próbowała go uwodzić, to pewne. Rzeczywiście tak myślała. On sam nigdy by nawet nie skojarzył wdzięku ze swą osobą. Jak na to wpadła?

— Wiem, przez jakie piekło przechodzisz przez tego Roda Weavera. — Lekki rumieniec zaróżowił jej twarz. — Jesteś naprawdę dzielny.

Nie, nie jestem. Jestem mięczakiem i tchórzem. Przez całe życie byłem taki. A ty jesteś zachwycającą istotą, cudowną mieszaniną subtelności i bezkompromisowości, wyrafinowania i naiwnej szlachetności. Jak moja Śnieżka, tylko o parę lat starsza.

— Widziałaś kopie tych materiałów?

— Co za łajdak! — powiedziała zdecydowanie. — Weaver chciał, żeby mu umożliwić występ w telewizji. Nie, nie martw się, nie zamierzam robić użytku z twoich dokumentów. Nie należę do generacji dziennikarzy, którzy wyrośli na Wietnamie. Moje pokolenie ma swoją etykę zawodową.

— Wierzysz w małżeństwo i prawo do prywatności? — Nie bez żalu usunął ją ze swej listy podbojów. Na pewno istniały takie kobiety jak ty, gdy byłem młody, kobiety, dzięki którym mógłbym zachować cnotę. Nie dostrzegałem ich, idiotycznie opętany kuzynem, teraz jakby zmartwychwstałym i niewiele mającym wspólnego z tamtym chłopcem, którego darzyłem miłością. A może zawsze był taki, tylko ja tego nie widziałem?

— Poza tym nie przeklinam, nie uganiam się za mężczyznami, nie nadużywam alkoholu, nie jestem ordynarna i nie palę. Rzadko kłamię. A teraz proszę, opowiedz o Dannym Farrellu. On mnie naprawdę intryguje. Czy to możliwe, by ktoś spędził tyle lat w więzieniu i pozostał najzupełniej normalny?

— Równie normalny jak kiedyś. — Niesamowite tempo, z jakim zmieniała temat rozmowy, przyprawiało o zawrót głowy. Byłabyś dobra w łóżku, pomyślał, gdybyś tylko przestała trajkotać. Szowinistyczny łobuz, zganił sam siebie.

— Znasz Freuda lepiej niż ja, bo jesteś naukowcem. Jak się czuje dziecko, które rośnie ze świadomością, że jego matka umarła, aby jemu uratować życie? Ciężko nieść taki bagaż.

Nigdy nie zdarzyło mu się pomyśleć o Dannym w ten sposób.
— Jakby duch zaglądał ci cały czas przez ramię — dodała współczująco. — Czas porozmawiać o sytuacji finansowej stanu, gubernatorze — zmieniła znowu temat. — Koniecznie zamów zupę jarzynową i mus z łososia, ale pamiętaj, ja płacę.
Duch Flossie powraca, aby się zemścić?

Ace

Kolejna zamieć wisiała w powietrzu, Ace McNamara zdecydował się więc wybrać do Świętej Praksedy zgrzytającą kolejką. Nie chciał ryzykować jazdy samochodem przez Nineteenth Ward, dzielnicę niezbyt lojalną wobec burmistrza, co rzecz jasna odbijało się dotkliwie na stanie odśnieżania ulic.

Czasy świetności Rock Island Line dawno minęły, a wydział transportu utrzymywał kolejkę w opłakanym stanie. Mimo wszystko była to ciągle ta sama stara Rock Island, podążająca do znudzenia znajomą drogą przez kolejne przystanki, aż w końcu zjeżdżająca ze swych nadziemnych wysokości, by zataczając się i chwiejąc wtoczyć do dzielnicy.

Jak się okazało, Ace nie był w pociągu jedynym oficerem.

— Miło spotkać na pokładzie kolegę. Czy miał pan udaną podróż, kapitanie?

Ace wyprężył się dziarsko i zasalutował pasażerowi w kurtce Notre Dame.

— Tak jest, admirale.

— Spocznijcie, kapitanie. — Dan znakomicie naśladował admirała.

— Przykro mi o tym mówić, admirale, ale w mesie oficerskiej niedobrze się dzieje — Ace raz jeszcze zasalutował.

Dan wyciągnął rękę i rozpromienił się w uśmiechu.

— Całe szczęście, że jest jeszcze w tej dzielnicy ktoś, kto pozostał sobą.

— Dokładnie to samo zamierzałem powiedzieć.

Obaj wybuchnęli gromkim śmiechem.

— Byłeś w Wietnamie? — spoważniał nagle Danny.

— Trzy razy.

— Ja bym chyba stamtąd cało nie wrócił.

— Z pewnością już byś nie żył — uznał Ace. — Tacy jak ty nie przepuszczają żadnej bojowej okazji, także tej ostatniej.

— No właśnie.

— Jakie wrażenia po powrocie? Zaskoczony zmianami?

— Co może jeszcze zaskoczyć kogoś, kto wrócił pewnego dnia z pracy wyczerpany jak zwykle, a tu jakiś bubek z Departamentu Spraw Wewnętrznych każe mu wsiadać do samolotu i lecieć z nim nie wiadomo dokąd. Następnego ranka znajduje się w ambasadzie Stanów, gdzie telewizja amerykańska czeka już, by przeprowadzić z nim wywiad.

— Czy nie taka jest istota życia? — odparł Ace. — Boże Narodzenie zaskakuje nas jaśniejszym dniem, Wielkanoc nadejściem wiosny. Nasza wiara to także przygotowanie na niespodzianki.

— Co to się porobiło z Kościołem? — Irlandzka wymowa Danny'ego nie miała sobie równych; lubił w nią czasem uciekać. — Oto pobożny, niemal święty duchowny jawnie propaguje pogaństwo.

— Nie wiesz, że katolicyzm wykorzystuje pogańskie symbole, nadając im nowe znaczenie? Popatrz na wielkanocne błogosławienie wody zapaloną świecą: pogańska ceremonia zapładniania uległa przekształceniu i w Wielkanoc Jezus bierze sobie za małżonkę Kościół, a my wszyscy poprzez chrzest stajemy się owocami tego związku.

— Niech nas wszyscy święci mają w swojej opiece — przeżegnał się Danny. — Czy usłyszę teraz, że świeca wielkanocna to symbol falliczny?

— Ze względu na kształt? Woda w każdym razie symbolizuje płodne łono.

— Najzwyczajniej stosunek rytualny — skrzywił się Danny, udając zgorszenie — odprawiany podczas sumy na głównym ołtarzu pod czujnym okiem matki przełożonej.

— Albowiem powiedziano: Niechaj zrodzi się owoc.

— Kiedyś było prościej... bo księża nie kombinowali sugerując, że nawet Bóg jest nieźle napalony. — Dan wzdrygnął się, być może z zimna, a może ze strachu przed wizją opętanego pożądaniem bóstwa.

— Ja przynajmniej interpretując symbole nie podążam w rejony, po których jak widzę, twoja wyobraźnia wędruje z upodobaniem.

— Straszne, potworne, przerażające. Cokolwiek wykracza poza przyjęty schemat, budzi powszechne oburzenie.

— Tak to już jest.

— Niełatwo. — Danny posmutniał; komediant zamienił się w nie rozumianego donkichota.

— Wydobywanie ładu z zamętu, kosmosu z chaosu nie ma być łatwe — zagadkowo odparł Ace. — Podobnie jak tworzenie.

Kolejka zatrzymała się na Osiemdziesiątej Trzeciej, wstrzymując jak zwykle ruch uliczny. To samo działo się na wszystkich innych stacjach; chyba tylko geniusz mógł zaprojektować coś równie karkołomnego.

Danny zamyślił się.

— To samo usłyszałem od Noele przy okazji kolejnego wypominania mi niedojrzałości: zmartwychwstanie nie ma być łatwe.

— Noele tak powiedziała? I co, myślisz, że ma rację?

— Gdybym był tego pewien — głowa opadła mu na piersi — moje życie całkowicie by się zmieniło.

— Zaryzykujesz?

— Daj spokój. Już dwadzieścia lat temu wpędzałeś mnie w popłoch takimi pytaniami.

John

Wrócił na plebanię po mszy, którą nie on powinien odprawiać, bo kolej była na Jerry'ego, ale ten w ostatniej chwili zadzwonił — z oddali dobiegał barowy gwar — twierdząc, że musiał wyjechać, by udzielić wsparcia potrzebującemu. Toteż na Johna Farrella wypadło czytanie Ewangelii, odśpiewanie hymnu i kazanie o znaczeniu Ducha Świętego. Trzydzieści, może czterdzieści pobożnych duszyczek znalazło się w kościele tego wieczoru: nieco gorliwych nastolatków, grupa starszych wiernych, którzy zjawiali się niezależnie od tego, czy to był różaniec, chrzest czy droga krzyżowa, a przyszliby także, gdyby akurat kazanie wygłaszano w sanskrycie, kilku członków grupy modlitewnej i paru uczestników nauk przedmałżeńskich.

W salonie czekał na niego — oczywiście w kurtce Notre Dame — Danny, popijający coca-colę z butelki zupełnie jak wiele lat temu piwo. Zobaczywszy go John poczuł się aż nieswojo, bo Danny ostatnio wpadał na plebanię z taką częstotliwością, jakby był tu zatrudniony, z całą pewnością zjawiał się częściej niż jego zastępca, Jerry.

— Kazanie było super, Jackie — powiedział. — Parę pomysłów wykorzystam w nowym rozdziale. Wygląda na to, że jako kaznodzieja nie masz sobie równych. Telewizyjna praktyka, co? — uśmiechnął się szelmowsko. — A właśnie, mam nadzieję, że posłałeś tego Keegana do diabła?

— Wręcz przeciwnie, powiedziałem mu, że w przyszłym tygodniu skończę z telewizją. Był uszczęśliwiony. Zapewniał, że koledzy księża przywrócą mnie do łask i mogę się spodziewać, że będę ceniony nie mniej niż kiedyś. Miłe, prawda?

— I co, wycofałeś się? — zmarszczył brwi Danny.

— Nie, jeszcze nie, bo ostatni program był zbyt dobry. Gościłem dwóch graczy futbolowych i notowania sięgnęły szczytów oglądalności. Nie miałem serca tego psuć.

— Ksiądz zabiegający o popularność? — Danny odstawił pustą butelkę.

— Przemawiasz prawie jak Keegan. Powiem im w przyszłym tygodniu.

W tym momencie zadzwonił telefon i był to nie kto inny jak wysłannik kardynała.

— Mówi monsignore Keegan — zaczął oficjalnie, jakby nie byli na tym samym roku w seminarium i nie zwracali się do siebie przez całe życie po imieniu. — Doszły mnie słuchy, że Kanał Trzeci nie został jeszcze poinformowany o rozwiązaniu kontraktu.

John poczuł, jak ogarnia go irracjonalna furia.

— Zamierzam to zrobić w przyszłym tygodniu.

— Jego eminencja zdecydowanie nalega, John. Czy muszę ci przypominać, że kardynał reprezentuje papieża, który jest namiestnikiem Chrystusa? Jak można tak niemądrze narażać swe dobre imię, opierając się woli kardynała?

— Będę rozmawiał z przedstawicielami stacji za tydzień.

— Czy mógłbyś spotkać się z nimi jutro? Wpłynęłoby to korzystnie na spokój ducha kardynała.

Tak się przywołuje do porządku zbłąkane owce duchownego stadka. — Nie martw się, Ed. Zrobię, co do mnie należy. Możesz zapewnić kardynała, że nie zamierzam dłużej burzyć jego spokoju ducha.

— Przykro mi, że muszę ci to powiedzieć wprost, John, nie mam jednak wyboru: jeśli w ciągu najbliższych dwudziestu czterech godzin Kanał Trzeci nie zostanie poinformowany o twojej rezygnacji, zmuszony będę podjąć działania proceduralne i wyznaczyć kogoś na twoje miejsce. Możesz pobierać pensję proboszcza, dopóki odprawiasz stosowną liczbę mszy, ale faktycznym proboszczem Świętej Praksedy będzie wyznaczony twój zastępca.

Gdyby obok nie siedział Danny Farrell, którego niebieskie oczy wyrażały troskę i poparcie, John na pewno by się załamał.

— Ty kreaturo! — wrzasnął John. — Czy naprawdę jesteś tak bezmyślnym tworem zbiurokratyzowanego Kościoła, że gotów byłbyś oddać najlepszą parafię w mieście tej gnidzie, ponieważ kardynał nie może znieść, że ktoś inny stał się popularny? Nie stać cię już na odrobinę zdrowego rozsądku?

— Wola kardynała równa się woli Boga — bronił się świętoszkowato Keegan.

— Załatw go! — mobilizował Johna zachwycony Danny.

— Ja też znam się trochę na prawie kanonicznym, Ed. Jeśli odbierzesz mi tę parafię, możesz się znaleźć w prawdziwych tarapatach. W diecezji jest zresztą paru specjalistów od prawa kanonicznego, którzy z rozkoszą podejmą z tobą walkę. I można ją przeciągnąć do czasu, aż twój psychopatyczny szef odejdzie i pojawi się nowy arcybiskup, który nie będzie miał nic przeciwko księdzu w telewizji. Ty, obłudny łajdaku, oczywiście przyznasz mu wtedy rację.

— Przeciwstawiasz się woli Bożej? — Keegan prawie się dławił.

— Nie masz zresztą pojęcia o parafianach — nie ustępował John — jeśli sądzisz, że zaakceptują jako proboszcza człowieka, który najchętniej zajmowałby się wyłącznie szesnastoletnimi chłopcami. Poza tym chcę, żebyś wiedział, że jeśli ty czy twój szef wystąpicie przeciwko mnie, jutro rano w rezydencji kardynała zjawi się gniewny tłum młodych ludzi.

— Muszę przedyskutować to z jego eminencją — powiedział sztywno Keegan.

— Proszę bardzo — zakończył John, rzucając słuchawkę.

— Bomba! — objął go Danny. — Czuję się jak za dawnych dobrych lat, z tym że ty jesteś dużo lepszy niż Roger czy ja byliśmy kiedykolwiek.

— Do jutra sprawa zostanie rozdmuchana na całą archidiecezję. — John podszedł do barku. — I dla duchowieństwa będę już do końca moich dni czarną owcą.

— Ale uratujesz swą duszę — odparł Danny.

Irene

Siedzieli z Dannym naprzeciw siebie, podenerwowani jak para nastolatków na pierwszej randce. Miejsce, które wybrali na spotkanie, zdawało się bezpieczne; siedzący w klubie goście nie powinni widzieć nic złego we wspólnym posiłku Danny'ego z żoną kuzyna, właściwie bratową.

— I co o tym sądzisz? — spytał niespokojnie.

Irene wcześniej przemyślała sobie dokładnie, co mu powie.

— Może nie jestem całkiem bezstronna, bo znam cię zbyt długo, Danny, mimo wszystko myślę, że stać mnie na uczciwą ocenę: książka jest znakomita. Głęboka, przejmująca, cudowna. Będzie rynkowym sukcesem, to pewne. Niektórzy krytycy zachwycą się nią, inni nazwą cię pismakiem, ale wszyscy zgodzą się, że pojawił się nowy pisarz, którego nie można nie zauważyć. Większość mieszkańców naszej dzielnicy wolałaby, żebyś został w Chinach, i oni prawdopodobnie książki nie przeczytają, ale inni będą dumni, że się stąd wywodzisz.

— Czyli mogę już odetchnąć z ulgą. Jesteś pierwszą osobą, która czytała tę powieść, oczywiście poza moim agentem i wydawcą, ale im specjalnie nie ufam, w każdym razie nie tak bardzo jak tobie.

— A moje opowiadania?

— Powiem wprost, Renie. Nie mogę ich nazwać dobrymi, z pewnością nie. Są rewelacyjne. Czuję się dumny, że cię znam, ale z drugiej strony zazdrosny, że nie potrafię pisać na takim poziomie jak ty. Czemu przez tyle lat ukrywałaś coś równie pięknego?

Irene z trudem powstrzymała pragnienie, by dotknąć jego dłoni; tego klub mógłby nie strawić.

— Zapomniałeś, że jestem bezwartościowa i do niczego?

— To ty tak uważasz, ale czytelnicy będą innego zdania i inaczej ocenią Lorraine. Dostrzegą w niej delikatny kwiat, który długo musiał czekać, by wreszcie zakwitnąć.

— To Lorraine, a nie ja — powiedziała i poczuła zbierające się pod powiekami łzy.

— Ty też. Nie chcę się spierać, w swoim czasie odkryjesz to sama. Wyślę te opowiadania do mojego agenta, dobrze? Jestem pewien, że znajdzie ci wydawcę.

— Nigdy.

— I kto tu mówił o odwadze? — rzekł z żalem.

Po lunchu odwiózł ją do domu. Ulice ciągle pełne były topniejącego z wolna śniegu.

— Chodź do mnie — poprosiła.

— Nie powinienem.

— Zapomnij na godzinę o powinnościach.

— Nie.

Pocałunek Irene był zachłanny, jej język pulsował pożądliwie w ustach Danny'ego, domagając się odpowiedzi.

— Proszę...

Zrazu niezdecydowany, przestał się wahać, gdy tylko znaleźli się w pokoju gościnnym. Rozbierał ją nie spiesząc się i każdy odpinany guzik, odsuwany zamek, każde powoli zsuwane ramiączko stawało się małą ceremonią.

— W porównaniu z rokiem 1963 postęp jest rzeczywiście ogromny: nie trzeba już walczyć z pasami do pończoch.

— Noele uważa je za coś równie nieprawdopodobnego jak msza po łacinie.

— Czy ona naprawdę urodziła się w Boże Narodzenie? — spytał, wiodąc palce Irene po guzikach swej koszuli.

— Naprawdę — odpowiedziała miękko.

— Myślisz, że nie miałaby nic przeciwko nam?

— Nie wiem... Och, Danny... — szepnęła, już całkiem naga.

— Coś nie tak?

— Nic mi nie zostawiłeś.

— Z ubrania? — Danny udawał, że nie rozumie.

— Nie mam się już jak osłonić — jęczała, gdy jej gotowe wzlecieć w przestworza ciało buntowało się przeciwko ziemskim więzom.

— Przeczytałem twoje opowiadania, Renie, znam cię, Lorraine.

Dłonie i usta Danny'ego zgłębiały każdy zakamarek jej ciała, aż przemieniła się w absolutną rozkosz, wędrującą do nieba i tańczącą wśród obłoków.

— Jesteś cudowny, Danny — mruczała sennie, gdy po wszystkim leżeli spleceni wśród pomiętych prześcieradeł.

Głowa Danny'ego wspierała się ciągle na jej piersiach, kiedy obudziło ich wychylające się zza chmur słońce, które spowiło pokój łagodnym, przyjaznym światłem.

Nasycona i szczęśliwa Irene uklękła na łóżku obok Danny'ego i położywszy sobie jego dłonie na biodrach, zaczęła mówić. Opowiadała o wszystkim, co zdarzyło się od czasu, gdy się rozstali, najpierw o rzeczach smutnych, potem o zabawnych, tak że w końcu oboje zaśmiewali się do łez.

— Dojrzałeś, Danny — stwierdziła nagle całkiem poważnie. — I jesteś bardziej jeszcze wrażliwy, bardziej czuły i potrafisz słuchać lepiej niż kiedykolwiek. Kobieta czuje przy tobie, że naprawdę jest kobietą, i chce ci powierzyć wszystko.

— Staram się — odparł zakłopotany.

— Z innymi mężczyznami umiem tylko słuchać. Przy tobie potrafię mówić.

— I niezła z ciebie gaduła — mrugnął szelmowsko.

— Ale nie jesteś moim przyjacielem, bo przyjaciele poza tym, że słuchają, chcą się też dzielić swymi troskami i radościami. A ty nie.

Danny zdjął ręce z jej bioder, lecz zmusiła go, by na powrót je tam położył.

— Zbyt się zbliżyłam do twego prawdziwego ja — powiedziała z uśmiechem, bez cienia goryczy — tak jak ostatnim razem. I ty oczywiście już się znowu szykujesz do ucieczki.

— Nie jestem dobry na dłuższy dystans — westchnął.

— Wiesz przecież...

Zamknęła mu usta pocałunkiem.

— Tym razem nie pozwolę ci odejść — obezwładniła go swą miłością.

Noele

Jedynymi konsekwencjami wypadku były rzadkie bóle głowy i codzienne zamawianie samochodu do szkoły, bo flame ciągle jeszcze poddawana była — po interwencji Burke'a — rehabilitacji w warsztacie.

Do Wielkanocy pozostało już tylko dwa i pół tygodnia. Noele, choć ciągle pochłonięta tajemnicami Farrellów, nie zapominała o Wielkim Tygodniu. Musiała między innymi przygotować program, który jej zespół miał wykonać przed nabożeństwem w Wielką Sobotę, do czego udało jej się nieustępliwością i czarem przekonać ohydnego Gadzinę.

Zadzwonił telefon i chociaż numer zmieniono, a od czasu wypadku pogróżki nie powtórzyły się, wiedziała, kogo usłyszy.

— McNeally i jego zafajdani gliniarze nie ochronią cię. Tym razem tak ci dołożymy, że nigdy się już nie pozbierasz — wysapał ohydny głos.

Rzuciła słuchawkę i pobiegła, szukając ratunku. Ale w domu nie było nikogo. Otworzywszy na oścież drzwi wejściowe, zderzyła się z Dannym niosącym plik przygotowanych do rozwieszenia zdjęć Rogera.

— Pozdrawia cię kapitan okręgowego sztabu wyborczego — powiedział ze śmiechem. — Coś nie w porządku?

Przerażona Noele przywarła do niego, zanosząc się szlochem. Trzymał ją mocno w ramionach, uspokajając, kojąc i odpędzając strach.

Jak dobrze, jak cudownie być przy nim tak blisko!... Kocham cię, Danny.

John

Marcowe prawybory miały być sprawdzianem organizacyjnym dla grupy przygotowującej kampanię Rogera. W sumie większość wyborców oddała głosy na Rogera, nie na George'a Washingtona Lincolna, nieśmiertelnego kandydata demokratów z południa stanu, ponieważ takie były sugestie lokalnych organizacji demokratów, których w stanie było na tyle dużo, że mogły przesądzić o nawet najbardziej zaskakujących wynikach wyborów. Sztab wyborczy niewiele miał w efekcie do zrobienia poza wyrażeniem podziwu dla talentu, z jakim Roger odczytał tekst przeznaczonego dla telewizji wystąpienia.

Świętowanie zwycięstwa trudno było uznać za szczególnie ekstatyczne. Jeszcze jedna porażka George'a Lincolna to za mało, by się cieszyć, zwłaszcza że wśród głosujących nie było widać jakiegoś płomiennego entuzjazmu, choć oczywiście oddawano na Rogera zdecydowanie więcej głosów niż na obecnego gubernatora. Jak jednak mawiał Angelo Spina, z gubernatorem mógłby sobie poradzić nawet orangutan.

Prawybory w Illinois odbywały się bardzo wcześnie, ponad siedem miesięcy przed jesiennym głosowaniem, co znaczyło, że kandydat, jego rodzina i sztab wyborczy nie będą mogli przez długi czas, nawet latem, liczyć na chwilę oddechu.

Danny stał obok Rogera w sali balowej hotelu Midland przed tłumem czekającym na finałowe wystąpienie zwycięzcy. W dalszym ciągu miał zwyczaj pojawiać się nagle w zaskakującym czasie i miejscach, widocznie mniej już zajęty powieścią, której na dobrą sprawę — na ile Johnowi było wiadomo — nikt nigdy nie widział. Patrząc na niego trudno było uwierzyć, że ten ubrany w brudne dżinsy, wystrzępioną bluzę i pomiętą kurtkę Notre Dame człowiek spędził osiemnaście lat w chińskim więzieniu.

— Podejrzewam, że prawdziwym powodem całej tej imprezy — powiedział Danny — jest danie wyborcom stanu Illinois szansy obejrzenia Irene i Noele, by mogli zdecydować, czy chcą przez najbliższe cztery lata oglądać ich wizerunki na pierwszych stronach gazet.

— Nadzwyczaj celna obserwacja polityczna — przytaknął John.

Wybuchły oklaski, może nie całkiem spontaniczne, i na podium wkroczył Mick Gerety.

— Panie i panowie, oto kolejny gubernator stanu Illinois! — oznajmił.

Entuzjazm, który towarzyszył tym słowom, można było uznać za autentyczny, nawet jeśli kryła się za nim prozaiczna nadzieja zgromadzonych na zatrudnienie u boku nowych władz. Triumfator pojawił się w towarzystwie czarnowłosej żony i rudej córki, obu ubranych na biało, jakby zwiastujących nadejście wiosny.

John czuł, że między Rogerem i Irene dzieje się coś złego, co właściwie nie powinno dziwić, skoro wrócił Danny, zastrzegający się wprawdzie, że nie zamierza odgrzebywać przeszłości, ale z drugiej strony tak mocno zamieszany w losy Farrellów, że samym swym pojawieniem się uruchamiał mechanizm wspomnień.

— Pierwszy znaczący krok za nami — zaczął Roger, gdy oklaski ucichły wreszcie. — Mamy prawo być dumni z naszych dotychczasowych wysiłków, by zapewnić stanowi Illinois władze odpowiedzialne, mające na względzie dobro obywateli. Udowodniliśmy, że potrafimy sprawnie zorganizować kampanię, podjąć istotne kwestie, zdobyć zwolenników i zdecydowanie wygrać. Ale to tylko wstępne kroki. Doceniając wasze entuzjastyczne poparcie, pozwolicie, że potraktuję je jako deklarację gotowości, by kontynuować wspólny trud. Z Bożą pomocą i wsparciem mej żony i córki — z uśmiechem przyciągnął obie kobiety do siebie — walczyć będziemy o stan Illinois każdego dnia, aż do czwartego listopada, a także potem.

— Jak tam twój pojedynek z kardynałem? — spytał Danny, niezdarnie zapinając wiatrówkę i kierując się do wyjścia.

— Spuścił trochę z tonu, czego właściwie można się było spodziewać. Jest jak płynąca woda, która omija przeszkody, a jeśli napotyka opór, znika. Wtedy Keegan zostaje z całym majdanem, tyle że już się do tego przyzwyczaił.

Małe zwycięstwo rozbudziło w nim pożądanie; odrodzona męskość upominała się o Irene.

— Dobry tydzień dla Farrellów — trzepnął Johna w ramię Danny.

— Pierwszy znaczący krok — zażartował.

Wjeżdżając na podjazd plebanii, John zdziwił się: wielki kościelny witraż, przedstawiający świętą Praksedę, która rusza w świat z przewieszonym przez ramię chłopskim toporem, tonął w ciemnościach. Zerknął na zegarek. Światła wyłączały się automatycznie o jedenastej, a była dopiero dziesiąta czterdzieści pięć. Wycofał się ostrożnie, bo samochód ślizgał się na pokrytej dwoma calami śniegu nawierzchni, i podjechał do drzwi wejściowych kościoła. Wspaniałego witrażu nie było.

Wyskoczył z samochodu, otworzył drzwi i rzucił się w stronę tonącej w ciemności kościelnej nawy. W dochodzącym z kruchty nikłym świetle zobaczył tysiące drobnych kawałków kolorowego szkła, a wśród nich kilkanaście dużych cegieł.

Pobiegł na plebanię, by powiadomić policję, lecz zanim zdążył wykręcić numer, zadzwonił telefon.

— Nie tylko to się posypie, monsignore, jeśli braciszek nie zamknie w końcu gęby tej dziwce — wysapał chrapliwy głos.

Irene

Zobaczyła Danny'ego we foyer hotelu Midland, gdy celebrowanie zwycięstwa dobiegło końca.

— Jutro rano u mnie, zamiast joggingu, dobrze? — szepnął.

Kochana twarz tak strasznliwie zmęczona, błękitne oczy pełne udręki... Jakie znaczenie mógł mieć dla niego sukces wyborczy Rogera? Mimo wszystko zdawał się dzielić z nim dzisiejszą radość.

— Oczywiście.

— Nie mogę się doczekać.

— Ja też.

Brigid

Wbrew życzeniom Burke'a i zaleceniom lekarza w dzień po wyborach pierwsza zjawiła się na placu budowy. Obiecała nie zostawać dłużej niż do południa, ale przyjść musiała, by upewnić się co do „paru drobiazgów" dotyczących kontraktu Streeterville Plaza, inaczej mówiąc — musiała się przekonać, czy jakieś niewłaściwe nazwiska nie znalazły się przypadkiem na liście podwykonawców.

Wjeżdżając na plac nie zauważyła nic specjalnego, gdy jednak zaparkowała samochód przed biurem, spostrzegła w oddali przedziwnie nachyloną betoniarkę. Wycofała samochód, ślizgając się na świeżo spadłym śniegu, i objechała cały teren. Każda maszyna budowlana miała poprzecinane opony, każde okno wybite szyby, których szczątki leżały na ziemi obok kilku potężnych cegieł.

Potykając się wpadła do biura, by skontaktować się z Burkiem, lecz nim sięgnęła po słuchawkę, telefon sam zadzwonił.

— Posłuchaj, ty stara irlandzka zdziro — usłyszała mrożący krew w żyłach głos. — Będziesz pocięta nie gorzej niż te opony, jeśli twój synalek nie uspokoi w końcu tej małej dziwki.

Irene

Pochyliła się nad nim okryta prześcieradłem, które nie wiedzieć czemu skromnie przyciskała do piersi. Danny spał, a na jego wymizerowanej wciąż twarzy gościł wreszcie spokój. Biedny, kochany, tyle musiał wycierpieć.

Coś się między nimi zmieniało. Coraz częściej pozwalał jej się do siebie zbliżyć, coraz częściej dzielił się sobą. Oczywiście nadal był wspaniałym, doprowadzającym ją do szaleństwa kochankiem, przy którym nie potrafiła się kontrolować, zamieniając się w pulsujący namiętnością zlepek nieustannego pożądania i rozkoszy. Osiemnaście dzielących ich lat znikało w jego ramionach, jakby noc nad jeziorem była wczoraj. Jednakże gdy tylko ją ujarzmił, nasycił zmysły, stawał się małym chłopcem tulącym się do jej piersi i szukającym schronienia przed prześladującym go cierpieniem. Cierpieniem bezimiennym i odwiecznym.

Namiętny kochanek i zranione dziecko w jednej osobie, powiedziała do siebie, gładząc go po włosach. Moje dziecko.

Och, Danny, daj mi syna. Naszego syna. Chcę kochać was obu.

Roger

— Szkoda, że nie wiedziałem wcześniej o powiązaniach z Marszałkiem — McNeally pokręcił głową zdegustowany. — To całkowicie zmienia postać rzeczy.

Roger uznał, że nie ma innego wyjścia, jak opowiedzieć McNeally'emu o skopiowanych dokumentach, które u obłąkanego gangstera mogły wywołać myśl o grożącym mu więzieniu. Oficer słuchał, a jego brązowe oczy robiły się coraz większe, potem zwęziły się w przenikliwej zadumie.

— Trudno się dziwić, że Marsallo jest zdenerwowany. A kiedy jest w takim stanie, robi się niebezpieczny. Parę lat temu przyłapał jednego ze swych kolesi na tym, że coś przed nim ukrył. Powiesił go za nogi na rurach kanalizacyjnych w piwnicy swej posiadłości w River Forest i bił kijem baseballowym po brzuchu tak długo, aż wnętrzności zaczęły wypadać na ziemię. Biedak przeszedł przez prawdziwe piekło, zanim wyzionął ducha.

— I sprawca czegoś takiego chodzi sobie jakby nigdy nic ulicami Chicago?

— Jeśli akurat nie gra w golfa w Far Hills albo nie błądzi po River Forest. Nie wystarczy wiedzieć, że coś zrobił, trzeba jeszcze znaleźć dowody winy, które pozwolą wsadzić go za kratki. Nigdy dotąd nam się to nie udało.

— Samochód mojej córki rozbity, potłuczony witraż w kościele brata, maszyny w rodzinnych warsztatach zniszczone, ustawiczne groźby pod adresem mojej matki, żony i córki... I nadal nie ma podstaw, by ująć Rocca Marsalla?

— Robimy co w naszej mocy, gubernatorze. Wprowadzimy jeszcze dodatkowy nadzór nad pańską rodziną i dobrami, mając też rzecz jasna cały czas na oku Marszałka, choć nie będzie to łatwe z powodu głupich przepisów, którymi niedawno uszczęśliwiły nas władze. Chciałbym być jednak szczery, gubernatorze: jeśli Marszałek zawziął się na pana, to cała chicagowska policja nie jest go w stanie powstrzymać.

— Co zatem powinienem zrobić, poruczniku? — spytał chłodno Roger.

— Byłoby dobrze wyperswadować Weaverowi publikację tych dokumentów, informując przy tym kogo tylko się da, że materiały nie ukażą się w druku. — Stojąc już w drzwiach biura Rogera McNeally dodał: — Mógłby pan też zadzwonić do swych sojuszników politycznych z West Side. Wiem, że nie przepadają za Marszałkiem. Może będą w stanie go uspokoić.

Pół godziny później Roger połączył się z West Side, z osobą, którą wskazał mu Angelo Spina. Mężczyzna wydawał się miły i przyjazny. Tak, to straszne, co się dzieje. Po prostu hańba dla miasta, chociaż, dzięki Bogu, szalony Rocco nie mieszka w Chicago, tylko w River Forest, „a tam, gubernatorze, rządzą republikanie".

— Czy jest szansa, by pańscy przyjaciele lub ich przyjaciele powstrzymali Marsalla? — spytał Roger niespokojnie.

— To zależy.

— Od czego?

— Niestety od niczego, na co pan może mieć wpływ, gubernatorze — odparł polityk z West Side.

Telefonując do Rodneya Weavera miał nadzieję, że zdoła się z nim jakoś porozumieć. Niestety, decyzję już podjęto: poświęcony mu artykuł będzie opublikowany w tydzień po Wielkanocy. Weaver bardzo ubolewał z powodu pogróżek i wandalizmu, jednakże nie może — jak oświadczył ze śmiertelną powagą — stanąć na drodze obowiązkowi ujawnienia przed opinią publiczną prawdy. Na dobrą sprawę w obliczu tych kryminalnych poczynań wydobycie sprawy na światło dzienne zdaje się jeszcze bardziej naglące, stwierdził.

— Wolna i nieskrępowana opinia publiczna wytrąca z ręki broń potworom takim jak Marsallo.

— Za cenę śmierci mojej matki, żony i córki?

— Trzeba było pomyśleć o tym, nim rodzina związała się z Marsallem — oświadczył Weaver tonem starego irlandzkiego proboszcza gotowego usunąć z parafii parę, która pomimo odmiennych wyznań ośmieliła się wejść w związek małżeński.

— Wiesz przecież, Rodney, że te dokumenty zostały skopiowane bez mojej zgody — chwytał się ostatniej deski ratunku Roger.

— Cóż, chyba jakoś to przeżyję.

Powinien był wycofać swą kandydaturę, kiedy się tylko zorientował, że dokumenty gdzieś się zapodziały. Teraz jest już za późno. Gdyby nawet to zrobił, Weaver i tak je opublikuje, a Marszałek i tak się zemści.

Miał właśnie wyjść z biura, gdy zadzwonił telefon.

— Moi przyjaciele rozmawiali z ich przyjaciółmi, gubernatorze — oświadczył polityk z West Side — i przykro mi, ale w tej chwili nic nie da się zrobić w sprawie szalonego Rocca. Może nieco później, jeśli rozumie pan, co mam na myśli. Teraz mają niestety związane ręce.

— A co mogłoby je rozwiązać?

— No cóż, gubernatorze, to bardzo skomplikowane pytanie. Wiadomo, że nikt nie lubi Rocca, co więcej, wszyscy uważają go za obłąkanego. Nie zawsze był taki. Pochodzi z bardzo dobrej rodziny, chociaż od dawna z nią nie mieszka. Ostatnio zrobił się tak okropny, że przyjaciele moich przyjaciół z trudem go znoszą. Możliwe, że niedługo zabije kogoś, kogo zabić nie powinien, i wtedy z pewnością coś z nim zrobią.

Więc wszystko jasne: ktoś musi zostać zabity, by mogli się pozbyć Marszałka.

Już w płaszczu Roger siadł z powrotem przy biurku. Boże, kogo on zabije? Myśl przyczajona w najgłębszych zakamarkach podświadomości poraziła go nagle. A gdybym zabił siebie, zostawiając list obarczający odpowiedzialnością mafię, a przede wszystkim Marszałka? Wtedy musieliby coś z nim zrobić. Moja śmierć gwarancją śmierci Marsalla.

Przez całe życie Roger nigdy nie myślał o samobójstwie; po prostu nie dopuszczał takiej formy przyznania się do klęski. Teraz jednak spojrzał na to inaczej, jak na rodzaj pokuty, na którą w duchu przystał.

Ale jak popełnia się samobójstwo?

Ace

— Moje dziecko w niebezpieczeństwie, Brigid nękana pogróżkami, w Świętej Praksedzie wybijają okna, a ja nie jestem w stanie skupić myśli na niczym innym niż seks.

Sprawy te nie wiązały się ze sobą w żaden sposób — w łóżku Danny'ego czy poza nim, Irene nie mogła przeciwdziałać wandalizmowi ani pogróżkom. Oczywiście wiedziała o tym. Podczas wielu lat duszpasterskiej służby Ace przekonał się jednak, że kobiety rozumują inaczej niż mężczyźni. Irene nie czuła się winna, nie brała na siebie odpowiedzialności; rozpaczała, bo porażał ją kontrast między własną przyjemnością a niebezpieczeństwem, w jakim znalazła się jej rodzina.

Historia, którą mu opowiedziała, była bez wątpienia najbardziej zaskakująca ze wszystkiego, co kiedykolwiek słyszał. I co u diabła miał jej powiedzieć?

— Zostawmy moralny aspekt całej tej sprawy, Renie. To mnie naprawdę przerasta. Jedno ci tylko powiem: twoją największą wadą było i jest to, że nie dość wysoko cenisz siebie.

— Uważa ojciec, że zbyt tanio się sprzedaję? — spytała i natychmiast przestała płakać.

Irene

Dzień Świętego Patryka okazał się jak zawsze zimny, wietrzny i szary. Uroczystości towarzyszące świętu, na pozór entuzjastyczne, tak naprawdę były w równym stopniu wymuszone jak obchody pierwszomajowe w Moskwie. Twarze młodych uczestników parady siniały z zimna, a tłum na chodnikach nie za wiele uwagi mógł poświęcić wiwatom i oklaskom, zajęty chuchaniem w skostniałe dłonie. Zziębnięci politycy i ich żony nie rezygnowali jednak z oficjalnie wymaganej dobrodusznej jowialności.

Roger, choć uważał obchody Dnia Świętego Patryka za groteskowe, maszerował w pierwszym szeregu pochodu razem z burmistrzem, przewodniczącym rady miejskiej, którego burmistrz właśnie zamierzał się pozbyć, dwoma kongresmanami polskiego pochodzenia i członkiem rady, reprezentującym dzielnicę zamieszkaną przez Czarnych. Kiedy doszli do trybuny, kardynał o długich siwych włosach i wychudzonej twarzy, bardziej niż kiedykolwiek kojarzący się z renesansowym despotą, beztrosko pogratulował mu zwycięstwa w prawyborach oraz ,,niezaprzeczalnych osiągnięć telewizyjnych brata".

Irene chciała się wycofać, by uniknąć rozmowy z kardynałem, lecz Roger właśnie ją przedstawił, uniemożliwiając ucieczkę. Noele była oczywiście dużo bardziej szczera.

— Skoro program wujka Johna jest taki dobry, kardynale, to dlaczego monsignore Keegan grozi, że odbierze mu parafię, jeśli nie zrezygnuje z telewizji?

Kardynał najwyraźniej nie przejął się atakiem.

— Cóż, panienko, nie jestem w stanie kontrolować wszystkich pracowników kurii. Ale przyjrzę się tej sprawie i jeśli jest tak, jak mówisz, oczywiście położę temu kres.

— Gadanie!... — pociągnęła nosem Noele.

Dzięki Bogu, że kardynał nie rozumie młodzieżowego slangu, uśmiechnęła się w duchu Irene i niemal spontanicznie pomachała maszerującym w pochodzie. Stojący obok na trybunie politycy i ich żony komentowali poświęcony Rogerowi artykuł, który ukazał się w ,,Fort Dearborn", tygodniku jeżdżących limuzynami liberałów oraz gustujących w wyszukanych przyjęciach radykałów popierających biednych i represjonowanych pod warunkiem, że nie pojawiają się w ich dobrych dzielnicach. Pismo reklamowało produkty przeznaczone dla lewicujących klientów, takie jak sprzęt stereo za tysiąc pięćset dolarów, mercedesy za dwadzieścia pięć tysięcy, a także mieszkania za pół miliona.

Redaktor Gery Jensen opublikował artykuł na temat Rogera, ale nawet się nie pofatygował, by zrobić z nim wywiad. Poprzestał na powołaniu się na szacownego kolegę uniwersyteckiego, który twierdził, że „służba publiczna będzie dla doktora Farrella znakomitym rozwiązaniem, jako że niewiele już miałby do zdziałania jako naukowiec, niewątpliwie inteligentny, lecz jak na akademika nie dość głęboki". Artykuł zwracał też uwagę na „żonę i córkę profesora, przypominające dwie świetnie zrobione śliczne lalki Barbie — jedna w pełni dojrzała, druga dopiero rozkwitająca".

— To nieprawda, Roger — protestowała Noele. — Mama tylko trochę maluje oczy, a ja w ogóle nie mam makijażu. Wiesz, nic mnie to nie obchodzi, ale nie rozumiem, dlaczego kłamie. Przecież nigdy nie spotkał się z nami twarzą w twarz?

— Z dwóch powodów, Śnieżko — odparł Roger. — Po pierwsze, magazyn musi się sprzedawać; po drugie, mając czytelników takich jak on, nie wolno stracić żadnej okazji, by pośmiać się z Irlandczyków. Koniec z próżnością, gdy wkracza się na scenę publiczną. Zresztą nie warto sobie zawracać głowy Gerym Jensenem. Mamy dużo groźniejszych przeciwników.

Po paradzie czekała ich seria mniejszych i większych suto zakrapianych bankietów. Kandydat i jego rodzina spotykali się z coraz bardziej podpitymi gośćmi, toteż gdy w końcu dotarli na Święto Koniczyny, kulminację obchodów Dnia Świętego Patryka, niewielu z nich było w stanie rozpoznać „przyszłego gubernatora znakomitego stanu Illinois".

Irene wypijała w każdym miejscu po jednym martini, co jeszcze niedawno wywołałoby protesty Rogera. Teraz jednak nie powiedział ani słowa, gotów przystać na wszystko, co choć na chwilę zmieniłoby ich nowe nieznośne relacje. Szczęśliwie czwarte martini okazało się ostatnie; Irene do końca wieczoru zachowywała się bez zarzutu, urocza i panująca nad sobą.

Była druga w nocy, gdy dotarli do domu. Roger od razu udał się na swe zesłanie do pokoju gościnnego. Z Irene alkohol wyparował już kompletnie i nagle niezwykle wyraziście ujrzała siebie. Gery Jensen miał absolutną słuszność. Wprawdzie nie malowała się przesadnie, ale i tak była Barbie, Barbie w średnim wieku. Mężczyźni całe życie się nią bawili: najpierw ojciec, potem Danny, Roger i przez parę tygodni John. A teraz znowu Danny. Zawsze gotowa była dostarczyć im tego, czego chcieli, zawsze myślała o ich przyjemności, którą brała za własną. Z Dannym posunęła się najdalej, pozwalając mu rozkoszować się sobą prawdziwą i szczerą, odartą ze wszystkiego. Na dobrą sprawę nigdy nie robiła nic dla siebie, nie dbała o własne szczęście. Ojciec Ace miał słuszność: nie dość ceniła siebie, oddawała się, jakby nie była nic warta.

Rzuciła się na łóżko, wściekle tłukąc w poduszki.

— Noele nigdy nie poszłaby na coś takiego — niemal krzyknęła. — Dlaczego ja to znoszę?

Teraz widzę wyraźnie, w co zabrnęłam. Nareszcie oprzytomniałam. Dość mam ich wszystkich i dość mam siebie. Kim do diabła jest Dan Farrell? Na jakiej podstawie uważa, że może mnie trzymać w zawieszeniu do czasu, aż się upora ze swymi problemami? Koniec z tym, pomyślała i wyskoczywszy z łóżka, zarzuciła futro z norek na nocną koszulę, wsunęła bose stopy w kozaczki i wybiegła z sypialni. Przed drzwiami Noele zawahała się na moment: w pokoju jej bożonarodzeniowego dziecka ciągle jeszcze paliło się światło.

Ostatnio skakały sobie do oczu częściej niż kiedykolwiek. Noele oczywiście zauważyła, że Irene nie śpi z Rogerem, i złościła się, nie dlatego, że nie rozumiała, o co chodzi, ale dlatego, że myślała, iż rozumie. Trudno, to co się dzieje, nie może pozostać bez wpływu na Noele. Nieświadoma skutków, przywołała Danny'ego Farrella z powrotem do życia, a teraz jak inni musi ponosić tego konsekwencje.

Przez tyle lat poświęcałam się dla mego bożonarodzeniowego dziecka, które i tak pewnie nigdy tego nie zrozumie. Czas najwyższy skończyć z tym.

Minąwszy drzwi Noele, ruszyła pędem po schodach i wybiegła z domu. W drodze do Mandrake Parkway trzy razy wpadła w poślizg — ostatni zakręcił datsunem parę razy w kółko. Nawet się nie wystraszyła, tak była ogarnięta złością. Gdy w końcu dojechała na miejsce, łomotała w drzwi i dzwoniła przez dobrą chwilę, nim Danny w szortach i podartym białym szlafroku zjawił się, by jej otworzyć

— Na Boga, Irene, co ty tu robisz o tej porze?

Weszła do środka i z impetem zatrzasnęła drzwi.

— Przyszłam ci powiedzieć, co naprawdę o tobie myślę, ty skurczybyku. Nie zamierzam być dłużej maskotką, którą mężczyźni zabawiają się przez chwilę, póki nie trafi im się coś lepszego. Dlaczego sądzisz, że możesz ukrywać się za swoją pisaniną, roztrząsać te głupie psychotyczne problemy, a ja będę cierpliwie czekać, aż się zdecydujesz?

— Jesteś cudowna — szepnął.

— Kiedy odzywają się w tobie hormony i potrzebujesz kobiety, podrywasz mnie na ulicy, używasz przez godzinę lub coś koło tego, a potem pozbywasz się jak panienki na telefon, która ma jednak trwać w gotowości, bo a nuż znowu się rozpalisz.

— To nieprawda, ale jesteś zachwycająca.

— W ogóle cię nie obchodzi, że ci bandyci mogą skrzywdzić którąś z nas, Brigid, Noele czy mnie.

— To niesprawiedliwe, Renie. Co mogę zrobić? — W jego głosie był strach i poczucie winy. — Proszę...

— Prosisz o co? Żebym zdjęła płaszcz i poszła z tobą do łóżka, bo podkręca cię rozwścieczona kobieta? Żebyś mógł znowu szukać we mnie mamusi? Nie jestem twoją mamusią i nie jestem małą dziewczynką, rozumiesz?! Jestem dorosłą kobietą. Kiedyś może i ty dorośniesz, choć mocno w to wątpię. Nie spodziewaj się jednak, że będę czekać, aż to wreszcie nastąpi.

Rzuciła się do wyjścia i prosząc Boga, by nie upadła, zbiegła po śliskich schodach do samochodu. Kiedy ruszała, dostrzegła go jeszcze na tle oświetlonych drzwi kręcącego głową z osłupienia.

Zniknie gdzieś znowu, to pewne. Ale nie dbam o to. Mam cię gdzieś, Danny Farrellu.

Noele

— O czym rozmawiałyście wczoraj z Maryjane Hennessey? — spytał na pozór obojętnie Roger, smarując masłem grzankę.

Mama nie jadła z nimi śniadania; była nadal w łóżku, jak zawsze o tej porze. Noele próbowała pouczyć się jeszcze trygonometrii, zupełnie nie mając ochoty na pogawędki z Rogerem.

— O studiach. Powiedziałam jej, że myślę o dziennikarstwie.

— Nigdy mi o tym nie mówiłaś.

— Bo nigdy nie pytałeś. — Wiedziała, że obcesowość, szczególnie rano, jest najlepszym sposobem, by pozbyć się Rogera.

Powiedziała prawdę, choć niecałą. Maryjane była super, a kiedy zapewniła Noele, że nie zamierza niczego nagrywać, rozmawiało im się po prostu genialnie. Znakomicie rozgryzła Danny'ego. Dlaczego sama nigdy o tym nie pomyślała? Dan Farrell żył nękany poczuciem winy za śmierć matki. Dziwaczne, lecz gdy dziecku mówi się ciągle, że matka umarła, by je uratować, w końcu zaczyna czuć się winne. Na pewno.

To miało sens. Nic dziwnego, że Danny bał się mamy... i mnie też. Ale ciągle nie wiem, kto zabił Clancy'ego. I jak mam się dowiedzieć, gdy te głupie zbiry czyhają, gotowe nie wiem co mi zrobić?

A jednak muszę poznać prawdę.

Burke

Odbyło się posiedzenie rady, poinformował Burke'a dobry znajomy. Młodzi są wściekli. Za nic nie chcą walczyć z kandydatem na gubernatora. Ale szef upiera się przy swoim — niech nikt nie śmie tknąć Rocca, dopóki kogoś nie zabije. A wtedy padrino udusi go własnymi rękami, za hańbę.

Padrino wie, co znaczy honor. Na pewno. Jednakże moja rodzina... A jeśli ja go załatwię? To co innego; szef nie będzie miał nic przeciwko. Tyle że nie mogę zatrudnić nikogo, aby to zrobił.

A co będzie, jeśli nie zabije, ale zrobi krzywdę komuś z rodziny? To dopiero hańba. Czy padrino zmieni wtedy zdanie?

Czemu nie powstrzymali dzieciaka od wtykania nosa w nie swoje sprawy?

Gdy skończyli rozmowę, Burke wyjął z sejfu pistolet ojca. Stary Redmond Kennedy prawdopodobnie sam nieraz go używał. Burke wynajmował innych, by zabijali za niego.

Próbował naładować broń, ale ręce trzęsły mu się tak okropnie, że wściekły z całych sił uderzył pięścią w sejf. Jestem do niczego, uznał.

John

— Można wejść? — spytał Ace.

— Jasne. Nalej sobie bourbona i siadaj — odparł John.

W piątkowy wieczór sam popijał już drugie martini.

— Doszły mnie słuchy, że twój zastępca złożył podanie o przeniesienie. — Ace napełnił szklankę do połowy, przyjrzał się jej uważnie i dolał jeszcze kilka uncji złocistego trunku.

— Wcale nie jestem zaskoczony. On i jego sprzymierzeńcy przegapili okazję, by przejąć władzę tutaj, będą więc próbować w innej parafii.

— M. N. podczas parady nieźle popędziła kota staremu. Ta dziewczyna nie zawahałaby się chyba przed samym papieżem. Zobaczyć coś takiego... to by dopiero była zabawa! — W McNamarze odezwał się irlandzki duch i z przyjemnością wyobrażał sobie spór wielkiego Polaka z małą Irlandką.

John miał dość innych problemów i niemal zapomniał o kardynale.

— Wiesz, że Danny wyjechał dziś rano?

Ace aż się zakrztusił, marnując pokaźną ilość drogiego napoju.

— Naprawdę?

— Zadzwonił z lotniska i powiedział, że musi jechać do Nowego Jorku, by się spotkać z wydawcą, i może zostanie tam jakiś czas. Robił wrażenie dziwnie wystraszonego.

— Aha... — Ace zadumał się na moment, ssając brzeg szklanki.

— Typowe — mruknął John. — Kiedy sprawy się komplikują, Danny znika.

— Myślisz, że wróci?

— Oczywiście. Powróci jak zły duch. Prosił, żebym zawiadomił Brigid i Rogera o wyjeździe. Brata nie było, więc powiedziałem Irene.

— A ona co na to?

— Nic. Podziękowała za telefon. Ciągle się w nim kocha. Wiesz przecież, że Roger tylko zastąpił Danny'ego. A ja, jak sam mówiłeś, stanowiłem jego namiastkę.

— Czasem myślę, że ten łajdak jest namiastką samego siebie.

Johna zdziwiła agresja Ace'a.

— Czyżbyś był na niego zły?

— Zły? Ja bym mu chętnie skręcił jego... wybacz mocne słowo... pieprzony kark.

James III

— Szczerze mówiąc, Jaimie, nie wyobrażam sobie czegoś bardziej dziwacznego. Ni stąd, ni zowąd jedzie na lotnisko, wsiada do samolotu i odlatuje do Nowego Jorku, nie pożegnawszy się z nikim, no, z wyjątkiem wujka. Czy to nie głupie?

Jaimie gotów był się zgodzić, że to faktycznie głupie, chociaż osobiście nic go nie mogło bardziej uszczęśliwić niż wyjazd Danny'ego. Lubił go, ale to w końcu rywal.

Jechał niespiesznie, cały czas mając na oku podążający za nimi wóz policyjny. Nie wiedział, czemu to takie ważne, ale profesor Farrell powiedział, żeby się od niego zbytnio nie oddalać, i Jaimie posłusznie się do tego polecenia stosował.

Byli w Oak Lawn na filmie, który Noele chciała zobaczyć, gdyż słyszała, że bohaterka filmu ma takie same zielone oczy jak ona. Dość mętny, pełen niby-mistycznych skojarzeń film zaintrygował Jaimiego, ale i przeraził. Noele oczywiście swoim zwyczajem cały czas wygłaszała komentarze.

— Ona naprawdę wygląda strasznie bez ubrania. Dużo lepsza jest na plakacie, owinięta kobrą.

— Moim zdaniem jest fantastyczna i ubrana, i naga.

— Jasne, wiadomo, o co ci chodzi.

— Ale film niezły — powiedział pojednawczo w drodze powrotnej do domu.

— Tobie podobają się wszystkie filmy, w których kobiety się rozbierają.

— Zdecydowanie bardziej niż wkuwanie chemii — zgodził się.

— Moim zdaniem czarne pantery są dużo atrakcyjniejsze niż ona.

— A więc dostrzegasz jakieś podobieństwo między powabnym kształtem czarnych panter i jej.

— Coś takiego! — oburzyła się. — Ja nie patrzę na filmy tak jak ty.

— Do tej pory uważałem, że najbardziej pociągające są rude, ale teraz widzę, że jeszcze bardziej podobają mi się rozebrane rude.

— Jaimie Burnsie! Nigdy nie spotkałam kogoś równie wulgarnego jak ty.

— Wulgarny, ale wspaniały.

— Czyżby?

Wszystkie znaki na niebie i ziemi wskazywały, że czas najwyższy zmienić temat.

— Czemu twój kuzyn pojechał do Nowego Jorku?

— Powiedział, że musi spotkać się ze swym wydawcą, lecz ja myślę, że czuje lęk przed mamą. Kiedyś się kochali, może to wcale nie minęło. Mama nie śpi ostatnio z Rogerem. Chyba Danny wyjechał, żeby nie stawać im na drodze. Jak Enoch Arden.

— Enoch Arden?

Samochód policyjny zniknął nagle na światłach przy Western Avenue. Jaimie zwolnił, ale wóz nadal się nie pojawiał, nawet gdy światła się zmieniły.

— Nie pamiętasz? Z powieści Dickensa.

— Raczej Tennysona. — Jaimie sporo ryzykował, poprawiając Noele, ale nie potrafił oprzeć się pokusie, gdy złapał ją na jednej z rzadkich pomyłek.

— Może.

— Enoch i jego ukochana byli małżeństwem, i to w wierszu, a nie w powieści.

— Nie musisz być taki dosłowny.

Jaimie nie zdążył zinterpretować poematu Tennysona. Kiedy skręcali z Dziewięćdziesiątej Piątej w ciemną i wyludnioną Jefferson Avenue, nagle wyłoniły się dwa samochody, jeden przed, a drugi za nimi. Przycisnął z całych sił hamulec. W tej samej chwili dwaj mężczyźni wyskoczyli z pierwszego wozu i pospieszyli w ich kierunku. Odkręcił szybę i zanim spostrzegł, że mężczyźni noszą maski, jeden z nich przyłożył mu pistolet do gardła.

— Piśnij słowo, a skończę z tobą i tą małą. Wyłaź z samochodu, posłusznie i cicho.

Jaimie otworzył drzwi, gotów potraktować go jak przeciwnika na boisku futbolowym. Pochylił się i uderzył napastnika ramieniem w brodę z taką siłą, że ten niemal przefrunął na drugą stronę ulicy. Z mroku wyłonił się drugi i Jaimie rzucił się na niego, by mu odebrać pistolet. Zdołał go wybić zbirowi z ręki, ale w tejże chwili otrzymał potężny cios w głowę i poczuł, jak zapada się w głęboką czeluść. Nim dotarł do dna, usłyszał jeszcze krzyk Noele.

Nie wiedział, ile czasu minęło, nim podjął rozpaczliwą próbę przebicia się przez ogarniające go ciemności. Jechał samochodem niemiłosiernie podskakującym na wyboistej drodze. Ręce miał skrępowane, usta czymś zapchane. Gdzieś z oddali dobiegał głos Noele, jęki i stękanie wydobywające się z prawdopodobnie zakneblowanych ust. Niewiele był w stanie zobaczyć, ale niewyraźny obraz nie budził wątpliwości — wielka łapa mężczyzny buszowała po obnażonym ciele Noele.

Niebawem samochód się zatrzymał. Zawlekli go do położonego za miastem lub na wsi domu. Wokół rosły drzewa i żadne światła nie docierały z okolicy. Wepchnięto go najpierw do zupełnie ciemnego pomieszczenia, a stamtąd do jaskrawo oświetlonego pokoju.

Jeden z mężczyzn mocnym szturchnięciem przywrócił mu świadomość.

— Zrobimy dziś dla ciebie małe przedstawienie, które będziesz mógł śledzić od początku do końca. To zresztą tylko wstęp do tego, co nastąpi, jeśli rodzina tej małej nie spełni naszych żądań.

Musiał oglądać, jak zdzierają z Noele resztki ubrania, jak ją biją, a w końcu jak trzech mężczyzn gwałci ją jeden po drugim.

Taniec dziewiąty

Danse macabre

Taniec śmierci... przedstawia Śmierć grającą na skrzypcach i tańczącą o północy na grobie w takt Dies Irae *z mszy żałobnej.*

Roger

— A więc w naszym mieście można porwać parę młodych ludzi — kongresman Burns krzyczał jak obdzierany ze skóry — znęcać się nad nimi, a chicagowska policja nie jest w stanie nic zrobić, nawet jeśli wie, kto się za tym kryje?!

McNeally tym razem nie wytrzymał.

— Panie kongresmanie, gdybym ja mógł decydować, to do diabła, w tej chwili bylibyśmy w River Forest, złapali tych łotrów i obcięli im, co trzeba. Proszę nie obwiniać policji za to, do czego pan, kongresmanie, i Sąd Najwyższy doprowadziliście. Pan wie, ja wiem, wszyscy wiedzą, że odpowiedzialny jest Marszałek, że to on i jego zbiry, Dubuque Salerno i Mały Tony Caputo są sprawcami przestępstwa. Gdybyśmy ich jednak aresztowali, po paru godzinach zjawiliby się prawnicy i wyciągnęli bandziorów, a gazety trąbiłyby o wszystkim na lewo i prawo. Nie mamy żadnych dowodów. Bandyci nosili maski, toteż ani Noele, ani pański syn nie są w stanie ich zidentyfikować.

— Czyli nic nie przeszkodzi im zaatakować znowu, tak jak grozili?

— Możemy trzymać dziewczynę pod ochroną w jakimś bezpiecznym miejscu. Możemy zabrać ją do innego miasta i zmienić jej nazwisko. Możemy ją wysłać do Europy. Ale jeśli Marszałek naprawdę zechce, dopadnie ją nawet na końcu świata.

— Porucznik sugeruje — głos Rogera był zimny jak lód — że cywilizacja zasadza się na obywatelach ustatkowanych lub choćby obawiających się skutków utraty stabilizacji. Gdy nagle pojawia się ktoś taki jak Marsallo, osobnik prymitywny należący do odległej epoki przedcywilizacyjnej, istoty cywilizowane czują się kompletnie bezradne, nie mogą dać sobie z nim rady.

Kongresman opadł na krzesło obok swej żony i Irene, która siedziała sztywna, blada i milcząca.

— Na szczęście udało mi się wybić Jimowi Wellsowi z głowy opisanie całej historii w gazecie. Musiałem łajdaka postraszyć wszelkimi możliwymi represjami przeciwko jego przeklętemu pismu, gdyby zdecydował się na publikację. Oczywiście nie omieszkał mnie pouczyć, że opinia publiczna ma prawo znać prawdę.

— Jakbym to już gdzieś słyszał — wtrącił Roger z ironią. Czy opinia publiczna ma także prawo wiedzieć, że kandydat na gubernatora cały czas nosi teraz ze sobą opakowanie valium, zapisane pod pretekstem konieczności wytchnienia po wieczornych wystąpieniach, w gruncie rzeczy będące ukrytym w teczce gotowym środkiem pokutnej ofiary?

— Oboje będą strzeżeni przez dwadzieścia cztery godziny na dobę — oświadczył McNeally, zerkając z niepokojem na twarze czwórki rodziców. — Rozumiem, że pański syn, kongresmanie, zostanie zwolniony ze szpitala dziś rano?

— Około południa. Sprawdzają, czy poza stłuczeniami i siniakami nie ma jakichś obrażeń wewnętrznych. Ale nie myślę, by coś mu groziło. Nie o niego tu chodzi. Skupcie się na Noele.

Porucznik pokiwał głową twierdząco.

— Marszałek nie podejmie żadnych działań w ciągu kilku najbliższych dni. Wie, że uważnie mu się przyglądamy.

— Ale nic go nie powstrzyma przed zatrudnieniem kogoś innego, prawda, poruczniku? — Irene otworzyła usta po raz pierwszy od chwili, gdy wyszła rozdygotana i odmieniona z pokoju Noele do poczekalni szpitala.

— Rzeczywiście nie, ale należy do tych, którzy lubią sami brać udział w akcji. Jak ona się miewa, pani Farrell?

— Zgwałcona i upokorzona, zmaltretowana i potłuczona, porażona i oniemiała. A czego się pan spodziewał, poruczniku?

— Wyjdzie z tego — stwierdził Roger, chcąc wierzyć, że się nie myli. — Jest silną młodą kobietą i jej witalność zwycięży.

— Nie byłbyś taki pewny siebie, gdybyś był kobietą — odparła Irene z pasją. — Nigdy już nie będzie taka jak kiedyś, nigdy!

John

Klęczał nadal modląc się, gdy pierwsze promienie słońca wpadły przez okno. Dni były coraz dłuższe — dzień triumfował nad nocą, życie nad śmiercią, Jezus nad szatanem. Za pół godziny słońce zaleje swym blaskiem boisko, gdzie parę godzin temu znaleziono obnażone i sponiewierane ciało jego bratanicy. Mimo wszystko zwyciężyły siły ciemności.

Klątwa ciążąca nad Farrellami? Nigdy dotąd nie myślał w ten sposób. Jeśli jednak klątwa, to doprowadziła do niej sama rodzina, jej trzy kolejne pokolenia. A teraz czwarte cierpi za winy, których być może nie da się nigdy wymazać. Panie Boże, daj jej siłę... siłę, by mogła być znowu sobą. Nie karz jej za moje grzechy ani Rogera, Brigid i Clancy'ego.

O ósmej zadzwoni do Ace'a McNamary, do jego mieszkania przy uniwersytecie, i powie, co się stało. Jeśli ktoś może Noele pomóc, to tylko Ace.

Ale czy ktokolwiek jest w stanie pomóc młodej kobiecie okaleczonej tak bestialsko?

Brigid

Bardzo rzadko zdarzało jej się chodzić w tygodniu na mszę. Zbyt była zaaferowana, by poza niedzielą zaglądać do kościoła. Kiedy więc rano zjawiła się w Świętej Praksedzie, Bóg mógł sądzić, że starzeje się i czując słabość, zwraca się ku niemu.

— Weź mnie do siebie — błagała Najwyższego. — Jeśli ktoś z nas musi umrzeć, niech to będę ja. Jestem stara i zasłużyłam na karę. Ona jest niewinna, nigdy nie zrobiła nic złego. Pragniesz którejś z nas? Weź mnie, a nie ją. Jestem gotowa. Poślij mnie do piekła, jeśli chcesz. Ale pozwól żyć Noele.

Po mszy poszła do zakrystii, gdzie John właśnie zdejmował fioletowy ornat.

— Oto kara za nasze grzechy — zawodziła bliska histerii. — To biedne dziecko cierpi teraz za całe zło, którego myśmy się dopuścili.

— Nie na tym polegają wyroki Boże, mamo. — John próbował zachować spokój, być cierpliwym i trzymać się w ryzach, chociaż w głębi duszy czuł taki sam lęk.

— Co ty wiesz o Bogu! — krzyczała.

John objął ją i przytulił, tak jak robił to Danny, by mogła wypłakać w jego ramionach cały swój gniew i strach. Nigdy dotąd nie trzymał jej w ten sposób, nawet gdy umarł ojciec. Boże, dlaczego?...

— Masz jakieś wieści ze szpitala? — spytał łagodnie.

— Dzwonili, nim wyszłam do kościoła. Podobno spokojnie odpoczywa, cokolwiek to znaczy. — Otarła łzy, znowu dobrze znana silna kobieta, która potrafi stawić czoło każdej przeciwności. — Ale nie powiedzieli Irene, kiedy będzie można zabrać Noele do domu. Pewnie faszerują ją jakimiś narkotykami, bo podobno ucierpiała psychicznie bardziej jeszcze niż fizycznie. I to może potrwać jakiś czas. W każdym razie tak twierdzą lekarze. Choć co oni mogą wiedzieć! Przecież to mężczyźni.

— Mówisz, jakbyś uważała, że każdy mężczyzna to gwałciciel, mamo.

— Czasem tak mi się wydaje. Rozmawiałeś może z tym księdzem psychologiem, którego ona tak lubi?

— Tak. Oczywiście jest wstrząśnięty, ale powiedział też, że chyba nie po kolei mamy w głowach, jeśli sądzimy, że Noele nie stać na wyjście z tego.

— Co on tam wie!...

— Dużo wie, mamo. Może więcej niż my wszyscy.

Irene

— Tak, to prawda. Wielokrotnie bestialsko zgwałcona przez trzech gangsterów... I Jaimie musiał się temu przyglądać... Nie spodziewałeś się tego?... Porzucili ją później na boisku przy kościele. I telefony do wszystkich po kolei, że następnym razem spotka ją coś jeszcze gorszego...

— To samo czeka mnie i Brigid...

— Nie, policja nic nie może zrobić. Wiedzą, kto się za tym kryje, ale nie są w stanie tego udowodnić... Pilnują jej w szpitalu przez całą dobę. Ten Marsallo ma jednak dość pieniędzy, by zatrudnić innych do zrealizowania swych planów... Mam nadzieję, że miło spędzasz czas w Nowym Jorku, kochanie. — Rzuciła z trzaskiem słuchawkę, pragnąc w tej chwili jednego: by móc zapłakać.

Noele

Czuła ból i gniew, wstyd i upokorzenie. Była znieważona, zmaltretowana, rozbita, była strzępem samej siebie. I straszliwie, straszliwie się bała. Mogli znowu przyjść po nią. Mogli jeszcze raz zrobić to wszystko: rozebrać ją, torturować i znęcać się nad nią, ubliżać jej obrzydliwymi słowami, a potem wedrzeć się w jej ciało i jeszcze raz, i jeszcze, aż chciała umrzeć, marzyła, by móc umrzeć, błagała Boga, aby zesłał jej śmierć. Następnym razem mogą ją zabić, bez pośpiechu i bez litości. Nikt nie będzie ich w stanie powstrzymać. Wcielenie zła, potwory o nieograniczonej mocy, żyjące po to, by zadawać ból i śmierć.

Choć ledwie świadoma i otępiała od leków, Noele myślała jednak nie tylko o sobie. Trzeba coś zrobić w sprawie Jaimiego, uznała. Bierze na siebie odpowiedzialność za to, co się stało, a to przecież nie jego wina. Słyszała, jak jeden z tych głupich lekarzy mówił, że tyle będzie między nią a Jaimiem złości i obwiniania się, iż już nie potrafią być przyjaciółmi. O nie, na pewno nie. Wystarczył jej skrawek świadomości, by zdecydować, że za nic nie pozwoli odebrać sobie Jaimiego.

Musi się też zająć mamą, którą odepchnęła ze złością, gdy próbowała ją objąć. Co za głupota i okrucieństwo — ranić mamę, bo sama jest zraniona.

I Roger, oszalały, zagubiony, bezsilny. Próbował wyjaśniać, dlaczego tak się stało, opowiadał o jednym z bandytów, któremu Clancy zlecił zabicie matki Danny'ego. Można to było udowodnić w oparciu o pewne dokumenty, które skopiowano w biurze Rogera. No tak, oboje z Jaimiem podejrzewali coś takiego, chociaż miała nadzieję, że chodzi tu raczej o Burke'a; Danny nie miałby wtedy powodu, by zabijać Clancy'ego.

Z wolna zaczęła zapadać się w niebyt, choć robiła wszystko, aby oprzeć się ciemności.

A więc matka Danny'ego została zamordowana i dlatego Danny musiał zabić Clancy'ego. Nie, coś tu nie pasuje. Co?... Nie mogła skupić myśli; zbyt była nafaszerowana lekami. Kiedy poczuje się lepiej, dojdzie do tego. Na pewno. Teraz jednak na chwilę się podda — może sen ją uleczy.

Gdy się obudziła, zjawił się młody psychiatra i zadawał jej dziesiątki nudnych pytań. Powiedziała mu oczywiście, że są nudne, doradzając, by lepiej wykorzystał sobotnie popołudnie. Zresztą miała swojego osobistego psychologa, który przyjdzie tu jutro.

— Doświadczyłaś rzeczy strasznych, moja droga — oświadczył z namaszczeniem.

— Nie da się ukryć — odpaliła.

Ohydny zapach szpitalny przyprawiał ją o mdłości, a przez tego doktorka naprawdę bliska była wymiotów.

Następnego dnia myślała nieco bardziej sensownie i zadawała sobie pytanie, dlaczego człowiek nie mający w sobie nic z mściciela jednak zabija — co prawda mordercę matki, mimo wszystko trudno to jakoś zrozumieć. Daniel Xavier wybaczał innym. I to było dobre. Ale nie zależało mu, i to było złe. Musiał zrozumieć, że można kochać i przebaczać — jak ona kochała jego i mogła mu wybaczyć, że nie ma go tutaj, kiedy go tak bardzo go potrzebowała.

Zapadła znowu w niespokojny sen, w którym wszystko się mieszało: za nic nie mogła oddzielić tego, co przytrafiło się jej, od tego, co zdarzyło się innym. Była więc Clancym i Brigid, mamą i Dannym, Rogerem i Johnem, a także Flossie. Właściwie najczęściej Flossie. Dlaczego?

Około południa do pokoju zajrzał szeroko uśmiechnięty ojciec Ace.

— Gotowa na spotkanie z osobistym psychologiem, kapelanem, spowiednikiem i przyjacielem?

Ciągle czuła potworny ból i okropnie się bała, lecz zdobyła się na uśmiech.

— Jak się spisywał dzisiaj mój zespół?

— Jeśli tylko to spędza ci sen z powiek, znaczy, że przetrwasz. — Ace stał tuż obok łóżka z rękami w kieszeniach i roziskrzonymi jak zawsze oczami.

— Oczywiście, że przetrwam — odparła cierpko. — Był tu wczoraj po południu pewien nudny psychiatra, który robił wszystko, bym się kompletnie rozłożyła. Ale ja nie zamierzam się rozkładać. Słyszysz, ojcze Ace? Nie mam takiego zamiaru.

— Mogą jeszcze nadejść niełatwe chwile, M. N. — powiedział łagodnie.

— To część losu kobiety: trzeba żyć, nawet gdy się było zgwałconą.

— Dziś niedziela Męki Pańskiej. Tak, cierpienie czyni nas człowiekiem.

— Czy kiedykolwiek będę od tego całkiem wolna, ojcze? — Zdała sobie sprawę, że głos jej się załamał, i rozzłościła ją własna słabość. — Czy kiedykolwiek będę tamtą dziewczyną, która wybrała się z Jaimiem do kina?

— Nigdy nie będziesz taka sama — rzekł z naciskiem. — Cokolwiek się zdarza, pozostawia ślad w życiu i pamięci. A od ciebie zależy, czy to, czego doświadczyłaś, uczyni cię silniejszą i bardziej dojrzałą czy też nie.

— Ja nie przegrywam, ojcze, wiesz o tym — uderzyła z całych sił w łóżko. — Nigdy. I nie zamierzam tym razem robić wyjątku.

— Stawiam na ciebie, Noele.

— Nudzi mnie już to wszystko. — Jeszcze jedno uderzenie pięścią w poduszki.

— Trzeba żyć także z tym, co nudzi. Na tym polega dorastanie.

— W każdym razie skończyłam z dziewictwem.

— Dziewictwo nie jest sprawą fizyczną — oświadczył.

— Jest, oczywiście, że jest — obstawała przy swoim.

— No, może w jakiejś części.

— Tej mniejszej części. — Wziął jej ręce w swe dłonie, duże i mocne, większe i mocniejsze nawet niż dłonie Jaimiego.

— No dobra, tej mniejszej. Czuję, że teraz będę płakać, ojcze. Bez histerii, ale mam zamiar płakać. Potrzymaj mnie jeszcze za rękę, a potem idź do Jaimiego Burnsa. On potrzebuje wsparcia dużo bardziej niż ja.

Nim wyszedł z pokoju, zadzwonił jeszcze do Johna.

— Poinformuj rodzinę, że z Noele wszystko w porządku. Skąd wiem? Bo mi powiedziała.

Zaśmiewali się potem z tego razem z Noele jak z najlepszego dowcipu.

Tego wieczoru grymasiła przy kolacji, oświadczając pomocnicy pielęgniarki, która przyniosła posiłek, że szpitalne jedzenie jest nieznośnie nudne, po czym łaskawie zgodziła się na tabletkę nasenną. Przez pół godziny oglądała jeszcze telewizję, a kiedy poczuła, że oczy jej się kleją, zadzwoniła do mamy, by nie przychodziła, bo chce spać, zapewniwszy ją jeszcze o swej miłości.

Sen, który ją pochłonął, był mroczny i przepastny, jak pływanie w jeziorze czarną nocą bez gwiazd i księżyca. Raptem zerwała się zmieszana i wystraszona. Gdzie jest? Co się stało? Dlaczego czuje takie napięcie? Gdzie mama? I nagle wszystko wróciło raz jeszcze: ból, przerażenie, wstyd, ohydne słowa, szyderczy śmiech i całe zło.

Ktoś był w pokoju, dysząc ciężko. Knebel, który wepchnięto jej w usta, nie pozwalał krzyczeć. Ohydna ręka ściskała z całych sił piersi, zadając ból, po całym ciele wędrowało coś lodowatego i twardego.

— Tym razem zabawimy się tylko trochę, żebyś nie zapomniała, co cię czeka, jak przyjdzie czas na następny seans.

Na moment ogarnęła ją jeszcze głębsza ciemność, aż ostatkiem sił wypluła zamykający usta knebel i zaczęła przeraźliwie krzyczeć. W blasku światła, które zapaliło się nad jej głową, ujrzała Danny'ego, który trzymając ją w ramionach przysięgał, że nigdy już nikt jej nie zrani.

Irene

— Proszę o zgodę na wejście, admirale — ojciec McNamara wyprężył się sprężyście i zasalutował.

— Zezwalam — odpowiedział służbiście Dan.

— Dziękuję, admirale. — Ace zasalutował raz jeszcze.

— Prawdziwa przyjemność móc was gościć, kapitanie. — W udawaniu Danny nie miał sobie równych.

— To honor dla mnie, admirale.

— Wariaci. — Irene nie mogła powstrzymać się od śmiechu. Udawali wojskowych, by ją rozbawić, obaj zresztą byli urodzonymi komediantami.

W sumie przez cały wieczór Dan zachowywał się jak doskonały stuprocentowy oficer. Uspokajał Noele i dodawał jej otuchy, nim jeszcze Irene i Roger zjawili się w szpitalu. Gdy weszli do pokoju, spała spokojnie wsparta na jego opiekuńczym ramieniu.

Udzielił później ostrej nagany porucznikowi McNeally'emu i zatrudnił prywatną firmę ochroniarską mającą czuwać całą dobę.

— Żeby nadzorowali policjantów — wyjaśnił Irene.

Zorganizował także własne szeregi: Burke, Jaimie, John, ojciec Ace, potężny DeWitt Carlisle mieli pilnować zarówno policjantów, jak i ochroniarzy.

Cały czas trwał na stanowisku, czarujący z Brigid, łagodny z Noele, uspokajający z Rogerem, wymagający z policjantami i zabawny przy niej. Nieomylnie zgadywał, może przypominając sobie przeszłość, że tylko śmiech jest w stanie przegnać ścigające ją demony.

Roger musiał ich opuścić, bo czekało go jeszcze tego wieczoru przemówienie w North Brook.

— Nie przejmuj się, gubernatorze, mała jest w dobrych rękach, nieprawdaż, szanowny panie Carlisle? Nie damy się zapędzić w kozi róg. Ty też pokaż w tym North Brook, co potrafisz.

Danny starał się ją rozśmieszyć, nazywając młodego czarnoskórego DeWitta „szanownym panem". Syn bankierów z dziada pradziada i kolega Jaimiego próbował dotrzymać Danny'emu kroku i podpuszczał go w podobnym stylu, nie dorównywał mu jednak klasą.

Tak świetnie sobie radzi z młodymi ludźmi. Jaka szkoda, że nie ma syna. Albo córki.

Przejmując obowiązki DeWitta, Jaimie pocałował ją w czoło i wyglądało na to, że wielki koszykarz ma ochotę zrobić to samo, lecz brak mu odwagi. W tej sytuacji Irene, zarażona humorem Danny'ego, ucałowała jego, mrucząc:

— Świetnie sobie radzisz, DeWitt.

— Zaczerwienił się, widziałaś? — szepnął jej do ucha Danny. — Zawieziesz mnie do domu, bym się trochę przespał? Jaimie będzie tu nad wszystkim czuwał.

Danny Farrell, nieustraszony wojownik, szarmancki oficer, czuły opiekun zalęknionych kobiet. Jak łatwo cię kochać!

Ale gdy tylko wsiedli do samochodu, zamknął się w sobie i milczał jak zaklęty.

Zaczęło znowu padać, Irene musiała włączyć wycieraczki.

— Jestem naprawdę pod wrażeniem, Dan — odezwała się w końcu.

— Udawanie chojraka — pomniejszył swe zasługi — gdy się nie ma wyboru.

— Bardzo tego potrzebujemy.

— Na krótką metę mogę służyć, Renie, wiesz o tym. Ale długi dystans mnie dobija.

Tym razem nie wdawała się z nim w dyskusję.

Przed domem dotknął jej policzka.

— Proszę, chodź do mnie.

Niemal czuła, jak drzemiące w niej pragnienie wybucha gwałtownym płomieniem.

— Ale na moich warunkach.

Gdy zmierzała w deszczu do drzwi, pożądanie zamieniło się w ból. Nie płakała jednak. Nigdy już nie będzie płakać z jego powodu. Aż do jutra.

John

Danny i Jaimie stali przed jego biurkiem niczym dwaj irlandzcy najemnicy, którzy wiedzą, że czeka ich życie krótkie i pełne niebezpieczeństw, ale też skłonni są dać z siebie absolutnie wszystko, nim nadejdzie koniec.

— Chyba straciłeś rozum — powiedział John. — Nigdy ci się coś takiego nie uda.

Danny przysiadł na jednym z niewygodnych krzeseł i dał Jaimiemu znak, by zrobił to samo.

— Kwestię rozumu zostaw nam, John — oświadczył z powagą. — Od ciebie oczekujemy pomocy teologicznej. Gliny twierdzą, że Marszałek zaatakuje znowu, a oni nie są w stanie go powstrzymać, nawet jeśli uprosimy, przekupimy czy wymusimy na Rodzie Weaverze zniszczenie tych nieszczęsnych papierów. Ten człowiek gotów jest torturować, kogo tylko chce. Kolejnymi ofiarami mogą być Irene i Brigid.

— Nie wierzę, by policja tak łatwo się poddała.

— Demokratyczny świat nie ma takiej policji, która mogłaby nas obronić przed mieszaniną gangsterskiej przemocy i psychopatycznego okrucieństwa, czyli Marszałka. — Miękki głos Jaimiego mógł przerazić bardziej niż krzyk.

— Farrell... — John natychmiast podniósł słuchawkę, gdy tylko zadzwonił telefon. — O, witaj, Joe... Najzupełniej. Program wielkanocny musi być naprawdę niecodzienny... Nie, kardynał nie przyjął zaproszenia... Anglikański biskup? Czemu nie, lepiej się prezentuje w telewizji niż kardynał... Nowy kontrakt? Piętnaście stacji z Nowym Jorkiem i Los Angeles?... Muszę się zastanowić. Ale wiadomość dobra...

— Gratuluję — ucieszył się Danny. — Zgodzisz się oczywiście — dodał i nie było to pytanie, lecz polecenie. Miał w sobie tę samą nieodpartą siłę co Irene.

— Później się tym zajmę... Chcecie zatem wiedzieć, czy wolno wam zabić Rocca Marsalla?

— Nie, ekscelencjo — odparł Jaimie Burns. — Chcemy zrozumieć teologię samoobrony. Jeśli armia najeźdźców nastaje na nasze kobiety i ich życie, czy mamy prawo wystąpić przeciwko nim? Jeśli inny szczep atakuje w dżungli naszą wioskę, jeśli otaczają nas zamkniętych w dalekim forcie Apacze, jeśli wikingowie szturmują zamek w średniowiecznej Irlandii, czy mamy prawo się bronić?

— Mówisz o niecywilizowanych społeczeństwach — dowodził John. — My mamy policję, wymiar sprawiedliwości. Żyjemy w dwudziestym wieku w Ameryce, a nie w średniowiecznej Irlandii.

— Czy zwróciłeś uwagę, co się zdarzyło twojej bratanicy w tym cywilizowanym, strzeżonym przez prawo i policję społeczeństwie? — Danny był śmiertelnie poważny. — Jesteśmy zależni od mafii, która być może zechce nas uwolnić od własnych szaleńców, pod warunkiem jednak że ktoś wcześniej zostanie zabity. I to nazywasz cywilizacją, John? Do diabła, bezpieczniej było w Chinach.

— Kto mieczem wojuje, od miecza ginie — oświadczył John Farrell, ratując się cytatem z Pisma Świętego.

— Mnisi bronili klasztorów i świętych relikwii przed barbarzyńcami — odparował Danny. — Czy nam nie wolno bronić Noele?

— Pragniesz zemsty?

— Nie — włączył się Jaimie. — Chcemy chronić Noele. Obiecali, że znowu zrobią jej krzywdę, na co ani pan Farrell, ani ja nie zamierzamy pozwolić.

— Nie mam w sobie nic z anioła mściciela, John, wiesz o tym dobrze.

Napad na Noele całkowicie go odmienił, uznał John, jak gdyby złożone zostały rozproszone dotąd fragmenty osobowości Danny'ego. Ubrany w niebieski garnitur, miał wyczyszczone buty i starannie zaczesane włosy. Cokolwiek mówił, było wyważone i przekonujące. Zdawał się spokojny i opanowany, a gniew i lęk, które czaiły się w jego oczach, zniknęły bezpowrotnie.

— No cóż — westchnął John. — Teologia jasno określa nasze moralne powinności. Występowanie w obronie życia i fizycznej suwerenności rodziny jest dozwolone, gdy zawodzą inne sposoby egzekwowania przysługujących nam praw, pod warunkiem stosowania naprawdę przykładnego umiaru.

— A co znaczy przykładny umiar?

— To znaczy, że broniąc siebie czy rodziny, nie wolno posunąć się dalej, niż to jest absolutnie konieczne.

— A konkretnie? — Danny zaciskał pięści aż do bólu.

— Chodzi o to, że nie stosuje się fizycznej przemocy, jeśli wystarcza moralny nacisk, gdy zaś jest się zmuszonym do jej zastosowania, należy poprzestać na absolutnym minimum.

— A jeśli jedynym sposobem ochrony życia swojego i rodziny jest zabójstwo?

John potarł czoło. Teoria to jedna strona medalu, a praktyka...

— Uważa się, że jeśli ktoś atakuje ciebie lub kogoś, kogo jesteś zobowiązany chronić, i jedynym sposobem obrony jest zabicie napastnika, masz prawo to uczynić. Nie jest to stuprocentowo katolicka teoria, Danny, raczej tradycyjna filozofia Zachodu.

— Wolno zabić idących ulicą z bronią gotową do strzału?

— Ale trzeba mieć pewność, że gotowi są uderzyć i zrobią to niebawem. Używając twoich przykładów: jeśli wiesz, że Apacze zamierzają jutro zabić ciebie i porwać ci żonę i córkę, możesz już dziś nocą zaatakować ich obóz. Albo możesz uderzyć na łódź wikingów, gdy tylko wpłynie w ujście rzeki, nie czekając, aż zaczną szturmować zamek, pod warunkiem że masz absolutną pewność, iż to zrobią.

— To właściwie wszystko, co chcieliśmy wiedzieć, John. — Dan podniósł się z krzesła. — Do zobaczenia niebawem.

Jaimie dołączył do niego i obaj podążyli ku wyjściu.

— Ale nie możecie brać prawa w swoje ręce. — John pospieszył za nimi, by zaryglować drzwi plebanii.

— Nie będziemy robić niczego, co ma związek z prawem — powiedział Danny z niezachwianą pewnością siebie. — Niewykluczone, że w ogóle nic nie będziemy robić. Ale też nie dopuścimy, by ktoś zrobił znowu krzywdę Noele.

John wrócił do gabinetu i z powrotem siadł przy biurku. Cały był roztrzęsiony. Może i dał im właściwą odpowiedź, tyle że samo rozwiązanie było nie do przyjęcia.

Czy rzeczywiście?

Powinien zadzwonić do Joego w sprawie wielkanocnego programu. I włączenia go w ramówki innych stacji. Niemal o tym zapomniał. Co to zresztą za różnica — piętnaście miast czy pięćset? Czy ma to jakieś znaczenie? Wszystko pozory, bez żadnej wartości. Do diabła!

Zamiast sięgnąć po telefon, zszedł do kościoła, aby się pomodlić. I modlił się jak nigdy dotąd.

Noele

— Jaimie Burnsie, żebyś się czasem nie ośmielił obchodzić ze mną jak z jajkiem, ponieważ czujesz się winny i ponieważ widziałeś, jak oni robili... to, co zrobili. I niech sobie wszyscy psychiatrzy opowiadają, że nigdy już nie będziemy przyjaciółmi. Jestem innego zdania. Absolutnie.

— Obiecałem cię zawsze bronić i nie dotrzymałem słowa — odparł ze smutkiem.

— Nie mów tak, słyszysz? — szturchnęła go. — Nie zniosę tego.

— Musi minąć trochę czasu, M. N.

— Wiem. Chcę tylko, żebyś wiedział, co będzie potem.

Jaimie uśmiechnął się.

— Jesteś ciągle tak samo oszałamiająca.

— Oczywiście. — Zmuszała się, by wyglądać w szpitalnej pościeli na swobodną i zrelaksowaną, nawet jeśli wcale nie czuła się oszałamiająco.

Już w drzwiach Jaimie odwrócił się i wyszczerzył zęby w uśmiechu.

— To był Tennyson.

— Co?

— Ja miałem rację, nie ty. Enocha Ardena stworzył Tennyson, nie Dickens.

— Bezczelny. — Rzuciła w niego poduszką i oboje wybuchnęli śmiechem.

Już lepiej, powiedziała do siebie, gdy wyszedł. Przyjdzie jeszcze poczekać, aż staną się znowu jednością. Noele-Jaimie. Ale tak będzie. Może.

Pomyślała, że dobrze byłoby poprosić pielęgniarkę o tabletkę nasenną. Tak bardzo jednak bała się snów!

Ace

Irene otarła chusteczką łzy, nawet coś tak prozaicznego robiąc z wdziękiem i elegancją. Wyglądało na to, że Danny znowu rzucił na nią urok.

— Tylko on jeden nie traci głowy, ojcze — powiedziała.

— Zwariowany Danny zachowuje się jak chodzący zdrowy rozsądek.

— Zapominasz, że był oficerem marynarki, i to prawdopodobnie dużo lepszym niż wielu innych. Wyróżniony absolwent akademii w Annapolis, który występował przeciwko rasizmowi na długo przed tym, gdy stało się to modne. Jego inteligencja i umiejętność podejmowania decyzji przydałyby się w Wietnamie.

— Był dobrym oficerem, ojcze, bo jest w stanie radzić sobie znakomicie ze wszystkim. Ale myślę, że nie nadaje się na wojnę. Jest za delikatny. — Lekki rumieniec zaróżowił policzki Irene.

Ace wcale nie był tego taki pewien. Mocni ludzie często na wojnie zupełnie się zmieniali, tchórz ich oblatywał, a ci delikatni walczyli do końca broniąc innych i czasami udawało im się przeżyć właśnie dlatego, że byli tacy subtelni.

— Noele powiedziała mi wczoraj, że jestem taki sam jak Danny.

— To najwyższa pochwała — roześmiała się Irene. — Tylko wy dwaj potraficie przywołać na jej twarz uśmiech. Co do Jaimiego mam wątpliwości.

— Ale wszystko będzie dobrze, Renie...

Z okna plebanii widać było radiowóz. Farrellowie nie ruszali się ostatnio z domu bez eskorty policji.

— Martwię się trochę o Danny'ego. Wydaje się naprawdę gotowy na wszystko. Mam nadzieję, że nie zrobi nic niebezpiecznego.

— Czyli kompetentny i zdecydowany Dan Farrell może być równie groźny jak Danny Farrell, który ucieka?

— Taki sam jak teraz jest też w... sytuacjach intymnych. — Zalana rumieńcem, odwróciła wzrok.

— I to cię przeraża?

— Czy strach może być rozkoszny? — Raz jeszcze uciekła spojrzeniem.

— Nigdy się z niego nie wyleczyłaś, prawda, Renie?

— Tak — przyznała. — Nigdy się nie wyleczyłam i nigdy się nie wyleczę. Ale nie zamierzam już tanio się sprzedawać. Przekonałeś mnie, ojcze.

— Musisz się cenić. Nie ma lepszej metody.

— Słusznie.

Czyli dobrze, pomyślał, lecz kiedy szła w dół schodów plebanii, nie wiedzieć czemu skojarzyła mu się z wdową, która przyszła, by zamówić mężowi pogrzeb.

Patrząc za datsunem, za którym podążał migający biało-niebieskimi światłami policyjny samochód, Ace zdał sobie sprawę, że właściwie i on jest bezradny. Farrellom nie był potrzebny psycholog ani kapelan piechoty morskiej. Potrzebowali archanioła.

Dyrektor CIA

— To nie ma szans powodzenia, Farrell — powiedział dyrektor niezbyt przekonująco.

— A może jednak, Frank? — Danny zaprezentował wszystkie zęby w uśmiechu. Siedzieli przy małym stoliku używanym wyłącznie wtedy, gdy dyrektor miał do rozwiązania wyjątkowo trudny problem.

— Myślę, że mimo wszystko może się udać — włączył się Radford. — W końcu to jeden z tych, których szczęście nigdy nie opuszcza... wie pan, co mam na myśli.

— Nie uda się — trwał przy swoim dyrektor.

— Ale mój plan jest naprawdę genialny.

Dyrektorowi zaczynał działać na nerwy sposób bycia Farrella. Cholera, musiał jednak w duchu przyznać, że operacja została zaplanowana całkiem pomysłowo.

— A jeśli cię złapią?

— Zakładam, że Agencji zależeć będzie, aby tak się nie stało.

— Zaprzeczymy jakimkolwiek powiązaniom.

— Czy już raz przez to z wami nie przeszedłem? — Farrell uśmiechnął się zniewalająco.

— Organizacyjne wsparcie, tylko tego mu trzeba — powiedział Radford.

— Do licha, Radford, wygląda na to, że ten diabeł i ciebie opętał.

— Nie, proszę pana — odparł z wyrzutem asystent. — Po prostu nie widzę innego wyjścia.

Wdzięk, determinacja, inteligencja — trzy składowe osobowości Farrella, kombinacja nie do odparcia.

— Może gdy to zrobisz, zrzucisz z siebie, jak mówią nasi terapeuci, całą złość za... hm... chińską przygodę.

— Szanowna Agencja jest szczerze spragniona takiego zakończenia, nieprawdaż, Frank?

— Kto tu mówi o zakończeniu? Ty już zawsze będziesz wisiał nad nami jak topór.

— I tak macie szczęście. Co by było, gdybym na przykład zdecydował się ubiegać o miejsce w Kongresie?

— Wygląda na to, że będę musiał się zgodzić — westchnął ciężko dyrektor. — Radford, miej oko na wszystko. — A ponieważ sam miał córki, zainteresował się bratanicą Farrella: — Jak się miewa Noele?

— Zdaniem psychiatrów wyjdzie z tego — spoważniał wesoły dotąd Danny.

— A ty co myślisz?

— To zdrowa dziewczyna, Frank. I mam zamiar zrobić wszystko, by taka pozostała.

Roger

— Nie uważam, Danny, żeby to był dobry pomysł — powiedział Roger widząc, jak kuzyn wykręca numer Rocca Marsalla.

— Muszę zadzwonić — odparł Danny szorstko. — Byłoby nie w porządku, gdybym go nie ostrzegł.

— Przed czym?

— Rocco Marsallo? — spytał Danny, gdy odebrano połączenie.

— Tak.

Roger podniósł słuchawkę w gabinecie.

— Źle się bawisz, Rocco.

— Czyżby?

— Jak nie zostawisz ich w spokoju, spotka cię coś złego.

— Tak?!

Marszałek był wyraźnie ubawiony.

— Dość już mamy twoich wyczynów, Rocco Alfredo. I nie damy się dłużej terroryzować.

— Myślisz, że mnie nastraszysz? Wybij to sobie z głowy, gnojku. Ja i moi chłopcy dopiero zaczęliśmy się bawić.

Danny przerwał połączenie.

— Niełatwo go przestraszyć, co?

— Nie wiem, po co to robisz — odparł Roger cierpko. — Przypomina to machanie czerwoną płachtą przed bykiem.

— Może da mu do myślenia. Jego szef w końcu też jest pod straszną presją.

— Pytałem McNeally'ego, dlaczego nie mógł zaaresztować Marszałka za zabójstwo Florence. Stwierdził, że poza moimi spekulacjami nie ma żadnych podstaw do wszczęcia sprawy.

— Postarałeś się, by to dotarło do Rocca? — Oczy Danny'ego aż się zwęziły.

— Moi ludzie z West Side próbowali z nim rozmawiać. Ale on nie wierzy. Przecież to w końcu wariat.

— I nic nie możemy zrobić?

— Rodney Weaver przyrzekł wstrzymać się z publikacją aż do poniedziałku po Wielkanocy. Czyli mamy jeszcze prawie dwa tygodnie. Może coś wymyślimy. — Zmęczenie i udręka odcisnęły swe piętno na Rogerze; przybity nie potrafił wyzwolić z siebie swej zwykłej energii. — Chcemy wysłać Noele i Irene na Wielkanoc do Irlandii. Lokalna policja obiecała nam wszechstronną pomoc. Marsallo nie ma szans ich tam dopaść.

— A czy IRA albo jakiemuś innemu ugrupowaniu nie przyjdzie czasem do głowy przygwoździć dwóch Amerykanek w zamian za parę milionów dolarów?

— Tak, Dan, być może. — Roger zauważył, że ręce mu się trzęsą, jakby przybyło mu co najmniej dwadzieścia lat.

— Pytam sam siebie, czy nie powinienem wycofać swej kandydatury. Jeśli zniknę z publicznego pola widzenia, Rod Weaver nie znajdzie czytelników zainteresowanych moją historią. Prawdopodobnie nie będzie miał też szans pojawić się w telewizji.

— To nic nie da — orzekł Danny — zgodzisz się chyba ze mną? W gruncie rzeczy Weaver jest tylko pretekstem dla Marszałka. Poczekajmy jeszcze z tydzień, zobaczymy...

— Wiem, co się stanie — zawyrokował ponuro. — Ktoś zginie.

— Nie bądź taki pewny.

Zabrzmiało to tajemniczo i Roger zdał sobie sprawę, że przez ostatnie dwa dni Danny zachowywał się jakoś dziwnie. Sam był jednak zbyt przytłoczony własną bezsilnością i poczuciem winy, by skojarzyć jego zaskakujące reakcje z niedawną rozmową telefoniczną z Marszałkiem.

Wychodząc Danny natknął się na czekającą w salonie atrakcyjną czarną policjantkę.

— Jak tam Noele?

— Raz lepiej, raz gorzej. Otumaniona przez środki uspokajające, nadal przerażona w nocy i nadal nieustraszona, świetnie panująca nad sobą w dzień. Lekarze i ojciec McNamara uważają, że może nawet zbyt dobrze panująca nad sobą.

— Taka już nasza, Farrellów, przypadłość — powiedział Dan posępnie.

Puścił oko do policjantki i w drzwiach wyjściowych pomachał ręką funkcjonariuszom, którzy siedzieli w zaparkowanym na podjeździe samochodzie, po czym uniósłszy kołnierz prochowca, wcisnął głowę w ramiona i przez kwietniową ulewę ruszył do swego porsche'a.

Strugi deszczu perliły się w świetle reflektorów. Porsche sunął zadrzewioną aleją, aż w końcu skręcił w Dziewięćdziesiątą Pierwszą i przepadł we mgle.

Noele

— Czasem udręka nas nie opuszcza, nawet gdy bardzo się staramy, prawda M. N.? — powiedział ojciec Ace.

— Tak — przyznała smutno.

Noele była już w domu, w swoim pokoju, który pospiesznie doprowadziła do porządku, by mama się nie zamartwiała, gdy ją ktoś odwiedzał. Przeglądała właśnie notatki dotyczące historii rodziny, kiedy zjawił się ojciec Ace. Natychmiast ukryła swe dossier. Dossier — kolejne słowo, które przejęła od Jaimiego.

— Nieraz ludzie muszą żyć przez jakiś czas z dokuczliwym ciężarem, nim uwolnią się od niego i poczują znowu dobrze — ciągnął ojciec Ace.

— Na pewno.

— Niektórzy ludzie muszą się także przekonać, że choć są uroczy, i mądrzy, i lubiani, i może nieco szaleni, staną się naprawdę mili Bogu, gdy poznają smak cierpienia, a nawet doświadczą tragedii.

— Być może.

— Nie wydajesz się szczególnie rozentuzjazmowana tymi rewelacjami.

Roześmiała się.

— Kiedyś może to zrozumiem, ojcze.

— Zobaczysz, niedługo będzie dużo lepiej, a potem już całkiem dobrze. Ale naprawdę doskonale poczujesz się prawdopodobnie dopiero wtedy, gdy wyjdziesz za mąż.

Ojciec Ace nigdy nie proponował łatwych rozwiązań.

— Ile czasu minie, nim wrócę do formy? — Znowu była poważna, a przy tym zaskakująco spokorniała.

— Statystyki mówią, że sześć miesięcy do sześciu lat, jeśli w ogóle.

— Zapomnij, ojcze, to „jeśli w ogóle".

— Nie ma sprawy.

— I „sześć lat" też.

— Jasne.

— Może coś pomiędzy — przyznała rozsądnie.

— Pewnie.

— Twarda ze mnie sztuka, co?

— Jak amen w pacierzu.

Zamachnęła się na niego, a on zrobił unik, lecz nie był dość szybki.

— Jeśli już o tym mowa — rozchmurzyła się nieco — jak tam Jaimie Burns? Dzwoniłam do niego wczoraj i udawałam, że jestem bliska szaleństwa, bo się nie odzywa, tak że w końcu zmusiłam go do śmiechu. Co ojciec na to?

— Bardzo lubisz Jaimiego, prawda? — odpowiedział pytaniem.

— W rzeczy samej — prychnęła.

— To wspaniały młody człowiek.

— Mnie to ojciec mówi!...

— Na tyle wspaniały, by go poślubić?

— Może. Kiedyś.

Ace zamyślił się nad czymś.

— Jeśli bierzesz pod uwagę taką możliwość, musisz się z nim obchodzić przez jakiś czas wyjątkowo delikatnie.

— To znaczy?

— To znaczy... cóż, nadal zmuszaj go jak najczęściej do śmiechu.

— I to wszystko? — Noele wyraźnie się rozluźniła.

— Nic łatwiejszego.

Do pokoju weszła mama i ojciec Ace zaczął prawić jej komplementy na temat nowej fryzury. Chciał ją oczywiście rozchmurzyć. Noele zdała sobie sprawę, że ojciec Ace nie tylko mamę lubi — co przychodziło łatwo każdemu mężczyźnie, nawet księdzu, bo mama była przecież taka śliczna — ale także szanuje.

— Nie jedziecie do Irlandii? — spytał wychodząc.

— Decyzja jeszcze nie zapadła — odparła mama tonem stuprocentowej matki.

— Oczywiście, że zapadła — włączyła się Noele. — Ja zostaję tutaj i uczę się strzelać z dwudziestki piątki. To dużo bezpieczniejsze niż wyjazd do Irlandii.

— Ale krwiożerczą ma pani córkę! — powiedział ojciec Ace, całując ją w czoło, po czym razem z mamą opuścił pokój.

Noele nadal było bardzo trudno, szczególnie w nocy, we śnie, gdy trzy piekielne bestie ścigały ją z mieczami w dłoni dopadając w momencie, gdy budziła się z krzykiem. I za każdym razem, gdy to się działo, ten sam ból, wstyd, gniew, strach porażały ją z taką samą potworną siłą, że nie była w stanie zapanować nad sobą i znowu krzyczała przeraźliwie.

Gdy odwiedzały ją koleżanki, mówiono im, że miała wypadek samochodowy. Wyrywkowo odrabiała lekcje, starając się być na bieżąco z tym, co się dzieje w szkole. Choć po staremu kłóciła się z mamą i walczyła z Rogerem, po wizytach Eileen Kelly i Michele Carmody robiła się jednak markotna. Dlaczego to musi trwać tak długo? Dlaczego nie można odcierpieć wszystkiego od razu i skończyć z tym raz na zawsze?

Nadal była trochę zakochana w Danielu, który wyglądał ostatnio lepiej niż kiedykolwiek w nowych garniturach i efektownych krawatach. Ale to może poczekać, uznała. Teraz najważniejsza jest tajemnica Farrellów; ona czekać nie może. Musi rozwiązać tę zagadkę, choćby wszyscy się z niej wyśmiewali, nazywając Jane Marple z Beverly Hills, musi tę sprawę doprowadzić do końca, bo to jedyny sposób, by Farrellowie mogli się poczuć naprawdę bezpiecznie.

Wyciągnęła spod poduszki swoje dossier. Przecież gdzieś w tych zapiskach musi się mieścić odpowiedź. Rozejrzała się po pokoju. Zaproszenie na zabawę, zdjęcia z pierwszego balu w podstawówce, Paul Newman i Robert DeNiro, obie z Eileen Kelly na katamaranie. I oczywiście cała tablica pełna zdjęć Jaimiego — w białym smokingu, błękitnej todze z promocji, w niebiesko-złotym stroju futbolowym. Typowy pokój nastolatki. Typowa nastoletnia ofiara gwałtu. O nie, nie będę się nad sobą użalać, mam lepsze rzeczy do robienia.

Raz jeszcze zaczęła uważnie wertować swe zapiski. Czasem zdawało jej się, że znalazła rozwiązanie. Ale były to tylko chwile, krótkie jak mgnienie, które mijały, a ona znowu zostawała z niewiadomą. Wiele wskazywało na to, że Clancy zginął z ręki Daniela, jednakże ciągle nie mogła jakoś na to przystać.

Już na samym początku coś intrygującego przykuło jej uwagę w testamencie Billa Farrella. Chyba w związku z Burke i babcią. Czy właśnie wtedy zaczęła się ich miłość? Noele zadumała się na chwilę. O ile ciekawsze były takie spekulacje od rozwiązywania zadań z trygonometrii!... Tak, na pewno wówczas rozpoczął się ich romans. Kiedyś babcia opowie jej wszystko, choćby po to, by zrzucić ciężar z serca.

Clancy musiał być naprawdę potworem, skoro zatrudnił tego strasznego Marshala, by zabił Florence Farrell i próbował to samo zrobić z Dannym, pomimo że babcia i Burke robili wszystko, by do tego nie dopuścić. Kiedy Clancy umarł, trzej chłopcy odziedziczyli równe udziały w firmie, chociaż aż do końca swego życia miała je kontrolować babcia. Potem Danny umarł i jego część została rozdzielona między Rogera i Johna. A kiedyś to wszystko będzie jej. Zaczęła robić kolejny wykres. Zabawne — wszystkie linie prowadziły do niej.

Oczywiście teraz gdy Danny się odnalazł, część pieniędzy i akcji firmy powróci do niego. Właściwie powinien dostać wszystko. Kiedy obejmę spadek, pomyślała, oddam mu go w całości. Wówczas skończą się kłopoty. Zerknęła posępnie na wykres, potem przyjrzała się w lustrze sobie. Naprawdę nie najgorzej. Daj sobie spokój, przywołała się do porządku. Daniel mógł zepchnąć Clancy'ego ze schodów, bo targał nim gniew z powodu śmierci matki. Tak mówi Roger i robi wrażenie, że w to wierzy. Ale mogła też zrobić to Brigid, bo nienawidziła Clancy'ego i chciała poślubić Burke'a. Wprawdzie żona Burke'a żyła jeszcze, lecz ich namiętność była silniejsza niż wszystko inne. A Burke? Dlaczego nie miałby go zepchnąć on? W końcu pod gładkim uśmiechem i uprzejmością krył się bardzo gwałtowny osobnik. Wybuch niepohamowanego gniewu — i stało się. Może chciał wziąć babcię w obronę?

Pokreśliła notatki ze złością. Co za okropny świat! Prawdopodobnie Clancy zachowywał się wobec babci agresywnie. Brigid ukryła to przed Burkiem. Ale może Roger i John wiedzieli? W końcu oni też mogli go zepchnąć ze schodów, bo sprowokował ich i stracili panowanie nad sobą, co zresztą zdarzało się często, gdy był pijany, jeśli nawet kiedy indziej był dla synów dobry, zabierał ich na mecze i inne imprezy. Mogli również mieć na uwadze spadek, ale nie bardzo chciało jej się w to wierzyć. Wujek ani ojciec nie należeli do ludzi, dla których pieniądze są ważne, zresztą i tak firma pozostawała w rękach Brigid.

Mama? Była wokół niej jakaś tajemnica. Zawsze. A Clancy zaatakował tamtego wieczoru jej rodzinę i zdecydowanie sprzeciwił się poślubieniu Danny'ego. Co prawda trudno sobie wyobrazić mamę spychającą kogoś ze schodów, w ataku szału mogło jednak do tego dojść. Choć nie musiała zabijać Clancy'ego, bo Danny i tak by się z nią po powrocie z Chin ożenił. Zresztą gdyby już miała kogoś zabić, to raczej ulegając jednej ze swych długotrwałych depresji, niż dając się ponieść gwałtownemu wybuchowi gniewu. Dlaczego Danny wyjechał do Chin czy Japonii, czy gdzieś tam jeszcze, skoro kochał mamę? Czy rzeczywiście by się z nią ożenił?

Przez krótką chwilę zdawało jej się, że znalazła rozwiązanie, ale zaraz, jak tyle już razy, okazało się złudzeniem. Zniechęcona rzuciła w kąt długopis. Daniel Xavier Farrell był przystojny, czarujący, zabawny. I wystraszony. Czy taki sam był w młodości? Faktycznie wszystko wskazuje, że to on zabił Clancy'ego, choć pewnie nie miał takiego zamiaru. To by było jednak zbyt proste. Nie, w tym obrazie ciągle jeszcze czegoś brakuje.

Odsunęła od siebie notatki i wykres, pomyślawszy jednak, że najlepiej będzie się ich pozbyć, podarła wszystko i wyrzuciła do toalety (za nic nie zrobiłaby czegoś tak głupiego jak Roger). Kiedy uporała się z zacieraniem śladów, wróciła do pokoju i z niechęcią otworzyła podręcznik trygonometrii.

No dobrze, ale najpierw trzeba zadzwonić do Jaimiego Burnsa. Niestety, nie było go w domu.

James III

Zgodnie z instrukcją pana Farrella, Jaimie czekał w sklepie „J. C. Penney" w centrum handlowym w Elmhurst, zaparkowawszy swego starego, poobijanego plymoutha po przeciwnej stronie ulicy.

Czuł się teraz zupełnie jak przed rozgrywkami futbolowymi, wsparty niedbale o drzwi wejściowe sklepu, tak samo jak zwykł stać oparty o ścianę szatni tuż przed rozpoczęciem meczu — pozorne wcielenie kompletnej obojętności, choć cały czas płonął gorączkowo.

Był osobą daleką od nienawiści czy pragnienia zemsty. Kiedy podczas meczu futbolowego krył gracza drugiej drużyny, jego jedynym celem była obrona boiska Notre Dame. Nie wiedział, co to uczucie nienawiści wobec przeciwnika, nie starał się zrobić mu krzywdy, a nawet ubolewał, gdy tak się stało, choć równocześnie każdy na boisku wiedział, że wejście w jego strefę niesie ze sobą ryzyko.

W ten kwietniowy poranek czuł się podobnie. Należało wykonać zadanie, tak samo jak należało bronić boiska Notre Dame. Jaimie nie myślał o tym, że coś może się nie udać, tak jak nigdy nie brał pod uwagę możliwości, że Notre Dame poniesie klęskę. Notre Dame czasami jednak przegrywała. Myśl ta zmroziła go na moment, lecz zaraz ogarnęła go znowu gorączkowa pasja; wystarczyło, by przypomniał sobie Noele.

Dokładnie o dziesiątej trzydzieści srebrzystoszary chevrolet citation, podobny do tysięcy wozów zapełniających ulice Chicago, przejechał obok wejścia do „J. C. Penney". Kierowca zatrąbił trzy razy, co zabrzmiało jak krzyk dzikich gęsi, i zatrzymał się parę jardów dalej. Jaimie wyjął z kieszeni zniszczonej brązowej wiatrówki rękawiczki, po czym nie spiesząc się pomaszerował w stronę samochodu. Pan Farrell otworzył drzwi kierowcy, a sam przesunął się na miejsce pasażera. Ubrany był tak samo jak Jaimie: stare dżinsy, biały podkoszulek, adidasy i niczym nie wyróżniająca się wiatrówka.

Jaimie zawrócił do centrum handlowego w Elmhurst, zmierzając w stronę wyludnionego zaplecza supersamu.

— Zaparkowałeś po drugiej stronie ulicy? — spytał pan Farell.

— Oczywiście.

— Będziemy parę razy zmieniać tablice rejestracyjne. Najpierw te — wręczył Jaimiemu tablice i śrubokręt. — Spróbuj to zrobić w piętnaście sekund. Śruby są poluzowane, przykręć je tak samo.

Wyskoczyli obaj z samochodu. Jeden zmienił tablice z przodu, drugi z tyłu i w niecałą minutę siedzieli już na miejscach.

— Tablice zatrzymujemy, bo po wszystkim założymy je z powrotem.

— Kiedy zauważą, że samochód zniknął? — spytał Jaimie w drodze na autostradę.

— Nie wcześniej niż podczas wieczornego szczytu, ale wtedy policja z łatwością znajdzie go na parkingu. Kiedyś trzeba będzie podziękować właścicielom. Tymczasem zostawimy im pełen bak benzyny. — Roześmiał się swobodnie, jakby był wytrawnym szpiegiem z powieści Johna Le Carrégo.

— Dokąd pan teraz życzy sobie jechać? — Jaimie podjął grę, udając, że pan Farrell jest naprawdę George'em Smileyem.

— Czeka nas mała runda golfa w Far Hills. Torba ze sprzętem jest na tylnym siedzeniu.

Jaimie czuł, jak wilgotnieją mu dłonie, co nie zdarzało się nigdy, nawet przed ważnym meczem.

Jechali w milczeniu do chwili, gdy pan Farrell odezwał się, by go poinstruować, gdzie ma zjechać z autostrady.

— Teraz, Jaimie, skręć w prawo — powiedział, kiedy zbliżyli się do bramy wielkiego starego cmentarza. — Odwiedzimy parę grobów.

Zaparkowali na jednej z bocznych ścieżek i przeszli do grobowca rodziny Finertych. Para dalekich przodków urodziła się w hrabstwie Kerry w 1860 roku i oboje zmarli w tym samym roku 1905. Na pewno ciężkie mieli życie, uznał Jaimie.

Kiedy wrócili do samochodu, pan Farrell zerknął na zegarek — jakby trochę nerwowo, przemknęło Jaimiemu przez myśl. Przez odległą tylną bramę cmentarza wjechali na starą asfaltową drogę, a potem osłoniętą drzewami żwirową alejkę.

— Deszcz powinien zatrzeć ślady, prawda? — odezwał się Jaimie.

— W tym jednym liczymy na los szczęścia, choć i bez niego można by się obyć. Zgodnie z poranną prognozą mamy duże szanse na deszcz. Ale choćby nawet nie padało, i tak nic po nas nie zostanie poza śladami przeciętnych opon chevroleta i przeciętnych adidasów oraz wizerunkiem najzupełniej przeciętnych ludzi, których twarzy nie sposób zapamiętać, nawet gdyby ktoś tu się zjawił, co jest bardzo mało prawdopodobne. Zatrzymaj się przy tym wielkim dębie.

Jaimie wykonał polecenie. Kiedy stanęli, pan Farrell sięgnął do tyłu do starej torby i spośród kijów golfowych wyjął rozłożony karabin, którego części szybko i sprawnie poskładał.

— Produkcja rosyjska, najlepszy na świecie karabin. Komuniści tak mnie lubili, że zrobiono mnie jednym z dowodzących w lokalnej obronie cywilnej, która miała za zadanie popędzić kota Ruskim, gdyby przyszła im ochota przekroczyć granicę. Moje talenty w posługiwaniu się bronią zrobiły w komunie takie wrażenie, że zlecono mi szkolenie młodego narybku. Gdybym tam nieco dłużej został, miałbym szansę zorganizować własny oddział i wszcząć rewolucję.

— Ale przez wiele miesięcy nie było okazji, by oddać choć jeden strzał, prawda?

Pan Farrell roześmiał się.

— Słusznie! Ale nie martw się, to świetna broń, poza tym nie zamierzam strzelać z dużego dystansu. Weź tę lornetę i sprawdź, czy da się wypatrzeć naszych przyjaciół.

Lornetka nie różniła się wielkością od teatralnej, lecz moc miała zupełnie niesamowitą. Najwyraźniej ktoś o dużych możliwościach wspierał pana Farrella.

— Widzę trzech mężczyzn rozpoczynających grę przy siódmym dołku. Dwaj są krępi i niscy, a trzeci wysoki, z wąsem.

Pan Farrell wziął lornetkę.

— Ten z piwem to Dubuque Salerno. Grubas w błękitnych spodniach to Mały Tony Caputo. A starszy, w białym swetrze to Marszałek we własnej osobie. Czy to ci, których szukamy, Jaimie?

— Bez cienia wątpliwości — odparł zdecydowanie.

— Doskonale. Spotkamy się z nimi na ósmym polu. Widzisz, gdzie to jest?

— Około półtora boiska futbolowego stąd, na zboczu łagodnego wzniesienia. Widok niczym nie przesłonięty.

— Zuch. — Złożony rosyjski karabin wydawał się całkiem zwyczajny: dwie lufy, kolba, celownik optyczny, magazynek. Pan Farrell wepchnął do kieszeni zapas amunicji. — Kiedy zaczną kolejną rundę do ósmego dołka, ulokuję się między samochodem i pniem dębu. Po wszystkim wskakuję do wozu i wracamy tą samą trasą na cmentarz, a potem autostradą do Elmhurst. Po przekroczeniu granic miasta na pierwszych światłach skręcisz w prawo, dalej w siódmą ulicę w lewo, kolejne trzy i znowu w prawo, jeszcze jedna przecznica i po lewej stronie nasz punkt docelowy. Czy wszystko jasne?

— Całkowicie — odparł krótko. — Może powinienem przestawić samochód?

— Świetny pomysł.

Jaimie wycofał i starając się nie pozostawić śladów na błotnistym poboczu, stanął zgodnie z kierunkiem jazdy powrotnej. Pola golfowe znajdowały się teraz po lewej stronie kierowcy, a cmentarz po prawej. Raz jeszcze podniósł do oczu lornetkę.

— Kończą rundę na siódmym dołku. Niedługo powinni zacząć następną.

— W porządku.

Pan Farrell przymocował do karabinu jeszcze jedną, krótszą lufę. Tłumik, domyślił się Jaimie. Gdyby to był film, uznałbym go za niezbyt oryginalny.

— Może siadłby pan na razie na tylnym siedzeniu z mojej strony. W ten sposób na pewno nikt nie zobaczy, jak pan będzie wychodził.

— Mam paru znajomych w Waszyngtonie, a właściwie w Wirginii, którzy z przyjemnością by cię poznali, Jaimie. Oczywiście, już siadam.

Umieścił broń na tylnym siedzeniu, a potem sam trochę niezdarnie zajął tam miejsce.

W tym momencie u wylotu asfaltowej drogi na tyłach cmentarza pojawił się samochód, który niebawem minął ich z dużą prędkością.

— Pewnie jakieś nastolatki — uznał Jaimie. — Skoro pojawił się jeden wóz, mogą być i następne. Lepiej teraz nie ryzykować.

— Nie bój się, Jaimie, damy sobie radę — stwierdził zdecydowanie pan Farrell. — O jednym tylko pamiętaj: nie o zemstę nam chodzi, lecz obronę.

— Przenieśli się do ósmego dołka. — Z lornetką przy oczach Jaimie śledził ruchy graczy. — Są naprawdę beznadziejni, każdy utopił już piłkę w stawie. Znowu muszą zacząć od początku.

Pan Farrell osunął się raptownie na siedzenie.

— Miałeś rację, następna banda młodzieży... Myślisz, że trafiliśmy na wyścigi samochodowe? Czemu do diabła nie są w szkole?

— Ferie wiosenne, proszę pana.

— Psiakrew... Jaimie, czy możesz być tak dobry i mówić do mnie Dan? W końcu nasza wspólna przyjaciółka uważa, że w głębi ducha ciągle jestem nastolatkiem.

Drugi samochód, a potem trzeci przemknął obok, sypiąc na wszystkie strony żwirem. Mało prawdopodobne, by kierowca dodge'a rocznik 1975 czy jakiś inny smarkacz zauważył stojącego na poboczu pod wielkim dębem srebrzystoszarego chevroleta, a tym bardziej zwrócił uwagę na numery rejestracyjne. Nikt z nich zresztą nie czytał gazet, zapewne więc nigdy się nie dowiedzą, co zdarzyło się w piątkowy poranek na polach golfowych w Far Hills.

Po chwili minął ich jeszcze jeden samochód. Tym razem kierowca prowadził wolno i ostrożnie; miał trochę więcej rozumu, ale był też bardziej niebezpieczny.

— To już chyba ostatni, Dan.

— Myślisz, że mógł nas zauważyć?

— Nie sądzę. Oczy miał wlepione w drogę. Bał się zgubić kumpli, a nie był w stanie prowadzić tak szybko jak oni.

— Co się dzieje z naszymi przyjaciółmi? — Pan Farrell był znowu opanowanym, skupionym oficerem marynarki stojącym na mostku lotniskowca, w którego stronę pikują japońskie myśliwce.

— Zeszli ze wzgórza i obchodzą staw. Myślę, że już pora.

— Lekki podmuch wiatru musnął twarz Jaimiego; deszcz wisiał w powietrzu.

Pan Farrell wysiadł zgięty w pół, pozostawiając tylne drzwi lekko uchylone, i poczołgał się wśród zeschłych liści do pnia wielkiego dębu. Trzy rzędy drzew osłaniały go od strony drogi, a z pola golfowego zupełnie nie było go widać.

Jaimie zerknął w prawo: kamienne nagrobki w oddali i ani śladu człowieka. Skierował lornetkę na okolice ósmego dołka. Trzej mężczyźni, chronieni w tym momencie przez otaczające ich drzewa, partaczyli kolejne uderzenia. Wasz ostatni niecelny strzał, pomyślał Jaimie z sarkazmem. Obserwując, jak przesuwają się po polu nieświadomi zbliżającego się końca, czuł napinanie się wszystkich mięśni, zupełnie jak podczas meczu, gdy chmara zawodników drużyny przeciwnej pędziła w jego kierunku, pragnąc za wszelką cenę przygwoździć go do ziemi.

Nagle od strony starego dębu, gdzie przyczaił się pan Farrell, dobiegł suchy trzask. I w tejże chwili jeden z mężczyzn wyrzucił ręce w powietrze, po czym znikł. Był to Dubuque, który niedawno przystawiał Jaimiemu do głowy swą dwudziestkę dwójkę. Nigdy już nie zrobi krzywdy Noele.

Następny suchy trzask i Mały Tony zgiął się, zakręcił, po czym padł na ziemię. Próbował się podnieść, lecz kilka kolejnych stuknięć u stóp dębu sprawiło, że rozkrzyżowane ciało przywarło do murawy, zadrgało parę razy i w końcu zamarło.

Marszałek tymczasem biegł zboczem pagórka, chcąc znaleźć za nim schronienie. Wystarczyły jednak trzy szybkie szczęknięcia spod dębu i Rocco Marsallo zachwiał się, a jego biały sweter zabarwił się szkarłatnie. Skurczony osunął się na ziemię, potem z impetem runął z pagórka, wpadając na palik, którym oznakowany był ósmy dołek. Zakończony czerwoną chorągiewką drążek przewrócił się i mała flaga zwieńczyła jego ciało, ciemniejąc z wolna od krwi.

Jaimie opuścił lornetkę i zerknąwszy w stronę dębu, zdziwiony zobaczył pana Farrella rzucającego na ziemię pusty magazynek. Niewiele brakowało, by na niego krzyknął, ale pan Farrell widocznie oprzytomniał, bo podniósł go i wepchnął do kieszeni. Opanowany i spokojny załadował ponownie rosyjski karabin. Rozległa się seria wystrzałów i trzy leżące na polu ciała jeszcze raz zadrżały, podskakując przy kolejnych trafieniach.

A przecież każdy z tych ludzi był kiedyś ukochanym dzieckiem, które matka w bólach wydała na świat, marząc o świetlanej przyszłości nowo narodzonego.

Jaimie polecił umarłych opiece Bożej, po czym przekręcił kluczyk w stacyjce i ledwie dostrzegając pana Farrella, który osunął się na tylne siedzenie, ruszył żwirową drogą ostrożnie niczym szesnastolatek zdający egzamin na prawo jazdy.

Z tyłu pan Farrell dławił się, wydając dziwne odgłosy.

— Nie przejmuj się, Jaimie — powiedział w końcu — nic mi nie będzie. Na szczęście od dawna nic nie jadłem.

Jaimie minął cmentarną drogę, a później wyjechał na autostradę, cały czas uważnie śledząc ograniczenia prędkości i wypatrując drogowskazu do Elmhurst. Dobrze pamiętał instrukcje pana Farrella, toteż bez przeszkód doprowadził wóz do celu.

— Zmieniamy teraz tablice rejestracyjne, panie Farrell? — rzekł pytająco, gdy zatrzymali się w wyludnionym zaułku.

— Tak, oczywiście, Jaimie, ale do diabła, mów mi Dan.

Twarz pana Farrella była kompletnia szara, lecz nie tracił panowania i zamiana tablic przebiegła szybko i sprawnie.

Ruszyli dalej, najpierw ulicą Waszyngtona, aż dotarli do parku Forest Preserve.

— Na parkingu nie ma nikogo, panie Farrell... to znaczy, Dan. Piątkowy ranek to nie pora na samochodowe pieszczoty.

— Pieszczoty w samochodach nadal w modzie?

— Tylko gdy dziewczyna się ich domaga — odparł Jaimie.

Śmiali się głośniej i dłużej niż zwykle. Ale napięcie zelżało nieco.

Jaimie wcisnął tablice i zużyte magazynki do torby golfowej, po czym z żalem dorzucił wspaniałą lornetkę i zasunął zamek. Szkoda.

— Przymocuję tablice numer trzy. Nie, nie numer jeden, numer trzy. Ty w tym czasie pozbądź się torby. Potem wrócimy do Elmhurst i założymy tablice numer jeden.

Wezbrane wody rzeki Desplanes rwały wartkim nurtem, roztapiając resztki śniegu na brzegach. Jaimie przechylił się przez most i powoli, uważnie spuścił torbę golfową. Unosiła się przez chwilę na powierzchni, zaraz jednak zaczęła zmieniać kolor i zanurzać się głębiej, aż zatonęła.

— Niech kombinują, skąd się tu wzięła, jeśli w ogóle kiedykolwiek ją znajdą — powiedział głośno, po czym sprężystym krokiem wrócił na parking.

— W porządku — powiedział Dan, który skończył już zamianę tablic — jedziemy dalej z rejestracją numer trzy, która nie jest powiązana ani z kradzieżą samochodu, ani z wypadkami na polu golfowym. Dojeżdżamy do naszej alejki, wracamy do tablic numer jeden i zostawiamy samochód przed wejściem do „J. C. Penney", przechodzimy na drugą stronę ulicy, wsiadamy do twojego plymoutha i wracamy do domu.

Finałowa część akcji przebiegła bez zakłóceń.

— Musisz ją bardzo kochać, Dan — powiedział Jaimie, wjeżdżając na szczyt Mandrake Parkway.

— Kochać kogo? Masz na myśli Noele? O mój Boże, Jaimie, nic nie rozumiesz.

Roger

Pozwolił sobie na partię golfa w klubie i był to pierwszy od rozpoczęcia kampanii wyborczej ruch na świeżym powietrzu. Chociaż drugą połowę gry przerwał deszcz, Roger poczuł się lepiej. Golf przywrócił mu jasność widzenia i pomógł powziąć decyzję, która powinna zostać podjęta już dawno temu.

Zdecydowany powrócił do domu na Jefferson Avenue, gdzie zastał Irene piszącą coś na maszynie w gabineciku na górze. Nie niepokojąc jej poszedł od razu do siebie i zaczął pisać oświadczenie, w którym informował o rezygnacji z ubiegania się o fotel gubernatora, podając jako powód pogróżki wobec jego rodziny. Może takie postawienie sprawy nada inny sens historii Roda Weavera i równocześnie zrobi dość szumu, zmuszając w końcu mafię do rozprawienia się z Marszałkiem.

A może z życia też powinienem się wycofać? powiedział do siebie. Myśl o samobójstwie, jeszcze niedawno tak absurdalna, nachodziła go coraz częściej. Co mu w końcu z życia pozostało?

Włączył telewizor na wiadomości o czwartej trzydzieści, czego kiedyś, nim zaczął kandydować, nigdy nie robił. Maryjane Hennessey informowała widzów, że gwałtowna ulewa położyła kres przepięknej pogodzie, jakiej Chicago nie miało od września; sekretarz Haig prowadził intensywne rozmowy z kanclerzem Schmidtem; na polach golfowych w Far Hills zamordowano trzech członków przestępczego podziemia.

Musiała minąć dobra chwila, nim Roger zdał sobie sprawę z sensu ostatniej wiadomości. Odwrócił się od maszyny i niecierpliwie wysłuchiwał pogodowego dukania oraz nieco znudzonego korespondenta analizującego ostatni szczyt Schmidt—Haig.

Wreszcie pojawiła się znowu Maryjane, olśniewająca mieszanina urody, cnoty i profesjonalizmu:

— Trzej chicagowscy gangsterzy zginęli dziś rano w klubie Far Hills od strzałów karabinowych. Najsłynniejszą z ofiar był Rocco Marsallo, znany także jako Robert Marshal albo Marszałek Rocco. — Maryjane pozwoliła sobie zaledwie na cień uśmiechu. — Sześćdziesięcioczteroletni Marsallo uważany był przez długie lata za wpływową osobistość w świecie nocnego życia i nielegalnych operacji finansowych. Przypuszczalnie pełnił także rolę płatnego zabójcy w środowisku przestępczym Chicago, budząc szczególny lęk z powodu wyjątkowego okrucieństwa. Choć kojarzono z nim wiele brutalnych morderstw, nigdy nie został postawiony w stan oskarżenia. Pozostałe dwie ofiary to współpracownicy Marsalla, znani jako Dubuque Salerno i Mały Tony Caputo. Jak informuje biuro szeryfa, trzej mężczyźni zginęli z ręki strzelca wyborowego. Broń była najpewniej pochodzenia zagranicznego, prawdopodobnie rosyjska. Przypuszcza się, że morderstwo było gangsterskim wyrokiem, jakkolwiek ostrzał karabinowy jest dość niezwykłą metodą w tym środowisku. Dochodzenie trwa. Na razie konkretnych podejrzanych brak.

W trakcie sprawozdania kamera pokazywała nosze, które transportowano do ambulansu ze skąpanego w deszczu klubu, po czym przeniosła się w okolice ósmego dołka, gdzie przeprowadzano wstępne dochodzenie. Przystojny młody policjant w żółtej pelerynie rozmawiał ze schowanym pod parasolem reporterem.

— Należy założyć, że przestępca ostrzelał swe ofiary z dystansu wykraczającego poza przeciętną — oświadczył bezosobowym tonem, który wśród policjantów uchodził za przejaw fachowości. — Zabójca był doskonałym strzelcem. Dwie osoby poniosły śmierć niemal natychmiast, a trzecia, Rocco Marsallo alias Robert Marshal, parę sekund później podczas próby ucieczki. Po wszystkim zabójca wystrzelił jeszcze kilka razy, prawdopodobnie chcąc mieć stuprocentową pewność, że pozostawia martwe ciała

— Czy deszcz nie zatarł śladów przestępstwa, sierżancie?

— Śledztwo przyniesie odpowiedź na to i wszystkie inne pytania — odparł dyplomatycznie policjant.

Roger wyłączył telewizor i wyjąwszy z maszyny zapisaną kartkę, zmiął ją w dłoni, a potem wyrzucił do kosza. To zbyt piękne, by mogło być prawdą. Czyżby rada zmieniła stanowisko i przyparła do muru szefa Marshala?

Tylko skąd ten rosyjski karabin?

John

Skończywszy wielkanocną spowiedź, Ace McNamara zajrzał do gabinetu proboszcza.

— Słuchałeś radia? Podobno zostali zastrzeleni napastnicy Noele — zawołał od progu.

— Jesteś pewien? — John nie był w stanie opanować drżenia.

— Nie ma chyba trzech innych osób nazwiskiem Marszałek, Dubuque i Mały Tony.

— Kto ich zbił?

Ace rozpiął kilka guzików sutanny.

— Policja uważa, że to robota fachowców, dobrze zorganizowana przez gangsterskie podziemie akcja zawodowych zabójców. Niezgłębione są wyroki Opatrzności — westchnął. — Zejdziesz na kolację?

— Za parę minut. Muszę jeszcze zadzwonić tu i tam.

Gdy tylko drzwi zamknęły się za Ace'em, podniósł słuchawkę:

— Czy mogę mówić z monsignorem Keeganem?... Ed? Tu John Farrell. Pomyślałem, że może dobrze byłoby poinformować kardynała, nim dowie się o tym z gazet, że Kanał Trzeci zamierza wyjść z moim programem na szersze wody. Dla mnie to żadna różnica, bo tyle samo pracy wymaga przygotowanie audycji dla jednej stacji co dla pięćdziesięciu, więc nie stanie to na drodze moim obowiązkom duszpasterskim.

Keegan wymamrotał coś na temat kanonicznych wymagań, które się stawia angażującym się w świecką rozrywkę.

— Jeśli masz ochotę walczyć, proszę bardzo, pamiętaj tylko, że duża grupa młodzieży nadal marzy o pikietowaniu pałacu kardynała.

Uporawszy się z Keeganem, John pomyślał, że Irene byłaby z niego dumna. I Danny też. Oboje bardzo mu pomogli. Jaki był głupi, uważając Danny'ego za rywala! Tak, życie może zacząć się raz jeszcze dla nich trojga.

A może nie...

Zrobiło się późno, chyba nie zdąży na kolację. Podniósł się z krzesła, zawahał się jednak na moment. Ponownie chwycił słuchawkę i wykręcił numer centrali Evanston.

— Z ojcem Fogartym proszę... Dads? Mówi twój ulubieniec, Farrell... Obrażony? Ja?... Oczywiście, że wiem. Świetnie mi idzie... Otóż Dads, jeśli nosisz się z zamiarem dokonania kolejnego zamachu na moją osobę, podrzucam ci dodatkowy argument: moje wybujałe ego postanowiło zawojować cały kraj. Na początek tylko trzydzieści stacji, dużo mniej niż Phil Donahue... Jakie miasta? Boston, Nowy Jork, Los Angeles, San Francisco, Dallas, Houston. Nic wielkiego, Dads... Jasne, wiem. Cała diecezja będzie ze mnie dumna. Jak zawsze.

Zasłużył sobie dziś na martini, naprawdę.

Noele

Niedziela Palmowa była dniem w stylu Rembrandta, pełna świetlistej jasności i mroku, chmur i słońca, goniących za sobą po niebie. Nie bez trudu Noele wstała o dziesiątej i włączyła stację z rockiem, chcąc się pokrzepić na resztę

413

dnia. Radio nadawało właśnie komunikat ostrzegający przed tornadem na południu Chicago. Straszne.

Jeśli nawet zgadzała się z ojcem Ace'em, że czasem długo i pokornie trzeba dźwigać swój krzyż, Noele za nic nie mogła zgodzić się na samą siebie. Nie jest taka, jaka powinna być. Nie tylko z powodu zaległości szkolnych, stosunku do przyjaciół, nieustannych kłótni z mamą. Najgorsze jest to, że porzuciła swój zespół, nie spotkała się z nim dziś, w Niedzielę Palmową, bo ciągle bała się wyjść z domu. Na Wielki Czwartek musi się zmobilizować. Musi.

Na szczęście sny nie były już takie straszne jak tydzień wcześniej i rzadziej budziła się w nocy z krzykiem. Ale demony jeszcze jej nie opuściły. Bardziej niż noc przerażał ją teraz dzień, i to do tego stopnia, że za nic nie chciała opuścić domu.

Nastawiła muzykę na cały regulator i wskoczyła pod chłodny prysznic, by do końca się przebudzić. W sumie nie wyglądała już tak źle, zaledwie kilka zadrapań tu i ówdzie. Najgorsze tkwiło w jej duszy. Teraz też nagle ogarnęło ją drżenie, podniosła więc temperaturę wody. Nie pomogło — trzęsła się nadal; złe moce nie odstępowały jej nawet pod prysznicem.

Włożyła najładniejszą koronkową bieliznę, jaką zdaniem mamy dwadzieścia pięć lat temu nosiły tylko prostytutki; zabawne, bo jej wyglądała prawie tak samo. Narzuciwszy biały atłasowy szlafrok, zeszła na dół i nalała sobie kawy. Chyba nie jest typową nastolatką, bo taka wolałaby raczej pepsi.

Zabrała sok grejpfrutowy i kawę i zeszła do salonu, nie przejmując się pozostawioną na górze głośną muzyką. Otworzywszy niedzielną gazetę, wertowała strony, aż dotarła do artykułu o trzech przedstawicielach „imperium zbrodni" zastrzelonych w piątek rano. Było jej przykro, że dosięgła ich śmierć, odczuwała bowiem żal z powodu śmierci każdego. Kojąca była natomiast świadomość, że już nie musi się obawiać prześladowców, choć dla osaczających ją demonów nie miało znaczenia, czy ich realne odpowiedniki żyją czy nie.

Przeczytała artykuł drugi raz i uwagę jej przykuł końcowy fragment. W czasie gdy popełniono morderstwo, jakiś świadek widział na poboczu drogi przy polach golfowych zaparkowany samochód, a w nim dwóch mężczyzn. Nie byłby jednak w stanie ich zidentyfikować ani określić marki samochodu czy tym bardziej numerów rejestracyjnych. „Wszystko wskazuje na to, że mamy do czynienia z kolejnym porachunkiem w świecie przestępczym, może bardziej spektakularnym niż inne, z morderstwem, które prawdopodobnie pozostanie jeszcze jedną z setek nie wyjaśnionych zbrodni" — utrzymywał autor artykułu.

Biedacy, niewiele dali z siebie w życiu. Cóż, Bóg zajmie się nimi po swojemu. Byle tylko nie znaleźli się w tym samym rejonie niebios co ona.

Daniel obiecał wpaść w niedzielę rano i miała nadzieję, że zjawi się, nim rodzice wrócą z kościoła. Miała do niego parę ważnych spraw.

— Przynajmniej w niedzielę na mszę wkładasz garnitur — powitała go, gdy stanął w drzwiach.

— Przynajmniej w niedzielę wstajesz z łóżka rano. — Pocałował ją lekko w usta i przesunął dłonią po długich rudych włosach. — Wyglądasz zdrowo i ślicznie.

Jak zwykle poczuła, że uginają się pod nią kolana.

— Przyniosę kawy. A może masz ochotę na bekon?

— Tak, oczywiście — odparł pokornie. — Pomóc ci? — Powlókł się za nią do kuchni.

— Siadaj przy stole i nie rozpraszaj mnie — powiedziała.

— Odświeżę też parę cynamonowych bułek.

— Mógłbym zobaczyć gazetę?

— Jasne!

Wrócił z gazetą z salonu i zaczął ją przeglądać.

— Jakie to uczucie, gdy zabije się troje ludzi? — spytała, postawiwszy przed nim talerz z dziesięcioma kawałkami bekonu.

Wyciągnięta ręka Daniela zawisła nad talerzem.

— Nie próbuj zaprzeczać — powiedziała, gdy cofnął dłoń. — Kiedy przygotowywałam pracę zaliczeniową, od której wszystko się zaczęło, przejrzałam twój rocznik z Annapolis. Byłeś strzelcem wyborowym. I jak przypuszczam, miałeś do czynienia z rosyjskimi karabinami w Chinach.

Daniel rozluźnił krawat i odsunął od siebie talerz z jedzeniem.

— Zastępowałem szefa w ich oddziałach obrony cywilnej i uczyłem innych, jak strzelać z rosyjskiej broni. Starej broni.

— A jakie to uczucie, gdy zabija się z czegoś takiego?

— Musiała być bezwzględna, choć serce jej krwawiło.

Danny milczał przez chwilę, sącząc kawę.

— Potwornie. Nie jestem w stanie zasnąć. Ani normalnie jeść.

— Podejrzewam, że na apetyt Jaimiego Burnsa nie miało to żadnego wpływu.

— Powiedział ci? — Danny aż uniósł się na krześle.

— Akurat!... W gazecie piszą o dwóch mężczyznach. Czy mógł to być ktoś inny niż wy dwaj?

Danny opadł z powrotem na krzesło i zaczął bezmyślnie przeżuwać kawałek bekonu.

— Musieliśmy to zrobić, Noele. On by cię zabił, może także mamę i babcię. Nie mam wyrzutów sumienia, moja świadomość uporała się z tym. Tylko nie wiem, czemu ciągle zbiera mi się na mdłości.

— Nie uważam, że zrobiłeś coś niewłaściwego — złagodniała nieco. — Sama zamierzałam wziąć lekcje strzelania.

— Żeby być jeszcze pewniejszą siebie? — wykrzywił się w niby uśmiechu.

Po raz pierwszy od długiego czasu Noele wbrew sobie wybuchnęła śmiechem.

— To ty i Jaimie... hm... przekonaliście pana Weavera, by zwrócił dokumenty Rogera?

Daniel aż zamrugał z podziwu.

— Nic się przed tobą nie ukryje, M. N. Tak, złożyliśmy mu propozycję nie do odrzucenia. Bardzo go poruszył los tych, którzy nam odmawiają.

— Gdyby odmówił, i tak byście go nie skrzywdzili. Ale skąd miał o tym wiedzieć? Nie zna was tak dobrze jak ja.

Roześmiała się znowu, a potem śmiali się oboje, jakby zbratani jakimś wyjątkowo zabawnym sekretem. Musiała jednak spoważnieć. Teraz albo nigdy — jedyna szansa, by zadać najważniejsze pytanie.

— Czy tak samo się czułeś zabijając Clancy'ego?

— Ja?... Zabijając Clancy'ego?... — Danny wyglądał jak rażony piorunem.

— Przecież powiedział ci, że to on zlecił zamordowanie twojej mamy, więc wróciłeś do domu i zabiłeś go.

Tym razem nie mógł się powstrzymać od śmiechu.

— M. N., nie znałaś Clancy'ego. Nikt nie wierzył nawet w jedną dziesiątą tego, co opowiadał, zwłaszcza gdy był pijany.

— Ale spieraliście się ze sobą tamtej nocy. Dlaczego?

— Kiedy Clancy był pijany, wygadywał i robił niestworzone rzeczy. Po wytrzeźwieniu oczywiście o niczym nie pamiętał. Wściekł się tego wieczoru na mnie, ponieważ interesowałem się twoją mamą, a jej ojciec próbował wnieść oskarżenie przeciwko Farrellom. Faktem jest, że mieliśmy kłopoty z rodzicami mamy. Umarli wkrótce po moim wypadku nad Sinkiangiem.

— Czyli walczyłeś o mamę?

— Nazywał ją tak ordynarnie, że straciłem panowanie nad sobą i też mu nawymyślałem. Wtedy zaczął mówić straszne rzeczy o mojej matce, tak że już miałem naprawdę dosyć. Zabrałem Irene i wyszliśmy.

— To znaczy, że nie obwiniałeś go o śmierć swojej matki?

— Czy to by mogło przywrócić jej życie? — odpowiedział pytaniem.

— Nie. A jednak zabiłeś kogoś, by mnie chronić.

Noele zaczynała go irytować.

— Ale ty żyjesz. Gdyby było inaczej, miałbym złamane serce, i tyle. — Zdobył się na uśmiech, niezbyt jednak przekonywający. — Bez ciebie świat nie byłby już taki sam — westchnął. — Gdybym mógł przywrócić mojej matce życie zabijając Clancy'ego, pewnie bym to zrobił. Ale skoro nie, to po co zabijać?

— Chyba ciągle czujesz gniew z powodu jej śmierci.

Wcisnął ręce w kieszenie i zaczął wędrować dokoła kuchni.

— Pewnie, poza tym czuję się winny, bo umarła, żeby mnie ratować.

— Siadaj — powiedziała. — Robię się nerwowa, gdy tak krążysz w kółko.

— Nie zabiłem jednak Burke'a, choć zabrał mi osiemnaście lat życia. Co jeszcze muszę zrobić, by cię przekonać, że nie mam w sobie nic z mściciela?

— Burke'a? — szepnęła.

— Tak, Burke'a. Domyśliłem się tego, nim samolot się rozbił. Wściekłość nie opuszczała mnie aż do powrotu, kiedy zdałem sobie sprawę, że jest piekło, które mu za to zapłaci. Zresztą nic nie wróci mi tych osiemnastu lat. On chyba myślał, że się broni.

— Przed czym?

Danny powoli smarował bułkę masłem.

— Nie wiem. Nigdy go nie pytałem. Dlaczego sama się nie dowiesz? Przecież to ty jesteś od zadawania pytań.

— Nie mów z pełnymi ustami — pouczyła Danny'ego, ignorując jego sarkazm, i sama zaczęła skubać bekon. — Nie boisz się, że spróbuje jeszcze raz?

— Skąd!... Burkie zrobił się niemal dobroduszny na starość. Wygląda na to, że nawet mnie lubi.

A więc Burke był odpowiedzialny za zniknięcie Danny'ego. To miało jakiś sens.

— Czyli on mógł zabić Clancy'ego?

— Spytaj go sama. — Coraz bardziej zniecierpliwiony Danny wrócił do swej wędrówki dookoła kuchni. — Te twoje pytania, M. N., to zupełny obłęd. Czy ma jakieś znaczenie, kto zabił Clancy'ego?

— Danielu Xawierze, czy nie rozumiesz, że morderstwo jest kluczem do wszystkiego?

— Nie podzielam twojego punktu widzenia, Mary Noele, absolutnie nie. Dlaczego w ogóle myślisz, że to było morderstwo? Najwyżej nieumyślne zabójstwo, a najprawdopodobniej po prostu wypadek. A teraz, na miłość boską, daj temu spokój, proszę. Czy możesz mi to obiecać?

— Ani mi się śni!... Napij się jeszcze kawy i skończ ten bekon. Wyglądasz na wygłodzonego. Tak czy inaczej chcę wiedzieć, kto zepchnął Clancy'ego ze schodów, i nie zamierzam się wycofać, dopóki się nie dowiem. Jeśli ty mi nie powiesz, znajdę inny sposób, by poznać prawdę.

Oczy Daniela, nie gorsze niż Paula Newmana, błysnęły przenikliwie.

— Jeśli ci powiem, Noele, nie uwierzysz i może mnie znienawidzisz.

— Mimo wszystko powiedz.

Wahał się przez chwilę, w końcu uznawszy opór za daremny, machnął ręką.

— Widzę, że na ciebie nie ma mocnych. Dobrze, powiem ci... Prawdopodobnie był to Roger.

— Roger?! Nie wierzę.

Siadł przy stole i wziął się za ostatni skrawek bekonu.

— A nie mówiłem?

— To znaczy wierzę, że myślisz, iż mówisz prawdę. Mimo wszystko dziwię się, że tak myślisz.

— Stuprocentowej pewności nie mam. Ale Brigid napomknęła, że nie powinienem z biedakiem, jak go nazwała, o tym rozmawiać. Faktycznie zachowywał się dość dziwnie przez parę kolejnych dni.

Niewiele brakowało, by się wygadała, że Roger jego uważa za sprawcę śmierci Clancy'ego.

— Czy jesteś w stanie udowodnić, że to nie ty zepchnąłeś wujka Clancy'ego?

— Udowodnić? Noele, to nie kryminał Agathy Christie.

— Na pewno nie.

Daniel podniósł się z trudem, niczym liczony już przez sędziego bokser, który w końcu stracił cierpliwość.

— Wybacz, M. N., ale będę wulgarny: gówno, nie zamierzam dalej w to brnąć. Jeśli potrzebujesz dowodów, spytaj matkę. Byliśmy razem aż do północy, a potem wróciłem do domu i zastałem Burke'a, Bridie, Rogera i ciało.

— O dwunastej! — krzyknęła Noele.

— Burke prawdopodobnie załatwił wszystko z lekarzem i policją, chcąc uchronić Rogera od oskarżenia o nieumyślne zabójstwo. Dlaczego? Nigdy nie mogłem tego zrozumieć. Żaden sąd by go nie skazał. Clancy okładał Brigid laską, jak zawsze gdy był pijany. Roger próbował go odciągać, więc zaczęła się szarpanina. I to wszystko. Podejrzewam, że Brigid chciała ukryć prawdę, by chronić dobre imię rodziny. Niezły żart, co, Noele?

Biedak, miał prawo być rozgoryczony. Gdy jednak z impetem wybiegał z domu, nie zdobyła się na jedno nawet słowo.

A więc Danny jest niewinny. W takim razie kto?... Ciągle ten sam problem, nie rozstrzygnięty od czasu wizyty w gabinecie doktora Keefe. Kto kłamał? Czy babcia twierdząc, że śmierć nastąpiła wcześniej, czy doktor utrzymując, że dużo później? A może kłamali oboje?

Noele bezmyślnie smarowała masłem bułkę cynamonową. A jeśli oboje mówili prawdę? Upiła łyk kawy, zimnej i bez smaku, i raptem bułka wypadła jej z rąk. O mój Boże, jakie to musiało być straszne!... W jednej chwili wszystko stało się oczywiste, jakby blask tysięcy świateł rozjaśnił nagle ciemność, która ją dotąd otaczała.

A potem znowu nastał mrok, ona zaś nie mogła się ruszyć, oszołomiona tym, co ujrzała.

Gdy Roger i mama wrócili z kościoła, zapewniając, że zespół bez niej śpiewał zaledwie przyzwoicie, ciągle jeszcze niezbyt przytomnie rzuciła:

— To bardzo miło.

Zaraz jednak objęła mocno mamę, jakby w ten sposób chciała wynagrodzić wszystkie wyrządzone i powiedziane ostatnio okropności.

Niebawem Roger i mama udali się na jakąś imprezę będącą częścią kampanii wyborczej, a ona zapewniła ich, że nie ma problemu, może zostać sama, bo już niczego się nie boi.

Prawie całe popołudnie spędziła w salonie, obserwując grę świateł i cieni i wysłuchując kolejnych ostrzeżeń przed tornadem. Za oknem porywisty wiatr chłostał nagie jeszcze konary drzew, deszcz zalewał chodniki, które natychmiast wysychały w promieniach słońca, by po chwili moknąć od nowa.

Poszła na górę, aby się ubrać, i przy okazji chwyciła gitarę. Jak dawno nie grała!... Wróciwszy do salonu, zaczęła brzdąkać, a potem także nucić melodie Wielkiego Tygodnia.

Jacy oni biedni i głupi, pomyślała. Na pewno nie są źli, no, może z wyjątkiem Clancy'ego, ale on był przecież nienormalny. Mogła ich teraz wyzwolić, wydobyć z otchłani, dać im nowe życie, nie pozbawione co prawda cierpienia, lecz prawdziwe.

Jakim prawem ośmiela się brać w swoje ręce los innych? Wścibska, nieznośna, postrzelona nastolatka. Co ja wiem o życiu? Może powinnam porzucić to wszystko? Kim ty w ogóle jesteś, Mary Noele?

Westchnęła. Jest taki list apostolski świętego Jakuba, który mówi, że prawda czyni wolnym, wolnym do nowego życia. Tyle że żadne z nich — Brigid, Burke, mama, Roger, John, Daniel Xavier — nie chciało być wolnym, żadne nie chciało zmartwychwstać.

Wróciła do swego pokoju i zmieniła The Who na płytę Mary O'Hary, swej ulubionej piosenkarki, cudownej kobiety, która porzuciła życie klasztorne i wróciła do świata, gdy zdała sobie sprawę, że jej prawdziwym powołaniem jest śpiew. „Jestem tańcem, który nigdy, nigdy nie umiera", śpiewała Mary O'Hara, a Noele niemal widziała małych Irlandczyków kręcących się w rytm „Pana tańca".

Właśnie tak, mruknęła do siebie, wiedząc już, co zrobi.

Wyłączyła adapter i nałożywszy żółtą pelerynę, zeszła na dół do stojącego na podjeździe samochodu, w którym ładna czarnoskóra policjantka czytała książkę.

— Czy mogłaby mnie pani zabrać na przejażdżkę swoim wozem?

— Oczywiście, kochanie. — Policjantka odłożyła książkę na siedzenie. — Obie potrzebujemy trochę ruchu.

— Chciałabym pojechać na boisko.

Funkcjonariuszka zawahała się pamiętając, że właśnie tam porzucono Noele skrępowaną i nagą. —

— Dobrze — powiedziała w końcu. — Jeśli naprawdę tego chcesz.

— Chcę — odparła Noele.

Oczywiście pamiętała, jak leżała na asfalcie dygocąc z bólu i zimna, nie będąc w stanie się ruszyć ani wezwać pomocy. Ale boisko było nadal świętym miejscem. Po Wielkanocy przyjdzie tu i pogra w kosza albo siatkówkę. Nie porzuci boiska, tak jak nie zrezygnowała z flame ani Jaimiego.

Deszcz przestał na chwilę padać, a chmury zaczęły się znowu ścigać po niebie jak ludzie gnający przez życie. Nagie drzewa zdawały się wyciągać gałęzie ku niebu, błagając Boga o życie, odzienie, urodę, które mogła przynieść wiosna. A może nawet o potomków, na których drzewa wyczekiwały dłużej niż inni.

Jezus mówił, że człowiek, który znalazł skarb zakopany gdzieś w polu, powinien wyrzec się wszystkiego, by nabyć ziemię i skarb wydobyć. Musi wybrać między starym i nowym. Jej rodzina też powinna z czegoś zrezygnować, by otrzymać nowy dar. Ale oni wcale się do tego nie kwapią.

Czasem aby znaleźć, musisz oddać życie. O to przecież chodzi w Wielkim Tygodniu. Dotyczy to także ciebie, Mary Noele.

Dobrze.

Noele Marie Brigid Farrell!

Powiedziałam: dobrze. Dobrze?

Dobrze.

Przestań się ze mnie śmiać. Jesteś taki sam jak mama.

Dobrze.

W porządku! Możesz się śmiać, jeśli chcesz.

Dobrze!

W tym momencie potężny snop światła zaczął z wolna wędrować po Jefferson Avenue niczym dziewczyna, która w ciepłe jesienne popołudnie idzie do domu z przystanku autobusowego na Dziewięćdziesiątej Piątej i marzy o chłopcu ze starszej klasy, choć nigdy nie zamieniła z nim nawet słowa.

Jeszcze chwila, jeszcze parę kroków i czarne chmury przestały prześladować słońce i Jefferson Avenue rozpromieniła się cała aż do Dziewięćdziesiątej Piątej.

Noele wiedziała, że złe moce ciągle jeszcze mogą ją dopaść, może nawet zranić. Ale nigdy nad nią nie zatriumfują. Nadal słyszała głos Mary O'Hary i wyobrażała sobie irlandzkie dzieci wirujące w rytm „Pana tańca".

— Możemy już wracać do domu — oznajmiła policjantce.

Taniec dziesiąty

Boogaloo

Zacznij od palców moich stóp
ty stary Duchu
Natchnij podeszwy moich butów
I naucz mnie zielonoświątkowego
boogaloo
Wywichnij tańcem moje kostki
oplącz je niczym sandałami
bym mogła błądzić z tobą w deszczu
i czuć się swojsko tam gdzie idę

Och! popatrz tylko jak wiruję
jak pryskam wodą jak smakuję
zniewalająco boskie kroki
co mnie unoszą. Jak?
Lepiej przestańmy bo to wszystko
zbyt oszołamia mnie rozśmiesza
Przestań — łaskoczesz
(mam łaskotki — w łokciu jeśliś ciekaw)
Przestań — nie wytrzymam dłużej
umieram lecę

Gdy tak nakręcasz me stopy
nogi
kibić krępujesz
Przestań podążać za mirażem — jestem szybsza
Nie łap mnie
Łap!

Utonę
Och ty mnie utop — zwłaszcza dlatego
że tak cię kocham
stary Duchu!

Nancy Gallagher McCready
Wiersz zielonoświątkowy

Roger

Wielkopiątkowy obiad u Brigid, uparcie podtrzymywany rodzinny obyczaj, któremu początek dała despotyczna Julie Farrell, nie był zbyt atrakcyjny. Znowu ta sama biała ryba i lekkie wytrawne wino, choć w czasach Julie Farrellowie na pewno nie mogli sobie pozwolić na wino z Pouilly. Żadnych ziemniaków, deserów, żadnych frywolnych rozmów przy stole. Czyżbyśmy czekali na powrót Pana? zdziwił się w duchu Roger. Tylko dlaczego miałby się zjawić właśnie tutaj?

Brigid i Irene sprzątnęły ze stołu. Noele z namaszczeniem nalała każdemu herbaty — o kawie w Wielki Piątek nie mogło być mowy — po czym odstawiła srebrny dzbanek na stół z taką powagą, jakby to było cyborium odnoszone po komunii na ołtarz. W końcu zajęła miejsce obok Brigid.

— Dzisiejszy wieczór świetnie się nadaje do rozprawienia się z rodzinnymi tajemnicami — powiedziała i powiodła po wszystkich roziskrzonym wzrokiem. — Jeśli chcemy rozpocząć nowe życie, powinniśmy złożyć ofiarę. A jest nią prawda. Każdy z nas musi wyznać prawdę, żeby mogła się dokonać przemiana.

W pokoju zapanowała grobowa cisza, jakby właśnie ktoś wyzionął ducha. Niesamowite, czego ten dzieciak zażądał i z jaką zrobił to determinacją; nikt nie był w stanie nic powiedzieć ani się ruszyć. Noele rzuciła urok, który wszystkich sparaliżował.

— Muszę wracać na plebanię i zając się przygotowaniem jutrzejszej liturgii — pierwszy odezwał się John, zerkając niespokojnie na zegarek.

— Na pewno jesteś tam potrzebny, wujku. Ale nie możesz teraz wyjść. Najpierw ty, babciu, powiesz nam prawdę o ostatniej woli pradziadka Williama Farrella.

Brigid zbladła jak ściana.

— A jeśli nie powiem?

— Wówczas ja to zrobię.

— Daj mi papierosa, Burke.

Drżącymi rękami podał jej ogień. Zaciągnęła się głęboko, zaraz jednak nerwowo zgniotła papierosa w popielniczce i zaczęła mówić takim tonem, jakby odprawiała modły nad umarłym.

— Wszystko zaczęło się, gdy Williamowi i Blanche Farrellom urodzili się bliźniacy. Clarence był ulubieńcem matki, może dlatego, że urodziła go bez trudu, podczas gdy poród Martina był wyjątkowo skomplikowany. Dziwaczne, ale taką właśnie kobietą była Blanche: musiała mieć syna dobrego i złego. Clancy jej zdaniem wszystko robił doskonale, Marty był do niczego. Bill nie interesował się specjalnie wychowaniem chłopców. Żył sprawami firmy, pewnie by uciec od żony i jej opętańczej pobożności. O tak, Blanche była prawdziwą dewotką...

— Marty rósł na wspaniałego człowieka, za którym wszyscy przepadali z wyjątkiem własnej matki. Clancy tymczasem pokazywał już swoje oblicze tępego, pozbawionego charakteru, nijakiego mizeraka, w sumie raczej nieszkodliwego, oczywiście dopóki nie miał napadu złego humoru albo nie był pijany, albo ktoś nie wspomniał, że nie jest prawdziwym mężczyzną. Blanche nie wyobrażała sobie, by studiował poza Chicago, dlatego poszedł do Loyola University, ale wyrzucono go stamtąd. Marty ukończył z wyróżnieniem akademię w Annapolis, potem rozpoczął staż lotniczy i ożenił się z Flossie, Panie, świeć nad jej duszą. Mniej więcej w czasie gdy się zaręczyli, Bill zobaczył mnie pracującą w kuchni u jego przyjaciół i spodobała mu się moja odwaga. Uznał, że może byłabym w stanie zarazić nią Clancy'ego. Oczywiście Blanche nie podzielała jego zdania i znienawidziła mnie, jak tylko przekroczyłam próg ich domu.

— William pragnął, by Marty przejął firmę, on jednak nie miał na to najmniejszej ochoty. Marzył, by dostać się na lotniskowiec. Była to najlepsza metoda ucieczki od nie kończących się zrzędzeń Blanche. Chcąc nie chcąc William zapisał więc wszystko Clancy'emu. Marty poszedł na wojnę, a jego braciszek zajął się sprawami firmy, w tym budową fabryki mającej podjąć produkcję zbrojeniową. Bill nalegał, żebym mu pomagała, bo obawiał się, że ulubiony synek Blanche może narobić niezłego bigosu. Tak się zresztą stało i Clancy'emu pozostało tylko przekupienie inspektorów. Mnie zlecił przekazanie pieniędzy, a ja nie opierałam się uważając, że moim obowiązkiem jest spełnienie woli męża. Wywęszył to twój ojciec, Irene, i postawiłby nas w stan oskarżenia, gdyby Bill nie udał się do Boba Jacksona, który w tym czasie pełnił w Chicago funkcję prokuratora okręgowego. W sumie Bill był tak wściekły na Clancy'ego, że nie informując nikogo zlecił Parnellowi Kennedy'emu, ojcu Burke'a, zmianę testamentu i zapisał wszystko Marty'emu, który pływał gdzieś daleko na lotniskowcu. Trzy miesiące później William Farrell niespodziewanie umarł, mniej więcej w tym samym czasie co Parnell, a za dwa miesiące podczas bitwy na Morzu Filipińskim rozstał się z życiem także Marty. Jak więc widzisz, Danny, każdy cent Farrellów jest twój.

Twarz Danny'ego przypominała pozbawioną wyrazu maskę.

— Mój ojciec nic nie chciał — powiedział spokojnie — i ja też niczego nie potrzebuję.

— Myślę, że Bill po pewnym czasie by się uspokoił i zmienił ostanią wolę, umarł jednak za szybko — rozłożyła bezradnie ręce Brigid. — I tak się to wszystko zaczęło.

— Dlaczego zniszczyłeś testament znaleziony w papierach ojca? — Noele skierowała przenikliwy wzrok na siedzącego po drugiej stronie stołu ponurego jak noc Burke'a.

— Jakim prawem zadajesz mi takie pytania? — sarknął.

— Prawem osoby, która czerpała korzyści z twojej nieuczciwości — odparła rezolutnie Noele, stare jak świat wcielenie znieważonej kobiety.

Burke kręcił się niespokojnie na krześle, obracając w palcach łyżeczkę.

— Brigid ma rację: Bill na pewno zmieniłby zdanie, gdyby pożył trochę dłużej. Wiedział przecież, że Martin nie chce mieć nic wspólnego z firmą, a przy tym nie życzyłby sobie, by dostała się w ręce Careyów, chociaż lubił Flossie. W końcu by do tego doszło, a wtedy Careyowie wpadliby na trop manipulacji Clancy'ego, na co tylko czekał Conlon. Clancy trafiłby do więzienia, tak samo zresztą jak twoja babcia. Zniszczyłem testament, żeby ją chronić.

— A potem wystarczyło kilka niewinnych pytań matki Danny'ego, by Clancy zlecił zabicie jej temu potworowi Marsallowi.

Nie mający już w sobie nic z wojownika Burke pokiwał głową.

— Próbowaliśmy go powstrzymać, zresztą wydawało się, że w końcu tego nie zrobi. Jak się jednak okazało, ta stara jędza Blanche nienawidziła Floss bardziej jeszcze niż Bridie.

— I ty też miałeś umrzeć, Danny, ale twoja matka w ostatniej sekundzie uchroniła cię od śmierci, poświęcając własne życie.

— Nie rozumiem, M. N., po co to wszystko — powiedział Danny ze smutkiem. — Przeszłości i tak nie zmienisz.

— Ale mogę zmienić teraźniejszość.

— Czyli tata mówił tego wieczoru prawdę — przerwał Roger. — Mój Boże, Danny...

— Nie wierzyłem mu. — Danny przesłonił twarz, jakby chciał ukryć swój ból. — Może nie chciałem uwierzyć. Zresztą jakie to ma znaczenie? — Wstał i zaczął chodzić tam i z powrotem po pokoju. — Wszyscy i tak nie żyją. Zostaw to, M. N. Niech raz pogrzebani odpoczywają w pokoju.

— Nie pozwolę jednak, by umarli pogrzebali żywych — odparła cierpko. — Dalej, Roger, masz chyba jakieś pytanie do Daniela Xaviera.

— Ale to ty zabiłeś tatę, prawda, Danny? Zepchnąłeś go przecież ze schodów? — Roger czuł się jak aktor, któremu Noele wyznaczyła rolę. Skąd wiedziała, co powie?

— Ja? Skądże. — Danny był wyraźnie zniecierpliwiony. — Dlaczego miałbym to zrobić? Kto wymyślił tę bzdurę? Clancy nie był wart, żeby go zabijać.

— Naprawdę? — zdziwił się Roger.

— Oczywiście — nieoczekiwanie włączyła się Irene, a jej spokojna twarz dawno nie wyglądała tak pięknie. — Jak miał go zabić, skoro zaraz po przyjęciu zabrał mnie i pojechaliśmy aż do Joliet, bo musiał się uspokoić? Nigdy wcześniej nie widziałam go w takim stanie.

— Ponieważ Clancy przyznał się do zabicia matki Danny'ego? — Roger robił wrażenie kompletnie zagubionego.

— Ale skąd — zniecierpliwiła się gapowatością ojca Noele. — Ponieważ dziadek Clancy naubliżał mamie. Daniel Xavier broni żywych, nie umarłych.

— Co za obłęd. — W oczach Danny'ego pojawiły się pierwsze niebezpieczne oznaki gniewu. — Dlaczego właśnie ja miałbym zabić Clancy'ego?

— Dlatego że uważano cię za osobę wybuchową i niezrównoważoną. Wyrzucono cię przecież z marynarki, bo wpadłeś na pomysł, żeby bronić Murzyna. Czy to nie dowód dziwacznych skłonności? Zabicie Clancy'ego w napadzie furii bardzo dobrze do ciebie pasowało.

— Coś takiego... — Danny wzruszył ramionami, widząc bezskuteczność swych protestów. — Kto pierwszy powiedział, że zabiłem Clancy'ego?

W pokoju zapadła grobowa cisza. Wreszcie odezwała się Noele:

— Babciu, okłamałaś wszystkich, prawda? I chcąc być bardziej jeszcze wiarygodną, powiedziałaś Burke'owi, że Danny obiecał zabić także ciebie.

Burke odzyskał nagle wigor, zerwał się z krzesła i z całych sił uderzył Brigid w twarz. — Ty oszustko, ty kurwo!... — zawył niemal i była w tych słowach cała jego zraniona miłość.

Danny rzucił się na niego.

— Nie waż się nigdy więcej tego robić, ty skurwysynu — krzyknął, wykręcając mu ramię — bo spotka cię to, czego nie zrobiłem Clancy'emu.

Zwolnił uchwyt i Burke osunął się bez życia, tylko ręce trzęsły mu się niemiłosiernie.

— Oto dlaczego Burke postarał się o awarię twojego samolotu: nie chciał, żebyś wrócił i zabił babcię.

— Domyśliłem się tego w Chinach. Kto inny zresztą miałby takie powiązania? Przypuszczałem nawet, że może to mieć związek z Firmą. — Danny wzruszył ramionami.
— No i co?

— Mogłeś mnie zabić, miałeś przecież okazję — mruknął Burke.

— Bez wątpienia zasłużyłeś na śmierć — przyznał Danny z goryczą. — Ale i tak nie odzyskałbym straconych osiemnastu lat.

— Nie chcesz wiedzieć, dlaczego Brigid kłamała? — spytała Noele tonem matki przełożonej pełnej dezaprobaty dla występku trzecioklasisty.

— Niespecjalnie — odparł przez zaciśnięte zęby Danny.

— O nie, nie pozwolę ci zrezygnować. Czy babcia nie sugerowała przypadkiem, że mógł to zrobić Roger, broniąc ją przed kolejnym atakiem dziadka Clancy'ego?

— Mamo, ja przecież nie mogłem zabić taty. — Zdziwienie Rogera przerastało jego oburzenie. — Byłem wtedy w klubie i grałem w karty.

— Czyli wiemy już, co się stało — oświadczyła poważnie Noele. — Mówiono wszystkim, że Clancy zginął z ręki Danny'ego, który właśnie wyjeżdżał za granicę i nie miał szansy się bronić. Danny'emu zaś powiedziano, że zabójcą był Roger, ponieważ byli sobie bliscy i na pewno Danny nie zrobiłby nic, by Rogerowi zaszkodzić. A tak naprawdę zabójcą był zupełnie kto inny.

— No dobrze, przyznaję się — jęknęła Brigid. — Zabiłam go. I jestem zadowolona, że tak się stało. Właściwie powinnam była to zrobić dużo wcześniej.

— Jeszcze jedno kłamstwo, babciu. Czy kiedykolwiek nauczysz się mówić prawdę? — Noele wróciła do swego mentorskiego tonu. — Przecież ty nie musiałaś niczego ukrywać. Miałaś ślady pobicia i każdy sąd uwierzyłby, że zabiłaś w obronie własnej. Ty, babciu, chroniłaś kogo innego, dla kogo oskarżenie o nieumyślne nawet zabójstwo byłoby katastrofą, końcem wszystkiego, co liczyło się w jego życiu.

— Kto to był? — Burke wyrwał się jak powracający do życia po śmierci klinicznej.

— Ktoś, kto jako młody ksiądz zawsze wracał na plebanię przed jedenastą, ale tym razem babcia musiała czekać z telefonem aż do dwunastej trzydzieści, gdyż wiedziała, że go na plebanii nie zastanie.

— Gdybym musiał, zrobiłbym to jeszcze raz. — Głos Johna był tak słaby, że ledwie słyszalny. — Clancy znowu znęcał się nad matką. Odciągnąłem go od niej, a wtedy ruszył z laską na mnie. Gdy wyrwałem mu ją z rąk, zaczął mnie okładać pięściami. Próbując się bronić popchnąłem go i wtedy stracił równowagę. Usiłowałem go złapać. Myślę, że to zrobiłem. W każdym razie chciałem. A może nie... Opierał się jednak, zachwiał znowu, odchylił do tyłu, i wtedy... O Boże, nie wiem... Tak, cieszyłem się widząc go leżącego na dole, rozpierała mnie radość, kiedy zobaczyłem, jak z jego rozbitej głowy płynie krew. Nienawidziłem go i pragnąłem jego śmierci.

Cisza panująca w pokoju była nie do zniesienia.

— Żaden sąd by cię nie skazał — rzekł w końcu Burke.

— Ale byłby skończony jako ksiądz — powiedziała Brigid. — Umieszczono by go w klasztorze albo zesłano jako misjonarza na koniec świata. John nie jest winien. To ja kazałam mu kłamać.

— Nieprawda — trwał przy swoim John. — Ja sam kłamałem, bez żadnego przymusu. Tylko kapłaństwo się dla mnie liczyło i byłem tak głupi, że myślałem, iż dzięki kłamstwu uda mi się w nim wytrwać. Przebacz mi, Danny. — Pochylił głowę, wpatrzony w zaciśnięte na kolanach dłonie, jakby oczekiwał Bożego wyroku. — Wydawało się, że nic się nie stało. Burke postarał się, by nie wszczynano śledztwa. Ciebie miało nie być przez pewien czas, a potem, myślałem, jakoś się to wyjaśni.

— Myślisz, że to był grzech śmiertelny? — Pytanie Noele niemal wstrząsnęło pokojem.

— Grzech śmiertelny? W samoobronie? Większym grzechem było zrzucenie odpowiedzialności na Danny'ego. — John rozłożył ręce, jakby błagał o rozgrzeszenie, którego nigdy nie miał otrzymać. — Gdybym przejechał leżącego na drodze nie widząc go, nie byłoby to grzechem śmiertelnym, ale ja czułem radość z zabicia Clancy'ego. Byłem zadowolony, że nie żyje. I to jest najgorsze. Od tego czasu nie zaznałem już nigdy spokoju. Moje życie to nic innego jak jeden wielki fałsz.

— Chwileczkę, John — włączyła się znowu Irene. — Nie obarczaj się winą. Nie mogłeś przecież dopuścić, by Clancy dalej katował, a może nawet zabił twoją matkę. To prawda, cieszyłeś się, że nie żyje. Ale był potworem. My też jesteśmy szczęśliwi, że ci, którzy mogli skrzywdzić Brigid, mnie i Noele, zginęli. A jeśli Danny się nie gniewa, czy nie powinieneś sam sobie przebaczyć?

— Nie jestem na ciebie zły, Jackie — powiedział Danny, współczując dramatowi Johna.

— Widzę, mamo, że jako jedyna zachowałaś zdrowy rozsądek.

— Ale to mój ojciec — łkał John. — I nie zawsze był potworem. Nigdy sobie nie wybaczę.

Wyprężona i zesztywniała Brigid ukryła twarz w dłoniach i stała tak niczym żona Lota, odwieczny wizerunek cierpiącej kobiety zaklętej w kamień.

— My, Farrellowie, nie wiemy, jak sobie przebaczyć — szepnęła.

— Czyli znowu jesteśmy w punkcie wyjścia. — Irene nie traciła trzeźwego spojrzenia.

— Absolutnie! — zgodziła się Noele.

Nie jestem zbyt ważną postacią tego dramatu, uznał Roger. Straciłem co prawda kochankę, żonę, miłość do chłopca, którego jak mi się zdawało, kocham. Ale może odnalazłem siebie. Czy dawne miłości nie mogą się zamienić w nowe przyjaźnie? Trochę późno na dojrzewanie, ale chyba nie za późno. I czas najwyższy zaprzyjaźnić się z własnym bratem.

— Najgorsze mamy już za sobą, John. — Objął brata, jakby chciał dodać mu otuchy. — Jakoś to razem rozwiążemy. Pomogę ci. Wszystko będzie dobrze, zobaczysz. Nie mam racji, Danny?... Gdzie jest Danny?

— Zniknął tak, że nawet nikt nie zauważył. Całkiem jak w 1963 roku. — Noele ciężko westchnęła. — Jak zmusić kogoś, by dorósł, jeśli sam tego nie chce? Cóż, wygląda na to, że możemy się już rozstać. To chyba wszystko.

Niezupełnie, Śnieżko, powiedział do siebie Roger, widząc, jak trudna będzie ta jego nowa dojrzałość. Niezupełnie.

Burke

Ostatniej nocy po raz pierwszy nie spali razem. Nie mogliby zasnąć w jednym łóżku, tyle było w nich gniewu i nienawiści. Na dobrą sprawę umarli oboje. Pozostał już tylko pochówek.

Jedli jednak razem śniadanie, nie odzywając się do siebie, tak potężna była wzajemna niechęć, lecz przy tym samym stole, bo codziennych nawyków nie jest w stanie przekreślić największy choćby wstręt. Nawet w taki dzień ubrana w biały lniany szlafrok, na który swobodnie opadały jej rude włosy, Brigid wyglądała pięknie. Ale Burke nie pożądał już tego piękna. Budziło w nim odrazę. Czy nie dla niego próbował zabić?

W jakimś sensie jej współczuł. Przechodziła przez rzeczy straszne i próbowała dać z siebie, co mogła. Nie miała wszakże w sobie prawdy. Nie była uczciwa i nie wzbudzała zaufania. Może to nie jej wina. Taką miała naturę, gorszą jeszcze niż on.

Nieoczekiwanie w drzwiach pojawił się Danny i nie proszony siadł przy stole, ożywiony i pogodny jak poranne słońce zaglądające przez kuchenne okno.

— Coś mi się zdaje, że nie spaliście dobrze tej nocy — swoim zwyczajem udawał irlandzką wymowę. — Czy pani domu może mi przygotować grzankę i trochę bekonu? Wybieram się do Nowego Jorku i nie chciałbym lecieć z pustym żołądkiem.

Brigid podała mu grzanki i bekon, a Burke bez słowa nalał kawy.

— Dobrze, że mamy już za sobą wczorajsze oczyszczenie — oświadczył wesoło Danny. — Skoro niebawem trafię na nowojorski rynek literacki i może wyniosę się stąd, wolę mieć pewność, że firma jest w pewnych rękach.

— Nic więcej nie chcesz powiedzieć? — odezwał się w końcu Burke.

— Ja nie, ale widzę, że ty aż się palisz, by cię zdemaskowano, co, może nie?

— Masz do tego prawo — odparł. — Przez nas straciłeś w Chinach prawie dwadzieścia lat.

Danny machnął ręką.

— Świetnie mi to zrobiło. Co może lepiej doprowadzić człowieka do porządku z samym sobą niż ciężka praca w chińskim ulu?

— Jesteś chyba stuknięty — nie wytrzymała Brigid.

— Czy to przebaczenie? — niepewnie spytał Burke.

Danny chwycił dłoń Brigid i położył na niej rękę Burke'a. Próbowali się wyrwać, lecz on nie ustępował.

— Macie się pogodzić, zrozumiano? Czy dotarło to do pani domu?

Bridie skinęła głową, nie mogąc powstrzymać łez.

— To mi się podoba. — Danny ucałował ją czule, potem wstał i ruszył w kierunku drzwi. — A ty? — Z ręką na klamce zatrzymał lodowaty wzrok na Burke'u.

— Tak, słyszałem — wykrztusił i kiedy Danny przekraczał próg, dodał: — ale przebaczenie nie może być takie łatwe.

Danny odwrócił się i mrugnął do niego, wesoło, ale i trochę drwiąco.

— Jeśli przychodzi ci z tak wielkim trudem, Burkie, to może nie jest prawdziwe. — Już niby wychodził, ale jeszcze wsunął głowę w uchylone drzwi. — Pamiętaj o tym, kobieto, gdy zobaczysz swoją siostrę. Do zobaczenia za tydzień.

Zniknął wreszcie wraz ze słońcem, a Burke i Brigid trwali bez ruchu przy stole, zbyt spłoszeni, by od razu zmierzyć się z ofiarowaną im jeszcze jedną szansą.

Irene

Wielki Piątek był tego roku wyjątkowo długim dniem. Wyszedłszy z domu na Glenwood Drive, przez dwie godziny krążyli z Rogerem po mieście, rozmawiając spokojnie i otwarcie o wszystkich problemach. Roger zachowywał się nadzwyczajnie, choć jego dobroć i szlachetność nie ułatwiały jej zadania. Wiedział w końcu, do czego dojdzie. Ubolewał tylko, że zmarnowali tyle lat, za co zresztą obarczał odpowiedzialnością wyłącznie siebie. A przecież jedynym niewinnym był właśnie on, Roger. To on cierpiał za grzechy innych, może nie jakoś szczególnie mężnie, ale też nie skarżąc się, nie użalając nad swym losem. I teraz zachowywał się naprawdę wspaniale, toteż Irene czuła się bezgranicznie skruszona.

Nieco później spotkała się z Dannym i próbowała mu wyperswadować wyjazd do Nowego Jorku. Nie udało jej się to, wracała więc do domu po drugiej w nocy myśląc nie bez ironii, że rozpoczęła Wielki Piątek z dwoma mężczyznami czy nawet trzema, jeśli liczyć Johna, a kończy zupełnie sama.

Wielka Sobota natomiast zaczęła się od ataku Noele:

— Czas z tym wreszcie skończyć. Roger jest twoim mężem, mamo, a ty jego żoną, i nie powinniście spać osobno.

— Czy nie wydaje ci się, młoda damo, że moje życie seksualne to nie twoja sprawa? — Owinęła się ciasno szlafrokiem, jakby w ten sposób mogła się obronić przed miażdżącym wzrokiem Noele.

— To naprawdę straszne. — Noele uderzyła w dramatyczny ton, co w kłótniach z Irene poprzedzało zwykle wybieganie z pokoju we łzach. — Wszyscy wokół gotowi są przebaczyć, zapomnieć i zacząć życie od nowa. Ty jedna tylko czekasz i uparcie żyjesz przeszłością.

Odmowa Danny'ego i cierpkie uwagi Noele rozsierdziły Irene, która i tak czuła się fatalnie, dręczona poczuciem winy, gdyż nie zdołała uchronić córki przed gwałtem i nie potrafiła jej pomóc, gdy później tak dotkliwie cierpiała.

— Wydaje ci się, ty mała diablico, że jesteś mądrzejsza niż wszyscy inni. A tak naprawdę nic nie rozumiesz i dużo czasu musi jeszcze minąć, nim dorośniesz i będziesz mogła mnie pouczać, jak mam żyć. A teraz wynoś się stąd i zostaw mnie samą. Poradzę sobie z Rogerem bez twojej pomocy.

Noele wybuchnęła płaczem.

— Nie musisz być wobec mnie taka okropna — szlochała. — Chciałam tylko, by moja mama i ojciec zachowywali się jak mąż i żona.

Zły duch wstąpił nagle w Irene i nim zdążyła pomyśleć, krzyknęła: — Roger nie jest moim mężem ani twoim ojcem, głupia.

Noele natychmiast przestała płakać i stała jak wryta. Zmieniał się tylko wyraz jej twarzy, w którą Irene wpatrywała się z niepokojem, próbując odgadnąć, co dzieje się pod grzywą rudych włosów. Za nic nie powinnam tego powiedzieć, za nic, nigdy. Dlaczego to zrobiłam?

Czekała pokornie na wybuch gniewu i nienawiści Noele. Zasłużyła sobie. Czy Noele ją uderzy? Miała do tego prawo. Straciłam wszystkich mężczyzn, a teraz stracę moją bożonarodzeniową córkę.

— Gówno! — zawołała Noele, zapominając o swych zasadach. — Gówno, gówno, gówno!

— Nie wyrażaj się tak — szepnęła bez przekonania Irene.

W tym momencie Noele wskoczyła jej na kolana, objęła za szyję i położyła głowę na piersi Irene.

— Mamo, kochana, biedna, cudowna mamo, jesteś jedyną szlachetną istotą w całej rodzinie. Mogę się założyć, że robiłaś to wszystko z myślą o mnie.

Jakże niewiele wiemy o własnym dziecku!

— Ale jesteś dzieckiem z prawego łoża, Noele — oświadczyła bez wyrazu Irene, zupełnie jakby relacjonowała przed klasą kompletnie nie zainteresowaną tematem dzieje średniowiecznej angielskiej monarchii. — Pobraliśmy się dzień po Wielkanocy, a ty urodziłaś się w Boże Narodzenie, na trzy tygodnie przed terminem.

Nigdy się nie dowie, że oboje byli wtedy pijani, skłóceni i rozczarowani tą właśnie nocą miłości. Tak oto przyszło na świat bożonarodzeniowe dziecko, poczęte w Wielkim Tygodniu.

Noele podniosła na nią zdziwione oczy.

— Tak, oczywiście, nie miałam wątpliwości, że jestem córką z prawego łoża.

Irene wiedziała, że zawsze będą się kłócić, jak typowa matka i córka, lecz w przyszłości zostaną przyjaciółkami.

— Wzięliśmy ślub na tydzień przed wyjazdem Daniela do Japonii. Niedługo potem moi rodzice zginęli w wypadku samochodowym, zostawiając cały majątek innym dzieciom. Kiedy dowiedziałam się, że Danny także zginął, popadłam w depresję. Wydawało mi się, że jestem za młoda, by wychować dziecko i zarobić na jego utrzymanie. Zmarnowałam swoje życie, ale nie miałam prawa zrobić tego samego z twoim. Niełatwo było cię oddać, już wtedy byłaś cudownym rudym chochlikiem. — Pogłaskała czule włosy córki.

— Ale nie mogłam zapewnić ci należytej opieki, a tamci ludzie byli w stanie to zrobić... Wtedy właśnie w Berkeley, gdzie zatrudniłam się jako maszynistka, spotkałam Rogera, który był dla mnie taki dobry i czuły. Nie powiedziałam mu o tobie, lecz w głębi ducha ciągle miałam nadzieję, że może kiedyś uda mi się ciebie odebrać. Jak się okazało, Roger wskutek przebytej choroby nie mógł mieć dzieci. Tymczasem ludzie, którzy się tobą zajęli, znaleźli się w strasznych tarapatach. Postanowiliśmy więc cię adoptować. Babcia sądziła, że jesteś dzieckiem Rogera. John nie wiedział, kto jest twoim ojcem, nigdy zresztą o to nie pytał, niczego też nie podejrzewał.

— Nigdy nie powiedziałaś nikomu, że Danny jest... — zawahała się — moim ojcem?

— Bóg raczy wiedzieć, co by zrobili, wiedząc o tym. Poza tym chciałam mieć swój sekret, pamiątkę po nim. Tylko to miałam.

— Bardzo dobrze zrobiłaś, nie zdradzając nikomu swej tajemnicy. — Noele nie uważała, żeby Irene w czymkolwiek zawiniła. — Biedna kochana, cudowna mama.

— Dawno bym ci już o tym powiedziała, ale nie sądziłam, że tak zareagujesz.

— Jak to dobrze, że udało ci się wykupić mnie z powrotem! Należę do ciebie i... — Poprawiła się na krześle i zamilkła na chwilę, wreszcie westchnąwszy przeciągle, dodała: — I nie muszę już wybierać między Dannym i Jaimiem. Mogę kochać obu.

— Mam nadzieję. — Irene starała się nie roześmiać, nie chcąc zranić swego bożonarodzeniowego skarbu.

— To prawdziwa ulga. — Ukryty pod burzą rudych włosów komputer najwyraźniej zaczął znowu pracować. — Nie muszę się też martwić, jak się do nich zwracać, bo i do Danny'ego, i do Rogera mówię po imieniu. Roger jest biedny, oczywiście, ale na szczęście może się spodziewać, że wyborcy okażą mu teraz wiele serca, podziwiając jego poświęcenie w imię najwyższych zasad. Na pewno też nie będzie miał trudności ze znalezieniem nowej żony. Może Maryjane? Jest naprawdę świetna. Ja też będę dla niego bardzo dobra, żeby wiedział, że go nadal kocham.

Zresztą ktoś taki jak ja potrzebuje dwóch ojców — zachichotała.

— Czy przestaniesz się w końcu zajmować losem innych ludzi? Czas najwyższy zacząć myśleć o tym, kto zadba o ciebie.

— Przecież ty o mnie zadbasz, mamo. — Noele była autentycznie zaskoczona. — Czy nie po to są matki?... A co zrobimy z Dannym?

— Z nim nic się już nie da zrobić, kochanie — jęknęła Irene. — Chusteczki są na półce, podaj mi kilka. Daniel zamierza zostać w Nowym Jorku. Nie wierzy w powroty do przeszłości, a poza tym nie zamierza się dla nikogo poświęcać.

— Coś takiego, co za tupet — niemal krzyknęła. — Musisz go powstrzymać, i już.

— Próbowałam, Noele. Starałam się bardziej niż kiedykolwiek. Oddałam mu się tak jak pierwszy raz w Michigan, gdy byłam tylko o rok czy dwa lata starsza od ciebie. Wszystko na nic. Daniel nie zamierza być mężem ani ojcem. Nie potrzebuje rodziny. Nie chce jednego dziecka, a cóż dopiero następnych.

— Czy on cię upokorzył?

Straszne dramaty nastolatek, ale już nie jej na szczęście.

— Nie, kochanie, skądże znowu. Daniel nie jest w stanie upokorzyć nikogo. Poza tym zbyt się mnie boi, by zrobić coś takiego. Po prostu chce uciec ode mnie, i to jak najszybciej.

Noele zeszła Irene z kolan i zaczęła chodzić tam i z powrotem po pokoju, dokładnie tak samo jak jej ojciec, gdy był zły. Jakże była do niego podobna!

— Co za bezczelność! Masz rację, mamo. Nie będziesz za nim gonić, skurwysyn nie jest tego wart.

— Noele Marie Brigid Farrell, przywołuję cię do porządku! — Noele złościła się tak zabawnie, że Irene musiała przygryźć wargi, aby się nie roześmiać.

— Gdybym wiedziała, że będzie się tak zachowywał — fuknęła — pozwoliłabym mu gnić dalej w Chinach!

Irene nie była już w stanie powstrzymać śmiechu — Danny wreszcie trafił na równego sobie.

— Mamo, to nie jest śmieszne!

— Na pewno nie jest, ale ty jesteś!
— Gadanie!...
— Jest twoim ojcem i moim mężem. — Irene zdecydowała się wreszcie nazwać rzeczy po imieniu.
— Wiem. Ale czy jest tego wart?
— Oczywiście, że jest — odparła Irene zdecydowanie.
— Ciągle ma w sobie czar, nawet jeśli jest niedojrzały.
— Sprowadzę go tutaj, ale potem zajmuj się nim sama.
— Jak długo obie żyjemy, Noele, Daniel jest naszym wspólnym problemem.
— Gadanie! — powtórzyła wzburzona, zmierzając do wyjścia i ściągając po drodze bluzę. — Ale nie jesteś w ciąży, prawda? — odwróciła się już w drzwiach.
Irene zrobiła się purpurowa.
— Oczywiście, że nie... i żebyś się nie ośmieliła sugerować mu czegoś takiego...
— Ja tylko pytam.

Daniel Xavier

Poranne słońce zaglądało przez ogromne okno hali obsługi podróżnych lotniska O'Hare International, oświetlając zgromadzone w Wielką Sobotę tłumy. Mnóstwo ludzi podróżowało w okresie Wielkanocy. Dwadzieścia lat wcześniej wyjeżdżało się na urlop tylko w Boże Narodzenie, teraz także na Wielkanoc. Coraz lepiej.

Co za niesamowite przedstawienie zafundowała im w ostatni wieczór Noele! Po pięćdziesięciu latach obłęd Farrellów został uleczony dzięki jej nieprawdopodobnej sile woli, inteligencji, talentom psychologicznym. Może nie na zawsze, lecz mimo wszystko dała szansę odrodzenia Bridie i Burke'owi, Rogerowi i biednemu Johnowi, który na pewno znajdzie nową drogę do szczęścia. Właściwie zamierzał wpaść na plebanię, tak jak odwiedził dom na Glenwood Drive. Ale Ace na pewno zajmie się Johnem i będzie to najlepsza opieka, bo zarówno on, jak i Roger potrzebują terapeuty, który ma za sobą wojskową praktykę.

A Irene? Nie była już tą kobietą, o której marzył lecąc nad Sinkiangiem, nim silniki samolotu zgasły. Była teraz bardziej zrównoważona, inteligentna, spokojna, wyrafinowana. Wyraźnie dojrzała podczas tych osiemnastu lat. A on nie. Przez te wszystkie lata spędzone w więzieniu istniała jako ledwie wyczuwalny cierń w jego pamięci. Gdy jednak wyjeżdżał do Pekinu, pragnął jej niczym alkoholik, który wędrując przez bezdroża, nie może się uwolnić od myśli o zmrożonym szampanie. Od tamtego czasu byli ze sobą parę razy, lecz nie ugasiło to jego pragnienia, nie zaspokoiło pożądania.

Może musujące wino jest zbyt wytworne dla niego?

Płakała wczoraj w nocy, zła i rozgoryczona. Oskarżała go o odwracanie się od niej, o uchylanie się od odpowiedzialności. A przecież opuszczenie jej to najlepsze, co mógł zrobić — dla niej, ale i dla Rogera, a także dla Noele. Gdy po raz pierwszy ujrzał gwiazdkowe dziecko, wiedział kim jest. Tamta chwila porażającego zawrotu głowy, jakby stał na szczycie spowitej w chmurach wieży. I ten olśniewający, zaczarowany uśmiech jego matki.

Nie, to nie Florence Carey Farrell. Prawie, lecz nie do końca. Ale i tak wszystko układało się w jakiś porządek, w jakąś irlandzką legendę. Poczuł się szczęśliwy i smutny, i dumny, i zagubiony. Irene od razu wyczuła, że wie. I ochoczo przyznała, że Noele urodziła się w Boże Narodzenie, czyli musiała być poczęta w ich ostatnią wspólną noc. Dziwne, ale nikt więcej o tym nie wiedział, nawet Noele.

Wróciłem tu, by lepiej ją poznać. W końcu uratowałem jej życie, choć nie mogłem uchronić od śmierci własnej matki.

I nagle zjawiła się, krocząc zdecydowanie wzdłuż kolejki oczekujących, z promieniem słońca płonącym w rudych włosach upiętych wysoko jak spiętrzone truskawkowe lody.

Danielu Farrell, westchnął, możesz się znaleźć w kłopotach.

Ubrana była nie jak zwykle w dżinsy i bluzę, tylko w wycięty pod szyją kostium w kolorze dojrzałych moreli harmonizujący z płomienną łuną jej włosów i blaskiem zielonych oczu. Wielkanocny anioł.

Żeby mnie tylko nie zauważyła, modlił się w duchu. Ale do cholery, kto inny może nosić wiatrówkę Notre Dame?

Niesamowite — ta młoda zachwycająca kobieta była krwią z jego krwi, istotą zrodzoną z wody i ognia. I czerwono-zielonym bożonarodzeniowym dzieckiem, jak mówiła Irene. Chichocząca nastolatka i równocześnie wyrafinowana kobieta, a przy tym wieczna irlandzka czarodziejka; żadnej z nich nie można się było oprzeć. Noele, jego unicestwiona córka, teraz najzupełniej zwycięska. Zgwałcona a nieskalana. Poturbowana i nie dająca się zranić. Zmaltretowana i odradzająca się — niezniszczalna.

Przez moment rude włosy zdawały się czarne i ujrzał matkę. To rok 1944, a on jest małym chłopcem... Zaraz jednak nadchodząca stała się znowu Noele.

Dostrzegła go i ruszyła z całym impetem, niczym okręt wojenny królewskiej marynarki, który podąża w kierunku „Bismarcka", aby go zatopić.

— Nie lecisz do Nowego Jorku, głupku — oświadczyła.

— Stuknięta — odparł.

— Tępak.

— Pomylona.

— Ciemna masa — ciągnęła.

— Świrnięta.

— Szajbus.

— A to coś nowego — zdziwił się. — Czyli co?

Wybuchnęli oboje gromkim śmiechem, jakby znowu byli na boisku.

— Nie garb się, trzymaj się prosto — rozkazała raz jeszcze niczym nauczycielka strofująca niesfornego ucznia, który bawi się na lekcji plasteliną.

Bez oporów spełnił polecenie.

— Co znaczy szajbus? — powtórzył.

— Dziwak, pomylony, wariat, czyli dokładnie ty. Masz natychmiast wracać i postarać się dla mnie o paru braciszków.

— Paru?

— Mama może jeszcze rodzić przez wiele lat. Poza tym przypominam ci, że w rodzinie były bliźnięta.

— Dosyć już namieszałem innym w życiu. Nie zamierzam tego więcej robić.

Zwyciężyłem, pomyślał. Pokonałem ją. Zapanowałem nad sobą i swymi uczuciami. Niezbyt dokładnie słyszał, co mówiła, czego od niego żądała, tak był zafascynowany rubinową barwą jej włosów, blaskiem oczu, lśniącą bielą zębów i wymownymi gestami, gdy wskazywała najpierw salę, a potem okna O'Hare, przez które widać było drogę prowadzącą do miasta.

— Nic dobrego to nie przyniesie, M. N. — perorował, samemu sobie przypominając handlarza, który w komunie sprzedawał czarnorynkowe towary. — Zbyt długo byłem umarły i pogrzebany. Nie jestem w stanie powrócić do życia, w każdym razie nie do takiego. Próbowałem, Noele, naprawdę próbowałem. Wierz mi, będzie dużo lepiej dla ciebie, Irene i wszystkich, gdy zniknę.

Płomień w zielonych oczach wybuchł tak gwałtownie, jakby naprawdę ktoś dolał oliwy do ognia, a mięśnie twarzy Noele stwardniały nie gorzej niż beton lotniska.

Teraz rzuci swą atutową kartę. Co to będzie?

Czuł, że nadchodzi. Zupełnie jak dawno temu, gdy grając w baseball, był w stanie przewidzieć, w jakim kierunku, choćby najbardziej nieoczekiwanym, zostanie wybita piłka, i nim znalazła się w powietrzu, zaczynał biec, nawet jeśli wiedział, że i tak nie zdoła jej złapać. O tak, widział już, jak się zbliża, i miał świadomość, że jego los został przesądzony.

— Danielu Xavierze — zaczęła poważnie. — Ojcze... — Łamiący się głos zwiastował łzy. — Czas najwyższy, byś wreszcie dojrzał i zachowywał się naprawdę jak dorosły. Masz w sobie czar, jak mówi mama. Ona bardzo potrzebuje męża czarodzieja, a ja... — Drżenie warg i już pierwsze łzy potoczyły się po policzkach. — Czarodziejskiego tatusia.

Stało się. Dokonało. Koniec z wiecznym chłopcem. Na zawsze.

Wziął pod rękę swe wielkanocno-bożonarodzeniowe dziecko-matkę i skierował się ku windzie, prowadzącej na parking O'Hare International i dalej, ku reszcie życia.

Daniel

Stali z Irene w tylnej nawie kościoła Świętej Praksedy. Monsignore John celebrował pierwszą część wielkosobotniego wieczornego nabożeństwa, zapalając ogień, opiewając Adamowy upadek, zanurzając płonącą świecę w wodzie życia. Niemal ciemny kościół wypełniał zapach gaszonych świec, woń kadzidła drażniła nozdrza, przypominając o błogosławieniu wody i odnowieniu chrztów.

Tak, każdy z Farrellów narodzi się raz jeszcze, na pewno.

Johnowi i Rogerowi potrzebna będzie pomoc. Noele dała mu w związku z tym szereg poleceń, gdy wracali jej autem z lotniska. Bracia będą jednak musieli poczekać aż do jutra, bo ma jeszcze dziś przed sobą dużo pilniejszą sprawę.

Oboje z Irene miotali się nadal w kompletnym chaosie nie wiedząc, co dalej robić. Dzisiejsze wspólne popołudnie było po prostu straszne. Trochę z jego winy, bo bezmyślnie oświadczył, że wrócił, gdyż Noele chce mieć braci. Irene z pewnością nie miała nic przeciwko temu. Nie było jednak dobrym pomysłem zaczynanie właśnie od tego, zaraz bowiem zaczęli się kłócić, wylewając na siebie całą złość i żal, ból, gorycz i zawiedzione nadzieje ostatnich dwudziestu lat. Tacy byli źli, że nawet się nie dotknęli. Zmęczeni atakiem wściekłości, siedzieli i patrzyli na siebie w milczeniu, szukając spornych wątków i nowych sposobów ranienia się nawzajem.

— Po trzech godzinach krzyczenia na siebie jesteśmy ciągle w tym samym miejscu — odezwał się w końcu, czując, że kłótnia rozbudziła w nim pożądanie. Ogień tęsknił do wody.

Irene siedziała zgarbiona ze wzrokiem wbitym w dywan. W końcu uniosła powieki i uśmiechnęła się blado.

— Zawsze będziemy w tym samym miejscu, Danny. Zawsze. Przecież wiesz... — szepnęła i wstała z kanapy. — Może zrobię ci omlet z serem. A potem musimy iść do kościoła. Noele dostałaby szału, gdybyśmy się nie zjawili.

— Dodaj do omletu trochę szynki — krzyknął za nią.

Kuchnia była daleko, więc nie usłyszał wściekłej odpowiedzi Irene. Ale omlet z serem i szynką dostał. Mogłem jeszcze poprosić o grzyby, powiedział do siebie.

Podczas krótkiej przerwy między liturgią Słowa a liturgią Eucharystii w świątyni zjawiła się grupa muzyczna złożona z młodych kobiet, wyglądających dorośle i czujących się najzupełniej swobodnie w eleganckich sukienkach i butach na wysokich obcasach, oraz młodych mężczyzn, nieco skrępowanych garniturami i krawatami. Prowadzeni przez zachwycającą istotę w morelowym kostiumie, zgromadzili się bezszelestnie wokół świecy paschalnej.

Świeca, z wyrytą alfą i omegą oraz napisem 1982, stała prosta i potężna, a jej płomień zwiastował odradzające się wraz z wiosną życie. Falliczny symbol, jeśli traktować poważnie teorie Ace'a. Jasne, cóż by innego?

Jestem świecą, a obok siebie mam wodę, pomyślał. Każdego ranka szampan na śniadanie... Znudzę się? Na pewno nie.

Zespół trwał w gotowości, wypatrując znaku prowadzącej. Daniel wyciągnął rękę, szukając dłoni żony. Czekała na niego.

— Wykonamy teraz wielkanocny hymn o młodych mężczyznach i kobietach — oświadczyła Noele. — Zatytułowany jest „O Filii et Filiae". Kilka zwrotek odśpiewam po łacinie, w hołdzie nieco starszym księżom, takim jak monsignore — zachichotała, a wierni odpowiedzieli jej śmiechem.

O filii et filiae
Rex caelestis rex Gloriae
Morte surrexit hodie
Alleluia!

Et mane prima sabbati
Ad ostium monumenti
Accesserunt discipuli
Alleluia!

Et Maria Magdalene
Et Jacobii et Salome
Venerunt corpus ungere
Alleluia!

In albis sedens Angelus
Praedixit mulieribus
In Galilaea est Dominus
Alleluia!

Discipulis astantibus
In medio stet Christus
Dicens pax vobis omnibus
Alleluia!

In hoc festo sanctissimo
Sic laus et jubilatio
Benedicamus Domino
Alleluia!

— A teraz zaśpiewajmy wszyscy razem — poleciła zgromadzonym Noele.
I rozległ się śpiew.

Niech się, o dziatki, pieśń poniesie,
bo król, co włada nam w niebiesiech,
triumfalnie z martwych powstał dziś.
Alleluja!

Salome, Maria Magdalena
i Jakubowa matka z rana
poszły do grobu swego Pana.
Alleluja!

Ujrzały tam anioła w bieli,
który rzekł do nich tej niedzieli:
„Wasz Pan jest teraz w Galilei".
Alleluja!

Nocą między apostołami,
co się zebrali zestrachani,
Pan stanął i rzekł: „Pokój z wami".
Alleluja!

W ten dzień najświętszy serce wznieś,
na chwałę Bożą śpiewaj pieśń
i wesel się, że Pan nasz jest.
Alleluja!

Posłowie

Doradzano mi wielokrotnie, bym do swych powieści dodawał posłowie wyjaśniające, dlaczego książź bierze się a opowiadanie świeckich historii. Podobno że moje dopiski mogą przeciwdziałać niezrozumieniu czy wypaczeniu idei powieści, dając odpowiedź poszukiwaczom ukrytych znaczeń, którzy zakłopotani i pełni dezaprobaty pytają: „Dlaczego napisałeś taką książkę?" Mimo to posłowie wydaje mi się w końcu stratą czasu, ci bowiem, którzy postanowili nie rozumieć, posłowia też nie zrozumieją i będą je wypaczać tak samo, jak wypaczali książkę. Dochodzę zatem do wniosku, że kto z powodu złej woli czy ignorancji gotów jest mylnie interpretować tę opowieść, zrobi to, choćbym nie wiem jak się starał ją wyjaśniać i tłumaczyć. Tym zaś, którzy są zwyczajnie zagubieni, proponuję ponowne przeczytanie małego kazania Noele tuż przed odśpiewaniem „Pana tańca" przez parafian w kościele Świętej Praksedy, i późniejszej rozmowy między Johnem Farrellem i Ace'em McNamarą, a także fragmentu kończącego „Taniec dziewiąty", kiedy Noele widzi ze swego świętego gaju słońce wędrujące ulicą niczym dziewczyna wracająca do domu ze szkoły.

Jeśli więc ukazanie Noele i Kościoła jako dopełniających się sakramentów zdaje się jakiemuś szajbusowi, dziwakowi, ciemnej masie czymś niepojętym czy niestosownym, symbolicznie grożę mu teraz, mówiąc: Bóg z tobą!

Naprawdę! I absolutnie!

Wydawnictwo „Książnica" sp. z o.o.
ul. Konckiego 5/223
40-040 Katowice
tel. (032) 757-22-16, 254-44-19
faks (032) 757-22-17
Sklep internetowy: http://www.ksiaznica.com.pl
e-mail: ksiazki@ksiaznica.com.pl

Wydanie drugie, pierwsze w tej edycji
Katowice 2004

Skład i łamanie:
Z.U. „Studio P", Katowice

Druk i oprawa:
OpolGraf SA